गुजरात के नाथ

गुजरात के नाथ

कन्हैयालाल माणिकलाल मुंशी

वाणी प्रकाशन

वाणी प्रकाशन
4695, 21-ए, दरियागंज, नयी दिल्ली 110 002
शाखा
अशोक राजपथ, पटना 800 004
फ़ोन : +91 11 23273167 फ़ैक्स : +91 11 23275710
www.vaniprakashan.in
vaniprakashan@gmail.com
sales@vaniprakashan.in

GUJRAT KE NATH
by Kanhaiyalal Maniklal Munshi

ISBN : 978-93-5072-663-1

Novel

संस्करण 2015
आवृत्ति 2016

मूल्य : ₹350

एम.एस. प्रिंटर्स, दिल्ली-110 093 में मुद्रित

वाणी प्रकाशन का लोगो मक़बूल फ़िदा हुसेन की कूची से

अनुक्रमणिका

पहला खंड

दूसरा खंड

तीसरा खंड

चौथा खंड

पहला खंड

सरस्वती के तीर पर

संवत् 1154 के जाड़ों की रात थी। बड़ी कड़ी ठंड पड़ रही थी। निकट ही सरस्वती के नीर का गम्भीर रव रात्रि की शून्यता में भयानक प्रतीत हो रहा था। उसके जल-कणों से शीलत हुआ पवन, जाड़ों की नहीं, वर्षा की कँपकँपी उत्पन्न करनेवाली ठंड का भान करा रहा था। ऐसी रात थी कि घर के कोने में या प्रियतमा की रजाई में लिपटे पड़ा रहना ही भला मालूम हो। फिर भी चार-पाँच सौ मनुष्य पाटन के सामने वाले तीर पर खुले मैदान में पड़े थे। कुछ लोग जहाँ-तहाँ आग के अलाव जलाकर जाड़ा भगाने का प्रयत्न कर रहे थे और कुछ उनके आसपास सो गये थे या सोने का प्रयत्न कर रहे थे। कुछ इने-गिने लोग न सोने के विचार से घुटने समेटे बैठे हुए थे। अँधेरे के कारण अलावों की अस्थिर-सी आग से विचित्र प्रकार की चिनगारियाँ निकलकर रात को और भी भयंकर बना रही थीं। सारा दृश्य ऐसा मालूम हो रहा था, जैसे पिशाचों का सम्मिलन हो।

एक अलाव के आगे एक युवक पैर लम्बे किए अधलेटा पड़ा था। भूमि पर पड़ी हुई ढाल पर वह अपना सिर रक्खे था। उसके सिर के साफे से प्रकट हो रहा था कि वह सोरठ का है। उसकी तलवार उसके सिर के पास पड़ी थी और तलवार बाँधने का खेस भी पास ही था; परन्तु उसकी आँखों में निद्रा नहीं थी। वह हाथ में लकड़ी की छोटी-छोटी चैलियाँ लेकर ताक-ताककर अलाव के अंगारों पर मार रहा था। उसके अलाव के पास और कोई मनुष्य न था। कुछ दूरी पर एक वृक्ष से टिके हुए दो आदमी घुटने समेटे बैठे थे। कोई किसी से बातचीत नहीं कर रहा था। युवक पच्चीसेक वर्ष का मालूम होता था। उसका मुख जरा साँवला परन्तु सुन्दर था। उसकी आँखें बड़ी और तेजस्विनी थीं और क्षण-क्षण में मुस्कराहट से नाच रही थीं। उसका शरीर सशक्त और सुगठित था। उसके पहनावे से, उसके हाथों की पहुँचियों, भुजबन्दों, कानों के कुंडलों और गले के छोटे-से सोने के हार से प्रकट होता था कि वह कोई सुखी मनुष्य है। उसके बैठने की तर्ज, तथा मुख-पर की निश्चिन्तता और लापरवाही से प्रकट होता था कि वह किसी उच्च कुल का सुभट है।

कुछ ही देर में दौड़कर आती हुई साँढ़नी के पैरों की आहट सुनाई पड़ी और तुरन्त ही मालूम हुआ कि जैसे साँढ़नी भूमि पर गिर पड़ी है। फिर शान्ति छा गयी। अलाव के आगे बैठा युवक ज्यों-का-त्यों बैठा रहा। उसे इस समय अलाव के आग में लकड़ी की चैलियाँ फेंकने से बढ़कर आकर्षक और कोई काम ही नहीं मालूम हो रहा था।

जिस ओर से साँढ़नी के गिरने की आवाज़ आयी थी, उस ओर से एक मनुष्य बड़ी तेजी से आया और उस युवक को जागता देखकर उसकी ओर मुड़ा। नव आगन्तुक युवक बीस-बाईस वर्ष का मालूम होता था। वह शस्त्रों से सुसज्जित था। उसकी कमर में तलवार और कटार, कन्धे पर ढाल और हाथ में एक बड़ी-सी लाठी थी। वह बैठे हुए युवक की ओर पलटा और क्षण-भर दोनों एक-दूसरे को देखते रहे। सिर के साफ़े के सिवा दोनों का पहनावा एक-सा था। केवल नवागन्तुक के शरीर पर आभूषण बहुत कम थे। दोनों अच्छे ऊँचे कद्दावर और रूपवान थे। दोनों की आँखों में तलवार की धारें चमकती थीं, दोनों के भव्य कपालों पर चन्दन के त्रिपुण्ड सुशोभित थे, दोनों गुजराती योद्धा थे और जिन योद्धाओं ने सोलंकियों के अधिनायकत्व में दिग्विजय करना आरम्भ किया था, उन्हीं में के मालूम होते थे; फिर भी दोनों में बहुत अन्तर था। दोनों के व्यक्तित्व भिन्न थे। नव आगन्तुक कुछ ऊँचा था, उसकी आँखें कुछ छोटी और तेज थीं, उसका शरीर अधिक कसा हुआ और छरहरा था। बैठे हुए युवक का गोल मुख, बड़े-बड़े नथुने और बड़ी-बड़ी आँखें मृगपति के साहस और सत्ता की सूचना करती थीं। नव आगन्तुक की अनींदार आँखें, दृढ़ और कठोर मुख, सकरी और नुकली नाक, गरुड़राज की-सी झपट, शक्ति और सावधानता प्रदर्शित करती थीं। एक निडर और शान्त और दूसरा दूरंदेश तथा स्वस्थ मालूम होता था। पशु-राज और खग-राज सिंह और गरुड़ दोनों की-सी मुखमुद्रा चरित्रवान मनुष्य की होती है। ये दोनों दो प्रकार के नमूने थे।

तब आगन्तुक ने बैठे हुए युवक से पूछा, "भाई पाटण के भीमनाथ घाट का उतार यहीं है क्या?"

बैठे हुए युवक ने हाथ ही चैली को जरा देर तौला और बिना हिले-डुले शान्ति के साथ जरा व्यंग्य में उत्तर दिया, "जी हाँ, पूछने का कारण?"

नव आगन्तुक ने जरा अधीरता से पूछा, "मुझे पाटण जाना है। नाव कहाँ मिलती है? क्या यहीं?"

सामने बैठा हुआ युवक विनोद में जरा हँसा और अपनी पहुँची को ऊँचे चढ़ाते हुए बोला, "तो क्या तुम्हारा खयाल है कि हम सब मूर्ख हैं?"

नव आगन्तुक की भवें तन गयीं। बैठे हुए युवक के शान्त विनोद से उसकी

अधीरता ने क्रोध का रूप धारण कर दिया। उसने कड़ाई से पूछा, "क्यों? नाव कहाँ गयी?"

"उस पार है। वहाँ जाओगे, तो मिल जाएगी।"

"तो जाना कैसे हो? मुझे बहुत जरूरी काम है।"

"एक उपाय है।"

"क्या?"

बैठे हुए युवक ने उत्तर दिया, "विमान पर चढ़कर जाइए! बोलो, है विचार?"

"मजाक करते हो?" नव आगन्तुक ने तनिक क्रोध के आवेश में पूछा। उसकी गहरी आँखें चमक उठीं।

"देखो, क्रोध करने का काम नहीं। सख्त जाड़ा पड़ रहा है और सारी रात इसी तरह बितानी है। भला बिना मजाक के यह समय कैसे कटेगा?" जाओ, इधर बैठो।" कहकर बैठे हुए युवक ने भूमि पर पड़ी हुई अपनी तलवार निकट खींचकर जगह दिखाई।

"पाटण अभी कोने में पड़ा।" कहकर तिरस्कार से वह फिर हँस पड़ा और हाथ की चैलियों को अलाव में डालने लगा।

जरा दूर अन्धकार में वृक्ष के नीचे दो मनुष्य बैठे हुए थे। उनमें से एक बोला, "क्या?"

दोनों युवक उस ओर मुड़े। वृक्ष के नीचे बैठे हुए दोनों जने कपड़े ओढ़कर मुख ढाँके हुए थे। एक की पगड़ी सफ़ेद थी और दूसरे की लाल। बस, इतना ही वे देख सके। लाल पगड़ीवाला उपर्युक्त शब्द बोल उठा, परन्तु वह कुछ आगे बोले कि दूसरे मनुष्य ने हाथ खींच कर रोक दिया।

"अर्थात? मुझे इसी समय पाटण जाना चाहिए। क्या यहाँ से तैरकर पार नहीं हुआ जा सकता?" अनुभवी तैराक की दृष्टि से नदी का पाट नापने का प्रयत्न करते हुए नव आगन्तुक बोला।

"हाँ, ठीक है। उस किनारे बिना अलाव के ठिठुर कर मर जाओगे और अगर गाँव में घुसोगे, तो बिना आज्ञा नदी पार करने के अपराध में हाथी के पैरों तले जा पड़ोगे।" बैठे हुए युवक ने जरा हँसकर कहा।

"तब फिर क्या करूँ?"

"बैठो, क्या तुम्हें अकेले को ही जल्दी है? यहाँ तो नित्य ही इतने आदमी आकर लौट जाते हैं। उन्हीं में आज तुम एक अधिक सही।"

"परन्तु इस तरह रोकने का कारण?"

"पूछो जाकर सज्जन मन्त्री से। मालवे का राजा चढ़ आया है, यह खबर नहीं सुनी?"

नव आगन्तुक ने कहा, "सुनी है इसीलिए तो मैं त्रिभुवनपाल महाराज का सन्देश लेकर लाट[1] से आया हूँ। परन्तु मालव सेना कितने निकट आ गयी है?"

"पाँच हाथ आयी हो या पचास कोस। बनिए के राज में सब बराबर।"

"तो क्या वे मैदान में नहीं उतरे?" नव आगन्तुक ने बैठकर तापते हुए पूछा।

"नहीं जी, सज्जन शाह को पाटण सौंपकर शान्तु मेहता सन्धि करने गये हैं।"

"सन्धि? हमारे महाराज त्रिभुवनपाल तो सेना लेकर आ रहे हैं।"

"तो उनसे कहो कि लौट जाएँ, वापिस जहाँ से आए हों वहीं।"

"और जयदेव महाराज...."

"वे पाप धोने गये हैं। सुना है कि द्वारिका के निकट मौज कर रहे हैं। अवन्तिनाथ से युद्ध करने की फुरसत किसे है? इतना ही अच्छा है कि पास में धन है, इसलिए वणिकविद्या करके ज्यों-त्यों सेनापति उबक[2] को वापस लौटा देंगे।" बैठे हुए युवक ने तिरस्कार से हँसकर कहा।

"अच्छा! परन्तु तुम रहने वाले कहाँ के हो?"

"मैं लाट का रहनेवाला हूँ, और तुम?"

"मैं सोरठ का हूँ। जूनागढ़,—जूनागढ़ के निकट वनथली—वहीं का मैं हूँ।"

"तुम्हारा नाम क्या है? मेरा तो कृष्णदेव है।"

"मेरा नाम काक है।" नव आगन्तुक ने उत्तर दिया, "यह तो बड़ा जुल्म है। मैंने आज बीस दिनों से आराम की साँस तक नहीं ली और यहाँ सन्धि की बातें चल रही हैं! हमारे महाराज त्रिभुवनपाल भी पहुँचने ही वाले हैं।"

"क्या वे हाथी पर बैठकर आ रहे हैं? जब तक आएँगे, तब तक तो मालव सेना वापिस लौट जाएगी।"

"नहीं, मैं समुद्र-मार्ग से खम्भात होकर आया हूँ। वे पैदल रास्ते से सेना के साथ निकले हैं?"

जरा मजाक में आँख मारकर कृष्णदेव ने कहा, "कहो, उदा काका तो आनन्द हैं?"

"क्या तुम श्रावक[3] हो?"

उत्तर में कृष्णदेव खिलखिलाकर हँस पड़ा, "नहीं, भइया!" और जब उसकी हँसी रुकी, तब उत्तर दिया, "मैं पहली ही बार पाटण आ रहा हूँ। इन सबके तो मैंने केवल नाम ही सुने हैं, देखा तक नहीं; परन्तु उदा मेहता की ख्याति बहुत सुनी है। वह तो खम्भात के स्वामी बन बैठे हैं। उनकी ख्याति सत्य है, या केवल बातें?"

"उनके खरे प्रभाव के आगे ख्याति की कोई गणना ही नहीं। पाटण के स्वामी

---

1. दमन से साबरपती तक का देश लाट कहलाता था। उसका मुख्य नगर भरोंच था।

2. 'उपगव'—द्याश्रय महाकाव्य।

3. 'श्रावक' अर्थात जैन।

को तो नहीं देखा, परन्तु खम्भात के स्वामी की सत्ता और समृद्धि के आगे किसी की कोई गिनती नहीं।''

''जब सभी ऐसे हैं, तभी तो पाटण के स्वामी की कुछ चलती नहीं।''

''क्यों?'' काक ने पूछा।

''शान्तु मेहता राजा, उदा मेहता राजा, मुंजाल मेहता राजा—फिर बेचारे जयदेव महाराज को राजा बनने का अवसर ही कहाँ से मिल सकता है?''

''कृष्णदेव, पाटण की सीमा में बैठकर पाटण की ही राजा निन्दा कर रहे हो?'' कृष्णदेव के मौजी स्वभाव को और भी खिलाने के लिए काक ने कहा, परन्तु अचानक पीछे मुड़कर देखा कि झाड़ के सहारे बैठे हुए वे आदमी धीरे-धीरे कुछ बातें कर रहे हैं।

''निन्दा कैसी? भले स्वयं जयदेव महाराज इसे सुन लें।''

''जैसा तुम कह रहे हो, यदि वैसा ही हो, तो बहुत बुरी बात है। इससे तो हमारे महाराज का प्रताप लाट में अधिक है।''

''पहाड़ दूर से ही सुन्दर दीखते हैं।''

काक को कुछ सन्देह हुआ, इसलिए वह वृक्ष की ओर मुड़ा। अँधेरे में बैठे हुए उन दो व्यक्तियों में से एक व्यक्ति, दूसरे का हाथ थामे हुए, धीरे से, परन्तु आग्रह से कुछ कह रहा है। काक को ऐसा प्रतीत हुआ कि वे लोग उनकी बातें बहुत ध्यानपूर्वक सुन रहे हैं।

''देखो, वे हमारी बातें सुन रहे हैं।'' धीमे से उसने कृष्णदेव से कहा।

''सुन लेने दो। चाहें तो नाक-कान काट लें।'' उसने जोर से उत्तर दिया।

''तुम्हें पाटण अच्छा नहीं लगता, तो यहाँ आए ही किसलिए?'' काक ने पूछा।

''बचपन से ही मैंने पाटण की सुन्दरियों के विषय में सुना है कि...''

गम्भीरता से काक ने बात को बदला और कहा, ''यदि हमारे त्रिभुवनपाल महाराज यहाँ रहें, तो महाराज को न जाने क्या-क्या सिखा दें।''

''बिना मरे भी किसी ने स्वर्ग देखा है?''

''अजी, सो तो ठीक है; परन्तु यदि मेरी ही बात महाराज सुनें, तो न जाने क्या कर डालें।''

''मैं पाटण का राजा होता तो सुनता। नहीं हूँ, यही अफसोस है। किन्तु मुझे तो बेचारे इन लोगों पर दया आती है।'' कहकर कृष्णदेव ने ठंड में सोए हुए लोगों की ओर हाथ से संकेत किया।''

''क्यों?''

''बेचारे बिना धनी-धोरी के ढोर-जैसे मालूम होते हैं। ऐसे समय सबको पाटण के किले में कर लेना चाहिए। इसके विपरीत नित्य ही जाने कितने लोग भय के मारे

आते हैं और फाटक बन्द देख कर लौट जाते हैं। रक्षा नहीं करनी है तो यह कोट, यह किला, किस काम का?''

''सत्य है। त्रिभुवन महाराज तो पाटण को ही पृथ्वी का मध्य समझते हैं।''

''इस समय तो यह पानी का मध्य है। चारों ओर से खाइयाँ खोद दी गयी हैं, इसलिए जहाँ देखो वहाँ पानी ही पानी नजर पड़ता है।'' –कृष्णदेव ने कहा।

''ऐसा मालूम होता, तो दौड़ा-दौड़ा कर अपनी साँढ़नी के प्राण नहीं ले लेता। आखिर बेचारी गिर ही पड़ी।''

''चलो, अब शान्ति से सोओगे। मुझे तो भाई नींद आ रही है।'' कहकर कृष्णदेव ने तलवार सिर के नीचे रखी और सोने की तैयारी की।

वृक्ष के नीचे के दो पुरुष

कृष्णदेव के कथन में असत्यता नहीं थी, केवल तीक्ष्णता थी। वह पहली ही बार पाटण आ रहा था; परन्तु किसी पक्के भेदिए ने उसे सब बातों का सही ज्ञान करा दिया था।

जब चार वर्ष पहले जयसिंह देव सोलंकी पाटण के सिंहासन पर आसीन हुए थे, तब राजतन्त्र ठीक नहीं था; परन्तु महा अमात्य मुंजाल और राजमाता मीनल देवी का मतभेद दूर हो गया था। देवप्रसाद का काँटा दूर हो चुका था और उसके लोकप्रिय पुत्र त्रिभुवनपाल जैसे राजभक्त ने दंडनायक का पद प्राप्त कर लिया था। आनन्दसूरि की मदद से जैन-शासक के प्रवर्त्तन की लालसा भी बहुत कुछ अदृश्य हो गयी थी और त्रिभुवनपाल को राज्य का स्तम्भ बना देख कर राजपूत मंडलेश्वरों ने महा अमात्य का शासन स्वीकार करना आरम्भ कर दिया था। इन सब कारणों से राजतन्त्र को सुधारने में मुंजाल की बुद्धि को विलम्ब न लगा।

राज्य बढ़ गया था और मुंजाल ने उसे एक सूत्र बाँध दिया था। उस बन्धन को पुष्ट करने के लिए महाराजा और राजमाता राज्य में पर्यटन के लिए निकले थे और वृद्ध अमात्य शान्तु मेहता पाटण में रहकर उसकी रक्षा कर रहे थे।

त्रिभुवन लाट के दंडनायक थे और वे उसे सर करने में लगे हुए थे। उदा मेहता को पहले कर्णावती[1] और फिर स्तम्भतीर्थ[2], दोनों सौंपे गये थे। परन्तु सारे राज्य में ये दोनों नगर, यदि किसी से कम थे, तो केवल अनहिलवाड़-पाटण से–अर्थात कहा जाता था कि उनके अधिपति ने चार वर्षों में अपार धन और अमार सत्ता एकत्र कर

1. वर्तमान अहमदाबाद
2. खम्भात

ली थी। मुंजाल की राजनीति को यह भला न मालूम हुआ। उसने कर्णावती को नागर मन्त्री दादाक को सौंप दिया और तब उदयन के हाथ में केवल खम्भात ही रह गया। कुछ वर्षों पहले सज्जन मन्त्री को सोरठ सौंपा गया था; परन्तु उनका स्वास्थ्य ठीक न होने के कारण इस समय वे पाटण में आए हुए थे। सोरठ में पट्टणी शासन के केन्द्र स्थान वनथली में इस समय उनका पुत्र परशुराम अधिकारी था।

इसी समय अवन्तिनाथ लक्ष्मवर्मा ने सेना लेकर गुजरात की सीमा पर आक्रमण कर दिया। उनके सेनापति उबक के आक्रमण से एक के बाद एक किले हाथ से निकल जाने लगे। इस समय मुंजाल, राजा और रानी प्रभास होकर द्वारिका की ओर गये थे और पाटण स्वामी-विहीन था। इसलिए उबक के हृदय में उसके स्वामी बनने की आशाएँ उत्पन्न हो गयीं। वह राजधानी की ओर बढ़ा आ रहा था।

शान्तु मेहता घबरा गये। चारों ओर सहायता माँगने के लिए मनुष्य दौड़ाए। जितनी सेना उनके पास थी, उसे लेकर सामना करने के लिए गये और सज्जन मन्त्री को पाटण सौंप आए। एक मुठभेड़ भी न हो पाई थी कि शान्तु मेहता ने शौर्य को बिसार कर बुद्धि का पक्ष स्वीकार कर लिया और धन देकर मालव सेना को वापिस लौटाने की युक्ति रचनी आरम्भ कर दी। महाप्रतापी भीमदेव ने एक बार धन लेकर मालवा को जीतने का कार्य त्याग दिया था। उनके पौत्र के प्रधान ने वह धन ब्याज सहित फिर लौटा देने का विचार करना आरम्भ किया।

सेनापति उबक को गुजरात पर चढ़ आते देख गाँवों की गरीब प्रजा पाटण की शहरपनाह के अन्दर घुसने की इच्छा से दौड़ी आ रही थी। परन्तु शान्तु मेहता को सबसे बड़ा भय यह था कि उबक पाटण के चारों ओर घेरा डाल देगा, और यदि ऐसा हुआ, तो अधिक दिनों टिकने के लिए जितने कम मनुष्य शहर में हों, उतना ही अच्छा। यह विचार कर उसने फाटक बन्द करने आज्ञा दे दी। परिणाम यह हुआ कि आज की भाँति प्रतिदिन सैकड़ों लोग आते और दुःख से मुक्त होने के बदले अधिक दुःखी और निराधार होकर वापस लौट जाते। भय से व्याकुल बनी हुई उनकी कल्पना-शक्ति उन्हें यह विश्वास करा देती कि वे जीवित ही मृतक के समान हैं। गरीब प्रजा का स्वामी शासक उनसे दूर था और उनका शत्रु विनाशक आगे बढ़ता आ रहा था।

सबेरा होने पर एक नाव इस पार आती थी और कोई परिचित मनुष्य या सन्देश होता, तो उसे ले जाती थी। जब तक वह नाव यहाँ आए, तब तक काक के लिए इसके सिवाय और कोई चारा ही नहीं था कि यहीं पड़ा रहे।

काक सोने लगा। आसपास पड़े हुए लोगों को भी मध्य रात्रि के बाद नींद आने लगी। अलावों की लपटें शान्त हो गयीं। केवल जलते हुए अंगारे रह गये। इतने में, समझ में नहीं आया कि किस कारण से, काक जाग पड़ा। सावधान शिकारी की-सी

चपलता से उसने कान लगाए और सोचने लगा कि वह क्यों जाग पड़ा। उसे दो जने कुछ धीरे-धीरे बातें करते सुनाई दिए।

"जैसे भी हो, हमें नगर में बहुत जल्दी पहुँचना चाहिए।" एक लड़के का- सास्वर सुनाई पड़ा।

"हाँ, और लोगों के जागने से पहले।" —दूसरा ओजस्वी और शान्त स्वर सुनाई दिया।

"तैयार हो गये? चलो, रास्ता बता दूँ।"

"हाँ, डूँगर को भी उठाऊँ?"

"नहीं।"

दोनों जने सुसज्जित होकर चल पड़े। काक को सन्देह हुआ। काक को यह कुछ अद्भुत-सा मालूम हुआ कि ऐसे समय में दो मनुष्य चुपचाप राजशासन भंग करके नदी लाँघने जा रहे हैं। काक का स्वभाव ऐसा था कि जब तक वह किसी बात की तह तक नहीं पहुँच जाता, तब तक उसे सन्तोष नहीं होता और उसके मन में एक बार जो बात बैठ जाती, उसका निकलना फिर बड़ा कठिन हो जाता। वह पलक मारते ही उठा और जिस ओर वे दो मनुष्य जा रहे थे, उसी ओर, उनके पीछे-पीछे चल पड़ा। जैसे बाघ वन में अपने शिकार के पीछे लुकता-छिपता दौड़ता है, उसी प्रकार दौड़कर काक ने कुछ ही देर में उन्हें जा मिला और उनकी बातों को सुनने का प्रयत्न करने लगा। परन्तु वे दोनों मौन ही चले जा रहे थे।

कुछ देर तक दोनों तेजी से चलते रहे, पीछे-पीछे काक भी लुकता-छिपता चला जा रहा था। कुछ देर बाद बड़े ने कहा, 'इस ओर आओ' और दोनों ऊबट मार्ग पर चलने लगे। कुछ ही देर में दस-पन्द्रह झोंपड़ों का मछुओं का गाँव आ गया। वहाँ उनमें जो बड़ा था, वह ठहर गया और उसने अपने छोटे साथी को भी ठहरने के लिए सूचित किया। काक वृक्ष की आड़ में खड़ा हो गया।

बड़े ने पहले झोंपड़े का द्वार खटखटाया। पहले तो कोई आवाज नहीं आयी पर अन्त में किसी ने पूछा, "कौन है?"

"द्वार खोलो।" बड़े ने उत्तर दिया। आखिर मछुआ काँपता-काँपता आया। जरा द्वार खोला और केवल सिर बाहर निकालकर बोला, "कौन है?"

"तेरे पास कोई डोंगी है?"

मल्लाह ने द्वार बन्द करते हुए उत्तर दिया, "नहीं।"

"और तूँबे?"

"इस समय इन सबका क्या काम है?"

"उस पार जाना है।"

"उस पार नहीं जाएा जा सकता। मेहताजी का हुकम है। इस समय तूँबे-ऊँबे की बात कैसी?"

उस आदमी ने जरा आगे सिर करके मछुए के कान में कुछ कहा और काक ने सुना कि उसके हाथ में कुछ टंक[1] दे दिए गये हैं। तुरन्त ही मछुए ने द्वार खोल दिया। उसका कठोर स्वर उस मनुष्य के प्रभुत्व से कँपाने लगा और वह बोला, ''अन्नदाता, तूँबे तो हैं। कहिए तो बाँस बाँधकर डोंगी बना दूँ।''

''हाँ, चल, जल्दी कर।''

परन्तु मछुए को कुछ भरोसा नहीं हुआ, इसलिए वह अन्दर गया और दिया लेकर बाहर आया। दिए के प्रकाश में उसने देखा और तुरन्त दिया रखकर वह अपने काम में लग गया।

काक बहुत विस्मित हुआ। उसने सोचा, या तो ये मालवा के जासूस होंगे या कोई बड़े अधिकरी। यदि बड़े अधिकरी हैं, तो इस प्रकार अकेले चुपचाप क्यों भटक रहे हैं। उसे ऐसा लगा कि अवश्य ही ये कोई जासूस हैं और यदि ऐसा है, तो उन्हें इस प्रकार जाने देना उसे ठीक मालूम हुआ। यदि कोई अधिकरी हैं, तो उन्हें भी रोकना उसे कुछ अनुचित प्रतीत नहीं हुआ। आखिर ये लोग कौन हैं, इसका विचार करता हुआ काक मछुए और उन दो मनुष्यों के पीछे लग गया। काक ने उन्हें पीछे से पहचानने का प्रयत्न किया कि ये किस श्रेणी के मनुष्य हैं, परन्तु वह कुछ भी निश्चय नहीं कर सका। अँधेरी रात भी, इसलिए वह पहने हुए वस्त्रों का मूल्य भी नहीं आँक सका। बड़ा मनुष्य, जिसने सफेद पगड़ी बाँध रखी थी, सतकर होकर दृढ़ चाल से चल रहा था। उसका सिर गौरव से उठा हुआ मालूम होता था। फिर भी ऐसा प्रतीत हुआ कि वह अपने छोटे साथी के प्रति आदर का व्यवहार कर रहा है। काक ने सुना था कि उबक के साथ मालव-पति का भाई नरवर्मा भी सेना-सहित आया है। वही दोनों तो ये नहीं हैं? और ये दोनों अकेले आए हैं, तो क्या पाटण का रक्षक इनसे मिल गया है? सज्जन मन्त्री क्या दगाबाज़ हो गया है?

डोंगी तैयार हुई और मछुए के साथ वे दोनों उस पार जा बैठे। मछुआ बाँस से पानी काटने लगा। कुछ दूर से काक भी पानी में जा कूदा और धीरे-धीरे निःशब्द उस डोंगी की दिशा में तैरने लगा। काक को सीधे जाना ज़रा कठिन प्रतीत हुआ; कारण कि सरस्वती का जल बड़े वेग से बह रहा था।

अल्पवयस्क ने पूछा, ''किसी के तैरने का स्वर सुनाई पड़ रहा है?''

काक तुरन्त ठहर गया। ''नहीं''

''अन्नदाता, कोई मालूम तो जरूर होता है।'' मछुए ने ताक कर देखने का प्रयत्न किया।

''होगा। हमें क्या मतलब? अपना काम करें।''

काक ने समझ लिया कि अधिक देर न छिपा जा सकेगा। इसलिए वह तेजी से

---

1. उस समय चलने वाले सोने और चाँदी के सिक्के।

तैरकर उस पार जा पहुँचा और ज्यों ही डोगी उस पार लगी, कि वह उतरने वाले दोनों मनुष्यों के सामने जा खड़ा हुआ।

सफेद पगड़ी वाले मनुष्य ने आगे आकर ओजस्वी स्वर में पूछा, "कौन है?"

काक ने पूछा, "आप कौन हैं? जयदेव महाराज का आदेश भंग करके इस पार क्यों आए?"

अल्पवयस्क ने कहा, "अरे, यह तो त्रिभुवनपाल का भट[1] है!"

"हाँ, वही हूँ। प्रतीत होता है, कल रात की सब बातें आपने भली भाँति सुन ली हैं। आप कौन हैं? इस प्रकार चोरी-छुपे पाटण में क्यों प्रवेश करना चाहते हैं?"

वयस्क मनुष्य ने कठोर स्वर में कहा, "लड़के, बिना जाने-बूझे बीच में न पड़ना चाहिए। हमें जाने दो।"

"कोई भी अपरिचित व्यक्ति इस समय पाटण में प्रवेश नहीं कर सकता। लौट जाइए, नहीं तो ठीक न होगा।" कहकर काक ने तलवार खींच ली।

अन्धकार में भी काक ने उस वयस्क मनुष्य की आँखें चमकती हुई देखीं। उसके साथी ने भी तलवार आधी म्यान से बाहर निकाल ली।

उस मनुष्य ने गम्भीरता से कहा, "तू अपनी ड़ींग रहने दे। तुझे मालूम है कि तू किस के साथ बात कर रहा है?" शब्द की आवाज में अधिक कम्पन उत्पन्न करने वाला असर मालूम होता था।

काक एक कदम आगे बढ़ आया।

उसने उत्तर दिया, "मैं डींग नहीं मारता और मैं किसके साथ बात कर रहा हूँ, यह भी नहीं जानता; परन्तु विचार कर सकता हूँ कि आप लोग कौन हैं।"

जरा तिरस्कार के साथ उस बड़े मनुष्य ने पूछा, "कौन हैं"?

काक ने कहा, "सेनापति उबक और युवराज नरवर्मा।"

उत्तर में वह मनुष्य खिलखिलाकर हँस पड़ा और यह पहली ही बार काक को मालूम हुआ कि उसका हास्य आकर्षक था।

काक के हाथ में नंगी तलवार थी; पर उसकी परवाह किए बिना वह मनुष्य उसके पास आया। उसने शान्ति से उसके कन्धे पर हाथ रखा और पूछा, "तूने कभी मुंजाल मेहता का नाम सुना है?"

काक कुछ भी न समझ सका। उसने कहा, "हाँ।"

"तो मेरा ही नाम मुंजाल मेहता हैं।"

काक दो कदम पीछे हट गया। उसकी बुद्धि कुंठित हो गयी। उसे लगा कि पृथ्वी फट जाती और वह उसमें समा जाता, पर न तो पृथ्वी फटी और न उसे स्थान मिला। फिर भी उसे ऐसा जरूर प्रतीत हुआ कि स्थान देने के लिए जैसे वह चक्र की भाँति

---

1. योद्धा। सौ मनुष्यों का नायक भट और हजार का नायक भटराज कहलाता था।

घूमने लगी हो। उसने यह किसका अपमान किया? वह किसके साथ भिड़ पड़ा? पाटण के नगर सेठ और महा अमात्य, त्रिभुवनपाल के मामा और राज्य में जयसिंह देव से भी अधिक सत्ता रखने वाले महापुरुष के साथ!

"प्रभु! क्षमा!"

काक को इसी घबड़ाहट में पड़ा छोड़ कर मुंजाल मेहता आगे बढ़ गये। परन्तु काक हाथ में आयी बाजी को छोड़नेवाला न था। वह एकदम रास्ता रोककर खड़ा हो गया और बोला, "प्रभु, मुझे क्षमा कीजिए परन्तु इसका विश्वास क्या कि आप मुंजाल मेहता ही हैं? यह समय बड़ा विकट है, इसलिए भूलभुलावे में चाहे जिसे पाटण में जाने देना अच्छा नहीं है।"

"सही है। अच्छा, चलो मेरे साथ।—माँझी, तुम भी चलो।"

सब लोग साथ-साथ चल पड़े। काक विचार में पड़ गया कि यदि यह मुंजाल मेहता हों, तो यह साथ वाला युवक कौन है? क्या स्वयं जयसिंह देव? उसे यह प्रसंग स्वप्न जैसा मालूम होने लगा। काक विचार करता हुआ पीछे-पीछे चलने लगा कि इस धृष्टता के लिए मुंजाल मेहता उसे क्या दंड देंगे।

आखिर ये सब पाटण के एक बाजू के दरवाजे पर जा पहुँचे।

"कुंडी खटखटाओ।" मुंजाल ने हुक्म दिया।

"जी।" काक ने कुंडी खटखटायी और थोड़ी ही देर में दरवाजे की खिड़की से बाहर देखने के लिए बने हुए छिद्र के पास एक चौकीदार आ खड़ा हुआ।

उसने पूछा, "कौन है?"

"मैं मुंजाल मेहता। यहाँ नायक कौन है?"

"वासेश्वर भट।" चकित हुए चौकीदार ने घबड़ाए हुए स्वर में उत्तर दिया।

"झिंझुवाड़िया?"

"जी हाँ।"

"बुलाओ उसे।"

वासेश्वर भट मशाचली के साथ आया और खिड़की के छिद्र में से मशाल का प्रकाश बाहर आने लगा।

"कौन, वासेश्वर? मैं मुंजाल हूँ। खिड़की खोलो।"

दूसरे ही क्षण काँपते हाथों से चौकीदार ने खिड़की खोल दी। मशाल के प्रकाश में काक ने मुंजाल की ओर देखा। उसकी भव्य मुख रेखा, तेजोराशि बरसाती हुई आँखें और पतली मूँछों की छाया में छिपा हुआ गर्व-मुद्रित मुख—यह सब उसने देखा। मन्त्रिवर की सुनी हुई प्रशंसाएँ उसे याद आ गयीं; पर वे अपर्याप्त मालूम हुईं। जवानी में जीते हुए हृदयों की कथाएँ भी काक को याद आयीं और वे सब सत्य प्रतीत हुईं। वह हाथ जोड़कर सिर झुका कर खड़ा रह गया।

मन्त्री काक की ओर घूमा, "काक भट, तुम इस माँझी के साथ जहाँ से आए

हो, वहीं लौट जाओ। किन्तु सावधान! आज की बात किसी से न कहना।" कहकर मन्त्री ने अपने साथी को आगे किया और पीछे से खुद भी खिड़की में प्रवेश किया।

इतने ही से प्राण बचे, अतएव ईश्वर का उपकार मान कर काक माँझी के साथ लौट आया। इससे उसे इतना सन्तोष अवश्य हुआ कि उनके पीछे लगने से इतना समझने और देखने को तो मिला। जब वह लौटकर अपने स्थान पर पहुँचा, तब कृष्णदेव सो रहा था।

पाटण में

पौ फटने का समय हो रहा था। काक ने सोने का विचार त्याग कर फिर सरस्वती में प्रवेश किया और स्नान करके सन्ध्या की। वह जब लौटकर आया, तब कृष्णदेव बदन मोड़कर आलस हटा रहा था। उसने पूछा, "कहाँ गये थे?"

"जल्दी नींद खुल गयी तो ज़रा सन्ध्या-स्नान से निबट लिया। कहो, नींद तो अच्छी आयी?"

"खूब अच्छी। पर तुम्हें तो पाटण के सपने आते रहे होंगे?"

" नहीं जी, मैंने तो खूब खर्राटे लिए।"

इस बात में कितनी सच्चाई थी, इस पर कृष्णदेव ने कोई विचार नहीं किया और कहा, "चलो भाई, मैं भी एक गोता लगा आऊँ।"

काक बैठे-बैठे प्राप्त हुए अनुभव पर विचार करने लगा। बचपन से ही उसे स्वावलम्बन की टेव थी। इसलिए नये संयोगों में नाव को किस तरह बढ़ा ले जाना चाहिए, यह उसे आता था; पर गत रात्रि के अनुभव से वह ज़रा घबरा गया था। लाट में बैठे-बैठे उसने मुंजाल मेहता का नाम तो बहुत सुना था। अपने नायक त्रिभुवनपाल को भी उसने इस व्यक्ति के गुणों से चकित और इसके शासन से काँपता हुआ देखा था। पाटण के शासन को अपनी मुट्ठी में रखनेवाले ऐसे महान राजनीतिज्ञ को धमकाने की उसने धृष्टता की, इसके लिए वह पछताने लगा यदि मुंजाल मेहता क्रोधित हो जाएँ, तो पाटण में कितनी देर रहा जा सकता है?

काक ने एक बात से बड़ा सन्तोष पाया था। उसने मुंजाल को जैसा नरसिंह सोचा था, वैसा ही पाया। उसका गौरव-पूर्ण मुख उसके हृदय में रम गया। वह विचार करने लगा कि राजतन्त्र में उसका और बेचारे बालक जयसिंह देव का क्या स्थान होगा।

काक की विचार-माला कुछ ही क्षणों में भंग हो गयी। एकदम उषा का आगमन हुआ। पूर्व दिशा लाल रंग से रँग गयी। अन्धकार पिघलने लगा और उसका ज्वलन्त

लाल रस चारों ओर फैलने लगा। काक ने सिर उठाकर आकाश की ओर देखा तो उसे अपना श्वास रुद्ध होता हुआ-सा मालूम पड़ा।

उसने सरस्वती के प्रबल वेग से बहते हुए लाल-लाल जल को देखा, पाटण की खुली हुई खाइयों का पानी नगर कोट के तीनों ओर फैला हुआ देखा और देखा कि जैसे तप्त स्वर्ण की–सी जल मेखला में किसी अप्सरा की अमर देह शोभित हो रही हो वैसे ही पाटण सुशोभित हो रहा है। उसका चौकोर कोट चारों ओर जल-तरंगों से घिरा हुआ था। उसके ऊपर के कंगूरे संगमरमर के थे और उन पर बहुत ही सुंदर नक्काशी की हुई थी। सामने भीमनाथ के घाट की सौ विशाल सीढ़ियाँ स्वर्ग की सीढ़ियाँ-सी प्रतीत हो रही थीं। घाट के दोनों ओर संगमरमर के दो छोटे मन्दिर अचेतन द्वारपालों का काम कर रहे थे। बीच में छज्जेवाला विशाल द्वार नक्काशी और छोटे-मोटे गुम्बजों से सुसज्जित था। अन्दर से ताड़ के वृक्षों की छटा कोट के कंगूरों पर झालर-सी झूमती और वायु-लहरी में नृत्य कर रही थी। पाटण ऐसा मालूम होता था जैसे पृथ्वी पर साक्षात इन्द्रपुरी अवतीर्ण हुई हो। परन्तु मानो इतने से पाटण की महात्त्वाकांक्षा रुकी नहीं और इसलिए उसके विश्वकर्मा की कला को भी विस्मरण करा देने वाले भिन्न-भिन्न रंगों के सुन्दर सैकड़ों शिखर कोट के कंगूरों से भी ऊपर बढ़कर अमरावती को भी लज्जित करने के लिए गगनभेदी स्वर्ग द्वार के निकट अपनी पताकाओं को फहारा रहे हैं। उन शिखरों पर शोभित सुनहरे कलश उदयोन्मुख सूर्य के प्रकाश में अंगारों के समान चमक रहे हैं। पाटण के कवि कहा करते थे कि 'पाटण के वीरों की तलवारों और मन्दिरों के कलशों के तेज से सूर्य का प्रकाश भी मन्द पड़ जाता है।' यह बात काक को सत्य मालूम हुई। केवल इतनी बात और थी कि सूर्यनारायण को अधिक न सताने के लिए ध्वजा-पताकाओं ने कलशों को ढँक रखा था और तलवारों का तेज बुद्धिमान मन्त्रियों की बुद्धि ने रोक रखा था।

जो दृश्य काक ने देखा, उसका आज नाम-निशान भी नहीं रह गया है। वर्तमान पाटण तो मुसलमानों के द्वारा स्थापित नगर है। सरस्वती का जल भी इस समय काल के प्रभाव से भिन्न प्रकार से बहता है। शूर-वीर सोलंकियों का अनहिलवाड़ पाटण, वर्तमान नगर के पश्चिम की ओर कई कोसों के विस्तार में बसा था। इस समय पुराने खंडहरों में केवल जैनाचार्य हेमचन्द्र की पोषध-शाला है। असली अनहिलवाड़ भी है, जो कि पीछे से पाटण का एक मुहल्ला बन गया था, और जो अपभ्रष्ट 'एनावाड़ा' नाम धारण करके अब एक छोटा-सा गाँव है। (उससे कुछ दूर वह स्थान भी है जो पाटण के व्यापारियों का 'घी-काँटा' कहलाता था।) –बस, यही उस नगर के प्रताप की साक्षी दे रहे हैं। इस बात के कई प्रमाण मिलते हैं कि जो सरस्वती आज पूर्व से पश्चिम सीधी बहती है, वह पहले वर्तमान घुमड़ी दरवाजे के आगे होकर हिंगलाज चाचर के घाट से सीधी रानी की बावड़ी की ओर बहती रही होगी। भीमनाथ का घाट रानी की बावड़ी के उत्तर की ओर था।

इन भूमिगत खंडहरों को आज हजारों मनुष्य पैरों से रौंदते हुए चले जाते हैं। उन्हें ध्यान भी नहीं रहता कि ये ईंट-पत्थर नहीं हैं, वरंच पुनीत स्मरण-चिह्न हैं। पत्थर नहीं, प्रतापी नगर की पूज्य अस्थियाँ हैं। यह केवल भ्रमणशील पुरातत्वान्वेषकों के देखने का क्षेत्र नहीं है, वरंच गुर्जरों के प्रभाव, बुद्धि और शौर्य के अश्वमेध का महातीर्थ है। नष्ट हुए साम्राज्यों की वह श्मशान-भूमि है।

लाल उषा ने सुनहारा रूप धारण किया और नगर अधिक स्पष्ट हो गया। सोने के मढ़े हुए कलश फिर सोने से मढ़े गये। काक इस भव्यता को एकचित्त होकर देखने लगा।

कृष्णदेव नहाकर आया, तो उसने पूछा, ''क्यों जी, बड़ा विचार कर रहे हो!'' काक ने मौन मुख पाटन की ओर संकेत किया।

''बड़ा सुन्दर नगर है, क्यों?'' फिर धीरे-से उसने कहा, ''उबक आएगा तो उसे बरबाद करने में बड़ा मजा आएगा!''

''कहते क्या हो?'', काक ने जरा कठोरता से प्रश्न किया।

''अजी, और कुछ नहीं, इस नगर से मैं थक गया हूँ। बहुत पुराना हो गया है।'' काक समझ न सका कि कृष्णदेव मजाक में कह रहा है या वास्तव में। उसकी आँखें विनोद से नाच रही थीं। उसके स्वर में कोई गम्भीर अर्थ गूँज रहा था। ''इस नगरकोट का इतिहास तुम्हें मालूम है? चार सौ वर्ष पहले वनराज ने इसे मिट्टी से खड़ा किया था। रत्नादित्य ने फिर से बनवाया और मूलराज...''

कृष्णदेव का यह तुच्छता से बोलना काक को पसन्द न आया। उसने सुधारा, ''मूलराज नहीं मूलराज देव—''

होंठ चबाकर कृष्णदेव बोला, ''जी भूल हो गयी भाई काकजी, मूलराज देव ने पत्थरों से चुनवाया और उसका नाश हो गया।''

''कब?''

''गर्जन देश के यवन आए, सोमनाथ[1] ध्वस्त हुआ और भीमदेव कंथकोठ भाग गया, तब।''

''फिर यह किसने बनवाया?''

''भीमदेव ने जब यवनों को मारकर भागा दिया, तब उसके एक मन्त्री, इस मुंजाल मेहता के मौसा विमलशाह ने और दूसरे दादाक मन्त्री के दादा दामोदर ने, इस तरह इन दो अमात्यों ने।''

''दादाक मन्त्री तो नागर हैं?''

कृष्णदेव ने कहा, ''हाँ, इस समय वे कर्णावती में हैं। उदा काका को वहाँ से विदाई मिल गयी और दादाक मेहता वहाँ नियुक्त हुए हैं। फिर कोट छोटा

---

1. गजनी का सुल्तान मुहम्मद, ई. सन 1024

हो गया, इसलिए उसे कुछ तुड़वाकर मुंजाल मेहता ने और अधिक बड़ा बनवाया। अब केवल एक ही बात बाकी रह गयी है। वह हो जाए, तो कथा पूरी हो।''

''वह क्या?''

''नगर-कोट का टूटना।''

''कृष्णदेव, तुम यह कह क्या रहे हो? कोई सुन लेगा तो...''

''सुन लेगा, तो ज्ञानी हो जाएगा। जिसकी उत्पत्ति हुई है, उसका लय भी तो होना चाहिए और यदि पाटण का विनाश ही होना हो, तो ईश्वर करे वह यश मुझे मिले।'' दाँतों के बीच से बोलते हुए कृष्णदेव ने कहा और फिर खिलखिलाकर हँस दिया, जैसे उसने यह मजाक में ही कहा हो। फिर बोला, ''ये सब तो बातें ही बातें हैं। इस समय तो बस, जयसिंह देव महाराज की जय।''

काक इस विचित्र मनुष्य के मुख की ओर देखने लगा। उसे कुछ सन्देह हुआ; परन्तु गत रात्रि में सन्देह करके उसने ऐसी ठोकर खाई थी कि अब सन्देह की ओर और बढ़ने का उसमें साहस ही न रह गया था।

''तुम कभी पाटण नहीं आए, परन्तु उसका इतिहास तो बहुत अच्छी तरह जानते हो।''

''पाटण के विषय में तो सब कुछ जानना ही चाहिए। यह दुनिया की राजधानी जो है!'' जरा तिरस्कार से कृष्णदेव ने कहा, फिर ''अरे, परन्तु यह क्या?'' कहकर उसने उस पार की ओर अँगुली से संकेत किया। कृष्णदेव तो चकित हुआ, परन्तु काक समझ गया। सामने वाले घाट का द्वार एकदम खुल गया और जैसे शान्ति का ही समय हो, इस तरह द्वार के ऊपर वाले नौबतखाने से ढोल, नगाड़ों और शहनाई की आवाज़ आने लगी। खुले हुए फाटक से हाथियों पर बैठे हुए एक-दो मांडलिक और कई अन्य लोग आए। कुछ लोगों ने बँधी हुई दो-तीन नौकाएँ छोड़ीं और वे उनमें बैठकर तेज़ी से पानी काटते हुए इस पार आने लगे।

काक के आसपास पड़े हुए लोग हर्षोन्मत्त होकर इस दृश्य को देखते रह गये, किसी को इसका कारण ज्ञात न हुआ। केवल काक ही समझ पाया कि यह सब किस के आदेश से हो रहा है।

नौकाएँ इस पार आयीं और लोग उसमें बैठने लगे।

कृष्णदेव ने एक माँझी से पूछा, ''क्यों रे, एकदम कैसे इतना साहस आ गया? इसका क्या कारण हुआ?''

''अन्नदाता का हुकम है।''

''अन्नदाता बहुत देर से जागे!'' कृष्णदेव ने कुछ इस प्रकार कहा कि माँझी सुन न सका। वह और काक एक नौका में जा बैठे।

''क्यों काक, तुम कहाँ जाओगे?''

"मुझे महाराज ने जिससे मिलने का आदेश किया है, उससे मिलने। तुम कहाँ जाओगे?"

"मैं एक मित्र के यहाँ जाऊँगा।" कृष्णदेव ने संक्षेप में वाक्य पूरा कर दिया।

"अभी तो राजधानी में ही रहोगे?"

"इसके अतिरिक्त और कोई चारा भी तो नहीं है!"

दोनों जने निकट आते हुए घाट की ओर देखते-देखते अपने विचारों में लीन हो गये। आखिर नौका घाट से जा लगी। नमस्कार करके कृष्णदेव उतर पड़ा और अन्य लोगों के साथ भीड़ में मिल गया।

काक उसकी ओर देखता रहा। उसके शरीर की छटा, बोलने की रीति और स्वभाव की उच्चता ने उसे प्रभावित कर लिया। उसकी भेदभरी बातों ने उसके हृदय में सन्देह उत्पन्न कर दिया और उसे यह जानने की बड़ी उत्कंठा हुई कि यह कौन है। किन्तु फिर भी अपने कर्तव्य का स्मरण कर वह जिस जगह जाने के लिए आया था, उसकी खोज में चला गया।

द्वार के आगे घोड़े पर बैठा हुआ एक जवान सुभट सब आने वालों को ध्यान से देख रहा था। काक उसके पास गया। वह जानता था कि मुंजाल मेहता पाटण में ही है; फिर भी उसने ऐसा डौल बनाने में बुद्धिमानी समझी कि जैसे वह गत रात्रि की बात जानता ही नहीं।

"भटराज, सज्जन मन्त्री का निवास कहाँ है?"

"क्या तुम कोई परदेसी हो?" उस जवान सुभट ने काक की ओर एक तीक्ष्ण दृष्टि डालकर पूछा।

"जी हाँ, मैं त्रिभुवनपाल महाराज का सन्देश लेकर आया हूँ। मुझे मन्त्री महाराज से मिलना है।"

"तुम लाट से आ रहे हो?"

"जी हाँ।"

"अच्छा, मेरे साथ चलो। मैं भी मन्त्री जी के निवास की ओर जा रहा हूँ।" कहकर घुड़सवार ने घोड़े का मुख फेरकर नगर का रास्ता लिया। काक उसके साथ हो लिया।

घोड़े पर बैठा हुआ घुड़सवार काक की ओर देखता रहा। काक को प्रतीत हुआ कि जैसे वह किसी प्रकार निराश हो गया है। काक ने स्वाभाविक चपलता से उस जवान की मुख-मुद्रा के आधार पर उसके स्वभाव की कल्पना करने का प्रयत्न किया। वह जवान उच्च कुल का राजपूत प्रतीत होता था; परन्तु अपनी भावहीन छोटी-छोटी आँखों, संकुचित कपाल और मुख पर के भावों से बहुत अविश्वासी और मूर्ख मालूम हुआ।

"तुम तो पाटण के ही रहने वाले होगे? क्या भटराज हो?"

"हाँ, मैं पाटण का ही रहने वाला सोलंकी हूँ। महाराज का सम्बन्धी हूँ। तुम कौन हो? राजपूत हो?" घुड़सवार ने पूछा। उसकी बोल-चाल की रीति में साफ-साफ दम्भ मालूम हो रहा था।

"नहीं, मैं ब्राह्मण हूँ।"

"तुम पाटण पहली ही बार आए हो न? हमारे लाट के दंडनायक तो अच्छी तरह हैं? आएँगे या नहीं?"

काक, जैसे उसने इस प्रश्न को सुना ही न हो, इस तरह निकट के एक भव्य मन्दिर की ओर देखने लगा।

"यह किस का मन्दिर है?"

"तुम नहीं जानते? कैसे जान सकते हो! यह मुंजालेश्वर महादेव का मन्दिर है। हमारे महा अमात्य हैं न, उन्हींने बनवाया है।" घुड़सवार ने 'महा अमात्य' शब्द पर वजन देकर कहा।

"तुम्हारे पाटण के मकान भी बड़े भव्य और अद्‌भुत हैं। इस भाग को क्या कहते हैं?"

"यह मोती चौक है। यहाँ से थोड़ी दूर चाँपा[1] मेहता का बाड़ा आएगा। वहाँ सज्जन मन्त्री की हवेली है। —हाँ, तुम्हारा नाम क्या है?"

"मेरा नाम काक, और तुम्हारा?"

"मेरा नाम है वीसलदेव सोलंकी। घुड़सवार ने जरा गर्व से उत्तर दिया। इसी समय पालकी में बैठकर एक सामन्त जा रहे थे। उन्हें देखकर वीसलदेव ने घोड़ा उस ओर घुमाया! सामन्त ने पालकी को ठहराया और घुड़सवार से पूछा, "कौन?"

"नहीं जी, कोई नहीं।" पालकी में बैठा हुआ व्यक्ति दुबला-पतला और ऊँचा था। उसका मुख जरा पिचका हुआ-सा प्रतीत होता था। उसकी आँखों में किन्हीं-किन्हीं रोगियों की आँखों में जैसा तेज चमकता है वैसा तेज चमक रहा था। उसे मूँछें मुख में रखकर बोलने की आदत थी और उसके मुख का आकार वीसलदेव के समान था।

"अच्छा, चलो।" उसने पालकी वालों से कहा।

"मैं जरा सज्जन मन्त्री के यहाँ जा रहा हूँ।" घुड़सवार बोला।

"अच्छा।" कहकर दोनों जने जुदे-जुदे मार्ग पर चल पड़े।

"इन्हें पहचाना? हाँ जी, तुम कैसे पहचानोगे! ये मेरे बड़े भाई मंडलेश्वर देसलदेव हैं। बड़े सूर सामन्त हैं। हमारा कुल बहुत बड़ा समझा जाता है।"

"हाँ, यह तो प्रकट ही हो रहा है।" काक ने शान्ति से कहा।

---

1. वनराज चावड़ा का मन्त्री और सज्जन मन्त्री का पूर्वज।

"यदि सच पूछो, तो जैसे त्रिभुवनपाल वैसे हम। वरंच हम और भी निकट के हैं।"

"हाँ, यह कैसे?" काक ने जरा हँसकर पूछा।

"कर्णदेव महाराज के एक छोटे काका थे, उनके हम पौत्र हैं।"

"तब तो तुम त्रिभवुनपाल महाराज से दूरी के ही हो। वे तो कर्णदेव महाराज के सगे भतीजे हैं।"

हः-हः-हः-कर वह हँस पड़ा; जैसे काक बिल्कुल की मन्द बुद्धि हो।

"क्यों?" काक ने पूछा।

"तुम कैसे जानोगे? त्रिभुवनपाल की माता श्रावक मुंजाल की बहन थीं और उनके दादा की माँ बकुलादेवी..."

देवप्रसाद की माँ बकुलादेवी अच्छे कुल की न थीं, इस बात का संकेत पाकर काक को क्रोध आ गया, परन्तु उसका निश्चय था कि जहाँ तक हो, किसी को शत्रु न बनाया जाए, और इस वाचाल लड़के से बहुत कुछ बातें मालूम हो रही थीं, इसलिए उसने उसकी बातों का विरोध न किया।

"अच्छा-अच्छा, अब मैं समझा! वाह! मेरे धन्य भाग्य जो पाटण में पैर रखते ही तुम जैसे व्यक्ति से परिचय हो गया; तो फिर त्रिभुवनपाल महाराज दंडनायक कैसे बन गये?"

"एक तो वे मुंजाल मेहता के भानजे हैं और दूसरे प्रसन्नदेवी राजमाता की भतीजी हैं, इसलिए आजकल मामा-मौसी के क्या कम समझे जाते हैं?"

"कौन काश्मीरादेवी?"

"हाँ।"

"अब मैं समझा!"

काक जिस तरह इन बातों पर ध्यान दे रहा था, उसी तरह चारों ओर देख रहा था। उसने पाटण के भव्य मकान, गगनबिहारी मन्दिर और धनिकों की वाटिकाएँ देखीं और लड़ाई के कारण बन्द दुकानें, घूमते-फिरते लोगों के झुंड, चारों ओर घूमते हुए योद्धा, घोड़े, हाथी और घबराहट के तथा तैयारियों के चिह्न भी देखे।

"यह लो, सज्जन मन्त्री का निवास आ गया। चाँपा मेहता का बाड़ा तुम्हें मालूम है? यह है चाँपा मेहता की हवेली। अब तो इस नयी हवेली में सज्जन मेहता रहते हैं।"

"यहाँ यह ध्वजा क्यों फहरा रही है?"

"तुम नहीं जानते? हमारे यहाँ जो करोड़पति होता है, उसके द्वार पर ध्वजा होती है।"

काक को ज्ञात नहीं था कि पाटण में धनिकों की कमी नहीं है और कौन किस श्रेणी का है, यह जताने के लिए धनिकों के घर पर प्रति लाख एक दीपक बढ़ जाता

था। करोड़ पर ध्वजा फहराती और छप्पन करोड़ हो जाने पर द्वार के आगे भोंपा बजा करता था।

काक और वीसलदेव ने हवेली में प्रवेश किया। दालान में लगभग चौदह वर्ष का एक लड़का झूल रहा था।

"क्यों धनपाल, पिताजी कहाँ हैं।"

"मुंजाल मेहता से मिलने गये हैं," लड़के ने झूले पर से कूदकर उतरते हुए कहा, "अभी आने वाले हैं। तुम कौन हो भाई?"

"मैं लाट से मन्त्री जी के पास सन्देश लेकर आया हूँ। मन्त्री जी कहाँ, राजमहल में मिलेंगे?"

"हाँ-हाँ, परन्तु अपना सामान तो यहाँ रख दो, फिर मार्ग दिखाने को मैं साथ चलता हूँ। दादू पैर धोने को पानी तो ले आ।" कहकर धनपाल ने काक के हाथ से समान लेकर नौकर को दे दिया। —"आओ, तुम्हें दिखाऊँ, वीसलदेवजी, तुम भी आओ। तुम्हारे सोरठ के भी एक मेहमान आए हुए हैं।"

काक को पाटण में ठहरने के लिए और कोई स्थान न था, इसलिए उसने लड़के का निमन्त्रण स्वीकार कर लिया और उसके साथ हो लिया। "तुम सोरठ के रहने वाले हो क्यों?" जरा मुड़ कर उसने वीसलदेव से पूछा।

"हाँ जी, मैं भूल गया। हम दोनों तरह से कुलवान हैं। सोरठ के रा'नवघण हमारी माता के पिता हैं।"

"यह बात है!"

काक ने देखा कि इस रिश्तेदारी की डींग से धनपाल का होठ गर्व से जरा सिकुड़ गया है। काक इस गर्व का अर्थ समझ गया। सज्जन मन्त्री अभी तक सोरठ के दंडनायक थे और वहाँ के रा' को नाकों चने चबवा रहे थे। इसके उपरान्त पाटण के गर्विष्ठ धनिकों के आगे राजाओं की भी कोई गणना न थी।

अगला दालान छोड़कर अन्दर के कमरे में से सब ऊपर के मंजिल पर चढ़े और एक-दो सोने से मढ़े हुए सुन्दर कमरों को छोड़कर एक ऊपर के कमरे में गये। जैसे ही ये लोग उसमें घुसे कि काक बोल उठा, "कौन, कृष्णदेव?"

कृष्णदेव एक चाँदी से मढ़े हुए पलंग पर आराम से पड़ा हुआ था। वह धीमे से उठा। नये आने वालों को एक ही दृष्टिपात में जैसे उसने देख लिया और संयत रूप में धीरे से वीसलदेव की ओर मुड़कर बोला, "कृष्णदेव नहीं तो और कौन होगा?"

काक की चपल आँखें वीसलदेव के मुख पर जा कर लगीं। मुख पर होने वाले परिवर्तन और क्षण भर के लिए उसकी आँखों में उत्पन्न हुई घबराहट देखकर उसे आश्चर्य हुआ। कृष्णदेव शान्त था, परन्तु वीसलदेव के मुख पर घबराहट-सी दीख पड़ी। दोनों यह दिखाने का प्रयत्न कर रहे थे कि जैसे वे एक–दूसरे को नहीं

पहचानते। फिर भी यह बात काक को स्पष्ट ज्ञात हो गयी कि दोनों ही एक दूसरे को पहचानते हैं।

"इन्हें पहचानते हो क्या?" धनपाल ने काक की ओर मुड़कर पूछा।

"चलो, इससे अच्छा क्या होगा?—कृष्णदेव जी, यह भी आपके साथ रहें तो क्या कोई हानि है?"

"बिल्कुल नहीं।" जरा तिरस्कारपूर्ण स्वर में कृष्णदेव ने कहा।

काक अधिक न बोला। उसे जल्दी से जाना था, इसलिए, धनपाल को लेकर जाने को तैयार हो गया। ज़रा क्षोभ से काँपते हुए स्वर में वीसलदेव ने कहा, "अच्छा, तब तो मैं यहीं बैठता हूँ। क्या मन्त्री जी अभी न आएँगे?" काक को ऐसा प्रतीत हुआ कि वीसलदेव किसी कारण से यहाँ ठहर गया है।

काक और धनपाल घोड़ों पर बैठकर राजमहल की ओर रवाना हुए।

धनपाल काक के सुपुष्ट और सुगठित शरीर, उसके माँसल बाहु और उसकी लम्बी तलवार की ओर देखता रह गया।

"भटजी, तुम कभी लड़ाई के मैदान पर भी गये हो?"

"हाँ, बहुत बार।"

धनपाल कुछ देर चुपचाप चलता रहा; फिर उसने पूछा, "त्रिभुवनपाल महाराज कब तक आएँगे?"

"थोड़े ही दिनों में। क्यों?"

"यदि किसी से न कहो, तो कहूँ।"

"हाँ, कहो, क्या बात है?"

"त्रिभुवनपाल महाराज पिताजी से कह गये हैं कि जब वे आकर फिर लाट को जाएँगे, तब मुझे भी लड़ने के लिए साथ ले जाएँगे। मुझे अब चौदहवाँ वर्ष लगेगा।"अपनी योग्यता और शौर्य का विश्वास दिलाने के लिए धनपाल ने कहा।

पाटण के अधिकारी

काक और धनपाल तेजी से राजमहल की ओर गये। सन्देश लेकर अनेक सवार महल से घोड़े दौड़ाते आ रहे थे। नगर के गण्यमान्य पुरुष,—कोई घोड़े पर, कोई पालकी में और कोई हाथी पर बैठकर, मुंजाल और महाराज से मिलने जा रहे थे। युद्ध का अवसर था, इसलिए धमाचौकड़ी मची हुई थी। काक को प्रतीत हुआ कि सारा पाटण घर से बाहर निकल पड़ा है। धनपाल वाचाल लड़का था। उसने बहुत से लोगों का परिचय कराया और कई लोगों का इतिहास भी बताया।

आखिर वे राजमहल के आगे आ पहुँचे। वहाँ कुछ शान्ति दीख पड़ी।

"यहाँ इतने लोग हैं, पर जरा भी हो-हल्ला नहीं सुनाई पड़ता।" काक ने धनपाल से कहा।

"सामर्थ्य किस की है? मुंजाल फूफा खा न जाएँ!"

"मुंजाल मेहता तुम्हारे फूफा होते हैं?" काक ने पूछा।

"हाँ, तुम्हें मालूम नहीं? मेरी बड़ी बुआ थी..."

"उनका कब स्वर्गवास हो गया?"

"ओह! बहुत वर्ष पहले। जयदेव महाराज के सिंहासन पर बैठने के पहले ही उनका अवसान हो गया।" धनपाल ने तेजी से बात उड़ाने का प्रयत्न किया, "यह दुर्ग अभी ही बना है, देखा?"

"मुंजाल मेहता के कोई बाल-बच्चे नहीं हैं?" काक ने निर्दोष भाव से पूछा। धनपाल को बातें करना भला नहीं लग रहा था; परन्तु काक को तो पाटण का परिचय प्राप्त करना था। धनपाल इतने लोगों की बातें तो कर गया; परन्तु घर की बात करते ज़रा झिझकने लगा। यह देख उसे और भी अधिक मज़ा आने लगा।

"नहीं, कोई नहीं।"

"इस समय कितनी स्त्रियाँ हैं?"

लड़के की आँखें कुछ चमक उठीं। उसके होठ ज़रा फड़के और उसने धीमे स्वर में कहा, "बुआ के मर जाने पर उन्होंने फिर ब्याह नहीं किया।"

काक ने इस बात को यहीं समाप्त कर दिया और पूछा, "इस दुर्ग को नया कब किया गया?"

"गत वर्ष ही तो किया है। पहले छोटा-सा था।"

धनपाल का कहना ठीक था। जिस दुर्ग की चर्चा पाठक पहले पढ़ आए हैं, उसमें मीनलदेवी ने बहुत कुछ परिवर्तन करा दिए थे। पहले तो वह केवल सुदृढ़ ही माना जाता था, पर अब तो वह भव्य, सुन्दर और संगमरमर का प्रसाद जैसा बन गया है। प्रत्येक विशाल झरोखे पर अद्‌भुत कला-पूर्ण बेलें झूल रही हैं। कमरों की सोने से मढ़ी हुई छतों के प्रतिबिम्ब नीचे स्फटिक-से चमकदार संगमरमर के फर्शों पर पड़ रहे हैं। पहले सोलंकियों का प्रासाद महाजनों-साहूकारों के घरों से भी ज्यादा सादा था, पर अब वह उन लोगों के लिए आदर्श रूप हो गया है। जो गुर्जर-साम्राज्य बन रहा था, पाटण नगर उसका हृदय था और उसकी आत्मा के निवास स्थान के रूप में ही यह प्रासाद निर्मित हुआ था। जैसी शरीर की सबलता थी, वैसी हृदय की भव्यता और आत्मा का मन्दिर भी उतना ही सुन्दर था।

राजप्रासाद के आगे एक मन्दिर था और उसके आगे एक अद्‌भुत कीर्ति स्तम्भ खड़ा किया गया था। उसे पार करके वे राजप्रसाद के विशाल चौक में घुसे और वहाँ से होते हुए महल के चबूतरे के सामने आए और घोड़े पर से उतर पड़े। उस विशाल

सुविस्तृत चबूतरे पर अनेक शूर-वीर घूम-फिर रहे थे। कई बैठे हुए थे, कुछ सो रहे थे परन्तु सभी जरा चिन्तातुर दीख पड़ते थे।

धनपाल ने दीवार से टिककर खड़े हुए एक अधेड़ उम्र के व्यक्ति से पूछा, "क्यों विनय भाई, तुम खम्भात से कब आए?"

"जब तुमने देखा तभी। मैं अभी ही नौका से उतर कर आ रहा हूँ।"

"प्रसन्न तो हो?"

"हाँ जी, खूब।"

"पिताजी कहाँ हैं, कुछ पता है?"

"हाँ, महाराज के पास हैं।"

"अच्छा।" कहकर धनपाल जाने लगा। विनय ने उसका हाथ थाम कर रोका।

"क्यों?" धनपाल ने पूछा।

"अन्दर कुछ उपद्रव-सा हो रहा है।" धीमे से विनय ने कहा।

"क्या?"

"महाराज मेरे पिताजी और सज्जन काका पर कुछ क्रुद्ध हो रहे हैं। अभी जाने का समय नहीं है।"

विनयचन्द शान्तु मन्त्री का पुत्र था और उदा मेहता इस वृद्ध मन्त्री की कनिष्ठा कन्या से ब्याहा था, इसलिए अभी तक खम्भात में रहता था।

"पिताजी ने सन्धि कर ली है, इससे जयदेव महाराज बहुत क्रोधित हुए हैं।"

"परन्तु ये भट लाट से सन्देश लेकर आए हैं और वह बहुत आवश्यक है।" कहकर कुछ तो सन्देश के मिस और कुछ हालचाल जानने के विचार से धनपाल अन्दर चला गया।

"आप शान्तु मेहता के चिरंजीवी हैं?" काक ने मधुरता से पूछा।

"हाँ, क्या तुम त्रिभुवनपाल महाराज के सुभट हो?"

"जी हाँ, उन्होंने मुझे भेजा है। उदा मेहता सेना लेकर कब आएँगे?"

"उनके पास कौन बहुत-सी सेना है जो लेकर आएँ।"

काक ने कुछ दिनों पहले ही खम्भात की प्रतापी सेना को देखा था। वह इस झूठ को सुनकर चौंका। पर जैसे कुछ जानता ही न हो, इस प्रकार उसने कहा, "अच्छा, यह बात है!"

"हाँ, उनकी बहुत-कुछ सेना तो कर्णावती में ही है।"

"ओह! तब महाराज ने उदा मेहता से कर्णावती ले ली, यह बड़ी भूल की। इस समय इनके पास वह होती, तो कितनी सहायता मिलती?" काक ने उसके मुख से बात निकलवाने के लिए कहा।

"सच कहते हो। उदा मेहता ने मुंजाल मेहता को बहुत समझाया, पर उस समय उन्होंने माना ही नहीं। अब देखो, यह..."

"सही बात है।" काक ने कहा।

इतने में धनपाल लौट आया और उसने काक से कहा, "महाराज बुलाते हैं।" बातचीत को अधूरी छोड़कर काक राज-मन्दिर में चला गया।

पाटण के राज्यकर्ताओं के विषय में काक ने बहुत कुछ सुना था। उन पर उसका अपना बहुत कुछ आधार था और गत रात्रि में उनमें से सर्वश्रेष्ठ का उसने अपमान किया था। इन कारणों से उसे तनिक क्षोभ हुआ। सामान्यतया काक घबराने वाला नहीं था। वह पाँच-छः वर्षों से युद्धों और राजनीतिक दाँव-पेचों में रहा था, अतएव स्वभाव से ही निर्भय था। ब्राह्मण होने के कारण उसे अपनी उच्चता का अभिमान था। जन्म की और संस्कार श्रेष्ठता में विश्वास होने के कारण उसे बिना सत्ता के ही स्वास्थ्य और प्रभाव आदि गुण स्वभाव से मिल गये थे। और अनेक अवसरों पर अपनी बुद्धि और बाहु के बल से उसने विजय प्राप्त की थी, इसलिए उसे आत्मविश्वास भी था। ऐसे स्वभाव, संस्कार और जीवन के कारण उसे जरा क्षोभ अवश्य हुआ था, फिर भी वह बाहर से शान्त और स्वस्थ बना रहा।

महल के जिन खंडों से होकर वह जा रहा था, उनमें नक्काशी का बहुत ही सुन्दर कलापूर्ण किया गया था; परन्तु विमलशाह के जिन मन्दिरों को देखकर इस काल के लोग चकित हो जाते हैं, उनके शिल्पियों द्वारा तैयार हुए राजमन्दिर का सौंदर्य या वैभव देखने में उसका ध्यान न था। उसकी तीक्ष्ण दृष्टि केवल यह देखने में लगी थी कि राजमहल में क्या-क्या हो रहा है।

कुछ देर में धनपाल उसे एक बड़े कमरे में ले आया। इस कमरे का आधा फर्श दो हाथ ऊँचा पटा हुआ था और उसके सामने सोने से मढ़ी हुई छड़ों वाला कठघरा था। उस उच्च स्थान पर मुलायम गद्दी शोभायमान थी जिस पर पाँच व्यक्ति बैठे हुए थे।

काक चबूतरे के सामने जरा खड़ा रहा और वहाँ बैठे हुए मनुष्यों की ओर एक सर्वग्राही दृष्टि उसने डाली। एक क्षण-भर उसने प्रत्येक का मूल्य आँकने का प्रयत्न किया।

गद्दी के बीचोबीच एक ज़रीन तकिया लगा था और उस पर अधीर-सी दशा में एक सोलह-सत्रह वर्ष का लड़का बैठा था। वह इकहरे शरीर का था। उसका रंग गेहुँएँ रंग से जरा साँवला था। उसके पहुँचे काले थे। उसने जरी की चौड़ी किनारे वाली धोती पहन रखी थी और उसका सारा अंग अलंकारों से झिलमिला रहा था। उसके चंचल मुख पर क्रोध के बादल घिरे हुए थे। उसकी भवें तनी हुई थीं और उसकी बड़ी-बड़ी आँखों में लाल रेखाएँ खिंच आयी थीं। काक तुरन्त समझ गया कि यही पाटणपति महाराज जयसिंह देव हैं। उनके दाहिनी ओर महा अमात्य मुंजाल मेहता बैठे थे। कल रात को उन्हें काक ने देखा था, उसकी अपेक्षा प्रकाश में वह उनके मुख की भव्य मुखरेखाएँ अधिक स्पष्ट देख सका। उन्होंने पगड़ी पैरों के आगे रख छोड़ी

थी और जरा लापरवाही से तकिए पर हाथ टेककर कुछ लेटी हुई अवस्था में वे सब बातें सुन रहे थे।

सामने तीन जने बैठे थे। पहला वीसलदेव का बड़ा भाई देसलदेव मालूम हुआ, जो जाते समय मार्ग में पालकी पर बैठकर आता हुआ मिला था। उसकी धँसी हुई आँखें इस समय अधिक धँसी हुई मालूम होती थीं और बिल्ली की-सी चपलता से चारों ओर घूम रही थीं। काक ने सोचा कि राजा का निकट सम्बन्ध होने के कारण वह इस समय यहीं आया है। काक का यह सोचना निर्मूल न था। मंडलेश्वर खेंगार की बात पाठक पहले पढ़ आए हैं। उनका यह बड़ा पुत्र था। खेंगार मंडलेश्वर स्वर्गीय कर्णदेव महाराज के परम मित्र थे और बहुत नजदीक के रिश्ते में भाई लगते थे। उन्होंने अपने शौर्य से सौराष्ट्र में एक बड़ा मंडल जीत कर उस पर सर्वोपरि सत्ता जमा ली थी और जूनागढ़ के रा'नवघण के समान अभिमानी राजा की बहन से विवाह किया था। वे अन्य मंडलेश्वरों की भाँति उपद्रवी न थे और उन्होंने अपने जीवन पर्यन्त अपने मंडल को अन्य मंडलेश्वरों की भाँति स्वतन्त्र न बनाकर पाटण के राजा के अधीन रखा था।

मंडलेश्वर खेंगार तीन वर्ष पहले स्वर्गवासी हो गये थे और देसलदेव मंडलेश्वर बना था। मुंजाल की राजनीतिक शक्ति से अधिकांश मंडलेश्वर पाटण की सत्ता स्वीकार करते थे, अतएव देसल के लिए भी उसे स्वीकार करने के सिवा कोई चारा न था।

उसके पास, ज़रा आगे बढ़कर, औंधे पैरों एक शस्त्र-सज्जित योद्धा बैठा था। उसका शरीर प्रचंड था और भुजाएँ लम्बी थीं। काक को ऐसा प्रतीत हुआ कि अगर 'नर-सिंह' समास की तरह 'नर-हस्ति' समास हो सकता, तो वह किसी ऐसे मनुष्य पर घटित होता। उसका सम्पूर्ण शरीर बख्तर से सज्जित था और उसकी लम्बी तलवार सामने रखी थी। उसके विशाल चेहरे पर लम्बे गलमुच्छे और बड़ी-बड़ी आँखें कुछ अद्भुत प्रभाव उत्पन्न कर रही थीं। फिर भी उसके मुख पर भलमनसाहत और पवित्रता दीख रही थी। इस समय उसका मुख लज्जा से मुरझाया हुआ और आँखें भीनी-सी देखकर काक को कुछ वैचित्र्य प्रतीत हुआ। इस योद्धा का नाम और पराक्रम उस समय इतना लोकप्रसिद्ध था कि काक उसे तुरन्त पहचान गया। वह था सज्जन मन्त्री।

वनराजदेव के जिस मन्त्री चाँपा ने चाँपानेर बसाया था, सज्जन मन्त्री उसी का वंशज था। पावागढ़ जैसी दुर्जय चौकी के रक्षक और चाप जैसे प्रतापी पूर्वज की ख्याति के उत्तराधिकारी तथा पाटण के धनाढ्यों के अग्रणी सज्जन मन्त्री ने अपनी प्रतिष्ठा से पाटण को भी प्रख्यात कर दिया था। कर्णदेव के आरम्भ किए हुए युद्धों में उसके पराक्रम अद्भुत रूप में प्रकट हुए थे। वह समरांगण मे चलता तो गजेंद्र की भाँति भूमि को कँपा देता। हुंकार भरता तो घन-गर्जना की-सी प्रतिध्वनि होती। संहार

करता तो शंकर के तांडव नृत्य का भान करा देता। जैसा पावागढ़ दुर्जय था, वैसा ही उसका पति भी समझ जाता था।

परन्तु उसका हृदय बालक से भी अधिक कोमल था। उसका स्वभाव भोला और भला था। उसके हाथ उदार थे। इन सबके परिणामस्वरूप पाटण में उसकी धाक न जमती थी और सोरठ का रा'नवघण उसे छकाया करता था। खानगी व्यवहार में सभी उसे लूटते और उसका घर अतिथियों से भरा रहता। इस समय यह वीर ढीला-सा हो गया प्रतीत होता था।

इसकी बगल में एक त्रिपुंडधारी वृद्ध मन्त्री बैठा था। काक को ऐसा प्रतीत हुआ कि वह स्वस्थ चित्त से सब कुछ देख रहा है। काक उसे न पहचानता था। वह मूलराजदेव के मन्त्री देवयु का वंशधर और सोलंकियों का परंपरागत मन्त्री लूला[1] था। वह नागर था और जैनेतर मन्त्रियों में अग्रगण्य समझा जाता था। वह बहुत वृद्ध हो गया था, फिर भी पाटण की राजसभा में इसकी सलाह-सम्मति की निरन्तर आवश्यकता पड़ती थी।

महाराजा को क्रोधित देखकर काक चबूतरे के आगे ठहर गया, पर ज्यों ही उस पर दृष्टि पड़ी कि जयसिंह देव के कपाल पर से सिकुड़नें कम हो गयीं और मुंजाल ज़रा सतर हो गया। यह देखकर काक ऊपर चढ़ा और उसने महाराज के निकट जाकर दंडवत् प्रणाम किया।

जयसिंह देव ने पूछा, "तुम्हें ही त्रिभुवनपालजी ने भेजा है? तुम्हारा ही नाम काक है?"

काक ने हाथ जोड़कर दोनों प्रश्नों का उत्तर दिया, "जी हाँ, महाराज।"

"उनका पत्र तो पढ़ लिया, और भी कुछ कहलाया है?"

काक ने कहा, "हाँ महाराज, मंडलेश्वर ने कहलाया है कि वे कर्णावती के पास ठहरेंगे और आपका सन्देश आने पर मालवे की ओर जाएँगे।"

मुंजाल मेहता ने पूछा, "उनके पास कितनी सेना है?"

काक ने उनकी भेदक दृष्टि और प्रश्न करने की रीति को देखा और रात की घटना याद आते ही वह जरा घबराया। "महाराज मंडलेश्वर के पास चार हज़ार पैदल सेना और दो सौ हाथी हैं।"

"देखो, तब हमारे पास चौदह हज़ार पैदल सेना और सात सौ हाथी तो हो गये। —क्यों सज्जन मेहता?" जयदेव ने कहा।

सज्जन ने धीमे-से उत्तर दिया, "महाराज, मंडलेश्वर की तो खबर अभी आयी है। पर उबक के पास तो बीस हजार से अधिक घोड़े हैं और ग्यारह सौ हाथी..."

---

1. प्रभासपाटन का शिलालेख संवत 1272

परन्तु इन प्रश्नोत्तरों पर ध्यान न देकर मुंजाल प्रश्न करने लगा, ''तुम कहाँ से आए हो, खम्भात से?''

''जी हाँ।''

''तुम कितने वर्षों से सेना में हो?''

इस प्रश्न का कारण काक न समझ सका। उसने उत्तर दिया, ''पाँच वर्षों से।''

''तुम्हारी धारणा से खम्भात में कितनी सेना है?''

काक ने पहले प्रश्न का अर्थ समझ लिया। उसने कुछ क्षण विचार कर कहा, ''महाराज, मेरी धारणा है कि पाँच हजार सेना तो सहज ही तैयार हो सकती है।''

जयदेव ने पूछा, ''और हाथी?''

''तीन सौ होंगे।''

जयदेव ने कहा, ''तो उदा ने सेना भेजने से क्यों इनकार किया? उसकी सेना आती, तो हम लोग लड़ सकते थे।''

सज्जन मन्त्री ने सच्ची बात कह दी, ''अन्नदाता, आपने उससे कर्णावती ले ली, इससे उसे बुरा लगा है।''

मुंजाल के कपाल पर सिकुड़नें पड़ गयीं। उसने तिरस्कारपूर्वक कहा, ''जिस समय उबक पाटन पर आक्रमण करने आ रहा है, वह समय क्या ऐसी द्वेषपूर्ण बातें करने का है?''

क्रोध से जयसिंह देव ने कहा, ''अर्थात मालिक मैं हूँ या उदा? मैं उसे और शान्तु मेहता को दिखा दूँगा।''

''यह बात पीछे होगी, अभी हमें मालवियों को निकाल भगाने की बात करनी चाहिए।'' मुंजाल ने शान्ति से कहा।

''अब बाकी क्या रह गया है? शान्तु मेहता ने कभी की सन्धि कर ली होगा।'' तिरस्कार से महाराज ने कहा।

''अभी तक सन्धि का सन्देश नहीं आया है।'' लूला मेहता ने पहली बार मुख खोला। उसका स्वर धीमा और वृद्धता से काँप रहा था।

''तब, यदि हम सेना भेजें, तो क्या शान्तु मेहता अभी लड़ सकते हैं?'' देसलदेव ने तीखे स्वर में कहा।

''हाँ, यह बात भी ठीक है। तुम इसी समय एक हजार सेना लेकर जाओ। सन्ध्या समय हम सब बाकी सेना लेकर जा पहुँचेंगे।'' मुंजाल ने एकदम देसलदेव से कहा। ऐसा प्रतीत हुआ जैसे मुंजाल के तेजस्वी नयनों का प्रताप देसलदेव को जला रहा हो। वह निस्तेज हो गया। यह परिवर्तन काक ने देखा।

''मैं...मैं?'' ज़रा घबराए स्वर में देसलदेव ने पूछा।

"हाँ, तुम्हीं तो! तुम नहीं जाओगे तो कौन जाएगा? शान्तु मेहता सन्धि कर रहे होंगे तो तुम्हारी भी सम्मति काम आएगी और विग्रह में तो पूछना ही क्या है।" मुंजाल ने ठहरकर कहा, "धनपाल!..."

"जी।" जैसे नींद में चौंककर जाग पड़ा हो, इस प्रकार घबराकर धनपाल बोल उठा। इस समय वह सबसे दूर बैठा हुआ सबकी बातें सुन रहा था और उनके मुखों को देख रहा था।

"भीमा नायक से कह आओ कि मध्याह्न तक दो हजार सैनिकों को तैयार करे।"

"परन्तु—परन्तु..." देसल ने बोलने का प्रयत्न किया।

"क्या कहा?" जरा कठोरता से महा अमात्य ने पूछा। उसके नेत्रों से निश्चलता प्रकट हो रही थी, स्वर में दुर्जय सत्ता स्पष्ट प्रतीत हो रही थी और जब उसका यह स्वरूप प्रकट हुआ करता, तब पाटण में उसके सामने बोलने का किसी को भी साहस न होता।

देसलदेव ने होठ चबाए और बात बदलकर कहा, "परन्तु, मैं कहता हूँ कि त्रिभुवनपालजी को सन्देश भेज दिया जाए, तो कैसा?"

"क्या सन्देश।"

"कि जल्दी से वे भी शान्तु मेहता से आ मिलें।"

"हाँ, यह मार्ग भी अच्छा है।" जयसिंह देव ने कहा।

"अच्छा।" मुंजाल ने कहा और वह काक की ओर मुड़ा, "काक भट, तुम लम्बी यात्रा के कारण थक गये होगे।"

"यदि आपका कोई आदेश हो, तो मैं तैयार हूँ।" काक ने कहा।

"अच्छा, तब आज सन्ध्या समय कर्णावती जाओ और मंडलेश्वर महाराज से कहो कि भोगपुर की ओर आकर हमसे मिलें। —क्यों ठीक है न?" मुंजाल ने देसलदेव से पूछा।

वह कोई विचार करता हुआ पकड़ा गया, अतएव जल्दी से, "जी हाँ, जी हाँ।" कहकर उसने उत्तर दे दिया।

"अच्छा, तब जाओ। —तुम्हारा वर्ण?"

"मैं विप्र हूँ।"

मुंजाल ने स्वर को कुछ प्रतिष्ठा सूचक कर लिया और कहा, "अच्छा, तो फिर राजमहल में ही भोजन करना।"

"यदि सज्जन मन्त्री की आज्ञा हो, मैं उन्हीं के यहाँ ठहरा हूँ।"

"मेरे ही घर?—" सज्जन मन्त्री बीच में ही बोलने का प्रयत्न करने लगे कि कहीं अतिथि चला न जाए।

हँसते हुए मुंजाल ने कहा, "तुम्हारे आतिथ्य के सामने तो राजमहल की भी कोई

गणना नहीं है। अच्छा, ऐसा ही सही। चलो देसलदेव जी, तैयारी करो।'' कहकर मुंजाल ने पगड़ी उठाकर सिर पर रखी, ''काक भट, तुम जाओ।''

''जो आज्ञा।'' कहकर काक ने पैर छुए और रवाना हो गया। अब तक जयसिंह देव गहरे विचारों में लीन होकर बैठा हुआ था। और सब तो उठ गये, परन्तु लूला मन्त्री उठते-उठते मुंजाल के पास जो पानों की थाली रखी थी, उसमें से पान लेने के बहाने निकट आया और धीमे से बोला, ''परन्तु पाटण का क्या होगा?''

''मुझे ध्यान है, निश्चिन्त रहिए।'' मुंजाल मेहता ने धीरे से उत्तर दिया। जैसे कोई बात हुई ही नहीं, इस प्रकार लूला, सज्जन और देसल साथ ही साथ वहाँ से बाहर निकल पड़े।

जयसिंह देव विचारों में तल्लीन हो गया था। वह जिस तकिए पर बैठा था, अचानक उस पर लुढ़क पड़ा और उसने एक गहरा निःश्वास लिया। मुंजाल कुछ देर उसकी ओर देखता रहा और बोला, ''क्यों, क्या विचार कर रहे हो?''

''और क्या होगा? मुझे प्रतीत होता है कि सोलंकी कुल को कलंकित करने के लिए ही मैं उत्पन्न हुआ हूँ?'' निराशा-भरे स्वर में जयदेव ने कहा।

''क्यों?'' मुंजाल ने व्यंग्य से पूछा। उसका मुख वात्सल्य-भाव से दीप्त हो गया।

''तुम क्या जानो?'' तुम आमात्य हो, परन्तु सोलंकी नहीं; पाटण के स्वामी नहीं। इस समय पाटण की नाक कट रही है। इससे मेरे हृदय में जितना आघात हो रहा है, इतना और किसे होगा? जयसिंह ने व्याकुलता से कहा।

मुंजाल के मुख पर अजीब परिवर्तन हो गया। उसकी हँसी लोप हो गयी, उसका वात्सल्य-दर्शक भाव अदृश्य हो गया और उसके बदले उसके मुख पर कठोरता छा गयी। उसकी तेजस्वी आँखों पर अवर्णनीय शोक की छाया आ पड़ी। उसने बहुत ही अज्ञात रूप से धीमा सा निःश्वास लिया और खेदयुक्त स्वरों में कहा, ''सच बात है। चाहे जैसा होऊँ, परन्तु हूँ मैं आखिर प्रधान ही, और तुम राजा हो। राज्य जितना तुम्हारा है, उतना कहीं मेरा हो सकता है?''

जयसिंह में इन मार्मिक वचनों का अर्थ समझने की शक्ति न थी। उसने कहा, ''ठीक कहते हो। नहीं तो इस प्रकार तुम बैठे रहते? शान्तु मेहता धन देकर सन्धि करे, उदा मेहता मेरे आदेश की अवहेलना करे और वह काक यह विचारे कि उबक और नरवर्मा पाटन में आ पहुँचे! मेरी कीर्ति को क्या इससे और अधिक धूल में मिलाना है?''

''इसी से तो मैं तुमसे कभी से कहता आ रहा हूँ कि बचपन कब त्यागोगे? किसलिए तुम राज्य-तन्त्र के संचालन की चेष्टा नहीं करते?''

''कैसे करूँ? मुझे तो कुछ भी समझ में नहीं आता।''

''कब समझोगे? यदि कल कहीं मैं मर गया तो? उसे हाथ में लो और चलाओ, सब समझ में आ जाएगा।''

"किस प्रकार चलाऊँ?"

"किस प्रकार? तुम्हें 'कालस्य कारणं'[1] बनना चाहिए। तब राजा बनोगे।"

"यदि कोई भूल हो जाए, तो? हमारा राज्य-तन्त्र क्या कुछ छोटा-मोटा है?"

"धीमे-धीमे मुंजाल ने कहा, सुधारने वाला मैं तो बैठा हूँ। जयदेव, जब तुम बालक थे तब मैंने देवी को वचन दिया था कि तुम्हें चक्रवर्ती बनाऊँगा। चाहे जिस प्रकार से हो उस वचन का पालन करने की सामग्री मैंने इकट्ठी की है। पाटण इस समय सबल बन गया है। उसकी सैन्य सज्जित है। उसके वीर साहसी और सावधान हैं। अब केवल एक बात रह गयी है।"

"वह क्या?"

"वह यह कि तुम चक्रवर्ती बनने का संकल्प करो। जयदेव, तुमने मुझे अभी राजा और अमात्य के बीच भेद बताया है; वह होगा; परन्तु मेरे समान मन्त्री न तो किसी राजा को मिला है, न मिलेगा।" मुंजाल ने गर्व से मस्तक ऊँचा किया और उसके संस्कार शील स्वर में सत्ता गरज उठी। –"और कोई होता, तो पिछले चार वर्षों में अपार धन एकत्र कर लेता, स्वयं चक्रवती बन जाता और मौसा विमल मन्त्री की भाँति किसी चन्द्रावती[2] में जाकर स्वच्छन्दता से राज करता; परन्तु मैं इसे मूर्खता समझता हूँ। पाटण की महत्ता से मुझे अपनी महत्ता बढ़ानी थी और वह मैंने बढ़ा ली है। कर्णदेव के समय की निर्बल सेनाएँ किसके कारण सबल हुईं? उपद्रवी मंडलेश्वर किस के कारण अधीन हुए? लाट आज किस के नीति से गुजरात में मिल गया है? रा'नवघण किसकी युक्ति से शिकंजे में कस गया है? यह सारा प्रताप, जिस अमात्य को तुमने पाटण के प्रति असावधान रहने का उलहना दिया, उस ही अमात्य का है।"

मुंजाल रुक गया। उसके शब्दों से जयदेव दंग हो गया। मन्त्री के मुख पर जो दिव्य तेज प्रदीप्त हो रहा था, उसे ही वह देखता रह गया।

"हाँ, मैं अभिमानी हूँ।" मुंजाल ने विचार करते हुए मस्तक हिलाया और आगे कहा, "सत्ता मुझे प्रिय है, परन्तु इस सत्ता का मैंने स्वयं सृजन किया है। तब किसलिए मैं गर्व न करूँ? फिर भी, –फिर भी मैं तुमसे विनती करता हूँ कि जिस प्रकार यह सत्ता मैं चला रहा हूँ उससे भी अधिक तुम चलाओ और मेरे आसरे रहकर छोटे मत बनो। लो, इस समय विकट अवसर उपस्थित हुआ है, इसका फैसला कर डालो। आज से ही राजा बनो।"

जयसिंह नम्र हो गया और उछलते हृदय से उसने मुंजाल के हाथ पर हाथ रख दिया।

---

1. 'राजा कालस्य कारणम्' महाभारत के इस वाक्य का हिस्सा।
2. आबू के पास का एक नगर। भीमदेव के विमल मन्त्री ने पीछे से पाटण छोड़कर चन्द्रावती में स्वतन्त्र राज्य स्थापित कर लिया था।–विमल प्रबन्ध।

''मेहता जी, मुझे क्षमा करो। जल्दी में मेरे मुख से कुछ का कुछ निकल गया। तुमने जो कुछ मेरे और पाटण के लिए किया है, उसे मैं कैसे भूल सकता हूँ? चाहे जो हूँ, परन्तु मैं तुम्हारा शिष्य ही तो हूँ।''

''यह विचार ही दूर कर दो। तुम मेरे राजा हो। देखो, तुम इस समय की परिस्थिति पर विचार कर रहे थे। भली भाँति विचार कर देखो और कोई मार्ग निकालो।''

जयदेव ने कहा, ''मेहताजी, देखिए, यदि मैंने कुछ कर डाला, तो वह भारी पड़ेगा। मैं तो इन सबको दंड देना चाहता हूँ।''

''देते क्यों नहीं?'' ज़रा हँसकर मुंजाल ने कहा, ''परन्तु एक बात स्मरण रखना।''

''वह क्या?''

''बल के बिना दंड न देना चाहिए। बलहीन के दंड और निर्धन के दान से अन्त में हँसी होती है।'' कहकर मुंजाल खड़ा हो गया, ''तुम विचार कर देखो। फिर हम लोग बातें करेंगे।''

मुंजाल वहाँ से चला गया। परन्तु ज्यों ही वह वहाँ से निकला, त्यों ही उसकी आँखों में कुछ खेद मालूम हुआ और मस्तक नत हो गया। उसके हृदय में व्याकुलता छा गयी।

मुंजाल के जाने पर जयदेव भी गहन विचार करने लगा; परन्तु इतने ही में लगभग एक अट्ठारह वर्ष का कांतिवान युवक उसके पास आया। ''प्रणाम हैं महाराज के चरणों में।''

जयदेव ने कोई उत्तर नहीं दिया।

''ओहो, यात्रा से लौटने पर कितना रौब आ गया है। हमारी तो बात ही नहीं पूछते!'' युवक ने कहा। यह लूला मन्त्री का पुत्र और जयदेव का मित्र था।

''शोभ, चुप रहो। मैं विचार कर रहा हूँ!''

''मैं भी विचार कर रहा हूँ!''

''कैसा?''

''पहले तुम बताओ, फिर मैं कहूँगा।''

''अब मैं वास्तविक राजा बनने जा रहा हूँ। मुंजाल मेहता कहते हैं कि अब सारा राज-तन्त्र मुझे चलाना चाहिए। बताओ, तुम क्या विचार कर रहे थे?''

''मैं भी यही कर रहा था। वास्तविक राजा बन जाओ, तो मुंजाल मेहता को विदा और वंदे को महा अमात्य का पद!'' बन्दर की तरह मुँह बनाकर शोभ ने कहा।

''अरे बम्हन, अपना मज़ाक रहने दो!'' कहकर जयदेव ने उसका कान ऐंठ दिया।

"यह लो, मैं चुप हो गया!"

"एक काम करो।"

"बताओ।"

"बाहर लाट से एक सुभट आया है। उसका नाम काक है। उसे चुपचाप बुला लाओ। कोई जानने न पाए।"

"अजी, तनिक भी नहीं! कहकर शोभ वहाँ से दौड़ता हुआ चला गया।"

कृष्णदेव का काल-यापन

जब धनपाल और काक राजमहल की ओर गये, तब वीसलदेव वहाँ जा धमका, जहाँ कृष्णदेव था। कृष्णदेव निश्चिन्त होकर झूले पर लेटा हुआ सोने का प्रयत्न कर रहा था। वीसलदेव आया तो कृष्णदेव ने ठंडे दिल से उसकी ओर देखा और पूछा, "क्यों?"

वीसलदेव ने कहा, "हमने तुम्हारी कितनी राह देखी और बड़े भाई तो अधीर ही हो गये थे।" कृष्णदेव के आगे उसका आडम्बर दूर हो जाए करता था और एक सेवक की भाँति बातें किया करता था।

कृष्ण ज़रा कटाक्ष से उसके सामने देखने लगा और कुछ देर में बोला, "भाग्य उसके!"

"परन्तु उसका क्या होगा?"

"किसी का कुछ न होगा।" कहकर तिरस्कार से कृष्णदेव ने पीठ फेर ली।

"तब बड़े भाई से क्या कहूँ?"

"कि सन्ध्या को मुझसे मिलें।"

"कहाँ?"

"कर्णेश्वर महादेव पर।"

"अच्छा प्रणाम।"

कृष्णदेव ने कुछ भी उत्तर न दिया और अधिक बात करने का प्रसंग न मिलने से बेचारा वीसलदेव निराश होकर चला गया। उसके जाने के पश्चात कृष्णदेव के मुख पर कुछ देर हँसी छाई रही; फिर कुछ बेचैन-सा होकर पीछे की ओर की खिड़की के सामने जाकर खड़ा हो गया।

घर का यह हिस्सा बहुत पुराना था और बहुत व्यवहार में भी न आता था। उसकी यह खिड़की पीछेवाली वाटिका के जिस भाग में पड़ती थी वह भी निर्जन था। वास्तव में यह वाटिका नहीं थी, परन्तु तरु-लताओं के स्वच्छन्द विकास के कारण उत्पन्न हुआ एक वन-सा था। एक मोर मोरनियों सहित इन सारे फल-फूलों के

मालिक की भाँति वहाँ आनन्द से विहार कर रहा था। कृष्णदेव कुछ देर देखता रहा, फिर सामने के आकर्षक दृश्य का आकर्षण बढ़ने से वह खिड़की में से नीचे वाटिका में छलाँग मारकर कूद पड़ा। उसको इस प्रकार असभ्य असंस्कृत रीति से नीचे उतरते देख कलापी मस्तक ऊँचा करके सोच में पड़ गया और तब ऐसा जान पड़ा कि वह मादाओं को एकत्र करके वहाँ से चले जाने को तैयार हो गया।

कृष्णदेव वाटिका में घूमने लगा। बहुत देर तक घूमने पर भी उस वाटिका का अन्त न आया। आखिर वह लौटा पड़ा। कुछ दूर चलने पर उसे एक जलकुंड दिखलाई दिया।

यह स्थान बड़ा रमणीय था। जलकुंड के चारों ओर वृक्षों की घटा ने शान्त और शीतल मंडप रच दिया था। कृष्णदेव वहाँ इस प्रकार खड़ा हो गया जैसे उसे और काम ही नहीं है। कुछ देर बाद, सोने का विचार कर, वह एक वृक्ष के तने के सहारे लेट गया। निद्रा आने के पहले उसे विचार आया कि इस प्रकार निरर्थक समय बिताने से, —इस प्रकार पड़े रहने से उसके स्वार्थों और योजनाओं की हानि तो न होगी? परन्तु उस स्थान के सौन्दर्य और शान्ति का नशा उसकी रगों में फैल रहा था। उसने आँखें मूँद लीं और वह निश्चित होकर सोने लगा। थोड़ी देर में, —कितनी देर हो गयी, इसका उसे ध्यान नहीं रहा, —कंकणों की आवाज़ से वह जाग पड़ा। लेटे ही लेटे उसने मुड़कर देखा। सामने जलकुंड में एक बाला स्नान कर रही थी। दूसरे ही क्षण वह बाला उधर फिरी और एक सुन्दर तेजस्वी मुख की कान्ति वहाँ फैल गयी। कृष्णदेव का शान्त हृदय भी अशान्त हो गया। बाला कम-उम्र थी। लगभग चौदह-पन्द्रह वर्ष की होगी। उसके लम्बे बिखरे हुए बालों के बने वस्त्र में से उसके अंगों का मनोहर लालित्य कुछ तो दिख रहा था और कुछ व्यंजित हो रहा था। इतनी अल्प अवस्था होने पर भी उसके मुख पर मस्ती की मोहिनी रेखाएँ खिंच आयी थीं। आँखों में उन्मत्तता का आरम्भ हो गया था। कृष्णदेव रसिक था और सौन्दर्य का अनुरागी था। वह इस बाला को देख कर पागल हो गया। वह विचार करने लगा कि यह कोई नाग-कन्या है, या मर्त्यलोक की मानव-बाला?

उस नाग-कन्या की दृष्टि लता-पत्रों में से चमकती हुई कृष्णदेव की आँखों की ओर गयी और वह घबराकर देखने लगी, "कौन है?"

"मैं हूँ।" कृष्णदेव ने जरा हँसकर कहा और वह उठकर बैठ गया।

"मैं कौन?" ज़रा रौब से बाला ने पूछा।

"अरे, क्रोध क्यों कर रही हो?" कहकर कृष्णदेव खड़ा हुआ और लड़की के सामने देखने लगा। लड़की इस सुन्दर और संस्कारी पुरुष को देखकर कुछ लजाई और कुछ घबड़ाई। वह केवल नीचे देखने लगी।

"मैं समझा कि कोई नाग-कन्या है, कहीं से मार्ग भूल पड़ी है, मैं तो डर गया!"

कहकर कृष्णदेव हँस पड़ा, फिर जरा निर्लज्जता से बोला, "मैं नाग कन्याओं से बहुत डरता हूँ।"

उसके शब्द क्रोध उत्पन्न करनेवाले थे। यदि वह एक-दो वर्ष और बड़ी होती ता इन शब्दों को सुनकर अपमान समझती; पर वह बालिका ही थी। उसमें नवयौवनाओं से अधिक सहन-शक्ति थी और सिवाय इसके कृष्णदेव का मुरली का-सा स्वर नाग को भी वश में करने वाला था; फिर वह नाग-कन्या तो थी नहीं, थी केवल मर्त्यलोक की एक बालिका। वह बेचारी कृष्णदेव के मनोहर मुख की ओर देखती रह गयी। उसके संस्कारशील मज़ाकिया स्वर और उसके मोहभरे हास्य के पाश में वह उलझ गयी। उसने उसे पहले कोई नौकर या निम्न श्रेणी का मनुष्य समझा था, परन्तु अब वह घबरा गयी। वह समझ ही न सकी कि अब वह पानी से कैसे निकले। उसे सूझा ही नहीं कि इस पुरुष से दूर हट जाने के लिए कैसे कहे।

कृष्णदेव बाला की घबराहट का कारण समझ गया परन्तु वह वहाँ से हटा नहीं। उसकी तेजस्वी आँखें बाला के अंग-अंग की छाप अपने अन्तर में डाल रही थीं। घबराहट के कारण उसके मुख पर आने वाले भावों की रमणीयता देखकर वह प्रसन्न हो रहा था। आखिर लड़की लज्जा से, बाल-सुलभ घबराहट से निर्दोष रूप में हँस पड़ी। उत्तर में कृष्णदेव भी हँसने लगा।

दो क्षण ठहरकर कृष्णदेव बोला, "तुम्हें बाहर निकलना है? ठहरो, मैं आड़ में चला जाता हूँ। परन्तु देखना, लोप न हो जाना, मुझे विश्वास नहीं कि तुम मर्त्यलोक की हो।"

बाला फिर हँसी। कृष्णदेव ने उसके मन की बात समझ ली है, इस कारण लजा जाने वाली वह मुग्धा न थी। कृष्णदेव वृक्ष के पीछे जाकर खड़ा हुआ कि बाला ने जल्दी-जल्दी कपड़े पहन लिए।

अन्त में जब वह कृष्णदेव के निकट आयी, तब वह दूर देखता हुआ सीटी के साथ गीत गा रहा था।

"आ गयी? तुम सज्जन मन्त्री की कन्या हो, क्यों?"

अपने बालों का जूड़ा ठीक करते हुए बाला ने कहा, "हाँ।"

"तुम्हारा नाम क्या है।"

"सोमसुन्दरी। आप किस देश से आए हैं?"

"जिस देश में तुम्हारे पिताजी ने अपना दबदबा जमा रक्खा है, उस देश से।" ज़रा तिरस्कार से कृष्णदेव ने कहा।

सोम ने कहा, "सोरठ से? मेरा जन्म भी वहीं हुआ था।"

"बिना इसके इतना रूप भी तो नहीं हो सकता।"

सोम हँस पड़ी। बोली, "तब तो तुम बड़े भैया से मिले होगे?"

"किससे, भट्टराज परशुराम से? नहीं, आते समय मैं नहीं मिल सका।"

कृष्णदेव ने यह इतने तिरस्कार से कहा कि सोम भी सिर उठाकर उसकी ओर देखने लगी। यह देखकर कृष्णदेव ने तुरन्त प्रश्न किया, "तुम्हारे पिताजी तो प्रसन्न हैं? बीच में कुछ अस्वस्थ हो गये थे न?"

सोम को प्रतीत हुआ, जैसे यह घर का ही आदमी है। उसने कहा, "अब अच्छे हैं। सच पूछो तो वे कुछ अस्वस्थ ही न थे, परन्तु बहुत बरसों से पाटण न आए थे इससे..." सोम हँस पड़ी। उसके हास्य में पवित्रता थी।

"तुम्हारा विवाह कहाँ हुआ है?" कृष्णदेव ने पूछा। उसके पूछने की रीति इतनी स्नेह-पूर्ण थी कि हर किसी को विश्वास पैदा हो जाता।

"अभी मेरा विवाह नहीं हुआ।"

"तब सगाई तो हो ही गयी होगी? सज्जन मन्त्री की कन्या कहीं यों ही रह सकती है?"

सोम लजाकर नीचे देखने लगी और स्वभाव की वह भली थी, अतएव कुछ खिन्न हो गयी। उसे कुछ कमी महसूस हुई, "मेरी सगाई होने वाली है।"

"तुम यहाँ नित्य नहाने आती हो?"

"हाँ, मुझे स्नान करने का शौक है। अच्छा, अब मैं घर जाऊँगी। माताजी बिगड़ेंगी। आज मुझे बहुत विलम्ब हो गया।"

कृष्णदेव ने कहा, "इसमें क्या हर्ज है? बिगड़ना तो माँ-बाप का धर्म ही है और वे बिगड़ें इसके लिए उलटे चलना लड़के-बच्चों का धर्म है!"

सोम को फिर हँसी आ गयी। वह वेग से घर की ओर चल पड़ी।

"तुम्हारे भाई परशुराम इस समय कहाँ हैं? कुछ खबर है?"

"अन्तिम समाचार तो वनथली से आए थे।"

"ऐसा! तब तो यहाँ सज्जन मन्त्री को बड़ी मेहनत पड़ती होगी। सेना बहुत होगी?" —कहकर "कितनी सेना होगी भला?" कृष्णदेव ने पूछा।

"मुझे क्या खबर?"

"हत तुम्हारा भला हो! सज्जन मन्त्री की लड़की होकर इतना भी नहीं जानतीं? तुम्हें तो सब ख़बर रखनी चाहिए।"

सोम ने कहा, "सत्य है, मेरे सामने बातें तो बहुत होती हैं, पर इन सबसे मुझे क्या सरोकार?"

"कहीं ऐसा हो सकता है? मैंने सुना है कि त्रिभुवनपाल की पटरानी ने तो एक बार पाटण को नष्ट होते-होते बचा लिया था।" तिरस्कार से कृष्णदेव ने कहा।

"प्रसन्नदेवी बहुत होशियार हैं।"

"सोम! ओ सोम बहन!" किसी पुरुष की आवाज जरा दूर से सुनाई पड़ी।

"कौन है, लक्ष्मण? तुम कहाँ से आए लक्ष्मण?" उत्तर में सोम ने भी पुकार कर कहा। उसकी पुकार में स्नेह की उर्मियाँ थीं। कुछ क्षणों में लगभग पच्चीस बरस का एक युवक, शस्त्र-सज्जित योद्धा, दौड़ता हुआ आया; परन्तु कृष्णदेव को देखते ही वह झिझककर खड़ा हो गया।

"यह अपने अतिथि हैं। सोरठ से आए हैं।" सोम ने लक्ष्मण से कहा। लक्ष्मण जरा अभिमान से देखता रहा, "तुम कब आए?"

"जब तुमने देखा।"

"क्यों, मालवी सेनापति कितनी दूर हैं?"

"बहुत दूर हैं, तुम क्यों घबराती हो?" कहकर लक्ष्मण निकट आया।

"यह सन्धि की जो बातें चल रही हैं, वह सच हैं या झूठ?" कृष्णदेव ने पूछा।

लक्ष्मण ने कहा, "सच भी नहीं और झूठ भी नहीं।"

"तुम पिताजी से मिले?"

"हाँ, मिल आया। चल, अब तू जल्दी पैर उठाती है कि नहीं? मुझे भूख लग रही है।" कहकर लक्ष्मण ने जल्दी मचाई। इतने में घर आ गया और कृष्ण को दूसरी ओर विदा करके दोनों भाई-बहन अन्तर के खंड में चले गये।

काक का आत्म-विश्वास

पाटण के शासन-कर्त्ताओं के पास से बाहर जाते हुए काक के मन में न जाने क्या-क्या विचार आने लगे। उसकी तीक्ष्ण बुद्धि यह परखने का प्रयत्न कर रही थी कि पाटण के राज-तन्त्र में क्या-क्या रंग हैं।

बाहर निकलते समय उसने वीसलदेव को राजमहल में घुसते देखा और इसलिए वह जाकर उससे मिला।

"क्यों, तुम कहाँ से आए?"

"बड़े भाई से काम है। वे अन्दर बैठे हैं?"

"हाँ। अभी तुम नहीं जा सकते। परन्तु तुम तो सज्जन मन्त्री के यहाँ बैठने वाले थे?"

"हाँ, परन्तु क्या किया जाए? मुझे आवश्यक कार्य है।" वीसलदेव ने जल्दी से कहा। काक को प्रतीत हुआ कि उसे अपने भाई से कोई बहुत आवश्यक बात कहनी है। सम्भव है, वह कृष्णदेव के सम्बन्ध में ही कुछ हो।

"अजी, ऐसा कौन-सा महान कार्य है? पहले उबक को मार भगाने की बात वे करें, फिर और कुछ।"

"अजी, तुम क्या जानो? लो, ये आ गये।" कहकर वह वीसलदेव की ओर बढ़ा।

काक ने बड़े ध्यान से दोनों भाइयों की बात सुनने का प्रयत्न किया। वह सफल तो नहीं हुआ; परन्तु देसलदेव के मुख पर भावों का परिवर्तन उसने अवश्य देखा।

इतने में एक अपरिचित लड़के ने आकर उसके कन्धे पर हाथ रखा। बोला, ''जरा मेरे साथ आओ, कुछ काम है।''

''क्या काम है?''

''काकभट तुम्हीं हो?''

''हाँ, क्यों भाई?''

''महाराज बुला रहे हैं।'' लड़के ने ज़रा झुककर कान में कहा। काक चौंक पड़ा। काक ने सोचा कि गत रात के व्यवहार के लिए शायद कोई दंड देंगे; परन्तु मौन-मुख वह उसके साथ हो लिया। शोभ ने दूसरा रास्ता लिया और जिस खंड में वह पहले गया था, उससे भिन्न दिशा के एक कमरे में उसे ले गया।

एक सोने से मढ़े हुए झूले पर जयदेव अधीरता से झूल रहा था। उसके मुख पर चिन्ता और निश्चय दोनों दीख रहे थे। काक आया और हाथ जोड़ कर खड़ा हो गया। जयदेव ने झूले को रोक लिया।

''शोभ, तुम ज़रा बाहर जाकर खड़े रहो। कोई आए, तो आकर कहना।''

''जो आज्ञा।'' कहकर शोभ बाहर चला गया।

''काक भट, तुम जो पत्र लाए हो, उसमें त्रिभुवनपाल जी लिखते हैं कि तुम बहुत ही विश्वास पात्र, साहसी और सावधान हो।''

''जी।'' काक ने कहा।

''मुझे प्रतीत होता है कि यह बात झूठ है।'' जयदेव ने धीमे से कहा। काक को ज़रा विस्मय हुआ। ''क्या इसीलिए मुझे फिर बुलाया है?'' वह कुछ न बोला।

काक ने ज़रा गर्व से कहा, ''क्षमा कीजिए अन्नदाता, मैं गप नहीं मार रहा था। जो कहता था, सत्य कहता था।''

''तब तुम यह समझते हो कि मैं नाम का ही राजा हूँ, क्यों?'' राजा ने ज़रा गर्व से पूछा।

काक चेत गया कि राजा को कोई गरज़ है, इसलिए उसने अपना प्राबल्य दिखाना आरम्भ किया है। ''महाराज, त्रिभुवनपाल महाराज ने जब मुझे सलाहकार बनाया था तब अभय वचन दिया था। सत्य कहने की आज्ञा न हो, तो सलाह न लेनी चाहिए।''

जयदेव ने मस्तक उठाकर उसकी ओर देखा। उसे प्रतीत हुआ था कि यह मनुष्य उसका मान भंग कर रहा है। परन्तु काक का मुख देखने पर ऐसा कुछ भी न दीख पड़ा। हाथ जोड़ के, अपना सुदृढ़ और सुगठित शरीर सम्मान पूर्वक सिकोड़ कर शान्ति और विनय की मूर्ति के समान वह खड़ा था। महाराज ने नख से शिख तक उसे निहारा। उसके माँसल अंग, उसका छटा-पूर्ण खड़े रहने का ढँग देखकर उस पर श्रद्धा हुई; परन्तु अपरिचित मनुष्य पर एकदम विश्वास करना उसे न रुचा।

"मुझे सलाह नहीं लेना है। केवल इतना ही जानना चाहता हूँ कि त्रिभुवनपाल जी इस समय हों, तो वे क्या कहें।"

"जो आज्ञा।"

"तुम्हारी क्या यह धारणा है कि ये श्रावक महाजन लोग मुझे निकम्मा बना रहे हैं?"

"नहीं महाराज, मैं तो यह मानता हूँ कि उन्हीं से पाटण की सत्ता स्थिर है।"

जयसिंह देव को सन्देह हुआ। उसने काक की ओर सूक्ष्म दृष्टि से देखा और कहा, "अर्थात?"

"त्रिभुवनपाल महाराज का और मेरा दोनों का यही मत है। आज हमारा राज्य टिका हुआ, इसका कारण यही है कि श्रावकों को नये राज्य स्थापित करने की आकांक्षा नहीं है। वे पाटण के मन्त्री बनकर सन्तुष्ट हैं और कहीं से भी धन कमाकर आखिर जब पाटण में आकर रहते हैं, तभी प्रसन्न होते हैं। शोभा पाते हैं।"

"तुम नागर हो?"

"जी नहीं।"

"तुम नागरों की सत्ता दुर्जय मानते हो?"

"अन्नदाता, मैं यह नहीं मानता। त्रिभुवनपाल महाराज कहते थे कि मूलराज देव महाराज ने नागरों की सत्ता बढ़ाई। यदि ऐसा है, तो मूलराज देव महाराज की बुद्धि वास्तव मे धन्य है।"

"क्यों?"

"इन लोगों को भी पाटण पर स्नेह है। श्रावकों के समान स्नेह नहीं है, फिर भी जैन-सत्ता को काबू में रखने के लिए ये लोग सबल अस्त्र हैं। दोनों ही परस्पर एक दूसरे से मात होते रहते हैं।"

"काक, इतनी अधिक जानकारी तुमने कहाँ से प्राप्त की?"

"आज तीन वर्ष हुए, मंडलेश्वर महाराज मेरे साथ छोटी-से-छोटी बात का विचार करते रहे हैं।"

जयदेव विचार में पड़ गया। काक पर उसे विश्वास हो गया।

"यह बात है, तब तुम यह क्यों कह रहे थे कि मैं नाम का राजा हूँ?"

"महाराज, मुझे दंड देने के लिए ही क्या यह सब कुछ पूछ रहे हैं? तब व्यर्थ ही क्यों कष्ट उठाते हैं? जो दंड आप देंगे, उसे मैं स्वीकार करूँगा।"

जयदेव हँस पड़ा, "काक भट, तुम्हारी शंका निर्मूल है। त्रिभुवनपाल जी जब तक नहीं आते, तब तक मेरे पास बातचीत करने वाला कोई नहीं है। इसलिए पूछता हूँ, तुम्हें दंड देने के लिए नहीं पूछता।"

काक ने कहा, "आपको सलाहकारों की क्या कमी? महा अमात्य क्या किसी से कुछ कम हैं?"

जयदेव ने होठ चबा लिए, "मैंने एक नियम बना लिया है। अब मुझे मुंजाल मेहता की सलाह के बिना ही राज्य चलाना है।"

काक को सन्देह हुआ। मुंजाल के विरुद्ध किसी षड्यन्त्र में शामिल होना औंधे गणपति बिठाने जैसा था। उसे ऐसी मूर्खता न करनी थी।

"अन्नदाता, क्षमा कीजिए। परन्तु यदि ख्याति सत्य कहती हो और इस अवसर पर मेरा अपना अनुभव सच्ची साक्षी दे रहा हो, तो एक ही बात कहूँगा। इस विचार को ही हृदय से निकाल दीजिए। जिस दिन महा अमात्य आपके विरुद्ध हुए, उस दिन क्या होगा, उसकी मैं कल्पना भी नहीं कर सकता। यह आपको स्मरण होगा कि आप जब सिंहासन पर आसीन हुए थे, जब मुंजाल मेहता बिगड़ खड़े हुए थे।"

"हाः हाः हाः" कह कर जयदेव खूब हँसा। कहा, "तुम्हें किस ने कहा कि मैं मुंजाल मेहता के विरुद्ध हो जाऊँगा? पगले, उन्हें तो मैं पितातुल्य समझता हूँ। उन्होंने मेरे लिए जो किया है, उतना किसी ने नहीं किया। असल में बात यह है कि वे मेरी कसौटी करना चाहते हैं और अब मुझे भी खरा उतरना है।"

"जी।"

शुद्ध हृदय से जयदेव ने पूछा, "अब मुझे क्या करना चाहिए? एक ओर शान्तु मेहता सन्धि कर आए। दूसरे उदा मेहता ने मेरी नाक काट ली। मेरी प्रतिष्ठा भंग न हो और दंड मिल जाए, ऐसा कोई मार्ग चाहिए। अब मैं अधिक समय सहन न कर सकूँगा।"

"महाराज, शान्तु मेहता ने जो किया, वह ठीक ही किया।"

"क्या ठीक किया, अपना सिर?"

"अन्नदाता, शान्तु मेहता लड़ने के लिए चले गये होते तो पाटण को रा' नवघण ने कभी का अपने अधीन कर लिया होता।"

"सोरठ के नवघण रा' ने?", राजा ने चकित होकर पूछा।

"उदा मेहता निर्लज्ज होकर बैठे हैं। दादाक मेहता ने कर्णावती में नाममात्र को सैनिक रख छोड़े हैं। मोंढेरा में कुछ भी सेना नहीं है। यहाँ की सारी सेना उबक का सामना करने को जाए, और फिर सोरठी लोग यहाँ आ पहुँचें, तो पाटण का क्या हाल हो?"

"परन्तु रा' को तो परशुराम सँभाले हुए हैं?", राजा ने कहा।

"महाराज, मुझे तो यह भ्रम ही मालूम होता है। रास्ते में आते समय मैं सब पूछ-ताछ करता आया हूँ। मानिए या न मानिए; परन्तु रा' नवघण तो इस अवसर से लाभ उठाकर मंजिल-दर-मंजिल पाटण पर चढ़ा आ रहा है।"

"इस बात का किसी को कुछ ज्ञान क्यों नहीं है? ऐसा हो, तब तो मामला गम्भीर है।"

काक ने कहा, "मुझे तो विश्वास है कि महा अमात्य सब जानते हैं। आज आपने

नहीं देखा, देसलदेव महाराज को उन्होंने पाटन से किस युक्ति से बाहर निकाल दिया? मुझे प्रतीत होता है कि इसका कारण भी वही है।''

महाराज दंग हो गये। उन्हें कुछ शंका हुई थी, वह ठीक उतरी।

''परन्तु आज सन्ध्या को तो हम भी पाटण से सेना लेकर जाने वाले हैं?''

''मैं भी इसे ज़रा न समझ सका। हो सकता है, महा अमात्य सन्ध्या को मना भी कर दें; परन्तु मुझे खा-पीकर क्यों बुलाया है, इसे मैं जानता हूँ।''

''किसलिए?''

''देसलदेव के कारण उसके सामने कुछ और ही कहा; परन्तु सच्चा सन्देश तो मंडलेश्वर महाराज को मेरे द्वारा इतना ही कहलाएँगे कि उन्हें या तो कर्णावती में सेना लेकर रहना चाहिए या बढ़वान की तरफ प्रयाण करना चाहिए।'' काक ने भविष्य कहना शुरू किया।

''तब देसलदेव विश्वासघातक हैं?''

''मुझे प्रतीत होता है कि वह कुछ गड़बड़ अवश्य कर रहा है। मैं कुछ दिनों में पता लगा लूँगा।''

''तुम जो कुछ कह रहे हो, यदि वह सत्य हो, तो काक, तुम भी बड़े जबर्दस्त आदमी हो, परन्तु उदा मेहता का क्या होगा?''

''उनको मात करना बड़ा कठिन काम है। आपकी आज्ञा हो तो मैं कर्णावती जाकर वहाँ से खम्भात हो आऊँ। कोई मार्ग आवश्य मिल जाएगा।''

जयदेव बोला, ''हाँ, अवश्य जाना। उसे ठिकाने लगाना होगा । उसका सिर फिर गया है।'' कुछ क्षण पश्चात उसने फिर कहा, ''देसलदेव को जाने देना...''

''जिस प्रकार भी हो, तुरन्त।'' काक ने कहा।

''हाँ, हमें जाना नहीं चाहिए, पाटण में ही रहना चाहिए, और तुम्हें त्रिभुवनपाल जी से कहना चाहिए कि वे उबक का सामना न करके रा'नवघण का करें।'' जयदेव ने कुछ याद करना शुरू किया। इसी समय शोभ आ पहुँचा और बोला, ''महाराज, मेहताजी आ रहे हैं।''

राजा ने घबराकर कहा, ''कौन, मुंजाल? —काक, उस झरोखे में चले जाओ।''

बिना एक शब्द बोले एक छलाँग मार कर काक वहाँ घुस गया। जयदेव झूले पर झूलने लगा। ऐसे झूलने लगा, जैसे बिल्कुल स्वस्थ और शान्त बैठा हो। उसका हृदय हर्ष से नाचने लगा और उसका मस्तिष्क मुंजाल और काक की बुद्धि के विचार में लीन हो गया।

मुंजाल हँसता हुआ आया। उसे विश्वास था कि जयदेव निराधार होकर बैठा होगा, और आखिर में क्या करना होगा उसे वह सिखाएगा। वह आया और उसने शोभ को देखा। शोभ वहाँ से चला गया।

''क्यों महाराज, क्या विचार किया?'', मुंजाल झूले पर बैठ गया। एकान्त में इन

दोनों के बीच राजा और प्रधान का सम्बन्ध ज़रा भी न रहा था। काक झरोखे में से कान लगाकर सुनने लगा।

"प्रत्येक बात की तुम्हें मुझे ख़बर देनी होगी। कई बातों की खबर तुम्हें मिलती और मुझे नहीं मिलती।"

"हाँ, जो पूछो, बतलाऊँ।" मुंजाल ऐसे कहने लगा, जैस बच्चे को लड़ा रहा हो।

'शान्तु मेहता के क्या समाचार हैं?"

"सज्जन मेहता का लड़का लक्ष्मण अभी आया है। वह कहता है कि सन्धि बहुत कुछ हो गयी है। फिर अब?"

"रा'नवघण कहाँ है?"

मुंजाल चौंक उठा, "कहाँ है, यह मुझे ठीक नहीं मालूम।"

"वह पाटण पर आक्रमण कर रहा है।" जयसिंह ने जरा गम्भीरता का ढोंग करके कहा। मुंजाल अधिक चौंका। उसकी धारणा थी कि यह बात यदि प्रकट हो गयी, तो लोगों में घबराहट फैल जाएगी।

"और यहाँ दगाबाज लोग विश्वासघात करने के लिए तैयार हैं।"

"क्या कह रहे हो?" यह समझ में न आने से कि राजा को यह खबर किस से और कहाँ से मिली, महा अमात्य ज़रा उलझन में पड़ गये।

"विचार करने से मुझे प्रतीत हुआ है कि मैं भ्रम में था। ऐसा दिखता है कि शान्तु मेहता ने सावधानी और बुद्धिमानी से ही यह सन्धि की है।"

"जयदेव, यह बुद्धिमानी कहाँ से आयी?

"आप जैसे मन्त्री के सहवास से।" जयदेव ने रौब के साथ हँसकर कहा।

झरोखे में काक भी हँसने लगा। मुंजाल अपने जीवन में पहली बार उलझन में पड़कर अपने आसपास देखने लगा। उसने कहा, "अच्छा, फिर?"

"मुझे विश्वास हो गया है कि इस समय अधिक भय रा'नवघण का है। इसलिए उसे सीधा करना चाहिए। हम शान्तु मेहता से मिलने के लिए सेना लेकर सन्ध्या को नहीं जाएँगे। देसलदेव को जाने दिया जाए। उसे भोजन का निमन्त्रण भेज दिया जाए और वह यहाँ से सीधा ही रवाना हो जाए।" जयदेव अधिकारपूर्वक अपने आदेश कहने लगा। मुंजाल मौन-मुख देखता रहा।

"हाँ–और–" जयदेव आगे बोलने लगा, "त्रिभुवन भाई ने जो आदमी भेजा था, उसका नाम क्या था?"

इस झूठ से काक को हँसी आ गयी। अपना यह शिष्य उसे उस्ताद मालूम हुआ।

"काक।" मुंजाल ने कहा। वह ज़रा चकित हो गया। यह बुद्धि बाल राजा में कहाँ से आयी?

"हाँ, काक। उससे कह दीजिएगा कि त्रिभुवन भाई कर्णावती में रहें या वीरमगाँव की ओर जाएँ।"

"जयदेव!" मुंजाल ने झूले पर से उतर कर उसके सामने फिरते हुए कहा, "यदि ये विचार तुम्हारे ही हों, तो मेरा धन्यवाद लो। तुम्हारे आगे बड़े-बड़े चक्रवर्ती भी धूल चाटेंगे। तुम्हारी दृष्टि ठीक है। आज पाटण का राजा सचमुच पाटण के योग्य हो गया।"

काक मन-ही-मन फूल उठा। इस समय पाटण का राजा तो वही था!

"मन्त्रीराज, आपकी भी यही धारणा है?"

"हाँ, मुझे तो ऐसा लगता है कि मेरे ही विचार तुमने चुरा लिए हैं।"

"चाहे जैसा होऊँ, परन्तु आपका शिष्य ही तो ठहरा!" जयदेव ने गर्व-पूर्वक हँसते हुए कहा।

"अच्छी बात है, मैं जाता हूँ। शोभ को भेजकर देसलदेव को बुला लेना।"

"हाँ, ठीक है।"

मुंजाल कमरे में चारों ओर तीक्ष्ण दृष्टि डालकर बाहर चला गया। मन-ही-मन उसने कहा, "यह कौन पैदा हो गया है, तनिक ध्यान देना होगा।"

मुंजाल के जाने पर जयदेव झरोखे में पहुँचा। काक दूसरे सिरे पर खड़ा-खड़ा कमरबंद को फिर से बाँध रहा था।

"काक!"

"महाराज!"

"मैंने मुंजाल मेहता से कह दिया है कि तुम्हारे द्वारा क्या सन्देश भेजें। मुझे प्रतीत होता है कि रा'नवघण का अधिक भय नहीं है।"

काक ने मन-ही-मन कहा, 'देखो कैसा झूठा है!' पर प्रकट में कहा, "जी।"

"तुम कर्णावती होकर खम्भात जाना और मुझे सन्देश भेजना।"

"जो महाराज की आज्ञा।" कहकर उसने प्रणाम किया और विदा ली।

काश्मीरा देवी

काक अपनी चतुराई से प्रसन्न होता हुआ महल में से अगले चौक में जा निकला। दिन चढ़ने लगा था, इसलिए उसे भी भूख लगी थी; परन्तु सज्जन मेहता के घर का अन्न-जल ग्रहण करना उसके भाग्य में अभी तक नहीं था।

एक पार्श्वक सामने आ खड़ा हुआ।

"भटजी, आप लाट से आए हैं?"

"हाँ भाई, क्यों?"

"मेरे साथ चलिए। देवी बुला रही हैं।"

काक ज़रा चकित हुआ, "कौन, मीनलदेवी?"

पार्श्वक हँस पड़ा, ''नहीं, काश्मीरा देवी।''

''वे यहीं हैं? मैंने तो सोच था कि मीनलदेवी के साथ होंगी। चलो, आया।'' कहकर काक पार्श्वक के साथ तीसरी बार महल में प्रविष्ट हुआ। उसने पाटण में आते ही नये-नये चमत्कार देखे थे; और अब यह कैसा होगा, विचार करने लगा। त्रिभुवनपाल का वह विश्वासपात्र नौकर था; अतएव उसकी स्त्री काश्मीरा देवी की ख्याति से वह अपरिचित न था। 'पाटण के प्रभुत्व' में वर्णित उसके बालपन के कार्य-कलाप पट्टणी योद्धाओं के मुख से उसने सुने थे। मंडलेश्वर महाराज अपनी अर्धांगिनी को कैसे निश्चल प्रेम से पूजते हैं, इसकी उसे खबर थी और अपने सेनापति की इस होशियार स्त्री को देखने की उसे हवस भी थी। त्रिभुवनपाल की सम्मानिता पत्नी और मीनलदेवी की अभिमानिनी भतीजी काश्मीरा देवी का पाटण में अद्‌भुत स्थान था। सारे पट्टणी लोग, उसे इतना मान देते थे, जैसे वह पाटण की राज-लक्ष्मी ही हो। पाटण के शूरवीर, राजनीतिज्ञ, धर्मधुरन्धर, कवि और चारण आदि सभी एकमत से दो जनों को अग्रस्थान देते थे; पुरुषों में मुंजाल को, स्त्रियों में काश्मीरा को।

वह जयदेव को नचाती, मीनलदेवी को बहुत बार हँफाती, मन्त्रियों की राजनीति को उलट देती, योद्धाओं को शस्त्रों का व्यवहार सिखाकर लज्जित करती और कारिन्दों को तंग कर त्राहि-त्राहि करा छोड़ती। फिर भी प्रत्येक जन स्नेह और मान की दृष्टि से उसका आदर करता। पाटण की राज्यसत्ता का मूर्त्त स्वरूप मन्त्री मुंजाल भी अपने हुक्मों का भंग काश्मीरा देवी को करने देता।

अनुचर काक को महल के पिछले भाग में ले गया। वहाँ एक रूपवती स्त्री झूले पर बैठी हुई थी। वहाँ उसने अपने पैरों के बीच एक तीन-चार वर्ष के बालक को जबर्दस्ती खड़ा कर रखा था। बालक पैरों के बीच में से निकल भागने का प्रयत्न कर रहा था और युवती एक हाथ में उसके लम्बे बाल पकड़े, दूसरे हाथ से एक स्वर्ण-मंडित कंघी लेकर बाल सँवारने की तैयारी कर रही थी।

काक देहली पर ही ज़रा देर ठहर गया। उसे ज्ञात न था कि यह स्त्री कौन है, अतएव सम्मान में दूर ही खड़ा रह गया।

''देवीजी!'' अनुचर ने कहा।

''क्यों?''

युवती ने दृष्टि उठाकर देखा। ''ओहो, कौन भटजी? आइए।'' गौरव से काक का आदर करते हुए स्त्री ने कहा।

काक ने उसे प्रणाम किया। काश्मीरा देवी ऊँची और सबल स्त्री थीं। उसके मुख की रेखाएँ गौरव युक्त और भरी हुई थीं। बीस वर्ष की अवस्था में भी वह अधेड़ उम्र की-सी प्रतीत होती थी। फिर भी उसके हास्य में और आँखों में विद्युत की चमक थी। उस चमक ने शब्दों से भी अधिक सत्कार किया।

"तुम लाट से आए हो?" उसके बोलने में आतुरता थी, फिर भी मुंजाल मेहता की सत्ता-दर्शक रीति का कुछ हल्का-सा अनुकरण दिखाई पड़ता था।

"हाँ देवीजी, मंडलेश्वर महाराज खूब आनन्द से हैं और ईश्वर चाहेगा, तो कुछ ही समय में यहाँ आ पहुँचेंगे।"

"कोई चिट्ठी-पत्री नहीं दी?"

काक ने मधुरता से कहा, "मंडलेश्वर महाराज ने समझा कि आप महारानी के साथ यात्रा को गयी होंगी।"

"मेरी यह क्या शामत आयी! अरे ओ बदमाश!" यह अन्तिम शब्द काश्मीरा देवी ने उस बालक के लिए सम्बोधित किए। वह इस अवसर का फायदा उठाकर देवी के पैरों के बीच से छूट भागा था और दूर पर एक कोने में खड़ा हुआ था। छुटकारे से प्रसन्न होकर खड़ा-खडा हँस रहा था।

"खड़ा रह छोकरे! कहकर कश्मीरा देवी ने काक से कहा, ज़रा उसे पकड़ तो लाओ।"

"जी।" कहकर काक बालक की ओर गया। बालक की मुख रेखाएँ पिता के समान ही थीं और बुद्धि-दर्शक तेज आकर्षक था। काक को अपने स्वामी के पुत्र पर स्नेह उत्पन्न हो गया।

"भइया, भइया, इधर तो आओ, देखें।"

बालक ने मुट्ठी बाँधी और कोने में खड़े-खड़े वह काक की ओर आँखें निकालने लगा।

"मारूँगा!" उसने काक को धमकाया। काक धीरे-धीरे उसके निकट जा पहुँचा।

"राजा भइया, जरा चलो तो सही। तुम्हारे बापूजी ने क्या-क्या चीजें भेजी हैं, देखो, आओ।"

"बापूजी गाँव गये हैं।" बालक ने उत्तर दिया।

"अरे, देख क्या रहे हो? वह कहीं ऐसे मानेगा? पकड़ लाओ उसे।" काश्मीरा देवी का आदेश हुआ। काक उसे पकड़ने गया, पर वह सटक गया।

"वह ऐसे नहीं मानेगा। पकड़ो।"

काक ने बालक को पकड़ लिया। काक को अपने स्वामी के बालक को पकड़ते तनिक क्षोभ हुआ और बालक मचलकर ज़ोर से कूद-फाँद करने लगा। हाथों और पैरों से वह जितने प्रहार कर सकता था, उतने काक पर किए और 'छोड़ दे! छोड़ दे!' कहकर बड़े ज़ोर-ज़ोर से चीत्कार करने लगा। उसे बाँहों में भरकर लाते हुए काक को बड़ी कठिनाई हुई। उसे ज्ञात न था कि वह अपनी बाँहों में गुजरात के भावी सम्राट् कुमार पाल को उठाकर ले जाने का महान कार्य कर रहा है। काक की कठिनाई देखकर काश्मीरा देवी हँसने लगीं।

अचानक पीछे से एक सवाल सुनाई पड़ा, "कुमार, यह क्या कर रहे हो?"

काक चौंका क्षुभित हुआ। कुमार पाल की चीख-पुकार एकदम शान्त हो गयी। काश्मीरा एकदम झूले पर से उठकर आँचल सँभालने लगी। मुंजाल मेहता ने काक से कहा, ''काक भट, उसे जमीन पर रख दो।''

काक ने काश्मीरा की ओर देखा। वह कुछ न बोली, अतएव उसने कुमार को भूमि पर रख दिया। वह भी बिल्कुल चुप हो गया।

''क्यों रे, उत्पात मचा रहा है? इधर आ।'' बालक धाक के मारे मुख को शान्त रखकर आगे गया, ''मामाजी, अब मैं उत्पात न करूँगा।''

''अच्छा, चलो, बालों को ठीक करवा लो।'' इतने में काश्मीरा देवी ने पड़ी हुई चौकी उठाकर रख दी और मुंजाल उस पर बैठे गये। कुछ दूर बैठकर काश्मीरा देवी समझदार बने हुए कुमार के बाल सँवारने लगी।

''क्यों काक भट, यहाँ कैसे?''

''मैंने बुलाया है।''

''मैं भी यही समाचार कहने के लिए आया था। त्रिभुवन का पत्र आया है। काक भट तो त्रिभुवन के मित्र हैं। बैठो, बैठो।'' मन्त्री मधुरता से हँसने लगे। काक ज़रा फूल उठा कि महा अमात्य भी उस पर खुश हैं। काश्मीरा देवी ने भी यह जानकर एक हास्य-किरण उस पर डाली, कि वह उसके पति का केवल सुभट ही नहीं, मित्र भी है। काक सविनय दूर बैठ गया।

''तुम अभी राजगढ़ में ही हो? मैं सोच रहा था कि कदाचित तुम सज्जन मेहता के यहाँ पहुँच गये होगे?''

''जी नहीं, अभी नहीं गया।''

''तुम जयदेव महाराज के पास गये थे?''

''जी नहीं'', काक को बिल्कुल झूठ बोलना ठीक न लगा, ''मुझे उन्होंने बुलाया था।''

''त्रिभुवनपाल भोगपुर न जाकर वीरमगाँव जाएँ, यह सलाह तुमने दी थी?''

काक को लगा कि मुंजाल खानगी सलाह देकर उसकी चोरी पकड़ रहा है; परन्तु उसे सूझा नहीं कि इससे कैसे बचा जाए। आखिर उसने बात उड़ा दी। कहा, ''आपको खबर तो होगी कि रा'नवघण गुजरात पर आक्रमण करने की तैयारी कर रहा है?

''हाँ, और मैं यह भी जनता हूँ कि उसने अपना कोई छुपा भेदिया भी यहाँ भेजा है। वह तुम्हारा मित्र है, तुम्हारे साथ सज्जन मेहता के यहाँ ठहरा है और इस समय तुम वहाँ जाने के लिए अकुला रहे हो। इसका क्या विश्वास कि ऐसी सलाह देकर तुम हमें फँसाना नहीं चाहते?'' ऐसा लगा, मुंजाल की आँखों से तेज का फव्वारा निकल रहा है।

काक की प्रसन्नता जाती रही। मुंजाल की मार्मिक प्रश्नावली ने उसके अभिमान पर आघात पर आघात किए। शासकों ने ऐसा अच्छा आदर दिया, जयदेव महाराज

ने उसे सलाहकार बनाया, उसकी सलाह से महा अमात्य भी चकित हो गये। इन सब अनुभवों से उत्पन्न हुआ उसका गर्व खर्व हो गया। वह घबड़ा गया और कहने लगा, "अन्नदाता, मंडलेश्वर महाराज का पत्र..."

"हाँ, वह बेचारा भोला मनुष्य है। तुमने कल कहा था कि भुलावे में डालना कितनी गम्भीर बात है!"

"महाराज, आपको खबर नहीं कि मंडलेश्वर महाराज की मैंने कितनी सेवा की है।" काक ने मान भंग हो जाने के कारण उत्पन्न हुए गर्व से उत्तर दिया, "क्या करूँ, इस समय वे तो हैं नहीं। इसलिए अब आप जैसे कहें मैं विश्वास करा दूँ।"

सामने बैठे हुए उसे तेजस्वी नर-सिंह के तेज से, जो इस समय पाटण के अधिकार की मूर्ति बनकर उसे अपना प्रताप दिखा रहा था, काक चौंधिया गया। वह अपनी लघुता से लज्जित हो गया। उसे ऐसा प्रतीत हुआ कि वह इस महान मुत्सद्दी के आगे एक अपक्व और अल्प बुद्धि बालक के समान है।

"किसलिए तुमने महाराज को ऐसी सलाह दी कि हमें भोगपुर की ओर न जाना चाहिए?"

काक ने कहा, "मेरी धारणा है कि रा'नवघण पाटण पर चढ़े आ रहे हैं, इसलिए।" वह भूल गया कि मन्त्री ने चतुराई से जान लिया है कि उसने महाराज को सलाह दी है।

मन्त्री ने पूछा, "इसका परिणाम क्या होगा, वह तुम्हें ज्ञात है? उबक के साथ सन्धि करनी ही होगी।"

"मेरी धारणा के अनुसार, महाराज, अभी यह बुरा नहीं है।"

"किस ने कहा? तुम्हें पाटण की क्या खबर है?" मुंजाल ने इस प्रकार कहा, जैसे वे उलाहना दे रहे हों। "पाटण के बहुत से योद्धा और हमारे सब श्रावक इस सन्धि से प्रसन्न होंगे। उन्हें सन्धि ही चाहिए।"

"तो इसमें बुरा क्या है?"

"बुरा क्या है?" ज़रा भौहें चढ़ाकर मुंजाल कहने लगा, "तुम अपरिचित मनुष्य हो, तुमसे कहने में क्या लाभ? –परन्तु, तुम त्रिभुवन के मित्र हो, यह समझ कर कहता हूँ।" कहकर मुंजाल एक नटकी-सी खूबी से क्रोध का आवेश छोड़कर ज़रा हँसने लगा। यह अचानक परिर्वतन देखकर काक चकित हो गया। मनुष्य को मात करने के कैसे-कैसे दाँव मुंजाल मेहता को आते थे, इसका अभी उसे भान नहीं था। मुंजाल स्वर धीमा करके आगे कहने लगा, "पाटण में मालवे का एक पक्ष है। यह सन्धि होगी, तो वह सबल हो जाएगा और साधु-गण अपना अहिंसा-पुराण शुरू कर देंगे। इसके परिणाम का भी ज्ञान है?"

"जी नहीं।"

"मालवा बड़ा है। उसमें एकतन्त्र है। वह पाटण को खा जाएगा और

हमारे श्रावक अहिंसा का भजन करते हुए अवन्ति के परमारों के दास बन जाएँगे।''

काक गहरे विचार में पड़ गया। इस बात का उसे तनिक भी ध्यान नहीं था। मुंजाल कुछ रुका, अतएव काक बीच में बोला उठा, ''परन्तु अभी तो हम शान्ति स्थापित कर लें, फिर देखा जाएगा।''

''पगले, इस शान्ति का अर्थ श्मशान की तैयारी है। जयदेव महाराज को चक्रवर्ती बनना हो तो एक ही मार्ग है कि जालन्धर की भाँति प्रभु सोमनाथ से वर माँग लें कि लड़ो, नहीं तो लड़नेवाला दो। समझे?'' कहकर मुंजाल हँस पड़ा। वह काक को ठिकाने पर ले आया था। अपनी चतुराई की छाप उसने उस पर बैठा दी थी और काक को अपने बुद्धि-बल पर बिल्कुल श्रद्धा न रह गयी थी।

''आपका मतलब मैं समझ गया।'' काक ने इस प्रकार कहा जैसे गहरे विचार में पड़ा हुआ हो। अब यह प्रश्न कि मुंजाल ने स्वतः उसकी सलाह की प्रशंसा क्यों की थी, उसे इतना गहन मालूम हुआ कि उसने इसका निर्णय करना ही छोड़ दिया। इस समय उसने केवल मन्त्री के व्यक्तित्व, उसकी बुद्धि और वाकपटुता को देखकर सन्तोष किया।

''राज्य-शासन का कार्य कोई बच्चों का खेल नहीं है। उसमें सलाह-सम्मति देना सरल नहीं है।''

''महाराज, कहाँ आप और कहाँ मैं? आपकी बुद्धि के आगे दसों दिशाओं के राज्य काँपते हैं, तो फिर मेरी क्या शक्ति?''

''इसी का नाम है खुशामद!'' मुंजाल ज़रा तिरस्कार प्रकट करके फिर बोला, ''भटजी, तुम बड़े समझदार हो, तुम्हारे रंग-ढंग भी मुझे पसन्द हैं; परन्तु यह कूद-फाँद अच्छी नहीं।''

काक का हृदय अल्पता को प्राप्त हो गया था और इसका भी उसे भान हो गया था कि उसका स्थान क्या है, तथा मन्त्री का स्थान क्या है। मुख नीचा करके उसने सब उपदेश सुन लिए।

मुंजाल और काश्मीरा देवी

''अच्छी बात है, तुम्हारी बात ही स्वीकार की जाए। हम यहीं रहेंगे और तुम त्रिभुवनपाल से कह आओ कि वे वीरमगाँव नहीं, परन्तु नलकाँठे की ओर जाएँ। वहाँ यदि रा'नवघण आएगा, तो उसे पकड़ना सरल होगा।''

''जो अन्नदाता की आज्ञा।''

काश्मीरा देवी कुमार के बाल सँवार कर अभी तक मौन मुख बैठी हुई थीं।

मुंजाल ने उसकी ओर फिर कर कहा, "प्रसन्न, त्रिभुवन को कोई सन्देश कहलाना है?"

"नहीं।" तनिक हँसकर काश्मीरा देवी ने कहा।

"चलो कुमार, यहाँ आओ।" तनिक मज़ाक से मुंजाल ने कहा, "इन भूदेव को प्रणाम तो करो। देखो, यह तुम्हारे बापूजी के पास जा रहे हैं। तुम्हें जाना है?"

कुमार अपनी माँ के पास बैठा था। वह उठा और मुंजाल के निकट आकर अधबीच में खड़ा हो गया। "बापू जी के पास!" उसने अपनी इच्छा प्रकट की।

मुंजाल ने हँसकर कहा, "नहीं, तुम्हें तो मैं अपने पास रखूँगा। तुम्हें मैं अपना बेटा बनाऊँगा। यहाँ आओ। अरे, जरा मेरे पास तो आओ।" कहकर तनिक झुककर मन्त्री ने उसका हाथ पकड़ा और अपने पास खींचा। धाक के मारे कुमार न निकट आ सका और न इनकार ही कर सका। आखिर वह घिसटता हुआ आया और मन्त्री ने उसे छाती से लगा लिया।

"जब तुम बड़े होओगे, तब इन काक भट के साथ तुम्हें लड़ने भेजूँगा। अच्छा, काक भट, अब तुम्हारे लाट में कितना उत्पात शेष है?"

"अन्नदाता, बहुत कुछ भाग तो सर हो गया है; परन्तु कुछ इक्के-दुक्के राज्य अभी तक बहुत सताया करते हैं।"

"इसका अन्त कब आएगा?"

"यह कैसे कहा जा सकता है? जब तक सेनापति ध्रुव है, तब तक कुछ नहीं कहा जा सकता।"

"वह कहाँ है?"

"यही नहीं ज्ञात होता। जंबूसर से तापी के तट तक उसकी आन गूँजती है और वह साथ में मृणाल कुमारी को लिए घूमता है, अतएव लोग उसे पुराने राजाओं का प्रतिनिधि मानते हैं।"

"मृणाल कुमारी तो पद्मनाभ महाराज की कन्या है और पद्मनाभ वह जिसे मैंने मारा था।" मुंजाल ने यह समझ कर समझाया कि कदाचित काश्मीरा देवी जानती न होंगी।

"ऐसा क्या!"

काक ने कहा, "जी नहीं, पद्मनाभ महाराज के कुमार की कन्या!"

"तब इसका उपाय यह है कि मृणाल कुमारी को पाटण ले आएँ और ध्रुव को सेनापति बनाकर मालवा भेज दें।"

"अन्नदाता, बिना ऐसा कुछ किए लाट का उपद्रव शान्त न होगा। मृणाल कुमारी जहाँ होती हैं, वहाँ लाट का पूर्व गौरव सतेज हो जाता है; परन्तु उन्हें पाटण कैसे लाया जा सकता है?"

"एक ही मार्ग है। त्रिभुवन से कहा जाए कि उससे विवाह कर ले। —क्यों

कुमार, तेरी एक नयी माँ आ जाए, तो कैसा?'' कहकर मन्त्री ने काश्मीरा देवी की ओर देखा। वह तनिक लजाकर नीचे देख रही थी; परन्तु उसकी आँखों और मुख पर तूफान-सा आ गया था।

''इस बात की सूचना तो मैंने मंडलेश्वर महाराज को दी थी।''

''तब बाधा क्या है? क्यों प्रसन्न, तुम्हें कोई बाधा है?''

''स्वामी की जैसी इच्छा हो, वैसा करें। इसमें मैं क्या कहूँ? परन्तु मैं तो जानती थी कि एक स्त्री के रहते दूसरा विवाह करना बहुत बुरी बात है।'' काश्मीरा देवी हँसी। मुंजाल मेहता खुद फिर से विवाह करने का विचार नहीं करते थे और इससे उनके बहुत से सगे-सम्बन्धी असन्तुष्ट थे। दुलारी लड़की के से स्वच्छन्द भाव से प्रसन्न ने यह व्यंग्य-वाण छोड़ा था। इसे वे समझ गये। उत्तर में मन्त्री भी हँस पड़े। काक इन शब्दों का अर्थ न समझ सका, परन्तु मन्त्री का स्नेहमय हास्य उसे बड़ा आकर्षक प्रतीत हुआ, किन्तु उसके स्वर में जरा कर्कशता थी।

''अच्छा, यह बात है!'' मन्त्री ने मज़ाक में पूछा, ''तुम सभी कुछ जानती हो। अच्छा, जरा त्रिभुवन को तो आने दो। काक भट, तब उठो, लाट का भी कुछ किया जाएगा।''

काक ने नमस्कार किया और वहाँ से आज्ञा ली; परन्तु मन्त्री ने प्रतिनमस्कार के लिए ज्यों हाथ उठाए, त्यों ही कुमार, जो अभी तक उनकी गोद में कैद होकर बैठा था, उठकर भाग गया।

''हत तेरे की! तू भी मेरे पास न रहेगा? अच्छा!'' कहकर मन्त्री हँसे और उठ खड़े हुए, परन्तु उनके हास्य में खिन्नता थी।

''मामाजी, आपकी तबीयत कुछ ठीक नहीं मालूम होती।''

''किसने कहा,'' जरा गर्व से अपने सशक्त, स्नायविक सुगठित शरीर की ओर दृष्टि डालकर मन्त्री ने पूछा।

''आप चिन्तातुर से लगते हैं।'' गम्भीर अर्थभरी दृष्टि से मुंजाल की ओर देखकर प्रसन्न ने पूछा।

''नहीं बेटी, ऐसी कोई बात नहीं है। यह उत्पात-उपद्रवों की दुविधा ही क्या कुछ कम है?'' कहकर मुंजाल वहाँ से चला गया। काश्मीरा देवी दूर तक देखती रही। बहुत दिनों से वह एक विषय पर विचार कर रही थी और वह विचार-माला आज फिर उसने ग्रहण कर ली। उसकी आँखों में जो तूफान चमक रहा था, वही उसके विचारों का कुछ आभास दे रहा था।

कुमार को मौन अच्छा न लगा। उसने काश्मीरा देवी की साड़ी के छोर को सिर पर से खींच लिया। इससे भी उसका मन नहीं भरा; अतएव वह एक लट पकड़कर खींचने लगा। प्रसन्न ने पूछा, ''यह क्या कर रहा है?''

''बोलता क्यों नहीं?''

"इसी कारण तो, एक नयी मामीजी लानी है।"

मुंजाल मेहता जब वहाँ से रवाना हुए, तब वे लाट के उत्पात-उपद्रवों का विचार कर रहे थे और काक को उपयोग में लाने की युक्ति खोज रहे थे। कुछ देर में वे बड़बड़ाए, "यही बात ठीक है। मृणाल कुमारी का त्रिभुवन के साथ विवाह करना ही चाहिए।"

वीसल विजया की शरण लेता है

काक जब सज्जन मन्त्री के यहाँ गया, तब कृष्णदेव दिखलाइ न पड़ा। एक-दो जनों से पुछवाया भी, परन्तु पता न लगा कि वह कहाँ है। किन्तु धनपाल घर के पिछले भाग में उसे राँधने की सामग्री देने के लिए जा रहा था, कि वीसलदेव घबराया हुआ आया और काक से बिना बोले ही जहाँ वह ठहरा था, उस ओर जाने लगा।

"क्यों भाई, इतनी जल्दी में?" काक ने कहा।

"जरा काम है।"

"परन्तु कृष्णदेव वहाँ नहीं है। ज़रा बैठना पड़ेगा।" काक ने जरा हँसी में कहा, "बैठो न यहीं।"

"नहीं, नहीं, मुझे अभी तो बड़े आवश्यक काम से जाना है?"

"तो फिर लौटकर आना। क्यों, तुम्हारे बड़े भाई गये?"

"नहीं जी, राजमहल से निमन्त्रण आया है और वहीं से वे सीधे बाहर ही बाहर रवाना हो जाएँगे।"

"ओह, यह तो बड़ा जुल्म है! व्यर्थ बेचारे सुखी जीव को दुख में डाल रहे हैं।"

"अजी, छोड़ो भी इस बात को।" वीसलदेव ने इस प्रकार कहा, जैसे वह बहुत ही तंग आ गया हो।

"भटजी, इधर आइए।" दूसरे कमरे से धनपाल की पुकार सुनाई पड़ी।

काक ने कहा, "अच्छा, आता हूँ, वीसलदेव जी, तब मैं तो जाता हूँ। कृष्णदेव से कोई सन्देश कहना है?" तीक्ष्ण दृष्टि से वीसलदेव के विचारों को परखने का प्रयत्न करते हुए काक ने कहा।

"नहीं जी, केवल...नहीं, कुछ नहीं।" कहकर वीसलदेव चला गया। इसके पश्चात काक ने भोजन बनाया और खाया। फिर जब वह तैयार होने के लिए गया, तब कृष्णदेव उससे मिला।

"कृष्णदेव, वीसलदेव जी तुमसे मिलने आए थे। तुम कहाँ गये थे?"

"अर्थात मुझे यहीं खूँटे की तरह गड़े रहना चाहिए?"

"उन्हें कोई बहुत आवश्यक काम था। कोई बात कहनी थी।"

"मुझसे?" कृत्रिम आश्चर्य दिखाकर कृष्णदेव ने कहा।

"हाँ, वह तो यही कह रहे थे।"

"होगी।"

"तुम मंडलेश्वर देसलदेव को पहचानते हो क्या?"

कृष्णदेव ने कहा, "हाँ, मेरा गाँव उन्हीं के मंडल में है। तुम राजमहल में जाकर क्या कर आए?"

"कुछ नहीं, केवल देवों के दर्शन कर आया। अभी फिर जाना है।" दोनों ने थोड़ी देर तक उड़ती हुई बातें कीं और काक फिर राजमहल की ओर रवाना हो गया।

काक को कृष्णदेव के प्रति सन्देह तो पहले से ही था, मुंजाल की बातों से उसकी और भी पुष्टि हो गयी थी। इस समय वीसलदेव आ गया। अतएव उसे प्रतीत हुआ कि वह सन्देह सच्चा है। कृष्णदेव कौन है, यहाँ क्यों आया है और वीसलदेव क्या पूछना चाहता है, इस विषय में उसने अनेक तर्क-वितर्क किए; परन्तु वह कुछ भी निर्णय न कर सका और निर्णय न होने से इस रहस्य का पता लगाने की उसकी इच्छा बढ़ती ही गयी।

मुंजाल मेहता के साथ बात करते समय वह उलझन में पड़ गया था और मन्त्री के तेजस्वी व्यक्तित्व के आगे निस्तेज हो गया था। वह जब महल में से निकला, तब मन्त्री के पैर पूजने का भाव उसमें उत्पन्न हो गया था; परन्तु बाहर निकलकर जब वह अकेला विचार करने लगा, तब उसे यह विश्वास हो गया कि उसने महाराजा के आगे जो विचार प्रकट किए थे, वही ठीक थे। महा अमात्य भी उनसे सहमत थे, फिर भी केवल घबराहट में डालने के लिए ही मन्त्री ने इस प्रकार बात करके उसे अप्रतिभ कर दिया था। काक के हृदय में मन्त्री के प्रति पूज्य भाव तो था; परन्तु उसने उसकी राजनीतिज्ञता के प्रति जो अभिप्राय प्रकट किया था, वह उसे न रुचा। मन-ही-मन वह बड़बड़ाने लगा, "मन्त्रीवर, तुमने भी मुझे खूब दबोचा! कोई हर्ज नहीं, परन्तु याद रखना, तुमसे भी एक दिन स्वीकार करा लूँगा कि काक मुत्सद्दी है। तुम महापुरुष हो, सर्वसत्ताधिकारी हो, तो भले रहो, परन्तु तुम्हें भी छकाऊँ, —तुम्हें भी दिखा दूँ कि लाट का पानी कैसा है और एक दिन तुम्हीं से राज-तन्त्र में मैं अपनी बात स्वीकार करवा लूँ, तब मेरा नाम काक! परन्तु यह किया कैसे जाए? महाराजा को तो विश्वास करा ही दिया है, यदि उदा मेहता और पंजे में आ जाएँ, तो बेड़ा पार है। इस कृष्णदेव का कुछ रहस्य तो है। यदि उसका भी भेद मिल जाए, तो अच्छा है। परन्तु उस वीसल के बिना पता नहीं चलेगा। वीसलदेव, तुझे भी ईश्वर ने ही मिला दिया है! इस प्रकार बोलता हुआ काक राजमहल में जाने के बदले देसलदेव मंडलेश्वर का घर पूछता हुआ वहाँ जा पहुँचा। उसका महल राजमहल के बगल में ही था। पूछने पर मालूम हुआ कि देसलदेव पाटण से दोपहर को ही रवाना हो चुके हैं। वीसलदेव उन्हें घाट तक विदा

करने गया था और लौटकर सो रहा था। काक को मन-ही-मन जरा हँसी आयी। जब मालव-सेना पाटण की ओर बढ़ी आ रही है, जब दुंदुभियों के नाद पर योद्धा-गण नाच रहे हैं, तब वीसलदेव महाराज शान्ति से सोए पड़े हैं! घड़ी भर काक ने वहाँ प्रतीक्षा की। अन्त में वह अधिक धीरज न रख सका और आवश्यक काम का मिस करके वीसलदेव को जगा देने के लिए एक राजपूत नौकर से कहा। कोई आधी घड़ी में वीसलदेव उठकर आ पहुँचा।

"क्यों वीसलदेव जी, थके-हारे सो रहे थे, क्या? मुझे ज़रा आवश्यक काम था, इसलिए जगाना पड़ा।"

वीसलदेव ने जँभाई लेते हुए कहा, "क्या बात है? आज तो मैं क्षण-भर भी चैन से न बैठ सका। कहिए क्या काम है?"

"महाराज ने इसी समय जाने का आदेश किया है। अतएव मन में आया कि ज़रा तुम से भेंट कर लूँ। तुम जैसों की..."

"हाँ, मुझे खबर है। बड़े भाई कहते थे। त्रिभुवनपालजी के पास भोगपुर जाने का सन्देश लेकर ही तो जा रहे हो?"

"ओ हो, तुम भी बड़ी खबर रखते हो जी!" काक ने कहा।

"अवश्य। हमीं न रखेंगे, तो फिर कौन रखेगा? तब आज तुम जाओगे न? अकेले हो, या कोई साथ है?" जरा चिन्ताग्रस्त मुख से वीसलदेव ने पूछा।

"नहीं, मैं अकेला ही जा रहा हूँ। मुझे कौन खाए जाता है? क्यों?"

"कुछ नहीं, यों ही पूछा था। आजकल समय ऐसा है कि अकेले जाना बड़ा कठिन हो जाता होगा।"

काक को प्रतीत हुआ कि वीसलदेव ऐसा भोला आदमी तो नहीं है कि व्यर्थ ही ऐसे प्रश्न करे, अतएव उसने चतुराई से काम लेना आरम्भ किया। "हाँ जी, आजकल लड़ाई का समय है। अकेले जाना ज़रा जोखिम भरा तो अवश्य है; परन्तु किया क्या जाए? —हाँ, हमारे कृष्णदेव जी फिर मंडलेश्वर से मिले क्या?"

"अरे नहीं जी। वह भी अपनी पीड़ा अलग बढ़ा रहा है। मुझे अभी..." मुख से बात निकल तो गयी, पर बीच ही में ध्यान आ जाने से वीसलदेव चुप हो रहा।

"हाँ, अभी तो तुम्हें उससे मिलना है? वह भी तुम्हारी प्रतीक्षा कर रहा है। काक ने अपनी बाजी खेलना आरम्भ किया और धीरे-धीरे वीसलदेव उसमें फँसता गया।"

"ऐसा! ठीक है। अब सन्ध्या होने ही होने वाली है। तुम कृष्णदेव को कहाँ पहचानते होगे?"

"मैं और न पहचानूँ?" कहकर काक हँसने लगा। उसे तनिक भी ज्ञात न था कि कृष्णदेव कौन है; परन्तु उसके हँसने से वीसलदेव को विश्वास हो गया। "परन्तु तुम्हारे भाई तो मिले नहीं, अब क्या होगा?"

"यही तो आफत है। अच्छा, चलो, अब तुम्हारे जाने का समय हो रहा होगा।" बात उड़ाने का प्रयत्न करते हुए वीसलदेव ने कहा।

"हाँ, अब तुम्हें कृष्णदेव के पास जाना होगा। नमस्कार। मेरे योग्य कोई काम-काज है?"

"नहीं, सन्ध्या के समय जाओगे?"

"नहीं, अभी जाऊँगा।" कहकर काक वहाँ से उठा और राजमहल की ओर रवाना हुआ। जाते-जाते उसने देखा कि तुरन्त ही वीसलदेव अपने महल से निकल कर पालकी पर जा बैठा और सज्जन मन्त्री के भवन की ओर रवाना हो गया।

काक कुछ देर अपनी साँढ़नी और शस्त्रों को तैयार करने में लगा रहा; इसके बाद कोई वस्तु सज्जन मन्त्री के यहाँ रह गयी है, उसे ले आऊँ, इस बहाने वहाँ के लिए रवाना हुआ। दोपहर बीत जाने को आया था, फिर भी कृष्णदेव सोने का ढोंग किए पड़ा था। काक ने उसे जगाया नहीं और वह लौटकर फिर राजमहल में आ गया। उसे विश्वास हो गया कि वीसलदेव वहाँ पहुँच गया है।

काक अपनी साँढ़नी लेकर भीमनाथ के घाट पर पहुँचा। सरस्वती के उस पार जाने के लिए नौकाएँ आने-जाने लगी थीं; पर भीमनाथ के घाट के सिवा और सब घाट बन्द थे। साथ आए हुए साँढ़नी वाले नौकर को साँढ़नी के पास बैठाकर दर्शन करने के लिए मिस काक भीमनाथ के मन्दिर में जा बैठा। नौकाएँ उस पार भरकर पाटण की ओर आ रही थीं, परन्तु, पाटण से शायद ही कोई मनुष्य जा रहा था। इसलिए जाने वाले कौन-कौन हैं; उन पर दृष्टि रखना सरल था। काक को विश्वास था कि या तो वीसलदेव या उसका कोई आदमी मधुपुर अवश्य जाएगा और वहाँ देसल से मिलकर कृष्णदेव का सन्देश कहेगा। वह सन्देश क्या है, सो भी किसी प्रकार जान लेने का काक ने दृढ़ निश्चय कर लिया था। सूर्यास्त हो गया, पर कोई भी नहीं आया। काक अधीर हो गया। यदि मुंजाल या महाराज को खबर लग गयी कि वह समय पर रवाना नहीं हुआ, तो उस पर व्यर्थ दोष आएगा। काक ने अपनी साँढ़नी उस पार भेज दी और थोड़ी ही देर में रवाना होने का निश्चय करके बैठा रहा।

भीमनाथ महादेव की आरती आरम्भ हुई। काक बड़ा कट्टर शिव-भक्त था, अतएव, आरती के समय शिवलिंग के निकट खड़े रहकर स्तवन का उच्चारण करने लगा। अचानक उसने दूर पर एक परिचित मनुष्य को आरती गाते देखा। उसका स्तवन अधूरा रह गया और वह धीरे-धीरे उसके निकट जा पहुँचा। उसके मुख का निचला भाग ढाटे से बँधा हुआ था। काक का हृदय हर्ष से नाचने लगा।

"चलो भाई, नहीं तो आखिरी नौका भी चली जाएगी।" ढाटा बाँधे खड़ा हुआ मनुष्य वीसलदेव था। उसने कोई उत्तर नहीं दिया।

"क्यों, वीसलदेवजी, इस वेश में मधुपुर जा रहे हो?"

वीसलदेव का अब बिना बोले चारा नहीं था। आरती के घंटा नाद में उसने पूछा, "काक भट, अभी तक तुम गये नहीं?"

"नहीं जी, एक अनिवार्य कारण से रुक गया। चलो, अच्छा हुआ कि तुम्हारा साथ हो गया!"

"तुम मधुपुर जा रहे हो?", वीसलदेव ने पूछा।

"हाँ भाई, परन्तु इस वेश में तुम कैसे निकले?"

"काक मित्र, इस समय में जो न करना पड़े सो थोड़ा है।"

"अपने भाई से मिलने जा रहे होंगे।", काक ने अनुमान किया।

"किसने कहा?"

"अब वह सब क्या यहाँ कहा जाए? जानते तो हो कि तुम कृष्णदेव से मिलने गये, उसके पश्चात तुरन्त ही मैं भी गया। मुझसे कुछ छिपा थोड़े ही है!" जरा हँसते हुए काक ने कहा।

"जब तुम थे, तब मुझे क्यों मरने के लिए भेजा?"

"मुझे भी यही आश्चर्य मालूम होता है। लाओ न, तुम कहो तो जो सन्देश तुम्हारा हो, मैं ही लेता जाऊँ।"

"नहीं भाई, भइया मेरे प्राण ही ले लेंगे, और मेरी माँ तो मुझे घर में ही न रहने देंगी।"

"अजी, वह ऐसी क्या बड़ी हुंडी भेजी जा रही है?"

"है तो कुछ भी नहीं। लो, आरती समाप्त हो गयी। चलो, अब चलें।"

"अजी, जरा ठहरो तो, भगवान भोलानाथ का प्रसाद तो ले लें।" कहकर काक ने आसिसा ली, जलधारी में से बिल्वपत्र लिया और निकट के ओसरे में, जहाँ भाँग घोटने की सिल-लुढ़िया पड़ी थी, वीसलदेव को ले गया। वीसलदेव को विलम्ब भला न लग रहा था; परन्तु काक को छोड़कर अकेले जाने की हिम्मत भी उसमें नहीं थी। अतएव वह बैठ गया और काक ने जितनी पिलाई, उतनी भाँग उसने पी ली। विजया का प्रभाव ज्यों-ज्यों वीसलदेव पर होता गया, त्यों-त्यों उसका मुँह खुलने लगा।

कृष्णदेव का सन्देश

विजया गगन विहारी गन्धर्वों का पेय है। यह अवनि को अमरावती बनाती है; अरसिक में रसिकता उत्पन्न करके उसे काव्यमयता के शिखर पर पहुँचाती है; उदासीनता में डूबे हुए लोगों को अटूट हास्य का अधिकार अर्पित करती है और पाषाण-हृदयों को आर्द्र बनाकर विरहाश्रु गिराने की आज्ञा देती है। सुरा निर्लज्ज बनाती है, अफीम अहदी बनाती है, गाँजा धुनी बनाता है; परन्तु भाँग मनुष्य की कल्पना-शक्ति को

उत्तेजित करके उसे व्योम में रची जाने वाली सुनहरी सृष्टि का स्वामी और भोक्ता बनाती है।

वीसलदेव ने विजया की आराधना करके यही पद प्राप्त किया। उसे अपना हृदय विशाल होता प्रतीत हुआ; मनोबल मस्तक में उछल-कूद करता जान पड़ा; दृष्टि सूक्ष्म और सर्वग्राही होती ज्ञात हुई; और बुद्धि ने नये-नये तन्त्र रचने आरम्भ किए। उसे प्रतीत हुआ कि वह स्वयं दुर्जय है, देसलदेव मूर्ख और अभिमानी है; जयसिंह देव को राज्य पाने का अधिकार था ही नहीं, मुंजाल मन्त्री उलटी बुद्धि का है। उसकी आकांक्षाएँ नये स्वरूप में, परन्तु चुटीली असरकारक भाषा में प्रकट होने लगीं। उसके विशाल मस्तिष्क में से अनेक नयी-नयी युक्तियाँ उदय हुईं, अनेक षड्यंत्रों की रचना हुई और अपना नायक वह स्वयं बना। उसे विश्वास हो गया कि जयसिंह देव आज केवल उसी के आधार पर राज्य कर रहा है।

ये सब बातें वीसलदेव के उत्तेजित मस्तिष्क में से निकलने लगीं। उत्तेजन केवल भाँग का ही न था; काक भी धीमे-धीमे उससे बातें करवा रहा था। इसका परिणाम यह हुआ कि काक पर वीसलदेव की श्रद्धा बढ़ती गयी। उसे वह प्राणप्रिय मित्र प्रतीत हुआ और उसे ऐसा भास होने लगा कि उसके साथ मेरा पूर्वजन्म का सम्बन्ध है। उसने अपनी महान युक्तियों में उसकी सहायता चाही। काक पीछे हटने वाला न था। उसने भी वीसलदेव को सदैव के लिए मित्र बनकर रहने का वचन दिया और दोनों के बीच कितनी समानता है, इसका विवेचन किया। काक ने शपथ ली कि वह जीवन-भर वीसलदेव का मित्र बनकर रहेगा।

मित्रता का बन्धन इस प्रकार दृढ़ हो जाने के बाद काक ने सोरठ की चर्चा चलाई। उसने सूचित किया कि वह कृष्णदेव को जानता है और इसका भी उसे भान कराया कि इस समय वीसलदेव के समान महारथी के पाटण छोड़ जाने से कितनी हानि होगी। अपनी महत्ता की इतनी अधिक कदर होती देख कर, वीसलदेव ने बहुत ही गुप्त रूप से कहा कि उसका भी यही मत है। काक ने उसे विश्वास दिलाया कि वह जो गुप्त सन्देश ले जा रहा था, उसे यदि उससे कह दे, तो वह बिना चूके उसे अवश्य देसलदेव से जाकर कह सकता है। वीसलदेव ऐसा करने के लिए राजी हो गया; परन्तु साथ ही आशंका प्रकट की कि इससे उसके बड़े भाई बहुत गुस्सा होंगे।

इस प्रकार बातें करता हुआ काक जब वीसलदेव को नदी पर ले गया, तब आखिरी नौका निकल चुकी थी; अतएव तैरकर जाने के सिवा कोई उपाय न था। रात पड़ने से ठंड शुरू हो गयी थी और वीसलदेव कुशल तैराक न था; इससे उसे तैरकर नदी पार करना कठिन मालूम हुआ।

आखिर काक ने उसे फिर समझाया। वीसलदेव जैसा महान सामन्त इस प्रकार व्यर्थ धक्के क्यों खाए? क्यों पाटण में ही रहते हुए उसका ध्यान न रखे? क्यों अपने बड़े भाई जैसे स्वार्थी के लिए निरर्थक ठंड में ठिठुरते हुए नदी पार करे?

यह बात वीसलदेव के गले उतर गयी। अभी कुछ ही दिन हुए उसका भाई अपने कार्यों में उससे सहायता लेने लगा था, इसलिए, किसी उस्ताद के पंजे में वह अब तक न फँसा था।

"काक, मित्र, तो इतना काम करोगे?"

"अवश्य। तुम्हारे एक शब्द पर मैं अपना सिर उतार कर दे सकता हूँ।"

"तो मधुपुर के किनारे नीलकंठेश्वर महादेव के मन्दिर में जाना।"

"अच्छा।"

"वहाँ आधी रात के पश्चात भाई साहब आएँगे, या कोई उनका खास विश्वासपात्र आदमी मिलेगा। उससे इतना कहना।"

"क्या?" ध्यानपूर्वक काक ने पूछा।

"माघ कृष्णा द्वादशी। पांचालेश्वर की जय। याद रहेगा?"

"क्या नहीं? अच्छी तरह।"

"देखना, परन्तु यह बात किसी के कान तक न पहुँचे।"

"अजी, पहुँचेगी कैसे? अगर पहुँचे, तो उसका कान ही काट डालूँ। वीसलदेव जी, अब तुम चैन से लौट जाओ।"

"मित्र, मेरा यह इतना-सा काम भली भाँति कर दोगे तो तुम्हारा बेड़ा पार कर दूँगा।"

रात्रि के अन्धकार में काक के होठ तिरस्कार से मुड़ गये, पर वीसलदेव ने उन्हें न देखा।

"काक, मैं जाता हूँ।"

"हाँ, चैन से जाओ।" कहकर काक वीसलदेव से बिछुड़ गया और उस पर जाने के लिए नदी की ओर रवाना हुआ। वह निराश हो गया था। कारण सन्देश स्पष्ट नहीं था। वीसलदेव को फुसलाने का सारा परिश्रम उसे व्यर्थ प्रतीत हुआ। इस अर्थहीन सन्देश में वह अर्थ खोजने का प्रयत्न कर रहा था। नदी लाँघने को उसने लाँग चढ़ाई; परन्तु पानी में पैर रखने के लिए वह बढ़ ही रहा था कि रुक गया और पैर पटका।

"हत तेरे मूर्ख की, इतनी भी समझ नहीं हैं?" कहकर वह एकदम पीछे लौटा और देखने लगा कि वीसलदेव घाट पर है या नहीं। घाट निर्जन था। काक लाँग खोलकर तेज़ी से फिर नगर में घुसा और तेज़ी से राजमहल की ओर चल दिया। मार्ग इस समय सूना था, अतएव तेजी से जाने में कोई अड़चन नहीं हुई।

राजमहल के दरवाजे के आगे कुछ रक्षक बैठे हुए थे। काक ने कहा, "भाई, कोई जाकर मन्त्रि-पुत्र शोभ महाराज को बुला लाओगे?"

सद्भाग्य से एक मनुष्य ने उसे पहचान लिया। "कौन? आप तो त्रिभुवनपाल महाराज के भटराज हैं?"

"हाँ, मैं वही हूँ, जरा उठो न।"

एक रक्षक उठकर गया और थोड़ी देर में लौटकर काक को महल में बुला ले गया। महल के चबूतरे पर शोभ खड़ा हुआ था।

''क्यों भटजी, अभी तुम गये नहीं?'' ज़रा गरम होकर शोभ ने पूछा।

''महाराज, यह पूछने का काम आपका नहीं है।'' शान्ति से काक ने उत्तर दिया, ''मुझे काम है।''

''क्या?'' ज़रा नरम होकर शोभ ने पूछा।

''महाराज से मुझे मिलना है।''

''सो इस समय कैसे बन सकता है?''

''बिना मिले काम चल ही नहीं सकता; मुझे महाराज ने बुलाया था।''

''अच्छा ठहरो, जागते हों तो पूछ आऊँ।''

शान्त स्वर में काक ने कहा, ''न जागते हों, तो जगा लेना। कोई दूसरा न जान पाए, भला।''

जयसिंह देव ने जब से काक के साथ एकान्त में बातचीत की थी, तब से शोभ के हृदय में उसका दर्जा बढ़ गया था। वह तेजी से अन्दर गया और जयसिंह देव जहाँ बैठे थे वहाँ जाकर बात की।

जयसिंह देव पहले तो क्रोधित हुआ; परन्तु यह विचार कर उसे पिछले मार्ग से बुलाने का आदेश दिया कि काक बिना कारण लौटकर आने वाला आदमी नहीं है। ज्यों ही काक ऊपर पहुँचा त्यों ही महाराज ने आँखें निकाल कर पूछा, ''तुम अभी तक गये नहीं?''

''बिना सबल कारण के आपके आदेश का अनादर मैं कभी नहीं कर सकता।'' हाथ जोड़कर काक ने कहा और शोभ की ओर देखा।

अपेक्षा आप ही के पास ख़बर पहुँचाऊँ, तो ज्यादा ठीक होगा। यदि मुझसे भूल हुई हो, तो क्षमा कीजिए। मैं अन्नदाता की आज्ञा लेता हूँ। कहकर काक प्रणाम करके आगे बढ़ा।

जयदेव की जिज्ञासा बढ़ रही थी। उसने काक को जाते देखा, तो नरम पड़ गया। बोला, ''मेरी अपेक्षा मेहताजी जान लें तो अधिक अच्छा। उन्हें सब कुछ ज्ञात है।''

''महा अमात्य के पास अनेक जासूस हैं। मैंने समझा कि...''

''तो ठीक है, अब आए हो तो कहो।''

''अन्नदाता की आज्ञा हो, तो मैं महा अमात्य से ही जाकर कहूँ।''

जयदेव ने होठ चबाकर कहा, ''चलो, अब मुझसे ही कहो, जल्दी।''

''जो आज्ञा। सोरठ का रा'गुजरात पर चढ़ा आ रहा है, यह बात सत्य है।''

''यह कौन-सी नयी बात कही?''

''महाराज, नलकाँठे में वह अपने साथियों को इकट्ठा कर रहा है।''

"ऐसा?"

"जी हाँ, पंचालेश्वर के आगे।"

"ऐं!" जरा चकित होकर जयदेव ने पूछा।

"महाराज, माघ कृष्ण द्वादशी को वह वहाँ से निकलकर गुजरात पर आ चढ़ेगा।" धीमे स्वर में काक ने कहा।

"क्या कहते हो! तुमने कैसे जाना?"

"महाराज, अभी आपसे कहूँगा तो सब चौपट हो जाएगा। महाराज की आज्ञा हो, तो मैं फिर कहूँगा; परन्तु बात बिल्कुल सत्य है और रा'नवघण को मज़ा चखाने का ऐसा अवसर और नहीं मिलेगा।"

"अच्छा, मैं मुंजाल मेहता से पूछ देखूँगा।"

"जैसी अन्नदाता की इच्छा; परन्तु इसकी अपेक्षा आप मेरे ही द्वारा मंडलेश्वर महाराज से कहला दें कि वे नवघण रा' को ठिकाने लगा दें, तो कैसा?"

"बुरा नहीं है।"

"और अगर आप उस समय वहाँ आ पहुँचे, तो —?" काक ने ज़रा आँख को छोटी करके कहा।

जयदेव समझ गया कि किसलिए काक इस समय इस जगह आया था। किसलिए वह मुंजाल के पास नहीं गया और काक की बात मानने से वह कैसा यश प्राप्त कर सकेगा, आदि विचार उसके मस्तिष्क में एकदम घूम गये। यदि जयदेव स्वयं जाकर नवघण को पराजित करे, तो मुंजाल मेहता भी जयदेव का प्रभाव जान जाएँ और शान्तु मेहता की की हुई सन्धि का कलंक भी कुछ कम हो जाए। इस परिणाम का विचार आते ही बालराजा का मुख खिल उठा।

"ठीक है, मैं देखूँगा," अपनी प्रसन्नता मन-ही-मन दबाते हुए जयदेव ने कहा, "परन्तु तुम जल्दी जाओ।"

"मुंजाल मेहता को भी यह समाचार सुना दूँ?" हाथ जोड़ कर काक ने पूछा।

जयदेव ने देखा कि काक उसका मज़ाक कर रहा है। उसने ज़रा भौंहों को चढ़ाकर उत्तर दिया, "तुम जाओ, मुझे जैसा उचित मालूम होगा, मैं करूँगा।"

"जैसी महाराज की आज्ञा।" कहकर काक वहाँ से रवाना हुआ।

काक का पहुँचाया हुआ सन्देश

काक जब मधुपुर पहुँचा, तब आधी रात बीत गयी थी और नीलकंठेश्वर महादेव के मन्दिर में पुजारी जैसे दीख पड़नेवाले चार-पाँच मनुष्य सोए हुए थे। काक विचार में

पड़ गया कि अब देसलदेव का पता कैसे लगाया जाए! आखिर उसे कुछ सूझ न पड़ा और वह चबूतरे पर जा बैठा।

कुछ देर में एक घुड़सवार आ पहुँचा। उसने अपना घोड़ा बाहर बाँध दिया और मन्दिर में आकर महादेवजी को साष्टांग दंडवत प्रणाम किया। नवागन्तुक ने सारे शरीर पर कवच धारण कर रखा था। उसके मुख पर ढाटा बँधा हुआ था। अपने को छिपाने का उसने बहुत प्रयत्न किया था, फिर भी काक को विश्वास हो गया कि यह देसलदेव ही है, परन्तु इस समय भय से कि कहीं भूल तो नहीं कर रहा, वह इस प्रकार सिर झुकाकर बैठ गया, जैसे नींद में झोंके खा रहा हो।

नवागन्तुक ने चारों ओर दृष्टि डाली और आखिर वह काक को ताक-ताक कर देखने लगा। वह बहुत देर तक विचार करता रहा कि बोले या नहीं; परन्तु अन्त में धीरज न रहने से उसने पूछा "भटजी, आप पाटण से आए हैं?"

"मुझसे पूछ रहे हैं?" काक ने इस प्रकार कहा जैसे अभी नींद से जागा हो।

"हाँ।" नवागन्तुक ने पूछा, "पाटण के नये क्या समाचार हैं?"

काक ने आवाज़ पहचान ली। नवागन्तुक देसलदेव ही था।

"महाराज, आपके रवाना होने के बाद की तो कोई खबर नहीं है।"

देसलदेव चौंक पड़ा, "मैं रवाना हुआ? मैं पाटण गया ही नहीं!" ज़रा कठोर स्वर में उसने कहा।

"ऐसा क्यों कह रहे हैं?" आप कौन हैं, मुझे विदित है।"

"क्यों?"

"मैं आप ही से मिलने के लिए आया हूँ, यों।"

"किसने? जयदेव महाराज ने भेजा है?" ज़रा भयभीत स्वर में देसलदेव ने पूछा।

"नहीं, वीसलदेव जी ने।" धीमे से काक ने कहा, "कृष्णदेव महाराज का सन्देश कहने के लिए।"

देसलदेव चौंका और उसकी भवें चढ़ गयीं।

"वीसलदेव क्यों नहीं आया?"

"कृष्णदेव महाराज ने मेरे द्वारा सन्देश कहलाना ठीक समझा। मैं उनका मित्र हूँ।"

"तुम तो त्रिभुवनपाल के मित्र हो?"

"दोनों का मित्र होने में कौन-सी बाधा है?" ज़रा हँसकर काक ने कहा, "क्या आप दोनों के मित्र नहीं हैं?"

"क्या सन्देश लाए हो?"

"फाल्गुण शुक्ल चतुर्थी-पांचालेश्वर।" काक ने धीमे-से कृत्रिम सन्देश सुनाया। इसे ठीक स्मरण रखने के लिए देसलदेव ने धीमे-से मन में दोहरा लिया।

“और कुछ?’

“और कुछ महीं। अब आपकी आज्ञा हो, तो मैं जाऊँ। मुझे त्रिभुवनपाल महाराज से भी सन्देश कहना है।”

“क्या?”

“कि भोगपुर की ओर जाकर शान्तु मेहता से मिलें।”

“ठीक है, ठीक है,” देसलदेव अपने हर्ष को न दबा सका, “तुम्हारा नाम काक भट है न?”

“जी। कभी आवश्यकता हो, तो सेवक को अवश्य याद कीजिएगा।”

“अच्छी बात है। चिन्ता न करो।” कहकर घुड़सवार वहाँ से रवाना हो गया। अन्धकार में काक हँसता हुआ खड़ा रहा। जब देसलदेव के घोड़े की टापों का स्वर सुनाई देना बन्द हो गया, तब वह मन्दिर में घुसा। फिर से महादेव के दर्शन किए और साँढ़नी को पलान कर कर्णावती की ओर चल पड़ा।

कर्णावती से कुछ ही दूर त्रिभुवनपाल महाराज उसे मिल गये। काक ने सभी बातें सविस्तार कह सुनाईं और यह भी खबर दी की माघ कृष्ण द्वादशी को नलकाँठे में पांचालेश्वर में नवघण रा’ अपने सामन्तों से मिलने वाला है।

कुछ देर मंडलेश्वर के पास रहकर काक ने दूसरी साँढ़नी ली और खम्भात का मार्ग पकड़ा।

खम्भात के मार्ग पर

स्तम्भतीर्थ या खम्भात के मार्ग पर ज्यों-ज्यों काक बढ़ता गया, त्यों-त्यों उसे आसपास के प्रदेश में परिवर्तन प्रतीत होने लगा। गाँव बड़े और समृद्धिवान दीख पड़े। प्रजा का बहुत बड़ा हिस्सा जैन मालूम हुआ। जैन साधु और यति जब-तब दिखलाई देने लगे और जगह-जगह चैत्य (मन्दिर) पोषधशालाएँ (उपाश्रय) और आश्रम-गृह हाल ही के बनाए हुए नज़र आए।

काक स्वयं ब्राह्मण था। वैदिक और पौराणिक प्रणाली में वह पला था और मानता था कि वह भूदेव के ऊँचे पद पर है। इन कारणों से कट्टर श्रावकों को वह तिरस्कार से देखता था।

इस कथा के काल में गुजरात की प्रजा का अधिकांश न तो पूरा जैन था और न पूरा पौराणिक ही। दोनों भाग केवल पन्थ ही समझे जाते। अधिकांश लोग शिव के दर्शन करके पार्श्वनाथ की पूजा करने में कोई विरोध नहीं देखते थे। धनिक लोग दोनों पन्थों के मन्दिर बनवाने में कृतकृत्यता मानते थे। आम लोग विद्वान श्रोत्रियों के और जैन साधुओं के भी –दोनों के पैर पूजते थे। जिसे जो भाता उसी को इष्टदेव मान

उसकी आराधना करता था। जिस समय का इतिहास यहाँ दिया गया है, उस समय श्रावकों-शैवों में प्रजा का स्पष्टतः विभाजन नहीं हुआ था और यह भी नहीं माना जाता था कि जैन धर्म हिन्दू धर्म से भिन्न है।

परन्तु इन दोनों पन्थों के जो नेता थे, उनके मन में ऐसी अस्पष्टता नहीं थी। उनकी मान्यता के अनुसार अपना-अपना मत प्रत्येक को न्यारा और विशुद्ध मालूम होता था। इसका परिणाम यह होता कि राजधानियों और बड़े धनी नगरों में धार्मिक झगड़े चला करते थे और सत्ताधिकारियों तथा धनिकों को अपने पंजे में फँसाने के लिए प्रत्येक मत प्रयत्न किया करता था।

गुजरात में मूल से ही जैन धर्म का जोर चला आ रहा था। वल्लभीपुर का विनाश होने के पहले वहाँ बौद्ध-मत को हराकर जैन-मत ने अपनी सत्ता स्थापित की थी। वल्लभीपुर के पतन के पश्चात पंचासर में भी जैन-मत का प्राबल्य था।

यह मानने के लिए कारण मिलते हैं कि जैन साधु के द्वारा बचाए हुए, जैन साध्वी के द्वारा लालित-पालित और जैन-मन्त्री की सेवा स्वीकार करने वाले वनराज के समय में यह मत अधिक फैला होगा। गुजरात के अधिकार धनिक इसी मत के थे और उनका धन अनाथों के रक्षक अहिंसा-पूजक जैन साधु लोगों की भलाई के लिए खर्च करते थे। जैन साधु मानते थे कि गुजरात का सिंहासन हमारे मत के आश्रय से ही अमर रहा है, और रहेगा। इसके सिवाय वे गुजरात के नरेशों को अपने अनुयायी बना रखने की हवस हमेशा रखते थे। परिणाम चाहे जो हुआ हो, परन्तु गुजरात का इतिहास जैन-शासन का एक अध्याय बन गया है।

गुजरात का गौरव नष्ट हो गया, पाटण उजड़ गया, उसे मुसलमानों और मराठों ने जीता, खोया और फिर जीता। चावड़ा गये; सोलंकी गये; नागरों, श्रीमालियों और पोरवाड़ों का अस्त हुआ; फिर भी जिन पार्श्वनाथ की प्रतिमाओं ने वल्लभीपुर का वैभव देखा था, और जो विनाशकाल के पश्चात पंचासर पहुँच गयीं, वे ही प्रतिमाएँ सोलह सौ वर्ष के बाद आज भी अपनी पुरानी राजधानी में विराजती हैं और हमारे मध्यकालीन इतिहास के सूत्रधार वनराज और उसके मन्त्री चाँपा मेहता उन्हें प्रणिपात कर रहे हैं।[1]

जैन-शासन का प्राबल्य होते हुए भी उस समय सौराष्ट्र के महादेव का डंका सारे देश में बजता था, और गुजरात तथा सौराष्ट्र के अधिष्ठाता देव वही समझे जाते थे। जूनागढ़ और पाटण के राजाओं की विजय-घोषणाएँ 'सोमनाथ की जय' पुकारती थीं। वह प्रताप सोलंकी-शिरोमणि मूलराज का था।

चाहे मूलराज शिवभक्ति अपने स्वदेश से लाया हो, चाहे उसने गुजरात का राजा

1. पाटण में पंचासर पार्श्वनाथ का मन्दिर अभी तक है, जिसमें वनराज और चाँपा मेहता की असली प्रतिमाएँ हैं।

बनने के लिए राजनीतिक चाल के रूप में ही अधिष्ठाता देव की भक्ति गिरनार के ग्रहरिपु से अधिक दिखाई हो, चाहे आसपास के सुधरे हुए देशों की विद्या और कौशल्य को लाने के लिए ही ब्राह्मणों को उत्तेजन देना उसने आवश्यक समझा हो; और चाहे जैनमत की अहिंसा उसके बहादुर अधिकारलोलुप हृदय को अच्छी न लगी हो, —चाहे जो कारण हो; परन्तु उसने शैव-मत को ही राज-धर्म बनाया, दूर-दूर के ब्राह्मणों को बुलाकर गुजरात के संस्कारों की समृद्धि में वृद्धि की और पाटण के राज्याधिकारियों को वह 'जय सोमनाथ' का मन्त्र सिखा गया। इस मन्त्र को ध्यान में रखकर मूलराज के वंशज ब्राह्मणों को आदर से पूजते रहे और अपने देश की संस्कृति को सतेज रखने का प्रयत्न करते रहे।

इस परिस्थिति में जैन लोग पाटण के राजाओं को अपने पन्थ का अनुयायी बनाने के लिए प्रयत्न तो बहुत करते, परन्तु निष्फल होते थे।

भीमदेव और कर्णदेव कट्टर शिव-भक्त थे। मीनलदेवी जैन पिता की पुत्री होते हुए भी राज्य-कार्यों में धर्म-विरोध प्रविष्ट करने के विरुद्ध थी और अधिकतर मन्त्री जैन होते हुए भी शैव और जैनमत के प्रति बहुत अधिक प्रीति-अप्रीति प्रकट न करते थे।

जबसे राजतन्त्र मुंजाल मेहता के हाथ में आया, तब से उसकी राजनीति स्पष्ट प्रकट हो गयी। मत-मतान्तरों के झगड़ों में न पड़कर पाटण की सत्ता को शौर्य के बल से बढ़ाना और गुजरात को एक साम्राज्य बनाना ही वह अपनी नीति समझता था। इस नीति से कट्टर श्रावक और जैन-साधु बहुत नाराज रहते और राज्य में अधिक पैर फैलाने के अवसर की प्रतीक्षा करते रहते।

इसी समय पाटण के राज्याधिकारियों में एक नया कूटनीतिज्ञ प्रविष्ट हुआ। वह उदा मेहता था। उसकी पूर्वकथा, उसकी चतुराई और किस प्रकार वह मन्त्री बना, इसका कुछ इतिहास 'पाटण के प्रभुत्व' में दिया गया है। जब उसने मन्त्री का पद प्राप्त किया, तब उसे पाटण का अधिकार हथियाने की बहुत हवस थी; परन्तु मुंजाल के व्यक्तित्व के आगे उसकी वह हवस व्यर्थ हो गयी। उसने कर्णावती और खम्भात दोनों माँग लिए और मीलनलदेवी ने उसे वे दे भी दिए।

उदा की महात्वाकांक्षा अपरिमित थी। अन्य सब मन्त्रियों को लज्जित करने के लिए वह धर्म-धुरन्धर बन गया। कर्णावती और खम्भात जैसे बन्दरों में बहाकर आते हुए अपार धन को वह जैनमत के उद्धार के लिए व्यय करने लगा। अनेक देशों के जैन साधु और जैन विद्वान उदा मेहता के दरबार में चक्कर काटने लगे। भूखे, कंगाल सधर्मी जैन निहाल होने लगे। उदा मेहता ने धीमे-धीमे सिर उठाने का प्रयत्न किया। अतएव मुंजाल ने उससे कर्णावती वापिस ले ली। तब घायल मन्त्री खम्भात में जाकर रहने लगा।

खम्भात गुजरात का मुख्य बन्दर था और गुजरात के धनिक लोग समुद्रीय

व्यापार बहुत करते थे, अतएव इस नगर में ही सबकी पूँजी एकत्र थी। इससे उदा का धन और अधिकार अनुपम हो गया। खम्भात में धन तो था ही, अब वह जैन धर्म और उदा ही सत्ता का प्रमुख स्थान बन गया था। इसलिए यदि काक को खम्भात में भव्यता प्रतीत हुई, तो यह कोई नयी बात न थी।

काक ज्यों-ज्यों खम्भात के निकट आता गया, त्यों-त्यों घबराता गया। उसका उठाया हुआ काम बहुत ही गहन और कठिन था। जयदेव महाराज ने तो केवल जीभ हिला दी थी; परन्तु काक को प्राणों की जोखिम थी। जिस मन्त्री की सत्ता को भंग करने का वह विचार करता था, वह सारे देश में सबसे चुस्त और चालाक समझा जाता था। उसके अनुचर बारहों मंडलों और बावनों नगरों में घूमते रहते थे। उसके धन से लुभाकर भले-भले लोग जयसिंह देव महाराज की भी नौकरी छोड़ आते थे। ऐसे मनुष्य से शत्रुता की जाए? यदि कहीं उदा बिगड़ खड़ा हो, तो क्या स्वयं महाराज भी उसे बचा सकेंगे? काक के हृदय में सन्देह उत्पन्न हो रहे थे, फिर भी उसने साहस न छोड़ा। उसकी धमनियों में जवानी का रक्त उछल रहा था। उसे उदा मेहता को देखने की इच्छा थी। एक ही दिन में उसने पाटण के राजनीतिज्ञों को अपनी बुद्धि का परिचय दे दिया था और फिर उसे नये-नये अनुभव करने का शौक भी था। वह उत्साह से आगे बढ़ा।

ख़तीब[1]

माघ शुक्ला द्वादशी के प्रातःकाल काक बिल्कुल खम्भात के निकट पहुँचा। उसकी साँढ़नी थक गयी थी और उसे भी जोर की भूख लगी थी, इसलिए उसने विश्राम करने का निश्चय किया।

वह साँढ़नी पर से उतरा, निकट के तालाब में नहाया, सन्ध्या की और एक सघन वृक्ष के नीचे आग सुलगाकर भोजन बनाने लगा। भोजन बनाते-बनाते वह उदा मेहता का विचार करने लगा।

अचानक ऊपर के वृक्ष की डालियाँ हिल उठीं। एक टूटी हुई टहनी काक के आगे आ गिरी। काक चौंका और ऊपर देखा, तो वृक्ष की सघन डालियों और पत्तियों के बीच उसे कोई बन्दर-सा दीख पड़ा। काक ने उठकर एक ढेला मारा। वह ठीक बन्दर को लगा और तब उसने ऊपर की एक और डाली पर जाने का प्रयत्न किया।

काक ने उसे डाली थामकर ऊपर चढ़ते हुए देखा और वह घबरा गया। वृक्ष पर छिपने वाला न तो बन्दर था, और न मनुष्य। काक को उसका मुख बन्दर की तरह

1. जमी-उल-हक़ायत। सर ह. इलियट के इतिहास में दिए अनुवाद पर से।

प्रतीत हुआ। उसकी लम्बी बिना बाँधी हुई दाढ़ी भयंकर रूप से इधर-उधर हिल रही थी। उसने शरीर पर कोई कपड़ा-सा लपेट रक्खा था। काक ने उसे नीचे उतरने के लिए संकेत किया। वह ऊपर काँप रहा था और हाथ जोड़ने का प्रयत्न कर रहा था। काक ने उसे धमकाया, परन्तु वह न तो बोला और न उतरा ही।

काक का मिजाज बिगड़ गया। उसने अपने नौकर से साँढ़नी पर बँधे हुए धनुष और बाण मँगवाए और वह धनुष हाथ में लेकर बाण साधने लगा। उस मनुष्य ने समझ में आए ऐसी करुण आवाज की और नीचे उतरने लगा। उतरते-उतरते वह घबराकर फिसल पड़ा और भूमि पर आ गिरा। वह निराशा भरे स्वर में कुछ बोला। काक को 'लाला' के ऐसा कुछ सुन पड़ा।

भय और निर्बलता से वह मुर्दे की भाँति पड़ा हुआ था। उसके मुख पर भय के स्पष्ट चिह्न थे। उसके होठ काँप रहे थे। वह अपनी आँखों को बहुत ही दयनीय रीति से खोल रहा था। शक्ति, शौर्य और संस्कार के गर्व से काक उस मनुष्य-जन्तु की ओर देखने लगा।

"कौन है तू?" कठोरता से काक ने पूछा।

"या-वा", उसने कहा।

"या वा क्या?" आँखें निकालकर काक ने पूछा, "बोलता है या नहीं? नहीं तो अभी एक ही बाण में समाप्त कर डालूँगा!"

उस मनुष्य ने हाथ जोड़े और घसीटता हुआ आकर काक के पैरों को छूने लगा। काक स्पर्श से दूषित होने के भय से पीछे हट गया और बोला, "शान्तम् पापम्! खबरदार, मुझे न छूना। तू है कौन?"

"मुसलमीन।" उसने जमीन पर दाढ़ी घिसते हुए कहा। काक कुछ भी न समझा।

"तेरा सिर। कोई मनुष्य की भाषा आती है या नहीं?"

"यवन।"

"हाँ, ऐसा बोल न! यहाँ कहाँ से आया? तू कहाँ रहता है?"

उस मनुष्य ने अँगुली से खम्भात की ओर संकेत किया।

"इस वृक्ष पर कहाँ से आया?"

कुछ गुजराती और कुछ ऐसे शब्दों से जो समझ में न आए और हाथ के संकेत से उसने समझाया कि उसका घर-द्वार नष्ट कर दिया गया है और उसके स्त्री-बच्चे मार डाले गये हैं।

"किसने यह सब किया?"

"इसराबक।" कहकर श्रावक लोग जिस ओर चन्दन घिस रहे थे, उस ओर उसने अँगुली दिखलाई।

"श्रावकों ने? किसलिए?"

''यवन।'' उसने संक्षेप में उत्तर दिया। काक समझ गया।

''तुम्हारा नाम क्या है?''

''खतीब।''

''खतीब?'' सबल को निराधार और निर्बल का नाम बिगाड़ने का जो अधिकार होता है, उसका उपयोग करते हुए काक ने कहा। काक कुछ देर देखता रहा और विचार करने लगा कि वह जिस कार्य को साधने के लिए आया है, उसमें इस मनुष्य से सहायता मिल सकती है या नहीं?

''तुमने किसी से फरियाद की?''

खतीब ने सिर हिलाया और आकाश की ओर अँगुली की, ''अल्लाह!''

''उदा मेहता के पास फरियाद करना चाहिए थी न?'' काक ने पूछा।

''इसराबक।''

''क्या कह रहा है? भट्टार्क जयसिंह देव महाराज के राज्य में कहीं ऐसा हो सकता है कि मन्त्री फरियाद न सुने?''

खतीब ने सिर हिलाया और दाढ़ी पर हाथ फेरा।

''चल मेरे साथ, हम लोग मन्त्री से फरियाद करें।''

बूढ़े ने सिर हिला कर इनकार किया।

''हरामखोर, तब तू झूठ बोलता है। सच्चा हो, तो चल।'' कहकर काक ने दाँत पीसे। खतीब ने निराशा के साथ स्वीकार किया।

''अच्छा, बैठो। मैं खा लूँ।''

खतीब ने पेट दिखाकर समझाया कि वह भी भूखा है।

''अच्छा ठहर। जो बचेगा, वह तुझे दे दूँगा।'' कहकर काक भोजन करने बैठा और जो अधिक बचा, वह खतीब को दे दिया।

खतीब जब खा चुका तब काक ने फिर अपने वस्त्र पहने, शस्त्र सजाए और नौकर को एक सघन वृक्ष के नीचे साँढ़नी बाँध रखने का आदेश देकर खतीब को साथ ले, वह खम्भात की ओर चला।

ज्यों-ज्यों खम्भात के निकट पहुँचता गया, त्यों-त्यों उसकी समृद्धि की साक्षी देने वाले रमणीय उद्यान और चैत्य दिखाई पड़ने लगे। दोपहर के समय दोनों जने खम्भात के फाटक के पास पहुँचे। काक की तीक्ष्ण दृष्टि खम्भात के दुर्ग की शक्ति का माप करने में कुछ समय लगी रही। इस विचार को छोड़कर काक ने खतीब की ओर देखा, तो वह अधिक काँपता दिखाई पड़ा।

''क्यों?'' काक ने पूछा।

नगर के बाहर कई झोंपड़ियाँ और एक ईंटों का मकान जल रहा था। किसी-किसी में से थोड़ी-थोड़ी अग्नि की लपटें कभी-कभी निकलती दिखाई देती थीं। खतीब ने उस ओर अँगुली से संकेत किया और सिर पीट लिया।

"यही तेरा घर है?"

खतीब ने सिर हिलाकर कहा, "हाँ।"

"यह बड़ा मकान कैसा है?"

खतीब ने संकेत से समझाया कि वह ईश्वर-प्रार्थना का स्थान है।

"अच्छा, चल।" काक ने कहा।

डरते-डरते ख़तीब ने दुर्ग के फाटक पर बैठे रक्षकों की ओर अँगुली की।

"डरता क्यों है? जब मैं साथ हूँ, तब किस का साहस है कि तेरा बाल भी बाँका करे? चल।" कहकर काक ने अपनी लाठी मजबूती से पकड़ ली, कमरबन्द में तलवार ढीली की और द्वारपालों की ओर चला।

खम्भात का आतिथ्य

काक का हृदय ज़रा-ज़रा धड़क रहा था। फिर भी साहस से वह दरवाजे में घुसा। ख़तीब उसके पीछे-पीछे चला आ रहा था।

द्वारपालों ने ज्यों ही ख़तीब को देखा, त्यों ही वे चिल्ला पड़े और एक व्यक्ति भाला लेकर उसकी ओर बढ़ा। काक दो कदम पीछे हटा और अपने शरीर को खतीब की रक्षा के लिए बीच में कर दिया। भाले वाले द्वारपाल ने काक को देखा और उसकी तेजस्वी मुखमुद्रा और शस्त्रों को देख कर वह ज़रा झिझका। काक गौरव से पाँचों द्वारपालों की ओर देखने लगा।

"यह तो ख़तीब है," एक द्वारपाल ने आगे आकर कहा, "इधर आ।" हलाल होते हुए बकरे की भाँति ख़तीब काक की ओर देखने लगा।

"क्यों, क्या काम है?" काक ने कठोरता से पूछा।

"भटजी, आप अपना रास्ता लीजिए। हम आप को नहीं बुलाते।" दूसरे द्वारपाल ने कहा, "ख़तीब, इधर आ, नहीं तो समझ लेना कि तेरी मौत ही आ गयी है।" इस द्वारपाल ने पहले वाले से भाला लेकर खतीब की ओर ताना।

"खतीब, तुम घबराना मत।" कहकर काक ने तुरन्त भाले को सामने से थाम लिया और द्वारपाल से कहा, "ज़रा सावधानी से बातें करना, हम उदा मेहता के पास जा रहे हैं।"

पाँचों द्वारपाल और ये बातें सुनकर एकत्र हुए अन्य दो-चार मनुष्य खिलखिलाकर हँस पड़े।

"अरे वाह रे उदा मेहता के पास जाने वाला मुँह!" जिसका भाला काक ने पकड़ लिया था वह बोला और भाला खींच लेने का उसने प्रयत्न किया, परन्तु इस खींच-तान

में सारा भाला काक के हाथ में आ गया। द्वारपाल क्रोध में आकर अपशब्द बोलने लगा।

काक तिरस्कार से हँसा और उसने खतीब की भुजा पकड़ कर उसे आगे कर लिया। इस छीन-झपट को और ख़तीब को देखकर रास्ते में आने-जाने वाले लोग खड़े हो गये। काक ने जोर से कहा, "रास्ता छोड़ो।"

अपने भक्ष्य को हाथ से निकल जाते देख जैसे हिंसक प्राणी खीझ पड़ता है उसी तरह द्वारपाल खीझ पड़े। उनमें से दो-तीन ख़तीब को पकड़ने दौड़े और एक ने तो उसका हाथ भी पकड़ लिया। निराधार ख़तीब मौत को निकट पहुँचा हुआ समझकर आकाश की ओर आँखें करके अपने खुदा को याद करने लगा।

काक ने देखा कि बात मार-पीट तक आ पहुँची है। उसने वह भाला फेंक कर अपना दाहिना हाथ खाली किया और अपनी लाठी को उस हाथ में ले लिया। साथ ही खतीब को पकड़कर वह आगे घसीटने लगा।

निकट खड़े एक दर्शक ने खतीब पर थूक दिया। थूक काक पर भी पड़ा। क्रोध में उसकी ओर आँखें निकालकर काक बोला, "चांडाल, ब्राह्मण पर थूकता है?"

थूकने वाला डरकर पीछे हट गया। पीछे से एक व्यक्ति ने आवाज़ लगाई, "मिथ्या-दृष्टि!"[1]

इस आवाज में और भी दो-चार आदमी मिल गये।

काक दरवाजे के मैदान में आ गया। खतीब को एक ओर से उसने पकड़ रखा था और दूसरी ओर से द्वारपाल उसका हाथ खींच रहा था। अतएव दर्द के मारे वह बेचारा चिल्लाने लगा। काक ने देखा कि अब बिना हाथ दिखाए छुटकारा नहीं है। उसने उस द्वारपाल से दूर हटने के लिए कहा और अपनी लाठी तानी। पीछे से किसी ने एक ढेला मारा जो काक को लगा।

पीछे से आकर एक द्वारपाल ने काक की पीठ पर भाला ताका।

जिस तरह सिंह बिगड़ता है उसी तरह काक बिगड़ उठा। उसने गर्जना की; लाठी से भाले के दो टुकड़े कर दिए और जिसने ख़तीब का हाथ पकड़ रखा था, उसे एक ही झपट्टे में अलग कर दिया।

कुछ ही क्षणों में यह सब हो गया। इतने में सामने के मार्ग से दो-चार सैनिक आते दिखलाई पड़े। द्वारपालों में साहस आ गया। अतएव जो भी शस्त्र मिला, उसे लेकर वह काक भट पर झपटे। एकत्र हुए लोगों ने ढेलों की वर्षा आरम्भ कर दी। वे सैनिक भी यह उपद्रव देखकर उसमें शामिल होने को दौड़ आए।

काक 'जय सोमनाथ' की घोषणा करके अपनी लाठी घुमाने लगा। लाठी-पटा चलाना लाट के निवासी अपनी बपौती समझते थे। अतएव काक जैसे योद्धा की लाठी

1. जैन धर्म को न मानने वालों को जैनियों द्वारा दिया गया विशेषण।

इस समय सजीव हो गयी और सुदर्शन-चक्र के वेग से वह उसके मस्तक के आसपास घूमने लगी। उस लाठी ने एक से अनेक रूप धारण किए। उन्मत्त हाथी की सूँड़ की भाँति वह चारों ओर घूमने लगी। किसी की तलवार दूर जा गिरी, किसी के भाले के दो टुकड़े हो गये, किसी की पगड़ी धूल में मिल गयी और किसी का सिर फूट गया। लोग चीखने-चिल्लाने लगे। सुनकर और भी अधिक आदमी दौड़ आए और चारों ओर घरों के चबूतरों पर खड़े होकर देखने लगे। सब खतीब को भूल गये और काक ही को पकड़ने का प्रयत्न करने लगे।

काक ने देखा कि इस प्रकार और अधिक देर नहीं चल सकता। उसका दाहिना हाथ घायल हो गया था, अतएव उसकी लाठी अधिक देर नहीं चल सकती थी। इस क़ारण वह अधिक कठोर आघात करने लगा। यमराज के समान इस नर की भयंकर शक्ति से लोग बिखरने लगे।

एकाएक दो घुड़सवार बड़े तेज घोड़ों पर बैठे फाटक में आ घुसे। वे बड़ी दूर से थककर आ रहे मालूम होते थे। उन्होंने भी यह उपद्रव देखा; काक को देखकर कुछ बात की और पुकार कर कहा, ''शान्ति! शान्ति!''

काक पर आक्रमण करने वाले लोगों ने उन्हें देखा और वे एकदम रुक गये। कुछ लोग वहाँ से भागने लगे। इन दो घुड़सवारों में से एक ने सत्तापूर्ण स्वर में पूछा, ''नायक, यह क्या कर रहे हो?''

लोगों की घबराहट देखकर काक अधिक जोश से आघात करने लगा। परन्तु दो-चार क्षणों में ही लोग हट गये। काक रुका और कपाल पर से पसीना पोंछनें लगा।

उन दो घुड़सवारों में से एक आगे आया और मीठे स्वर में बोला, ''भटजी, व्यर्थ ही इन लोगों को क्यों मार रहे हैं? आप अपने रास्ते जाइए।''

काक ने तिरस्कारपूर्ण दृष्टि से योद्धा के सामने देखा, ''हाँ, मैं अपने रास्ते ही जाऊँगा और देखता हूँ कि कौन बीच में आता है।''

घुड़सवार हँसा और उसने दूसरे की ओर संकेत किया। दोनों जनों हँसकर अपने घोड़े दौड़ा दिए।

इस मज़ाक से काक को क्रोध आ गया, परन्तु उसे रोककर उसने चारों ओर देखा। उसके आघात के शिकार पाँच-छः जने बेसुध पड़े थे। द्वारपाल दरवाजे पर पहुँचकर, एक-दूसरे की चोटें देख रहे थे। कुछ लोग चौराहे के उस सिरे पर खड़े यह देख रहे थे कि काक अब क्या करता है और घबराया हुआ ख़तीब एक चबूतरे पर खड़ा सिर झुकाए यवनी भाषा में कुछ बड़बड़ा रहा था।

''मूर्ख, यह क्या कर रहा है? चल, उठ।'' कहकर काक ने खतीब का हाथ पकड़ा और आसपास देखा। सामने एक छोटे से घर के एक अधखुले द्वार पर एक स्त्री खड़ी थी। उससे काक ने कहा, ''बहन, जरा क्षण भर विश्राम करने दोगी।?''

स्त्री घबड़ा गयी और द्वार बन्द करने लगी। काक को क्रोध आ गया। वह वेग से चबूतरे पर चढ़ गया, द्वार को धक्का मार कर खोल दिया और ख़तीब से बोला, "चल, अन्दर आ।"

ख़तीब काँपता-काँपता पीछे आया और काक ने धीरे से द्वार को अन्दर से बन्द कर लिया।

"दौड़ो, दौड़ो, अरे दौड़ो!" कहकर स्त्री चिलाई। अतएव अन्दर से तीन पुरुष दौड़ते हुए आए।

"भाइयो, घबड़ाते क्यों हो?" काक ने मधुरता से पूछा, "यह नगर है, या वीरान? परदेसी अतिथि का कोई भाव ही नहीं पूछता है।"

तीनों नवागन्तुकों में से एक वृद्ध पुरुष बोला, "परन्तु पराए घर में..."

"काकाजी, आज पन्द्रह दिनों से कमर सीधी नहीं की है। क्या एक क्षण-भर बैठने न दोगे?"

"कौन ब्राह्मण हो?" बूढ़े ने काक की रुद्राक्ष की माला और त्रिपुंड देखकर पूछा।

"जी हाँ।"

"अच्छा तो पधारो, परन्तु यह यवन कौन है?"

"एक गरीब बेचारा निराधार है।"आप लोगों ने इसका घर-द्वार जला छोड़ा; फिर भी सन्तोष नहीं हुआ? उस दालान में यह पड़ा रहेगा, फिर भी कोई हर्ज है?"

बूढ़ा समझ न पाया, अतएव उसके एक साथी ने कहा, "दामू फूफा, कल जिन यवनों के घर जलाए गये हैं, यह तो उन्हीं में से एक है।"

"तो तुम यहाँ के रहने वाले नहीं हो?" घर के अन्दर के भाग में प्रवेश करते हुए काक ने पूछा, "श्रावक हो?"

"नहीं भाई, मैं तो धंधूका का हूँ।" बूढ़े दामू ने कहा, "मेरा दुर्भाग्य कि कल यहाँ आया हूँ। विराजो, महाराज। हम तो मोढ़ वैश्य हैं। जल का क्या प्रबन्ध करें?" कहकर बूढ़े ने पानी की रकाबी काक के आगे बढ़ा दी।

"मुझे पानी नहीं चाहिए। घड़ी-दो-घड़ी विश्राम करके आज्ञा लूँगा। मुझे अब इस नगर में नहीं रहना है।"

"क्यों तुम उदा मेहता ही नौकरी नहीं करते?"

"मैं, उदा मेहता की?" गर्व से मस्तक ऊँचा करके काक ने कहा, "मैं नौकरी करूँगा तो जयसिंह देव महाराज की करूँगा। तुम्हारे लिए उदा मेहता चाहे जैसे हों; परन्तु मेरे मन से तो..." कहकर काक ने उन लोगों की ओर देखा। उसने सोचा कि खम्भात के नागरिकों के आगे उदा मेहता को गालियाँ देना उचित नहीं।

एक युवक ने कहा "अरे, अरे! कुछ कहना नहीं, यहाँ तो हवा भी बातें उड़ा ले जाती है!"

"परन्तु यहाँ कहने जैसी बातें ही कौन-सी हैं? मैंने तो सुना है कि उदा मेहता राम-राज्य करते हैं?"

"ठीक है। जो श्रावक हो, उसके लिए तो राम-राज्य ही है।" बूढ़े ने कटुता से कहा।

"तो अन्य लोग महाराज के कानों तक बात क्यों नहीं ले जाते?" काक को इन लोगों की बात में कुछ रहस्य प्रतीत हुआ। उसने देखा कि ये लोग उदा की राजनीति के विरोधी हैं। अतएव वह जाँचने लगा कि ये उसके लिए कुछ उपयोगी सिद्ध हो सकते हैं या नहीं, "कभी किसी ने सुना है कि मुंजाल मेहता के हाथ से किसी के प्रति अन्याय हुआ है?"

"अजी महाराज, नदी में रहकर भी कहीं मगर से वैर किया जा सकता है? आप तो परदेसी हैं। उदा मेहता को पहचानते नहीं?" बूढ़े ने कहा।

"परन्तु ऐसा उसने तुम्हारा क्या बिगाड़ा है?"

"भटजी, इस बात को जाने ही दो।"

"नहीं जी कुछ तो कहो। मेरी उससे कोई मैत्री नहीं है। देखा नहीं, अभी-अभी मेरी पूजा यहाँ हुई है?"

"जी नहीं, हम तो अपने ही गोरख-धन्धे में लगे थे।" बूढ़े दामू ने निःश्वास छोड़ा।

इन लोगों को विश्वास दिलाने के लिए काक ने ख़तीब का और अपना अनुभव सविस्तार कह सुनाया।

"अजी महाराज, तुमसे तो मार पीट ही हुई, परन्तु हमारी तो सात पीढ़ियों का सत्यानाश हो जाने की तैयारी है।" बूढ़े ने सजल आँखों से कहा।

"क्यों?"

"मेरे लड़के को मूँड़ने बैठा है!" बूढ़े ने फिर से निःश्वास छोड़कर उत्तर दिया, "यह मेरे फूफा का भतीजा है। इसके इकलौते लड़के को कल साधु बनाया जा रहा है!"

"परन्तु तुम आज्ञा क्यों देते हो?"

"इसलिए कि हमारा सत्यानाश होने वाला है", बूढ़ा आक्रंदन करते हुए कहने लगा, "यह भक्ति घर में घुसी नहीं और घर बिगड़ा नहीं। भाई, हमारी बहू है श्रावक, वह एक-एक..."

"दामू फूफा, बात को जरा ढँग से कहो तो भटजी कुछ समझें।" वह युवक आगे कहने लगा, "देव चन्द्रसूरि महाराज धंधूका नगर में आए थे। उन्होंने हमारे चाँगा को देखा और कहने लगे कि यह लड़का तो बहुत बड़ा साधु होने के लिए पैदा हुआ है।

"फिर?"

"फिर बहू, लड़के की माता और उसके नेमा[1] मामा ने लड़का दे दिया।" बूढ़े से न रहा गया और वह बीच ही में बोल उठा, "स्त्रियों की बुद्धि ही ऐसी होती है!"

"परन्तु तुम्हारा भतीजा क्या कर रहा था? वह कहाँ है?"

"पहले तो वह लड़ा-झगड़ा; परन्तु उदा मेहता ने सब नाश कर दिया, नाश!"

"उसने चाचिग को फुसला लिया। मेरा चाँगा कल मूँड़ दिया जाएगा।" बूढ़े की आँखों से टप-टप आँसू टपकने लगे, "कैसा देवता-सा लड़का है मेरा!"

"परन्तु इसमें उदा मेहता को क्या लाभ?" काक ने पूछा।

"भटजी, उनके ज्योतिषी लोग कहते हैं कि यह जिएगा, तो या तो बड़ा राजा होगा या महान अर्हत!"

युवक ने कहा, "देवचन्द्रसूरि हठ पकड़ बैठे हैं।"

"बनाएँ अर्हत उसके खुद के जो दो लड़के हैं, उन्हें। बड़ा आया है पराए लड़कों को जती बनाने वाला!" बूढ़े ने कहा।

"फूफाजी, इस प्रकार अकुला क्यों रहे हो?"

"भटजी, यह दुःख किसके आगे रोया जाए? बाप स्वीकार कर रहा है, माँ स्वीकार कर रही है, अब कौन-सा मुँह लेकर फरियाद की जाए?"

"किसी प्रकार तुम्हारे भतीजे को नहीं समझाया जा सकता?" काक ने उदा की उस्तादी पर रीझकर कहा। उसे इस बूढ़े पर दया आयी और उसका दुःख निवारण करने का मार्ग वह खोजने लगा। इसके उपरान्त यह भी वह सोचने लगा कि यह बात उसके काम में कुछ उपयोगी हो सकती है या नहीं।

"अजी महाराज, उदा मेहता को तुम नहीं पहचानते। अच्छे-अच्छे अड़ियल टट्टुओं को भी वह समझा के सीधा कर लेता है।" जो तीसरा मनुष्य अभी तक चुपचाप बैठा हुआ, और जो घर का मालिक था, उसने कहा।

"तब उसे बल से सीधा करो।" काक ने कहा।

"कहो, किस-प्रकार?"

"अपने उस चाँगा को वहाँ से भगा ले जाओ। फिर किसे साधु बनाएँगे?"

बूढ़े ने आकुलता से काक की ओर देखा। उसे प्रतीत हुआ जैसे निराशापूर्ण आकाश से आशा की बूँदें टपक रही हों। बोला, "ऐं?"

"परन्तु यह कैसे हो सकता है?" भतीजे ने उतनी ही आतुरता से पूछा।

"वह लड़का है कहाँ?"

"सालिग वसहिका[2] में भटजी।" बूढ़े दामू ने हाथ जोड़कर कहा। उसकी आवाज में आशा झलक उठी, "तुम तो भगवान शंकर के अवतार हो, मुझ गरीब बनिए का

---

1. नेमिनाम—कुमारपाल प्रबंध।
2. एक उपाश्रय का नाम।

इतना काम कर दो। तुम शूर-वीर हो, दाना हो। भगवान सोमनाथ ने ही तुम्हें यहाँ भेजा है।''

काक इस खुशामद से मूँछों के भीतर मुसकराया। यह नया उपद्रव खड़ा करना उसकी युक्तियों के अनुकूल होगा या नहीं, इस पर उसने विचार किया। काक ने एकदम अपने घुटने पर हाथ मारा, ''ठीक!''

''क्या?''

मैं तुम्हारे चाँगा को ले आऊँगा। फिर और क्या चाहिए? परन्तु यह किसी को ख़बर है कि उस वसहिका में लड़का किस जगह है? मैं रात को जाऊँगा।''

बूढ़े ने कहा, ''हाँ, मुझे ख़बर है। भगवान सोमनाथ तुम्हारा कल्याण करें।''

''परन्तु उसे नगर में से बाहर कैसे ले जाओगे? रात को कोट के फाटक तो बन्द रहते हैं?''

''यह तो मरने से पहले ही भूत बन जाने की बात हुई।''

''इस की चिन्ता नहीं,'' घर का मालिक बोल उठा, ''हमारे सेठजी के जहाज़ हैं। कहिए, तो एक नौका तैयार करा रखूँ। भूतिया घाट पर जब रात को कोई नहीं हो तब वहाँ से निकला जा सकेगा।''

''हाँ, यह भी ठीक है।'' कहकर काक ने सब के नाम-ठाम पूछ लिए।

खम्भात का स्वामी

काक को खतीब मिल गया, अतएव खम्भात में अधिक रहना उसके लिए निष्प्रयोजन था। परन्तु उदा जैसे प्रख्यात मन्त्री को छकाने की उसके मन मे बड़ी लालसा उत्पन्न हो गयी थी और कुछ उस बूढ़े पर भी दया आ गयी थी। अतएव उसने सारा दिन यहीं बिताने का निश्चय किया। बूढ़े के साथ बातचीत करते-करते सबेर की थकावट दूर करने के लिए उसने जरा सोने का विचार किया; परन्तु साफे का सिरहाना भली भाँति बन भी न पाया था कि किसी ने द्वार खटखटाया और घर का स्वामी सोमदत्त घबराया हुआ आया, ''महाराज, भटराज तिलकचन्द्र आप से मिलने के लिए आए हैं।''

काक कूद कर बैठ गया, ''क्या?''

''उदा मेहता के भटराज आए हैं और कहते हैं कि पाटण से जो भटराज आए हैं, उनसे मिलना है।''

''परन्तु उन्होंने कैसे जाना कि वह मैं हूँ।''

''हाँ, कहते हैं कि लाट के ब्राह्मण हैं, फिर आप नहीं तो और कौन होगा?''काक चौंका, ''उदा के भटराज को कैसे खबर लगी?''

एक क्षण भर के लिए वह विचार में पड़ गया, जरा घबराया और फिर् साहस से उत्तर दिया, ''अच्छा, बुलाओ उन्हें। जब निन्यानवे भरे हैं, तो सौवाँ भी सही। उदा मेहता नहीं, तो उसका भटराज ही सही। परन्तु जरा ठहरो।'' कहकर काक खतीब के निकट गया। उसारे के नजदीक लकड़ी भरने की एक कोठरी थी, उसमें उसे बैठा आया और फिर स्वयं निश्चिन्त होकर बैठा। सोचने लगा कि यह कैसे प्रकट हो गया कि मैं लाट निवासी हूँ और पाटण से आया हूँ?

कुछ क्षणों में एक रूपवान, तेजस्वी और जवान योद्धा आया और उसने काक को नमस्कार किया, ''भटराज, प्रणाम।''

''जय सोमनाथ!'' कहकर काक ने प्रतिनमस्कार किया। बोला, ''विराजो, बोलो, कैसे पधारे?''

''उदयन मन्त्री आपको महल में बुला रहे हैं।'' तिकलचन्द्र ने कहा।

''उदयन मन्त्री? मुझे? आप भूल तो नहीं कर रहे हैं?''

''कहिए तो सही, त्रिभुवनपाल के भटराज और जयसिंह देव महाराज का सन्देश लेकर आने वाले आप ही हैं?''

''नहीं, मैं तो केवल त्रिभुवनपाल का भट हूँ और अपने निजी काम से आया हूँ।''

''तो ऐसा होगा, परन्तु आपकी ख्याति महाराज ने इतनी सुनी है, कि आप को बुलाने के लिए मुझे भेजा है, इसलिए चलिए।''

''मेरी ख्याति?'' कृत्रिम आश्चर्य दिखलाते हुए काक ने कहा, ''अवश्य कोई भूल हो रही है।''

''भूल नहीं हो सकती, काक भटजी!'' तिलकचन्द्र ने हँसते हुए कहा।

काक निस्तेज हो गया। उसका नाम भी पहुँच गया है! उसने देखा कि अब बिना गये छुटकारा नहीं है। अतएव बाजी बदली।

''हाँ बिल्कुल ठीक है'' मेरा ही नाम काक है। वाह, मन्त्री महाराज ने मुझ पर कितना अनुग्रह किया! ऐसे देव-दुर्लभ व्यक्ति के दर्शन का लाभ! अच्छा, आप चलिए, अभी कुछ ही देर में मैं आता हूँ!''

''नहीं जी, अभी चलिए, महाराज प्रतीक्षा कर रहे हैं।''

काक ने मन में 'महाराज' को जाने क्या-क्या कह डाला और तब वह निरुपाय होकर खड़ा हुआ। तिलकचन्द्र ने भी काक का पीछा न छोड़ा।

''अच्छा, काक जी!'' जाते-जाते काक ने बूढ़े दामू से कहा, ''अब तो जाने से पहले सन्ध्या समय ही मिलूँगा। जय सोमनाथ।''

''जय सोमनाथ। प्रभु तुमको यश दिलाए महाराज!'' बूढ़े ने आँखों को छोटा करके कहा।

तिलकचन्द्र के साथ काक निकला और बाहर खड़ी पालकी पर जा बैठा। काक ने देखा, तिलक उससे कुछ छुपा रहा है, अतएव वह इस प्रकार बातें करने लगा कि

जैसे इसका उसे कुछ ज्ञान ही न हो। कुछ ही देर में ये लोग एक अत्यन्त भव्य प्रासाद के निकट आ पहुँचे।

"उदयन मन्त्री यहीं रहते हैं?"

"जी नहीं, यह तो वीतराग-प्रसाद (जैन-मन्दिर) है। मन्त्री महाराज ने अभी बनवाया है।"

काक ने कहा, "कैसी शोभा है! सारी दुनिया देखी, परन्तु आपके चैत्यों के कोई नहीं पहुँचता। धन्य है उदयन मन्त्री की धार्मिक बुद्धि को!" तिलक को ऐसा प्रतीत हुआ कि काक मसखरी कर रहा है।

प्रासाद के आगे दोनों पालकी से उतर पड़े और अन्दर घुसे। जिस मन्दिर में तीर्थंकर की मूर्ति थी वह द्वार से जरा दूर था और बीच में संगमरमर का एक बड़ा-सा चौका था। चारों ओर फूलों के पौधों की छोटी-छोटी क्यारियाँ थीं और बीच में एक छोटा, गोल, काले पत्थर की सीढ़ियों वाला जल-कुंड शोभा को बहुत अधिक बढ़ा रहा था। इस फुलवाड़ी की रचना और दूर दिखलाई पड़नेवाले मन्दिर की भव्यता ने काक को भी चकित कर दिया। उसके स्वभाव में सौन्दर्य-प्रेम न था और ऐसे सौन्दर्य से वह परिचित भी न था; अतएव इस सुन्दर स्थान में प्रसारित आनन्द के वातावरण से वह कुछ बेचैन-सा हो गया।

तिलकचन्द्र और काक जा रहे थे, इतने में सामने से एक मनुष्य आता दीख पड़ा। उसमें कोई असाधारणता नहीं थी; अतएव काक का लक्ष्य उस ओर नहीं गया; परन्तु तिलक "भटजी, जरा ठहरिए," कहकर एकदम उस ओर बढ़ा। तिलक इस प्रकार सम्मान से उसके पास गया कि काक को उस ओर ध्यान देना पड़ा।

वह एक मझोले कद का और दुबला-पतला मनुष्य था। उच्च कुल के श्रावकों की अपेक्षा उसका रंग कुछ काला था। उसने एक सादा पीताम्बर पहनकर, बदन पर एक साधारण रेशमी दुपट्टा डाल रखा था। केवल सोने से मढ़ी हुई खड़ाऊँ ही उसकी समृद्धि का परिचय दे रही थीं। दोनों हाथों में नारियल लिए वह नीचे देखता हुआ चला आ रहा था।

तिलक को आता देख उसने ऊपर देखा और तब अत्यन्त मधुर हास्य से उसका मुख आकर्षक बन गया। उसका मुख और मस्तक छोटे थे, केवल सीधी लम्बी नाक ही पहली दृष्टि में ध्यान खींच लेती थी; परन्तु काक उसकी आँखें देखकर विचार में पड़ गया। बहुत ही नम्रता से वह खड़ा था। वह बहुत ही साधारण और निर्जीव मालूम पड़ रहा था, परन्तु उसकी आँखें, जो तिलक को आता देख उसका मतलब समझने को उत्सुक होकर चपलता से घूम रही थीं, देखकर उनके प्रभाव का कुछ आभास हुआ। उसने धीमे से, नम्रता से, जरा हँसकर सिर हिलाते हुए पूछा, "काक भटजी आ गये?"

काक चौंका, उसे भान हुआ, यह सामान्य-सा दिखलाई पड़नेवाला, नम्रता की मूर्ति-सा, जिसे उसने एक तुच्छ जैन समझा था, और कोई नहीं, खम्भात की सारी दौलत का मालिक और चार वर्ष के अपने मन्त्रित्व-काल में पाटण को भी घबरा देनेवाला उदयन मन्त्री है। कहाँ तो लोगों की मान्यता के अनुसार बयालीसवें वर्ष में बुद्धि का भंडार समझा जाने वाला उदयन मन्त्री और कहाँ तीस-पैंतीस वर्ष बाद का गरीब व्यापारी-सा लगने वाला उदा! काक ने उसमें मुंजाल मेहता की तेजस्विता, सज्जन मन्त्री ताप और दादाक का बुद्धिशाली रूप देखने की आशा की थी; परन्तु यह व्यक्ति सबसे भिन्न था।

उदयन मन्त्री काक को देखकर हँसा। सच पूछो तो उसका सारा मुख हँस पड़ा। हास्य मधुर और मोहक था। आँखें हँस रही थीं, परन्तु वे तेज की एक ही किरण से काक को मापने का यत्न कर रही थीं। मुंजाल मेहता की तलवार की धार के समान दृष्टि को काक ने सह लिया था, परन्तु वह न समझ पाया कि पुष्प-वर्षा करते हुए इसके नयन-तेज को कैसे सहा जाए।

''कहिए भटजी, आ पहुँचे? पाटण में सब प्रसन्न तो हैं?'' उदा के स्वर में एक अज्ञेय-सी खुशामद भरी हुई थी। उसका स्वर ही सामने वाले को रिझाने के लिए बस था। घबराया हुआ काक विचार करता हुआ खड़ा रहा कि क्या उत्तर दे। ''महाराज, कौन-से समाचार आपको चाहिए?''

''सभी।'' उदा की आँखों का प्रभाव देखकर, काक को प्रतीत हुआ कि मेरे छोटे-से-छोटे शब्द या व्यर्थ-से-व्यर्थ उच्चारण का भी मूल्य आँका जा रहा है, प्रयोजन खोजा जा रहा है और साथ ही उसका खुद का भी मूल्य आँका जा रहा है। ''हम तो यहाँ परदेश में पड़े हैं, जो भी समाचार मिल जाए, वही ठीक है।'' कहकर अगले प्रश्न के उत्तर की प्रतीक्षा में वह खड़ा रहा।

''सेनापति उबक पाटण पर चढ़ा आ रहा है और शान्तु मेहता सेना लेकर भोगपुर गये हैं।''

''हाँ, यह बात तो पुरानी है। फिर तुम...?'' हँसते हुए मुख से उदा ने पूछा। काक को यह परीक्षा असह्य प्रतीत हुई; अतएव जो बातें उसने बनाई थीं, वे सभी एक साथ पेश कर दीं।

''महाराज, मैं तो मंडलेश्वर महाराज का सन्देश लेकर काश्मीरा देवी के पास गया था और तुरन्त ही वापस लौट आया।''

''अच्छा?'' उदा ने कहा, परन्तु काक ने उसकी आवाज़ से समझ लिया कि वह उसका एक भी शब्द सच नहीं मान रहा है, ''तो अब तो तुम भृगुकच्छ (भरौंच) जा रहे होगें!''

''जी नहीं, मेरा एक मित्र वहाँ से आने वाला है, उसे लेने आया हूँ।''

''ऐसी बात है? तब तो बहुत अच्छा हुआ कि मुझे ठीक समय प: खबर मिल

गयी। मंडलेश्वर के मित्र हैं, इसलिए मेरे भी मित्र हैं। कहिए, प्रसन्नदेवी तो आनन्द से हैं?''

''जी, काश्मीरा देवी प्रसन्न हैं।''

''अच्छा, मैं ज़रा पूजा कर जाऊँ। क्षमा करना।–तिलक, भटजी को घर ले जाओ। देखो, इनकी बराबर सेवा-चाकरी करना। गुजरात में ऐसे योद्धा कम ही हैं।'' कहकर वह जरा हँसा और नमस्कार करके काक को तिलक के हाथ सौंप गया।

काक ने देखा कि अब वह अच्छी तरह फँस गया है।

उदा के घर

तिलक के साथ जब काक वहाँ से रवाना हुआ तब उसकी खिन्नता का पार न रहा। उदा को फाँसने जाकर वह स्वयं फँस गया और अब छूटने का कोई मार्ग नहीं दिख रहा था। वह मौन-मुख चलता रहा, परन्तु, उसके मन में तिलक का सिर तोड़ डालने की आतुरता बढ़ती गयी।

''यह लो, मेहताजी का घर आ गया।'' तिलक ने कुछ दूर एक बड़े से घर की उसे अँगुली दिखाकर कहा।

''तब यह क्या है?'' पास ही एक भव्य परन्तु पुराना और बहुत बड़ा मकान था, उसे देखकर काक ने कहा।

''यह तो सालिग वसहिका है।''

काक समझ गया, जहाँ बूढ़े दामू के भतीजे को रखा गया है। उस उपाश्रय और धर्मशाला को देखकर काक का हृदय अधिक खिन्न हो गया। किस मुख से वह यहाँ आया था? और इस समय उसकी क्या दशा हो गयी है? उसने दाँत किचकिचाकर मन-ही-मन उदा मेहता को न जाने क्या-क्या कह डाला।

''इस ओर उपाश्रय नहीं हैं?'' काक ने उत्तर में पूछा।

''जी नहीं, मेहता जी के घर की ओर के भाग में धर्मशाला है।''

दोनों ने उदा मेहता के घर में प्रवेश किया। घर के द्वार पर गोख बनी हुई थी और अन्दर खुला हुआ चौगान-सा था जिसकी तीन दिशाओं में मकान था। चौक में दृष्टि डाली तो काक ने वहाँ अपनी साँढ़नी को बँधा पाया और अपने सेवक को कुछ दूर एक नौकर के साथ बातें करते देखा। काक की आँखों में अँधेरा छा गया। उसे विश्वास हो गया कि साँढ़नी और सेवक अवश्य ही उदा की उस्तादी से यहाँ आ पहुँचे हैं।

''रघुआ!'' काक ने आवाज़ दी।

''महाराज!''

"तू यहाँ कैसे?"

तिलक ने मधुरता से कहा, "भटजी, जब मुझे मेहताजी ने आपको बुलाने के लिए भेजा था, तब एक दूसरे मनुष्य को आपकी साँढ़नी के लिए भी भेज दिया था। मेहताजी के आतिथ्य में किसी तरह की कमी होती ही नहीं।"

काक ने होठ चबा लिया। मेहताजी में वस्तुतः कोई कमी न थी। उन्होंने काक को नज़र-कैद ही नहीं किया, बल्कि उसके भाग जाने का साधन भी यहीं मँगा लिया। काक उदा मेहता के आतिथ्य से काँपने लगा। तिलक भी अतिथि-सत्कार की कला में कुशल था। काक के लिए हर प्रकार की सुविधा वह करने लगा और उसने बहुत ही मधुरता और सम्मान के साथ काक के लिए नाना प्रकार के सुख-साधन उपस्थित कर दिए। इस प्रकार का अपरिचित अतिथि सत्कार देखकर काक को असन्तोष बढ़ा। परन्तु किया क्या जाए? इस सुख-सुविधा में, —इस सत्कार में छिपी हुई कूटनीतिक चाल को वह समझ गया और यह सोच कर कि वह कैसा फँस गया है, चिन्ता करने के सिवा और कोई मार्ग उसे नहीं दीखा। कुछ देर में उसने थकावट का मिस करके उदा मेहता के आने तक कुछ देर सो जाने की इच्छा प्रकट की। तुरन्त ही तिलक ने बढ़िया पलंग बिछवाया और जैसी कभी देखी नहीं थी ऐसी सुकोमल शय्या पर चिन्तातुर काक जा सोया। आँखें मींच कर उसने कोई मार्ग खोज निकालने का प्रयत्न किया।

दो-तीन घड़ी के पश्चात उदा मेहता आए। आते ही उन्होंने बड़ी मधुरता से काक का स्वागत किया। अपना घर दिखलाया। अपने दो छोटे लड़के बाहड़ और आँबड़[1] का परिचय कराया। विविध प्रकार की रसमयी, प्रसन्न करने वाली बातें कीं और दो-चार दिन अवश्य ही खम्भात में रहकर अनहद उपकार करने की विनीत प्रर्थना भी की। काक इस चाशनी के समुद्र में डूबने लगा।

कुछ ही घड़ियों में इस राजनीतिज्ञ की मीठी-मीठी बातों का मोह काक पर से दूर होने लगा और वह विचार करने लगा कि इस विकट परिस्थिति से कैसे छूटे? सन्ध्या होने पर उसने अपने मित्र की ख़बर जानने के लिए बन्दर पर जाने की इच्छा प्रकट की। उदा ने स्वीकार किया। तुरन्त ही तिलक को बुला कर आज्ञा दी कि काक भट जहाँ-जहाँ जाने की इच्छा प्रकट करें वहाँ-वहाँ ले जाए।

और कहा, "देखना, तुम्हारे सिर दोष न आए कि तुमने खम्भात भली भाँति न दिखलाया। समझे?" जाते-जाते उदा मेहता ने काक को तिलक के सुपुर्द कर दिया। काक ने हँसते हुए पहरेदार का साथ स्वीकार किया और वह व्यग्र हृदय से बाहर निकला।

बाहर निकल कर काक ने सालिग वसहिका देखने की इच्छा प्रकट की। तिलक

---

1. ये ही पीछे से इतिहास में मन्त्री वाग्भट और दंडनायक आम्रभट के नाम से प्रसिद्ध हुए।

बड़े आनन्द से उसे वहाँ ले गया। काक की शक्तियाँ इन उलझनों से और भी सतेज होती गयीं। उसने चारों ओर दृष्टि डालकर सब कुछ ध्यान में जमा लिया।

"उस ओर वह देवचन्द्र सूरि महाराज की व्याख्यान-शाला है।"

"और इस ओर ये कोठड़ियाँ कैसी हैं?"

"इस भाग में धर्मशाला है। अधिकतर तो ये खाली रहती हैं; परन्तु इस समय दीक्षा लेनेवालों के माता-पिता इनमें रहते हैं।"

"हाँ, दो-चार दिनों में यहाँ कुछ होने वाला है न? मेहताजी कहते थे।" काक ने बात को जानने के लिए पूछा।

"हाँ, परसों धन्धूका के एक वैश्य के लड़के को दीक्षा दी जाने वाली है। आप भी अच्छे अवसर पर आए हैं।"

"क्यों?" काक समझ गया कि यह लड़का बूढ़े दामू के भतीजे का ही लड़का होना चाहिए।

तिलक ने कहा, "हमारे गुरुदेव इस लड़के के भविष्य के बारे में न जाने क्या-क्या कहते हैं।"

काक मन-ही-मन हँसा। यदि ईश्वर की कृपा हो गयी और सब पार उतर गया, तो कल सबेरे काक और वह लड़का दोनों खम्भात छोड़कर कई कोस दूर जा पहुँचेंगे। काक बड़े वेग से मन-ही-मन सारी योजना ठीक करने लगा और उधर तिलक से गपशप भी लड़ाता रहा। बन्दर पर जहाज़ वालों से अपने कल्पित मित्र की खबर पूछी और आधे खम्भात को खूँदकर सोमदत्त के घर के निकट पहुँचा।

"तिलकचन्द्रजी, ज़रा ठहरिए। मैं अपनी लाठी ले जाऊँ, सबेरे सोमदत्त के यहाँ रह गयी है।"

उत्तर में एक अज्ञेय प्रकार से तिलक हँस पड़ा। उसे मार्ग में छोड़कर काक घर में गया।

बूढ़ा दामू और सोमदत्त उसी की प्रतीक्षा में बैठे थे। काक को देखकर वे सहर्ष उठ खड़े हुए। काक ने नाक पर अँगुली रखकर उन्हें चुप रहने का संकेत किया और कान में कहा, "काक, वसहिका में, जहाँ तुम्हारा भतीजा है, वहाँ तुम आज रात को जा सकोगे?"

बूढ़े ने आँख मींचकर हामी भरी।

"तुम लड़के से मिलने का मिस करके रात को धर्मशाला में ही रहना। मैं आधी रात के समय आऊँगा और सोमदत्त, तुम उदा मेहता की हवेली और धर्मशाला के बीच जो गली है, वहाँ खड़े रहना।"

"अच्छा।"

"और उस ख़तीब को बैठाकर नौका भूतिया घाट पर तैयार रखना। देखो, भूल हुई, तो समझ लेना प्राण न बचेंगे।"

"महाराज, ईश्वर आप को दीर्घायु करे। इस काम में विजय अवश्य प्राप्त होगी।"

"खतीब को भोजन कराया?"

"हाँ, वह पीछे की ओर सो रहा है।" सोमदत्त ने कहा।

काक ने अपनी लाठी ली और बाहर निकला। तिलक वहाँ बड़ी निश्चिन्तता से खड़ा था। उसे साथ लेकर वह उदा मेहता के यहाँ आया, फिर उसने नहाया, भोजन बनाया और खाया। वह इन सब कामों से निवृत्त हुआ ही था कि उदा मेहता आ पहुँचे।

"क्यों, कहिए काक भटजी, खम्भात कैसा प्रतीत हुआ? पाटण और भृगुकच्छ से तो तुलना नहीं हो सकती; परन्तु साधारणतया ठीक ही है न, क्यों?" उदा ने हँसते हुए पूछा।

"यह आप क्या कह रहे हैं महाराज? मेरी धारणा के अनुसार तो इसके आगे पाटण की भी कोई बिसात नहीं है। यहाँ कितना धन है!"

"धन का क्या उपयोग? शौर्य के बिना समृद्धि किस काम की? यहाँ हमारे तिलक की भाँति बिरले ही हैं जिनके घर भोंपा भी बजता है और कवच कसे हुए हाथी भी झूमते हैं।"

काक की आँखों में ईर्ष्या का पार न रहा! इस तिलक के पास छप्पन कोटि टंक हैं? हे भगवान, तेरे घर यह कैसा अन्याय है। काक मन-ही-मन बड़बड़ाया।

फिर उसने ज़ोर से कहा, "ऐं?"

"यह कौन बड़ी बात है? आप जैसे योद्धा यहाँ हों, तो पाँच वर्ष के करोड़ों का धन एकत्र कर लें।"

काक के मुँह में पानी आ गया। कहाँ जयदेव महाराज की रूखी चाकरी और कहाँ उदा मेहता जैसी कामधेनु गाय की सेवा?

"यहाँ तो आपके समान वीरों की ही कमी है। हमारे दुर्गपाल का स्वर्गवास हो गया है। उसकी जगह कोई योग्य व्यक्ति मिलता ही नहीं।"

काक का मन पिघल गया। ऐसा स्वामी, इतना धनाढ्य नगर, ऐसी नौकरी, –जीवन सफल करने का अवसर तो यही दीख पड़ा। पर दूसरे ही क्षण उसे लाट की राजनीति, विश्वासी त्रिभुवनपाल, मुंजाल मेहता, पाटण के राज्यकर्ताओं में अपना स्थान प्राप्त करने की महत्त्वाकांक्षा, –इन सब का स्मरण हो आया। कहाँ स्वयं ब्राह्मण, कहाँ उदा श्रावक मारवाड़ी? वह हँसा और बोला, "महाराज, आपका बड़ा अनुग्रह है, परन्तु मंडलेश्वर महाराज के यहाँ मुझे कोई कमी नहीं है।"

"हमारा दुर्भाग्य।" मधुर हँसी हँसकर उदा ने कहा, "परन्तु आज नहीं तो किसी भी समय, जब आवश्यकता हो, तब उदा मेहता के यहाँ आप को आपके शौर्य के अनुरूप स्थान अवश्य मिलेगा।"

"महाराज, यह उपकार कभी न भूलूँगा।"

"चलिए, अब मुझे प्रभु देवचन्द्रसूरि से मिलने जाना है। मैं जा रहा हूँ। सबेरे मिलूँगा।"

काक ने हाथ जोड़कर नमस्कार किया और वह मन में बड़बड़ाया, "सबेरे तो क्या चौरासी लाख योनियों में भी तुमसे भेंट न हो भइया!"

उदा चला गया और काक ने सोने की तैयारी की।

काक अवसर खो देता है

थोड़ी देर में दोनों सो गये; परन्तु काक को नींद नहीं आयी! एक ही दिन में जिन घटनाओं की परम्परा का उसने अनुभव किया था उनका, और अब कैसे छूटना चाहिए, इसका, विचार करते हुए उसका समय बहुत जल्दी व्यतीत हो गया।

मध्यरात्रि के पहले ही नौबत बजी। काक ने देखा, पास ही तिलक निश्चिन्त सो रहा है और घर में सब जगह शान्ति छाई हुई है। बाहर शुक्ला द्वादशी की चाँदनी सृष्टि पर अमृत-धारा बरसा रही है।

वह उठा और तुरन्त ही उसने कपड़े पहन कर शस्त्र सजा लिए; अपने साफ़े को कमर से लपेटा और हाथ में लाठी ले ली। वह चोर की चपलता से दो-एक कमरों को पार कर के दालान में आया। उसने इस प्रकार धीरे-से द्वार खोला कि दो-चार पार्श्वक जो दूर सो रहे हैं वे जाग न जाएँ। बाहर चौगान में चाँदनी का प्रकाश था, अतएव उसे उस पार जाना बड़ा कठिन प्रतीत हुआ। वह कुछ देर विचारमग्न खड़ा रहा। चहारदीवारी के बड़े फाटक पर पाँच-छः नौकर सो रहे थे, उसे भय हुआ कि कहीं उन में से कोई जागकर चिल्ला न पड़े।

वह तेज़ी से दौड़कर एक खम्भे के पीछे हो गया। कुछ देर ठहर कर भी जब उसने किसी को हिलते-डुलते न देखा, तो वहाँ से निकल कर एक वृक्ष के पीछे छिप गया। इसी समय बड़े फाटक की देहली पर सोए हुए नौकर जाग पड़े और काक की घबराहट का पार न रहा।

बाहर मशालें जल रही थीं। उनका प्रकाश चौगान में पड़ा। काक ने वृक्ष के पीछे खड़े रहकर देखा, कि उदा मेहता देवचन्दसूरि से मिलकर लौट रहे हैं। यदि इस समय वह मेरी खबर पूछें, या मशाल के प्रकाश में मुझे देख लें, तो क्या परिणाम हो? इस विचार से काक का हृदय धड़क उठा। होठ से होठ दबाये वह खड़ा रहा।

उदा मेहता आए। एक दृष्टि चौगान की ओर डाली और अपनी हवेली में चले गये। मशाल वालों ने मशालें बुझा दीं और सब शान्त हो गया। काक के जी में जी आया।

वह बड़ी तेज़ी से वसहिका की ओर से दीवाल के पास गया। उस ओर घर का कोई भाग नहीं था और वहाँ उसने बाहर गली ही ओर निकलने वाला एक छोटा-सा द्वार भी सन्ध्या समय देखा था। उस द्वार के पास जाकर वह निराश हो गया। उसमें पड़ा-सा खम्भाती ताला पड़ा हुआ था।

वह उदा मेहता की इस सावधानी को कोसने में लगा हुआ था कि इसी समय उस के कानों में किसी आने वाले के पैरों की आवाज़ पड़ी। वह चौंका और बड़े नीम के तने के पीछे छिप गया।

आने वाली एक स्त्री थी। कद उसका ऊँचा था और उसने काले वस्त्र पहन रखे थे। चाँदनी के प्रकाश में काक केवल उसका सफ़ेद रंग ही देख सका। उसके हाथ में एक छोटी-सी थाली में कुछ खाने का सामान था। वह आयी और जरा भय से इधर-उधर देखने लगी। काक के प्राण तालू से जा चिपके। स्थान निर्जन प्रतीत होने पर स्त्री ने अपनी कमर से ताली निकाली, ताला खोला, ताला हाथ में लेकर बाहर निकली और बाहर से द्वार बन्द कर दिया।

पहले तो काक की इच्छा हुई कि स्त्री के पास से ताली छीन ले; परन्तु इस भय से वह चुप हो गया कि कहीं वह चिल्लाकर सारे घर को ही न जगा दे।

परन्तु ज्यों ही उस स्त्री के पैरों की आवाज़ सुनाई पड़ना बन्द हुआ त्यों ही वह एक बिल्ली की-सी तेज़ी से वृक्ष पर चढ़ गया। उसकी एक बड़ी डाली चौगान की दीवार पर से बाहर झुक रही थी। क्षण ही भर में उस डाली पर होकर काक दीवाल के सिरे पर जा महुँचा। उसके सद्भाग्य से उस पर कीले ठोके हुए नहीं थे।

उसने देखा कि वह स्त्री उपाश्रय की दीवाल का एक छोटा-सा द्वार खोलकर अन्दर चली गयी। काक दीवाल पर से नीचे गली में कूद पड़ा।

ज्यों ही उसके पैर पृथ्वी पर पड़े, त्यों ही भूत की भाँति एक मनुष्य उसके सामने आकर खड़ा हो गया। काक ने चौंककर लाठी तानी कि वह मनुष्य बोल उठा, "अरे, यह तो मैं हूँ!"

"कौन, सोमदत्त? अच्छा, दामू काका कहाँ हैं?"

"अन्दर हैं।"

"अच्छा।" कहकर काक ने सोमदत्त को दीवाल से सटाकर खड़ा कर दिया, फिर उसके कन्धे पर चढ़ उपाश्रय की दीवाल पर हाथ टेककर छलाँग मारी और दीवार के सिरे पर जा चढ़ा। अब तक सभी बातें निर्विघ्न पूरी होती जा रही थीं।

उसने जरा श्वास लिया और उपाश्रय के उस भाग में देखा जहाँ धर्मशाला थी। वहाँ भी सब कुछ शान्त था। केवल वह स्त्री बिना पीछे देखे जा रही थी। वह मन-ही-मन फूलने लगा। उदा मेहता चाहे जैसे कूटनीतिज्ञ हों, फिर भी उसने उन्हें मात कर दिया। प्रसन्न हृदय से उसने नीचे देखा तो जिस जगह वह खड़ा था, वहाँ नीचे कुछ कीचड़ दीख पड़ी। दीवाल पर ही आगे बढ़कर, पास ही जो

एक छोटी कोठरी थी, पहले उसकी छत पर पहुँच कर फिर नीचे उतरने का उसने निश्चय किया।

काक धीरे-से उस छत पर जा पहुँचा। उसके पैरों से तनिक भी आवाज़ न हुई; फिर भी अन्दर से एक प्रश्न हुआ, "कौन है?"

स्वर किसी बालक का प्रतीत हुआ। उसमें सुमधुरता थी, फिर भी काक भय से काँपता हुआ खड़ा रह गया।

"यह तो मैं हूँ बेटा!" नीचे से उत्तर मिला। काक समझ गया कि वह प्रश्न किसी ने उससे नहीं, बल्कि उस स्त्री से किया था। काक धीरे-धीरे छत के एक किनारे आया और वहाँ से नीचे उतरा। उतरते हुए जरा धमाका हुआ। वह दीवाल की बगल में थोड़ी देर खड़ा रहा, पर जब उसे यह मालूम हुआ कि कोई उसे नहीं सुन पाया है तब तेजी से उस ओर चला जिस ओर चाचिग और उसका लड़का ठहरे हुए थे।

जाते-जाते उसने उस द्वार की ओर देखा जिस से होकर वह स्त्री आयी थी। उसमें ताला नहीं था, केवल साँकल लगी हुई थी। काक की प्रसन्नता का पार न रहा। यदि उस स्त्री के लौटने से पहले ही वह बूढ़े दामू और उसके चाँगा को ले आवे, तो इस खुले हुए द्वार से उसे सहायता मिले और दीवाल फाँदने का परिश्रम बच जाए। भाग्य ही उसके लिए अनुकुलता उत्पन्न कर रहा था।

काक बड़े वेग से उस कोठरी की ओर गया। बूढ़ा दामू बड़ा चतुर था। वह द्वार को अधखुला रखकर अन्दर सोया हुआ था। काक ने वहाँ पहुँच कर द्वार को जरा धक्का दिया। अन्दर से बूढ़ा खाँसा; अतएव काक जरा ठहर गया। बूढ़े ने उठकर धीमे-से द्वार खोल दिया। बूढ़ा, उसका भतीजा चाचिग और चाँगा, —ये तीनों इसी कोठरी में सोए थे। दूसरी कोठरी में लड़के की माँ सोती थी।

चाचिग निश्चिन्त खर्राटे ले रहा था। अतएव बूढ़ा दामू धीरे से चाँगा को उठाकर बाहर लाया। लड़का आठ-नौ वर्ष का, सुकुमार और रूपवान था। इस अवस्था में भी उसके मुख पर तेज झलक रहा था। वह शान्ति से सोया हुआ था। बूढ़े ने कुछ आगे चलकर चाँगा को काक की गोद में दे दिया। इस प्रकार हाथों के बदलने से लड़का न तो चिल्लाया और न घबराया ही। वह अपनी गहरी और बड़ी-बड़ी आँखों से काक को देखने लगा। बूढ़ा आगे बढ़ आया।

"बेटा, घबराना मत, मैं तो तुझे लेने आया हूँ।"

"कहाँ ले जाओगे?" उसने धीमे-से पूछा।

"अपने घर बेटा, धन्धूका।"

"परन्तु मुझे तो वहाँ जाना नहीं।" लड़के ने कहा।

"क्यों? कल तेरे माँ-बाप भी वहाँ आ जाएँगे, बेटा!" बूढ़े ने आश्वासन दिया।

"अब माँ-बाप कैसे?"

बूढ़ा देखता रहा गया। काक को अचरज हुआ। आश्चर्य के कारण काक की गोद से लड़का गिरते-गिरते बचा।

"क्यों?" बूढ़े ने आश्चर्य से पूछा।

"मैंने तो संसार त्याग दिया है।" लड़के ने निश्चल स्वर में कहा।

"बेटा, पागल तो नहीं हो गया? अभी जन्म लेकर तूने सुख तो कुछ देखा ही नहीं। तेरा विवाह करेंगे, तेरे लिए अच्छे-अच्छे आभूषण...।"

"दादा, मुझे इन वासनाओं से क्या प्रयोजन? मैं तो वीतराग बनूँगा।" अभिमान से बालक ने कहा। आर्य-जीवन की चरम भावना का उच्चारण इतने-से बालक के मुख से सुनकर दोनों जने लज्जित हो गये।

काक ने चाँगा को इस तरह गोद से उतार दिया, जैसे वह धकधकता हुआ अंगारा हो। ऐसा अनोखा पुतला उसने आज ही देखा। वह आँखें फाड़-फाड़ कर देखता रहा। बूढ़ा दामू भी दिंगूमूढ़ हो गया।

"बेटा, तू क्या न समझेगा? तू घर तो चल, सब बातें पीछे होंगी।" बूढ़े ने कहा।

"मुझे ले जाकर क्या करोगे? धन्धूका जाकर साधू बनूँ, उससे यह खम्भात ही क्या बुरा है? वहाँ गुरुदेव जैसे दीक्षा देने वाले कहाँ मिलेंगे?" दयनीय स्वर में चाँगा ने कहा।

काक इस लड़के को देखता रह गया। उसकी कान्ति, उसकी आँख और उसके वाक्यों से काक के हृदय में उसके प्रति भक्ति का भाव उदित हो गया। उसे प्रतीत हुआ कि जैसे बूढ़ा और वह बहुत अल्प हैं, और यह लड़का अद्भुत है। वह उसे वैराग्य-जीवन में से खींच ले जाकर महापाप करने की तैयारी कर रहा था।

काक ने कहा, "काका, क्या देख रहे हो? इसे ले जाकर क्या करोगे? यह तो साधु होने के लिए ही जन्मा है।"

"हाय, हाय!" बूढ़े दामू ने कहा। उसकी आँखों में आँसू आ गये।

"दादा, मुझे यहीं रहने दो।" लड़के ने मिन्नत की।

"परसों तो वे तुझे मूँड़ लेंगे।"

"फिर मैं जगत का उद्धार करूँगा न?" निर्दोषिता से लड़के ने अपने मन पर गुरु के जमाए हुए संकल्प को प्रकट किया। दो क्षण तीनों मौन खड़े रहे। लड़के की श्रद्धा दैवी थी। उस श्रद्धा ने दोनों को मात कर दिया।

"काका, यह सब परिश्रम निरर्थक है। इसे ले जाने में कोई सार नहीं।"

"हे भगवान, मुझे भी ऐसा ही प्रतीत होता है। हमारा तो नाश ही होने को बैठा है।" सिर पीटकर दामू ने कहा।

"तो अब मैं जाकर सो जाऊँ?"

काक ने सिर हिलाकर स्वीकृति दी। बूढ़े ने कहा, ''बेटा, ये भूदेव हैं, इनके पैर छुओ।''

लड़के ने पैर छुए। काक ने कहा, ''भगवान सोमनाथ तेरा भला करें।'' और अज्ञात रूप से उसकी आँखों में पानी भर आया।

लड़का चला गया और बूढ़े ने भी अश्रुसहित काक का उपकार मान कर आज्ञा ली। काक अकेला खड़ा रह गया। उसका सारा परिश्रम निष्फल हो गया। उसे ज्ञात नहीं था कि भविष्य में वह कैसे अवसर पर इस बालक से मिलेगा और उसकी निष्फलता के परिणामस्वरूप गुजरात के इतिहास में क्या-क्या परिर्वतन होंगे। वह केवल अपनी असुविधा का ही विचार कर होठ काटकर द्वार की ओर घूमा।

काक खाली हाथ नहीं लौटता

काक के मन में अब केवल समुद्र-मार्ग से खम्भात छोड़ने का विचार रह गया था, अतएव जल्दी से दरवाजा पार होकर बाहर निकल जाने के लिए वह उस ओर चल पड़ा। उसका मन अकुला गया था और यदि उसे कैद हो जाने का भय न होता, तो अवश्य अपनी अकुलाहट दूर करने के लिए वह दो-चार जनों को यमपुरी पहुँचा देता। परन्तु जब उसके हाथ में ख़तीब था तब तक उसे विश्वास था कि वह उदा मेहता की ख़बर अच्छी तरह ले सकेगा।

परन्तु दरवाजे तक पहुँचने के पहले वह वहाँ आ पहुँचा जहाँ से वह स्त्री उस कोठरी में घुसी थी। इतने में एक लड़की की जाली में से आते हुए स्वर ने उसका ध्यान खींचा। स्वर उसका था जिसने पूछा कि कौन है? परन्तु उस स्वर में ऐसी संस्कारिता, मृदुता और दुःख था कि मरते हुए के प्राणों को भी रोक ले। शब्द भी वैसे ही आकर्षक थे। केवल उसका उच्चारण जरा परदेशी जैसा था।

''माँ, माँ, तूने मुझे जन्म तो दिया है; पर तू मुझे पहचानती नहीं। मैं श्रावक के साथ ब्याह करूँ?'' प्रत्येक शब्द पर भार देकर वह बाला बोलती सुन पड़ी, ''मैं–कविकुलशिरोमणि की पुत्री, –मैं उसका पाणिग्रहण करूँ?''

''वह कौन है, इसकी भी तुझे कुछ सुध है मूर्ख, उससे विवाह करके तू कितनी बड़ी पदवी पाएगी, इसका भी तुझे ध्यान है?''

इन शब्दों ने लड़की के क्रोध में घी छोड़ दिया। उसका स्वर क्रोध से काँप उठा। उसकी वाणी की झंकार में गर्व की गर्जना तो पहले से ही थी।

वह कौन है? भले ही अखिल विश्व का स्वामी हो; परन्तु मेरे लिए कौन है? कहूँ? मेरे पैर पूजने का भी वह अधिकारी नहीं है। माँ, माँ, वाचस्पति रुद्रदत्त की

अर्धांगिनी होकर भी तेरा उद्धार नहीं हुआ जो आज तू श्राविका बन गयी और श्रावक के साथ मेरा विवाह करने को तैयार हो गयी? और कौन-से पद के लोभ से? मैं कविकुलशिरोमणि की लड़की हूँ, मेरे आगे जब महाराजाधिराज की भी कोई गणना नहीं, तब तेरे आजकल के इन धनवानों की क्या गिनती?'' स्वर कभी ऊँचा हो जाता, कभी नीचा; उसमें प्रताप था, संस्कार था। काक सब कुछ भूल कर मूढ़ की भाँति सुनता रहा। उसने कविकुलशिरोमणि रुद्रदत्त वाचस्पति का नाम सुना था। कर्णदेव के समय वे काश्मीर से पाटण आए थे और वहीं घर बनाकर रहने लगे थे। अभी दो ही वर्ष हुए उनका स्वर्गवास हुआ है। उनकी लड़की यहाँ?

''बेटी, तू तो बड़ी ज़िद्दन है।''

''हाँ, मुझे अपने पिता का, अपने वर्ण का, अपने धर्म का अभिमान है।'' गर्व से लड़की ने कहा। यह अभिमान देखकर काक का रक्त भी उबल पड़ा।

''देख, तू पागल हो गयी है। उसके जैसा पति तुझे कहाँ मिलेगा?''

''सृष्टि के प्रारम्भ में ब्रह्मनिष्ट वेद-मूर्तियों का जो पुनीत रक्त चला आ रहा है, उसे मैं कलंकित करूँ? इस भव और परभव में चांडाल बनकर रहूँ? इसकी अपेक्षा कुँआरी ही मर जाऊँ, तो क्या बुरा है? सरस्वती रह गयी, तो मुझे रहने में कौन-सा पाप है?''

''वैसे नहीं रहा जा सकता।''

''क्यों? क्या सब तेरी तरह हलुआ खाने के लिए श्रावक बन जाते हैं?''

''नहीं मानेगी तो परसों महाराज दीक्षा दिलवा देंगे।'' माता ने कहा। काक को कँपकँपी आ गयी।

''तेरा और तेरे महाराजों की क्या सामर्थ्य है?''

''तो तू क्या करेगी?'' माता ने पूछा।

''त्रिपुरारि ने दाँत दिए हैं। धर्म-भ्रष्ट होने से पहले जीभ काट कर नहीं मरा जा सकेगा क्या?'' लड़की ने तिरस्कार से कहा।

''मंजरी, जीव देना कहने में बड़ा सरल है, परन्तु वास्तव में बड़ा कठिन है।'' माता ने कहा।

'मंजरी! कितना मधुर नाम है!' काक बड़बड़ाया।

''गतासूनगतासूंश्च नानुशोचन्ति पंडिताः''[1] लड़की ने तिरस्कार से उत्तर दिया। काक ने बचपन में अपने पंडित मामा से नाम-मात्र की संस्कृत सीखी थी, फिर भी वह इसका अर्थ समझ गया।

''देख, अभी विचार कर ले। महाराज स्वयं कल आएँगे।''

---

1. पंडित मृतक की चिन्ता नहीं करते और जीवित की भी नहीं करते।

"कह देना, कष्ट न करें।"

"क्यों?"

"क्योंकि उन्हें देखकर मेरी आँखें अपवित्र हो जाएँगी।"

"तेरे गर्व का तो पार ही नहीं।"

"और तेरी अधोगति का भी पार नहीं है। अतएव तुझे ऐसा प्रतीत होगा ही। तू अब साध्वी बन जा जिससे जैनशासन का उद्धार हो जाए!" तिरस्कार से लड़की ने कहा।

"मैं देखूँगी कि तेरा यह झूठा अभिमान कब तक रहता है। आज तीन दिनों का उपवास तुड़वा दिया, इसी से इतना बल आ गया है? क्यों?"

"तीन दिन क्या, तीन युगों का उपवास करा दे न। मैं ब्राह्मण और ब्राह्मण ही रहूँगी।"

"ठीक है, मैं कल फिर आऊँगी।"

लड़की ने कोई उत्तर नहीं दिया।

"विचार कर रखना। या तो विवाह करना होगा या दीक्षा लेनी होगी। और कोई उपाय नहीं है।"

लड़की केवल तिरस्कार से हँस दी, यह काक ने सुना और उसकी माँ वहाँ से निकली। उसके पैरों की आहट भी सुनाई दी। उसने बाहर आकर दरवाजे की साँकल खोली, गली में पहुँची और बाहर से ताला बन्द कर दिया।

काक के कानों में लड़की का स्वर, उसके शब्द, उसकी संस्कारयुक्त भाषा और उस की धर्मपरायणता रम गयी। वह खुद ब्राह्मण था और यहाँ एक ब्राह्मण कन्या पर अत्याचार हो रहा था। पलभर में ये विचार तले-ऊपर उसके मस्तिष्क में चक्कर काट गये। चतुराई और भय सब को दूर ठेलकर वह कोठरी की ओर मुड़ा, द्वार खोला और अन्दर घुसा।

कोठरी में एक छोटा-सा दीपक जल रहा था। उसका मन्द प्रकाश केवल एक ही कोने में पड़ रहा था। वहाँ एक मैले गन्दे बिछौने पर सोने को तैयार, एक हाथ ज़मीन पर टिकाए, दूसरे हाथ से बाल सँवराती हुई वह लड़की बैठी थी।

काक की आँखों में अँधेरा छा गया। ऐसा सौन्दर्य न तो उसने कभी देखा था, और न इसकी कभी कल्पना की थी। मुख की कोमलता पर से उस बाला की अवस्था सत्रह-अठारह वर्ष की प्रतीत हो रही थी। उसका ऊँचा और भरा हुआ शरीर पूर्ण कला को पहुँचने की सूचना दे रहा था। उस जैसा स्फटिक के समान सफेद और शुद्ध रंग लाट या गुजरात की रमणियों में काक ने कभी नहीं देखा था। काक को प्रतीत हुआ, यह बाला काश्मीरी पिता की पुत्री है। उसकी अपूर्व मुख-रेखाएँ, उसके प्रफुल्ल नयनों की दुःखमयी हुई किन्तु तेज चमक, उसके होठ और नाक की गर्विष्ठ मरोड़ उसके व्यक्तित्व को अप्रतिम मोहकता से मंडित कर रही थी। उसके अंग-अंग खिले हुए थे,

विधि के द्वारा उत्पन्न की हुई, अनुपम सौन्दर्य की रसमूर्ति के समान इस बाला को देखकर काक स्तब्ध हो गया।

काक को आता देख, बाला ने गर्व से मस्तक ऊँचा किया, कपाल पर बल डाले और केवल अभिमान-पूर्ण नयनों के तेज से ही प्रश्न किया।

''घबराना नहीं, मैं तुम्हें छुड़ाने के लिए आया हूँ।'' कुछ देर में इस मौन प्रश्न का उत्तर काक ने दिया।

बाला ने ज़रा तिरस्कार से काक का नख-शिख निहारा और पूछा, ''कौन हो?''

''मैं जयसिंह देव महाराज का भट हूँ; त्रिभुवनपाल मंडलेश्वर का मित्र हूँ; लाट का ब्राह्मण हूँ। यह समय बातें करने का नहीं है, कभी कोई आ पहुँचेगा। मैंने तुम्हारी सब बातें सुन ली हैं। तुम्हें अपने सिर पर मड़राते हुए दुख से बचना हो, तो उठो। कल सबेरे मैं तुम्हें खम्भात से बाहर ले जाऊँगा।'' काक जल्दी से बोला।

बाला की आँखों में अभिमान ज़रा कम हुआ। उसने धीमे-से पूछा, ''कहाँ ले जाओगे?''

''जहाँ तुम कहोगी। इस कारागार से तो छूट जाओ।''

क्षण भर वह देखती रही। कुछ विचार करती रही कि काक पर विश्वास किया जाए या नहीं और फिर कुछ निश्चय पर आयी।

''तुम ब्राह्मण हो?'' उसने फिर से पूछा।

''हाँ। तुम्हें अविश्वास होना स्वाभाविक ही है; परन्तु मैं गायत्री माता'' —कहकर काक शपथ लेने को उद्यत हो गया।

''नहीं, नहीं, तुम्हारा वचन ही पर्याप्त है।'' कहकर वह खड़ी हो गयी।

खड़े होते समय उसके पैर काँप उठे। तीन दिनों के उपवास से उसमें खड़े रहने की भी शक्ति नहीं थी; परन्तु वह होठ दबाकर उठी और उसने अपने वस्त्र ठीक किए। काक उसके कद की ऊँचाई और उसके सुगठित बदन की भव्यता देखता रहा।

''परन्तु बाहर कैसे निकलेंगे?'' उसने पूछा।

''मैं दीवाल को लाँघकर उस छत पर से आया हूँ। उसी रास्ते होकर चलेंगे। कहीं पकड़ गये, तो प्राण न बचेंगे।'' कहकर काक बाहर निकला और आसपास देखने लगा। वहाँ कोई दीख न पड़ा, अतएव उसने मंजरी को बाहर बुलाया। फिर वह कोठरी की बगल में पहुँचा। बीच में लगे हुए धरन के मुहाने को उसने उछलकर पकड़ लिया और हाथों के सहारे लपककर ऊपर चढ़ गया। फिर वह छत पर आड़ा लेट गया, नीचे झुककर उसने मंजरी को हाथ थमा दिया और उसे ऊपर खींच लिया।

''जरा नीचे झुककर चलो जिससे नीचे से कोई देख न ले।'' काक ने मंजरी के कान में कहा और तेज़ी से दीवार के सिरे पर आ पहुँचे।

''अब क्या करें?'' काक ने कहा, ''तुम इतने नीचे नहीं कूद सकोगी?''

मंजरी ने सिर हिलाया। मुक्ति की आशा से उसकी आँखें भी चमक रही थीं।

"अच्छा।" काक ने कहा, "पीछे, मेरीं पीठ से चिपक जाओ।" मंजरी ने वैसा ही किया। मुक्त होने की आशा से जैसा वह कहता तुरन्त ही वह उसी प्रकार करती, "हाँ, ऐसे ही। ज़रा अपना हाथ मुझे दो। अब अपने पैरों को बल देकर जकड़ लो। ज़रा कठोर बनो, साहस रखो। भगवान सोमनाथ का स्मरण करो। जय सोमनाथ!" कहकर काक मंजरी-सहित नीचे कूद पड़ा।

ये दोनों जने नीचे आ तो गये सही-सलामत; परन्तु दो आदमियों पर आकर गिरे। काक ने मंजरी के हाथ छोड़ दिए और परिश्रान्ति और दुःख से अशक्त हुई बेचारी सुकोमल बाला बेसुध होकर पृथ्वी पर लुढ़क गयी। जिन दो जनों पर ये लोग गिरे थे, वे भी एकदम इनकी तरफ आए।

काक की इन्द्रियाँ और बुद्धि अवसर पर चौगुना काम करती थीं। उसने दो नये मनुष्यों की तरफ देखा और स्थिति को समझ लिया। एक तिलक था और दूसरा सोमदत्त। वह सन्ध्या-समय जब सोमदत्त के घर गया था तब तिलक हँसा था और क्यों, सो काक अब समझ पाया। तिलक को कुछ सन्देह हुआ होगा और उसने काक भागना चाहता है, या चाँगा को भगाना चाहता है, ऐसी कल्पना की होगी। काक को विश्वास हो गया कि जब वह उठकर आया था, तब तिलक झूठमूठ ही सो रहा था और उसके पीछे-पीछे खोज करता हुआ वह यहाँ सोमदत्त से मिला होगा। उसी क्षण उसे खयाल आया कि स्थिति कैसी गम्भीर हो गयी है। एक ओर उदा मेहता की हवेली और एक ओर उपाश्रय की धर्मशाला। यदि तिलक पुकारे, तो सारा गाँव एकत्र हो जाए और मुक्ति के बदले मृत्यु प्राप्त हो। दीर्घ विचार करने का समय नहीं था, अतएव काक ने कर्तव्य ही आरम्भ किया।

ऊपर से कौन गिरा, इसका निर्णय करने के लिए तिलक निकट आ रहा था और यह धारणा करके उसने हाथ बढ़ा दिए थे कि काक होगा, परन्तु काक तत्काल ही बाघ की भाँति छलाँग मारकर उस पर टूट पड़ा। अचानक आक्रमण होने से तिलक ज़रा पीछे हटा और उपाश्रय की दीवाल से जा सटा। काक उस पर झपटा। देखते-देखते उसने उसका मस्तक दोनों हाथों से पकड़ लिया और ज़ोर से दीवाल से दे मारा। रात्रि की शान्ति में एक धमाका-सा हुआ और उसके हाथ से बेसुध हुआ तिलक शव के समान भूमि पर जा गिरा।

"उठो सोमदत्त, चलो भूतिया घाट पर, नहीं तो अभी और कोई आ पहुँचेगा।"

"परन्तु दामू काका—"

"वे अन्दर हैं। तुम्हारा चाँगा स्वयं ही इनकार कर रहा है। वह साधु बनेगा। उसे बहुत समझाया। चलो, अब रास्ता दिखाओ।"

सोमदत्त आगे हुआ और बेसुध पड़ी मंजरी को उठाकर काक उसके पीछे-पीछे चलने लगा।

'बेचारा छप्पन कोटि का स्वामी! वह सब धन अब किस के काम आएगा?' काक तिलक की ओर देखकर मन-ही-मन बड़बड़ाया।

कहीं कोई देख न ले, कोई पकड़ न ले; इस भय से काक चारों ओर देखता हुआ चल रहा था। अपनी शक्ति के अभिमान के कारण या अकेले ही काक को पकड़कर यश प्राप्त करने की लालसा से तिलक ने काक के भागने की ख़बर किसी को नहीं दी थी। अतएव काक निर्विघ्न ही भूतिया घाट पर आ पहुँचा।

खम्भात की खाड़ी में

काक जब घाट पर आया, तब उसे वहाँ ख़तीब न दीख पड़ा।

''वह ख़तीब कहाँ गया?'' उसने कठोरता पूर्वक सोमदत्त से पूछा।

''न जाने कहाँ भाग गया। आपने घर के पीछे की ओर उसे सुलाया था, परन्तु आख़िर यवन की जाति ही तो है!''

काक को भय हुआ कि ख़तीब के इस प्रकार गायब हो जाने में भी उदा का ही हाथ होना चाहिए। उसने निःश्वास छोड़ा। इतना अधिक परिश्रम किया, फिर भी ख़तीब हाथ से निकल गया और जिस कार्य के लिए वह खम्भात आया था, वह पूरा न हो सका। अब फिर खम्भात लौट जाना भी असंभव था। अतएव उसने ज्यों-त्यों करके मन को समझाया और वह अपने हाथ आयी हुई रमणी का विचार करने लगा।

सोमदत्त ने जो नौका तैयार करा रखी थी, काक मंजरी को लेकर उसमें जा बैठा। उसने सोमदत्त का आभार स्वीकार किया और दोनों माँझियों को जल्दी से नौका लेकर चलने की आज्ञा दी। उसने मंजरी का सिर अपनी गोद में रख लिया और अन्तिम दिन के अनुभव का स्मरण करने लगा। उस दिन सूर्योदय के पश्चात अपने किए पराक्रमों को देखकर उसकी छाती बित्ता भर फूल उठी और सबेरा होते ही उदा मेहता कैसी उछल-कूद मचाएगा, इसका विचार कर उसके आनन्द का पार न रहा।

इतने में समुद्र के शीतल जल-कणों की शान्ति से धीरे-धीरे मंजरी को चेत आया। चेत आते ही वह सतर होकर बैठ गयी और चारों ओर विस्मय से देखने लगी।

''आख़िर तुम मुक्त हो गयी।'' काक ने कहा।

''हाँ, अब मुझे कहाँ ले जा रहे हो?''

''अभी तो जैसे बने, दूर निकल जाएँ। फिर दिशा का विचार करेंगे। तुम्हारे कोई सगे-सम्बन्धी नहीं हैं?''

''नहीं, पिताजी स्वर्गवासी हो गये, माता बैरिन बन गयी। रिश्तेदारों में रह गये केवल मेरी माँ के पिता। वे जूनागढ़ में रहते हैं।''

"वहाँ तो अभी नहीं जाए जा सकता।"

"क्यों?"

"जूनागढ़ के रा' और जयसिंह देव महाराज में परस्पर युद्ध चल रहा है।"

मंजरी ने निःश्वास छोड़ा।

"पाटण में तुम्हारा कोई नहीं है?"

बाला ने सिर हिलाया और पूछा, "गजानन पंडित को पहचानते हो?"

काक ने कहा, "हाँ, नाम सुना है। उनकी स्त्री काश्मीरा देवी की सहेली हैं।"

"काश्मीरा देवी कौन? —प्रसन्नकुमारी?"

"हाँ, वही। हमारे मंडलेश्वर त्रिभुवनपाल की पटरानी।"

"मुझे गजानन पंडित के पास पहुँचा दो। मेरे पिता उनके मित्र थे।"

"अच्छा। परन्तु अब तुम जरा सो जाओ न? सिरहाने क्या रखोगी? मैं अपना साफ़ा दूँ?" कहकर काक ने कमर से बँधा हुआ साफ़ा खोला और सिरहाने के लिए मंजरी को दिया।

कुछ देर में मंजरी सो गयी और काक उसे देखता रहा। स्थान रमणीय था। वायु के झोंके आ रहे थे। नीचे समुद्र की तरंगें नाच रही थीं, और ऊपर व्योम में विचरता नक्षत्र-मंडल आँख-मिचौनी खेल रहा था। रस और भाव से अज्ञात काक का हृदय आनन्द से विभोर हो गया। उसके पैरों के निकट, रम्भा को भी भुला दे ऐसी रमणीय सो रही थी। युद्ध-कार्यों में ही उसने जीवन व्यतीत किया था, अतएव वह सांसारिक सुख और आनन्द न लूट सका था। बूढ़ी माँ के अतिरिक्त और किसी स्त्री से उसे काम न पड़ा था। किसी नवयौवना को उसने निश्चिन्तपूर्वक नहीं निहारा था। इस समय शान्त कौमुदी के निर्मल रुपहले प्रकाश में मंजरी को वह देखता रहा। काक को इस समय ऐसा प्रतीत हुआ कि किसी लावण्यमयी बाला को निहारना पुरुष-जीवन का बड़े से बड़ा आनन्द है। चन्द्रमा के अमृत-सिंचन से रसमय बना हुआ उसका मन मंजरी के अंग-अंग में नव-सृष्टि के अनुपम भेद देखने लगा और उसके शरीर की दृष्ट-अदृष्ट छटा पूर्ण रेखाओं में अज्ञात काव्यमयता खोजने लगा। मंजरी के मुख पर एक अज्ञेय-सी रसिकता थी। उसकी गर्दन की मरोड़ में एक अवर्णनीय सौन्दर्य था। उसकी भौंहों की भव्य कमानों में असह्य से काम-बाण का सन्धान था। यह सब काक ने देखा। अपूर्व अंग लालित्य के निरीक्षण से हृदय में एक मर्मभेदी संगीत उठ खड़ा हुआ जिसकी अश्रुत-सी तान में उसका मन लीन हो गया और नाग की भाँति डोलने लगा। जिस मोहिनी ने देव और दानवों को भी डिगा दिया, उसके आगे बेचारे काक की क्या बिसात? चन्द्र-किरणें, जल-तरेंगें, वायु के झकोरे और नौका, —ये सब स्वेच्छानुसार नर्त्तन कर रहे थे। फिर भी काक का हृदय सोई हुई मंजरी के बालों की लटें जैसे नाचती थीं, वैसे ही नाचता था।

कुछ देर में काक को भी निद्रा आ गयी। जब वह ज़ागा तब सूर्योदय होने की

तैयारी थी और मंजरी नौका की एक बाजू बैठी पानी में हाथ डाले पहुँचे से पानी छाँट रही थी। सूर्य के इस कवित्वहीन प्रकाश में काक को मंजरी रात से भिन्न ही मालूम हुई। रात के समय स्वप्न-सुन्दरी का जो अनुपम सौन्दर्य प्रतीत होता था वही दिन के समय विकासोन्मुख यौवन में शोभायमान लक्ष्मी का अद्भुत तेज जैसा जान पड़ा। रात को वह रस रूपी पर्वत के शिखर पर से देख रहा था, इस समय मानो पूज्य-भाव के पाताल में से देखने लगा।

वह उठा और उसे देखकर मंजरी ज़रा हँस पड़ी। उसके हास्य में मधुरता थी; परन्तु साथ ही सत्ताशालिनी सम्राज्ञी का गर्व भी था। काक ने नौका किनारे लगवाई और दोनों जने उतर पड़े।

''हम लोग कहाँ जा रहे हैं?''

''मेरा विचार साबरमती के मार्ग से कर्णावती जाने का है। मेरे महाराज वहीं हैं। वे प्रतीक्षा करते होंगे।''

''कितने दिन लग जाएँगे?''

''छः-सात दिन लगेंगे। सब जगह युद्ध की तैयारियाँ हो रही हैं और मैं यों ही भटकता फिरूँ, यह कैसे चल सकता है?''

मंजरी ने उत्तर नहीं दिया।

''मैं तुम्हें कर्णावती में छोड़कर महाराज के पास जाऊँगा।''

''फिर?''

''जब युद्ध समाप्त हो जाएगा, तब लौटकर तुम्हें पाटण ले जाऊँगा। नहीं तो किसी के जरिये गजानन पंडित के पास सन्देश भेज दूँगा कि आकर तुम्हें ले जाएँ।'' इतने में ही किनारे से ज़रा दूर खंडहर-सा बना हुआ महादेव का एक मन्दिर दीख पड़ा। उसकी बगल में एक गाय चर रही थी।

''खड़ी रहो, मैं देखूँ, कोई हो तो कुछ दूध का प्रबन्ध करूँ।''

''चलो, मैं भी चलती हूँ।'' कहकर गर्व से पैर उठाती वनदेवी के समान मंजरी साथ-साथ मन्दिर में आयी। वहाँ एक वृद्ध ब्राह्मण रहता था। उसने इन दोनों के लिए दूध और भोजन की व्यवस्था कर दी।

''मैं बनाऊँगी, तो तुम खा सकोगे?''

''हाँ, तुम भी तो ब्राह्मण ही हो न?'' ज़रा हँसते हुए काक ने कहा।

उत्तर में मंजरी तिरस्कार की दृष्टि से देखने लगी। ब्राह्मण की जाति जाने बिना उसके हाथ का खाने को तैयार हो जाना उसे हलकेपन का चिह्न प्रतीत हुआ।

''तुम्हारा वेद कौन है?''

''ऋग्वेद।''

''शाखा?''

''शाकल।''

मंजरी ज़रा हँसी और नहाने को चली गयी। जब वह नहाकर लौटी तब काक लकड़ियाँ बीन लाया था। नहाकर मंजरी जब लौट आयी, तब मन्दिर के टूटे हुए चबूतरे पर खड़ी होकर सागर में मिलती हुई साबरमती का प्रवाह देखने लगी। उसके मुख पर उल्लास पसर रहा था।

"काक भटजी, देखो।" उत्साह से वह बोली। इतने समय में उसने अभी-अभी ही उत्साह जतलाया था।

"कैसा सुन्दर है! मेरे पिता इस समय होते तो पागल हो जाते!"

"क्यों?" काक की समझ ही में नहीं आया कि पागल हो जाने की इस समय कौन-सी बात है।

"देखो न सरिता कैसी बह रही है! पुरूरवा का भ्रम कितना ठीक प्रतीत हो रहा है!" कहकर वह अपने संस्कारयुक्त कोयल के समान स्वर से बोली—

"तरंगभंगा क्षुभितविहगश्रेणिरसना,
विकर्षन्ती फेनं..."[1]

काव्य और दृष्टि-सौन्दर्य को एकरूप अनुभव करने से उसकी आँखों में उल्लास उछलने लगा और उसकी चमकती हुई आँखें काक पर पड़ीं। काक ज़रा मूढ़ की भाँति उसकी ओर देख रहा था। उसे जीवन में सृष्टि-सौन्दर्य या काव्य का अध्ययन करने का अवसर नहीं मिला था। नित्य कर्म के आवश्यक श्लोकों के सिवाय संस्कृत-भाषा के साथ उसका परिचय नाममात्र ही था। अतएव मंजरी क्या कहना चाहती है, इसका केवल तनिक आभास ही उसे हुआ और वह कुछ भी न समझ सका।

मंजरी उसकी अज्ञानता को समझ गयी। उसके मुख के उल्लास पर कठोरता का मेघ छा गया। उसके होठ और उसकी नाक पर तिरस्कार के बल पड़ गये।

"तुम्हें संस्कृत नहीं आती?" दाग देने वाली स्थिरता से उसने पूछा।

काक लजाकर नीचे देखने लगा। वह भूल गया कि मैं मुंजाल और उदा की कसौटी पर चढ़ा था। उसने अपनी अल्पता का अनुभव किया और मूर्खता पर लज्जित हो गया।

"लाट में क्या ब्राह्मण पढ़ते नहीं?"

"पढ़ने वाले पढ़ते हैं; परन्तु मेरा तो युद्धों में ही लालन-पालन हुआ है।"

मानो यह कहती हुई कि मैं तुमसे बहुत ऊँचे पर हूँ, इतनी ऊँचे कि तुम मुझे छू भी नहीं सकते, जरा सीधी होकर वह बोली, "अच्छा, तो तुम नहा आओ, मैं भोजन तैयार करके रखती हूँ।"

---

1. कालिदास के विक्रमोर्वशीय में पुरूरवा नदी को भागते हुए देख उसकी उर्वशी के साथ तुलना करते हैं—तरंगरूपी भौंहों को चढ़ाए हुए, क्षुभित पक्षियों की पंक्तिरूपी मेखला वाली फेन (रूपी खिसके हुए वस्त्र को) खींच रही.....

काक का स्वाभिमान कुचला जाकर चूर-चूर हो गया था, इसलिए जब वह नदी पर नहाने गया, तब रुआँसा हो रहा था। इस बाला ने उसे स्पष्ट रूप में दिखला दिया कि वह चाहे जैसा शूर-वीर हो, चाहे जितना कूटनीति में चतुर हो फिर भी अल्प और संस्कारहीन है। उसने आसपास देखा, परन्तु प्रबल वेग से बहती हुई पंक-पूर्ण नदी, जहाँ-तहाँ कुछ वृक्षों और उड़ते हुए सफेद पक्षी, इनके अतिरिक्त वह कुछ भी न देख पाया। उसने निःश्वास छोड़ा, कहाँ मंजरी और कहाँ वह!

काक और मंजरी ने भोजन किया और फिर यात्रा आरम्भ की। मंजरी कम बोलती और काक की ओर इस प्रकार गर्व और दया से देखती, जैसे उस पर कृपा कर रही हो। नन्दी जिस सम्मान से पार्वती को देखता है उस सम्मान से काक उसकी ओर देखता और उसकी ज़रा-ज़रा-सी इच्छा को पूर्ण करने में अपनी कृतार्थता समझता।

मंजरी का स्वभाव गर्विष्ठ था। उसके संस्कार बहुत शुद्ध और उच्च थे। उसका हृदय स्वच्छ और उसका स्वभाव सरल और आनन्दी था। वह अनेक प्रकार की बातें करती और सुनती। काक अपनी मूढ़ता से घबराकर अधिक न बोलता था, फिर भी, वह जो कुछ बोलता, उसमें वह तनिक अभिमान और स्नेह-मय कृतज्ञता से रस लेती।

काक को इतना ही बस था। वह जैसे सातवें स्वर्ग में रहकर समय बिता रहा था। वह राजनीतिक झगड़े-बखेड़ों और युद्ध की बातों को भूलने लगा। रास्ते में ठहरते हुए, मुकाम करते हुए, ज्वार-भाटे से रुकते हुए, हारे-थके वे लोग नवें दिन कर्णावती पहुँचे। वहाँ काक दादाक मेहता से, जो कर्णावती में नियत नागर मन्त्री था, मिला। खम्भात जाते समय जब वह त्रिभुवनपाल से मिला था, तब दादाक से भी उसकी भेंट हुई थी। अतएव उसने काक का सत्कार किया। मंडलेश्वर नल की ओर गये हुए थे। काक ने उनके पास जाने की इच्छा प्रकट की, अतएव काक के लौट आने तक मंजरी को अपने ही यहाँ रखने का दादाक ने आग्रह किया। काक ने स्वीकार कर लिया। जब काक पांचालेश्वर की ओर जाने को तैयार हुआ, तब मंजरी से मिला। अपने ही मनोराज्य में रमण करनेवाली मंजरी पर सांसारिक सुख-दुख या वियोग संयोग का अधिक प्रभाव न होता था। उसने संयत होकर शान्ति से काक को आशीष दी। जब काक विदा हुआ, तब उसका हृदय अनिवार्य भावों से भरा हुआ था।

पांचाल की ओर त्रिभुवनपाल क्यों गये हैं, यह दादाक को मालूम था। अतएव, पचास घुड़सवार उसने काक को दिए। उनको लेकर काक शीघ्रता से पांचालेश्वर की ओर चल दिया।

नवघण रा' का पीछा

काक अपने अनुचरों के साथ कर्णावती से निकला तो गँवाए हुए अवसर के लिए पश्चात्ताप करने लगा। मंजरी के साथ की यात्रा में उसके हृदय ने अवर्णनीय आह्लाद चखा था। फिर भी वह उदा को हरा न सका, ख़तीब को हाथ से खो बैठा; अतएव अब जयदेव को क्या मुहँ दिखाएगा, इस प्रकार के अनेक विचारों से उसका हृदय तिलमिलाने लगा। यह तिममिलाहट उसने अपने घोड़े पर निकाली और त्रिभुवनपाल की सेना को खोजता हुआ वह बड़े वेग से आगे बढ़ा।

मार्ग में उसने उड़ती हुई अनेक गप्पें सुनीं। किसी ने कहा, त्रिभुवनपाल जूनागढ़ की ओर गये हैं; किसी ने कहा, नवघण मारा गया; किसी ने कहा, त्रिभुवनपाल हार गये। काक को यह सब झूठ मालूम हुआ क्योंकि माघ कृष्णा द्वादशी के दिन नवघण अपने सामन्तों से पांचालेश्वर में मिलने वाला था और इसके पहले ऐसी आशा नहीं थी कि कोई युद्ध आरम्भ हो।

ज्यों-ज्यों वह नल के निकट आता गया, त्यों-त्यों उजड़े हुए गाँव, सेना के पड़ाव के स्थान आदि आगे बढ़ती हुई सेना के चिह्न दिखलाई पड़े। पर यह सेना किसकी होगी? गुजरात की या सोरठ की? इस प्रश्न का निराकरण ढूँढ़ता हुआ वह आगे बढ़ा। मार्ग निर्जन था; आस-पास का प्रदेश ऊजड़ था। कुछ देर तक कोई खबर न मिलने के कारण काक को चिन्ता होने लगी।

माघ कृष्णा नवमी के दिन प्रातःकाल एक कुएँ के निकट काक को दिखलाई पड़ा कि अभी ज़रा देर पहले ही बीस-पच्चीस सवार जल्दी में विश्राम करके चले गये हैं; और पूछताछ करने से मालूम हुआ कि वे सवार पांचालेश्वर की दिशा से आकर जसदन की ओर जा रहे थे। काक विचार करने लगा कि इतने थोड़े सवार त्रिभुवनपाल के नहीं हो सकते। नवघण रा' सोरठ की ओर लौट जाए, यह भी सम्भव नहीं। तब यह सैनिक किसके हैं?

काक ने पता लगाने के लिए अपने बीस सवारों को उनके पीछे भेजा और वे कौन हैं, इसका निश्चित उत्तर लाने की आज्ञा दी। वे सवार गये कि काक ने धीमे-धीमे अपनी यात्रा भी आरम्भ की जिससे पता लगाकर आने वाले उससे मिल सकें।

सन्ध्या हो गयी परन्तु उन सवारों में से कोई भी नहीं लौटा; अतएव काक को अधिक चिन्ता होने लगी। दिन भर से कोई समाचार नहीं मिला था। कहीं त्रिभुवनपाल हार तो नहीं गये? इस शंका का समाधान करने के लिए सबसे सरल मार्ग पांचालेश्वर की ओर जाना था। कारण, यह तो मार्ग की परिस्थिति से स्पष्ट ही ज्ञात हो रहा था कि एक बड़ी सेना उस ओर गयी है। काक ने अनुमान किया कि वह सेना गुजरात

की ही होनी चाहिए। सूर्यास्त होते ही उसने मशालें जलाने का आदेश दिया और घोड़े को दौड़ाता हुआ वह आगे बढ़ने लगा। उसके साथी तीसों सवार चुने हुए और होशियार थे। वे भी साहस से नायक के साथ हो लिए।

अचानक घोड़ों की टापें सुनाई पड़ीं। कुछ सवार बहुत ही तेजी से पांचालेश्वर की ओर से आते हुए दिखलाई पड़ रहे थे। वह सौ-पचास से अधिक मालूम हुए। उनकी तीव्र गति अस्वाभाविक अधैर्य प्रकट कर रही थी। काक ने तुरन्त मशालों को बुझाने का आदेश दिया और आने वाले सैनिकों को घेर लेने के लिए अपने सवारों को दो भागों में बाँट दिया। काक को यह स्पष्ट मालूम होने लगा कि द्वादशी के पहले कोई युद्ध अवश्य हुआ है; परन्तु उसका परिणाम क्या हुआ होगा?

अँधेरी रात साँय-साँय कर रही थी। इस ओर काक के सैनिक आतुरता से प्रतीक्षा कर रहे थे। सामने की ओर नये आने वाले बढ़े आ रहे थे। अचानक अन्धकार में एक घुड़सवार की परछाईं एक ओर की पहाड़ी पर दिखलाई पड़ी। वह वहाँ ठहर गया। कुछ ही क्षण में चार, छः, आठ, दस और पचीस घुड़सवार दिखे। प्रतीत हुआ कि वे कोई सलाह कर रहे हैं। सब के सब काक की सेना की ओर बढ़ आए।

'जय सोमनाथ' का घोष करके काक ने घोड़े को एड़ लगाई। तीसों सवार नंगी तलवारों से सामने आते हुए सैनिकों पर टूट पड़े। नये आने वालों के नायक ने तलवार के एक चुटीले आघात से एक सैनिक को समाप्त कर दिया और 'जय सोमनाथ' का घोष किया। काक चौंका, उसका हृदय उछल पड़ा। प्रचंड गर्जना करके वह गरज उठा, 'जयसिंह देव महाराज की जय!' समाने वाली टुकड़ी ने भी इस ही घोष की प्रतिध्वनि की। प्रत्येक का शस्त्र, प्रत्येक का घोड़ा जहाँ का तहाँ पाषाणवत निश्चल हो गया। चकमक से पलीते सुलगाए गये, मशालें जलीं और काक तथा सामने की टुकड़ी का नायक घोड़े पर से कूदकर एक दूसरे से लिपट गये।

"कौन, महाराज?"

"कौन, काक?"

यह नायक मंडलेश्वर त्रिभुवनपाल था।

यह वीर जयदेव का भतीजा, उस समय के वीरशिरोमणि देव प्रसाद का पुत्र, मुंजाल मेहता का भानजा, राजमाता मीनलदेवी की भतीजी काश्मीरा देवी का पति और इस समय लाट का दंडनायक था। 'पाटण का प्रभुत्व' के पाठकों से वह अपरिचित न होगा। उस समय के गुजरात में वह सम्बन्ध से और शौर्य से अप्रतिम समझा जाने वाला, नीति और टेक में रामचन्द्रजी की उपमा पाने वाला, वीरता और शत्रु का दमन करने में अपने परदादा भीमदेव सोलंकी का स्मरण कराने वाला, पाटण की प्रजा की आँखों का तारा था। यह नर-पुंगव शरीर का ऊँचा और ज़रा साँवला था। उसकी प्रचंड भुजाएँ और विशाल छाती, उसकी अद्‍भुत शक्ति की साक्षी देती थी। उसका रूपवान मुख और बड़े-बड़े भव्य चक्षु क्षण-क्षण में खिल उठते थे। उसकी नाक, उसके स्वभाव

के तीव्र, उत्तम, सरल और हठी होने का भान कराती थी। इस समय मशालों के प्रकाश और बिना पगड़ी के बिखरे हुए बालों की भव्यता में उसका मुख, श्वास से फूले हुए नथुने और चमकती हुई आँखें दुर्जय प्रताप प्रकट कर रही थीं।

"इस समय आप कहाँ से?" काक ने पूछा।

"मैं? तुम खम्भात से आ रहे हो, इसलिए तुम्हें ख़बर नहीं है। जब में कर्णावती से निकला, तब मुझे ख़बर लगी कि नवघण रा' कृष्णचतुर्थी या पंचमी को ही पंचाल में आ पहुँचा है। यह ख़बर मिलते ही मैंने तत्काल पांचाल पर आक्रमण कर दिया।"

"फिर?" आतुरता से काक ने पूछा।

"परसों मैंने पंचाल को हस्तगत कर लिया और रा' की सारी सेना पकड़ी गयी, परन्तु नवघण को अगले दिन विश्वास हो गया था कि पांचाल का पतन निश्चित है, अतएव कुछ सवारों को साथ लेकर वह भाग खड़ा हुआ। यह ज्ञात हुआ कि मैंने तुरन्त उसका पीछा किया।"

"वह पकड़ा नहीं गया?"

"नहीं भाई। तुम्हारी मशालें देखकर मुझे प्रतीत हुआ कि अब नवघण पकड़ा गया।"

"तो महाराज, वह दूर नहीं जा सका है।"

"क्यों?"

"आज सबेरे मुझे ऐसा लगा कि जसदन के मार्ग से पैंतीस सवार गये हैं। मैंने उनके पीछे अपने सैनिक भेजे हैं, परन्तु अभी तक कोई ख़बर नहीं आयी।"

"अवश्य वह नवघण ही होगा। चिन्ता नहीं, वह आधा दिन ही आगे है। इतना ही न? तुम्हारे घोड़े कैसे हैं?" त्रिभुवनपाल ने पूछा।

"जैसे चाहिए वैसे।"

"अच्छा, तो अब समय गँवाने में लाभ नहीं। एक अच्छा घोड़ा मुझे दो। मेरा घोड़ा मरणासन्न हो रहा है।" कहकर मंडलेश्वर ने अपना घोड़ा बदला।

"महाराज, कहीं जयसिंह देव न आ पहुँचे हों?" जब दोनों के घोड़े आगे बढ़े और उनके अन्य साथी जरा पीछे रह गये, तब काक ने पूछा।

"कैसे आ सकते हैं? और ऐसे समय क्या प्रतीक्षा में बैठे रहा जा सकता है?"

"तब पांचाल में इस समय कौन है?"

"मेरा सेनापति।"

काक ने जरा खेद से सिर हिलाया।

त्रिभुवनपाल ने पूछा, "क्यों? मैंने पांचाल हस्तगत कर लिया, इससे ईर्ष्या कर रहे हो?"

"महाराज, आपकी होड़ किसी से हुई है कि मैं करूँगा? परन्तु जयदेव महाराज मुझ पर क्रोधित होंगे।"

“किसलिए?”

“एक तो पांचाल को अपने हाथों लेने का सुअवसर निकल गया इसलिए, और...”

“और?”

“और जिस कार्य के लिए खम्भात गया था, वह भी न हुआ, इसलिए।”

“खम्भात में कुछ न कर सके?” मंडलेश्वर ने पूछा।

“किया तो बहुत कुछ, बुढ़िया ने पीसा सारी रात, परन्तु पिसा कुंडीभर!”

“कुंडीभर तो हाथ लगा? और वह कुंडी कैसी है?” जरा हँसते हुए मंडलेश्वर ने पूछा। अन्धकार था, अन्यथा काक के मुख पर छाई हुई लज्जा को देखकर मंडलेश्वर और अधिक हँसते।

“बस कुछ न पूछिए। आप कविकुलशिरोमणि रुद्रदत्त को पहचानते हैं?”

“हाँ, क्यों नहीं। वह गजानन पंडित के मित्र थे?”

“हाँ, वही। उनकी लड़की को साध्वी बना रहे थे।”

“अच्छा, उसे उठा ले आए?”

“जी हाँ।”

“शाबाश! अच्छा, सब बात कहो।”

घोड़ों की तेज़ी में जिस प्रकार बातें हो सकती थीं उस प्रकार काक ने त्रिभुवनपाल को अपने खम्भात के पराक्रमों का सारा पुराण कह सुनाया और निवेदन किया कि यदि उसे कुछ हो जाए, तो वे ही मंजरी की रक्षा करें। त्रिभुवनपाल ने कुछ मज़ाक करते हुए यह स्वीकार कर लिया और दोनों जने उदा मेहता को किस तरह ठीक किया जाए इसकी योजनाएँ गढ़ते हुए आगे बढ़ने लगे।

प्रातःकाल उन्हें कुछ पता मिला। रास्ते में मरे पड़े हुए दो-एक घोड़ों ने दिशा सुझाई। कुछ देर में वे एक तालाब के किनारे आ पहुँचे। वहीं लड़ाई होने के चिह्न स्पष्ट दिखाई दे रहे थे और इस पर से उन्होंने अनुमान किया कि काक के सवारों से नवघण की टुकड़ी का मुकाबला हुआ होगा। तीन मुर्दे साक्षी दे रहे थे कि लड़ाई हाथों हाथ तलवार तक आ पहुँची होगी। उन्होंने कल्पना की कि तीन-चार पहर पहले यहाँ लड़ाई हुई होगी।

घोड़ों की टापों के चिह्न देखते हुए, आगे जाने वालों को पकड़ने के लिए, वे यथासम्भव तेज़ी से आगे बढ़े। इस प्रकार चार घड़ी बीत गयी कि सामने दो रास्ते मिले। एक पथदर्शक ने जसदन का रास्ता दिखलाया। इस रास्ते से बहुत-से घुड़सवार गये थे, अतएव त्रिभुवनपाल उस पर ही बढ़ा। कुछ दूर जाने पर काक ने उसे रोका और दूसरा रास्ता, जो सरधार की ओर जाता था, उस ओर मुड़ा। “महाराज, उस ओर जाना व्यर्थ है।”

“क्यों?”

"नवघण सरधार के रास्ते गया है।"

"क्यों?"

"यह देखिए, मालूम होता है इन दो रास्तों से लाभ उठाकर बचने के लिए, नवघण ने सरधार का रास्ता पकड़ा है। उसके सवारों के पदचिह्न जसदन की ओर हैं और केवल तीन-चार घोड़े ही सरधार के रास्ते जाते दिखाई पड़ते हैं। हमारे सैनिकों ने भूल की है।"

"हाँ, सचमुच ऐसा ही मालूम होता है।"

"तब यदि आप ज्ञात दें, तो पाँच सवार लेकर मैं सरधार के रास्ते जाऊँ?"

"नहीं काक, हम-तुम दोनों, चलेंगे", महत्त्वाकांक्षी मंडलेश्वर ने कहा, "और कहीं वे जसदन की ओर गये होंगे, तो हमारे आदमी सबको पकड़ने के लिए बस हैं।" परन्तु इस प्रकार अकेला हो तो उसे अकेले हाथों मात करने की बाती ही जुदी है।

"जैसी महाराज की आज्ञा।"

त्रिभुवनपाल ने अपने घुड़सवारों को जसदन की ओर भेजा और काक तथा चुने हुए पाँच सवारों को अपने साथ लिया।

दो-तीन घड़ी ही कठोर दौड़ के पश्चात वे एक पहाड़ी पर आ पहुँचे। पहाड़ी की चोटी पर पहुँचकर मंडलेश्वर ने आवाज़ लगाई, "वह है नवघण!"

रा'नवघण पकड़ा गया

त्रिभुवनपाल की दृष्टि ठीक ही पहुँची थी। आगे दौड़ते हुए घुड़सवारों में से एक जूनागढ़ का रा'नवघण खुद था। नवघण को विश्वास था कि इस बार वह पाटण को अवश्य हस्तगत कर लेगा। जो समाचार उसे मिले थे उनके अनुसार शान्तु मेहता भोगपुर में थे, त्रिभुवनपाल लाट थे, सोरठ के सेनापति परशुराम द्वारिका की ओर थे और मुंजाल मेहता गये थे तीर्थयात्रा को। देसलदेव ने सहायता का वचन दिया था। माघकृष्ण द्वादशी के दिन पांचालेश्वर में सामन्तों को एकत्रित करके गुजरात पर टूट पड़ना ही बाकी था। पाटण को हस्तगत करने के लिए अधीर हुआ नवघण दस दिन पहले पांचाल आ पहुँचा। परन्तु सोलंकियों की कुलदेवी जागती ज्योति थी। उसने दो व्यक्तियों को दिव्य चक्षुओं का दान किया, एक मुंजाल को और दूसरे काक को। मुंजाल एकदम पाटण पहुँच गया। उसने परशुराम को नवघण का पीछा करने के लिए भेजा और देसलदेव को भोगपुर रवाना किया। काक ने कृष्णदेव का सन्देश जान लिया, देसलदेव को झूठी खबर दे दी और त्रिभुवनपाल को समय रहते पांचाल भेज दिया। परिणास्वरूप पांचाल का पतन हुआ और नवघण को जूनागढ़ का मार्ग खोजते हुए प्राण लेकर भागना पड़ा।

उन चारों सवारों को देखते ही काक और त्रिभुवनपाल ने सैनिकों सहित बिना श्वास लिए पीछा किया। वे पहाड़ी से नीचे उतरे कि आगे दौड़ते हुए सैनिकों का दीखना बन्द हो गया; परन्तु उनके घोड़ों की टापें सुनाई पड़ती रहीं। त्रिभुवनपाल ने अधीरता से घोड़े पर अत्याचार किया और इतना तेज न चल सकने के कारण एक सवार का घोड़ा तो ठोकर खाकर भूमि पर ढेर हो गया।

प्रत्येक पल का मूल्य युग के बराबर था। त्रिभुवन ने और काक ने गिरते हुए सवार की ओर देखा तक नहीं, केवल अपने घोड़े को और भी ज़ोर से एड़ लगाई। चारों पैरों पर से उछलते हुए घोड़े शर की शक्ति से आगे बढ़ने लगे। अभी घंटाभर भी न बीता होगा। कि रास्ते में एक मरणासन्न घोड़ी और एक बेसुध सवार पड़ा हुआ मिला। नवघण रा' का एक साथी गिर गया था।

''काक, तुम्हारा घोड़ा कैसा है?''

''कोई चिन्ता नहीं, परन्तु हमारे सवार पीछे रहने लगे हैं।''

''हर्ज नहीं, आगे बढ़ो।''

सारे प्राण उनके कान और एड़ियों में आकर अटके हुए थे। आगे दौड़ते हुए घोड़ों की टापें निकट आती सुनाई पड़ रही थीं और पीछे से घोड़ों की आवाज़ सुनकर आगे वाले अधिक तेज़ी दिखा रहे थे। शिकारी और शिकार दोनों आगे बढ़ रहे थे, एक मारने की आकांक्षा से और दूसरा मरने के भय से।

त्रिभुवनपाल का एक और सवार गिर पड़ा। आगे जाने वालों के तीन सवार थे, ये लोग पाँच थे। घोड़ों में भी सवारों का साहस और बल आ गया था। वे जानकार नहीं थे, पर जीवित गोफण की तरह आगे बढ़ते थे। उन्होंने जंगलों को पार किया।

सामने के खुले मैदान में उन्होंने तीन सवारों को भागते देखा। त्रिभुवनपाल और काक के घोड़े रक्त के प्यासे होकर उनके पीछे पड़ गये।

''महाराज, आज्ञा हो तो बाण चलाऊँ? अब पहुँच जाएगा।''

''नहीं, कहीं ऐसा न हो कि नवघण को जा लगे और वह नीचे आ रहे। शत्रु के प्राण लेने से क्या लाभ? उसे पकड़ना चाहिए।'' हठीला राजपूत बोला।

केवल त्रिभुवन और काक दो ही आगे बढ़े। उनके सवारों के घोड़े ज़रा पीछे रह गये थे। नवघण के सवारों और इन दोनों के बीच का अन्तर कम-से-कम होने लगा। अचानक मालूम हुआ कि आगे दौड़ते हुए सवारों ने कुछ निश्चय किया है। दो सवारों ने अपनी गति धीमी कर दी और एक आगे भागा।

काक ने कहा, ''महाराज, ये दो जने हमें रोकने के लिए आ रहे हैं और वह नवघण भागा जा रहा है।''

''चिन्ता नहीं।''

''देखिए, देखिए, वह बाण साध रहा है।'' काक ने कहा। सवार केवल पच्चीस

कदम दूर रह गये। देखते-देखते एक बाण आया और त्रिभुवनपाल के कन्धे पर लगकर दूर जा गिरा। मंडलेश्वर ने सिंहगर्जना की और तलवार निकालकर दोनों सवारों पर आक्रमण किया। काक ऐसे समय फिर से सलाह लेने के लिए ठहरने वाला न था। उसने अपना चाप चढ़ाया और त्रिभुवनपाल को तीर से घायल करने वाले के घोड़े को जमीन पर गिरा दिया। उसने गिरते-गिरते निराशा के जोर से खुली तलवार काक पर फेंकी। काक नीचे झुक गया और तलवार सिर पर से होकर निकल गयी। दूसरे ही क्षण त्रिभुवन के भाले ने दूसरे सवार को बेधकर भूमि पर गिरा दिया।

इतना कार्य होते ही काक और त्रिभुवन के घोड़े इस प्रकार उछल पड़े जैसे घिरे हुए बाघ बिगड़कर पिंजरे से बाहर कूद पड़ते हैं। सन्ध्या होने में अब थोड़ी ही देर थी। नवघन के घोड़े और उनके घोड़े के बीच का अन्तर बढ़ गया था। इस अन्तर को कम करने के लिए उत्सुक वीरों ने यथासम्भव शीघ्रता की। अब केवल घोड़े के पैरों पर ही नवघण का भाग्य आकर अटक गया था।

अचानक काक ने और त्रिभुवन ने सामने एक छोटा-सा नाला देखा और हर्ष से वे चिल्ला उठे। उन्हें विश्वास हो गया कि अब नवघण पकड़ा जाएगा; परन्तु सोरठी योद्धा और उसकी घूँघरों वाली घोड़ी को वे पहचानते न थे। वह एक क्षण के लिए नाले के पानी के पास थमी और दूसरे ही क्षण नवघण की एड़ के प्रताप से जैसे उसके दो पंख लग गये और हवा में उड़कर वह नाले के उस पार जा पड़ी। त्रिभुवन और काक दोनों स्तब्ध रह गये।

परन्तु दोनों में से कोई पीठ फेरने वाला न था। उन्होंने भी एड़ लगाई। दोनों हवा में उड़े और उस पार पहुँच गये। काक ने पीछे घूमकर देखा और उसके प्राण उड़ गये। त्रिभुवन का घोड़ा इस पार अवश्य आ पहुँचा था, परन्तु कूदते हुए दो-तीन हाथ पीछे रह गया। घोड़े के पिछले पैर कीचड़ में धँस गये और मंडलेश्वर आधे घोड़े के नीचे आ रहे।

त्रिभुवनपाल ने ज़ोर से आवाज़ दी, ''काक मेरी चिन्ता न करो। नवघण निकल न जाए!''

काक समझ गया कि त्रिभुवनपाल को कोई अधिक चोट नहीं आयी है। अतएव उसने उसे कीचड़ में ही पड़ा छोड़, अपने घोड़े को चारों पैरों से हवा में उड़ा दिया। नवघण ने भी पीठ फेरकर नहीं देखा। पीछे एक आदमी है या दस-पाँच हैं, बिना देखे ही वह अपनी घोड़ी को दौड़ाता चला गया। घड़ी बीती, दो घड़ी बीती; दोनों का श्वास फूलने लगा। बीच में अन्तर केवल पचीस हाथ का था; परन्तु जब तक नवघण की घोड़ी का पानी कम न हो, तब तक वह हजार योजन का था।

कुछ देर में एक ऊँचा टीला सामने आ गया। वह विचार करके कि उस पर से जाने में घोड़ी अधिक थक जाएगी, नवघण ने उसे उसकी बगल से घुमाया। आगे नवघण था और पीछे काक। इस प्रकार दोनों ने टेकरी की प्रदक्षिणा आरम्भ कर दी।

टीले के पीछे अभी वे पहुँचे भी न थे और देख भी नहीं पाये थे कि आगे क्या है, क्या नहीं, कि दो सौ सैनिक चिल्लाते हुए उठ खड़े हुए और दोनों को चारों ओर से घेर लिया।

टीले की आड़ में किसकी सेना का पड़ाव था। बगल में पाँच-छः सौ साँढ़नियाँ बँधी हुई थीं और दो हजार सैनिक भोजन बनाने की तैयारी कर रहे थे। नवघण और काक दोनों का श्वास रुक गया। दोनों ने समझा कि यह विरुद्ध पक्ष की सेना है; परन्तु जरा स्वस्थ होते ही काक को धीरज हुआ। इस पड़ाव के बीचोबीच एक ऊँचे झंडे पर पताका फहरा रही थी और सन्ध्या का समय हो गया था, फिर भी उस पर पाटण का राज-चिह्न काक को स्पष्ट दिखलाई दे गया। एक ज़री से बुना हुआ मुर्गा, जिस पर से जयसिंह देव भविष्य के इतिहास में ताम्रचूड-ध्वज के नाम से अमर होने वाले थे, सन्ध्यावायु की लहरियों में लहरा रहा था।

काक की परीक्षा सच्ची थी। इस सेना का नायक सज्जन मन्त्री का बड़ा पुत्र और सोरठ का सूबेदार भटराज परशुराम था। यह मुंजाल मेहता का प्रताप था कि परशुराम अपनी सेना लेकर यहाँ पड़ा हुआ था। काक को नवघण का गुजरात पर आक्रमण करने का संकल्प मालूम हुआ, इसके पहले ही राजनीतिज्ञशिरोमणि महा आमात्य तीर्थाटन में भी नवघण पर नजर रख रहे थे और जैसे नवघण की हलचल का पता पड़ा कि उन्होंने परशुराम को उसका पीछा करने का आदेश दिया। उसी आदेश के अधीन होकर भटराज मंज़िल-दर-मंज़िल पांचाल की ओर जा रहा था और रास्ते में ज़रा विश्राम कर लेने के लिए इस समय उसने यहाँ मुकाम किया था।

सैनिक काक और नवघण दोनों को पकड़ कर भटराज के पास ले गये। वहाँ पहुँचते ही मुंजाल का आदेश लेकर आने वाले दामा चारण ने रा'नवघण को पहचान लिया।

"अरे, शाबाश है, मेरे जूनागढ़ के धनी शाबाश।" भयंकर कटाक्षपूर्ण उच्च स्वर में बोल उठा, "कहाँ गये तुम्हारे हिनहिनाते घोड़े और कहाँ गये तुम्हारे कवचधारी सवार?"

परशुराम के आसपास बैठे हुए मनुष्य खिलखिलाकर हँस पड़े और खड़े होकर निकट आ गये।

नवघण ने चारण के शब्द सुनकर होठ चबा लिए। उसकी आँखों से अग्नि निकलने लगी। उसकी सफ़ेद दाढ़ी से उसका क्रोधपूर्ण मुख अनुपम गौरव के साथ चमक उठा। वह एक अक्षर भी न बोला।

काक बोला उठा, "महाराज मुझे किस लिए कैद किया है? मैं तो मंडलेश्वर महाराज का सुभट हूँ।"

"मंडलेश्वर?" परशुराम ने कठोरता से पूछा।

"मंडलेश्वर त्रिभुवनपाल महाराज। आपको खबर न होगी कि मंडलेश्वर महाराज

ने पांचाल को हस्तगत कर लिया है और वे इन रा'नवघण का पीछा कर रहे थे। मैं भी उन्हीं के साथ था।''

कठोर निश्चलता से परशुराम उसके सामने देखता रहा। कहा, ''पर मैं कैसे मानूँ?''

''आप पांचाल जाएँगे, तो मालूम हो जाएगा।''

''पांचाल में कौन है?''

''महाराज जयसिंहदेव।''

भटराज के होठ पर ज़रा बल आ गये, जैसे काक की बात को सही नहीं माना हो।

''दोनों को साँढ़नी पर बाँध लो और चलो अब कूच करें।'' कहकर वह घूमा और उसने अपने भटों को आदेश दिया।

''मुझे कैद कर रहे हैं? देखिए, पछताइएगा!'' काक ने दाँत किचकिचाकर कहा।

बिना कुछ बोले ही परशुराम चला गया और मूँछें चबाता हुआ काक नवघण के साथ साँढ़नी से बाँध दिया गया।

मंडलेश्वर की खोज में

जब परशुराम की सेना ने पांचाल का मार्ग लिया, तब काक ने भटराज का ध्यान खींचा कि त्रिभुवनपाल कुछ कोस की दूरी पर पड़े हुए हैं। परशुराम ने काक को नवघण का अनुचर समझा, अतएव उसकी बात को कल्पित समझकर दूसरा ही रास्ता पकड़ लिया और मंडलेश्वर महाराज असहाय अवस्था में पड़े रह गये। सेना ज्यों-ज्यों आगे बढ़ी, त्यों-त्यों नयी-पुरानी बातें मालूम होती गयीं और आखिर पांचाल के पतन की बात पर विश्वास होने पर परशुराम ने अपनी सेना को टुकड़ियों में बाँट दिया और भागने वाले शत्रुओं को पकड़ने के लिए चारों ओर रवाना कर दिया।

काक मन-ही-मन विचार करने लगा कि वह इस प्रकार बँधकर पांचाल पहुँचेगा, तो बेचारे परशुराम का क्या हाल होगा! तीसरे दिन पांचाल से निकली हुई टुकड़ी आ मिली और उसे ख़बर मिली कि जयसिंह देव महाराज वहाँ आ पहुँचे हैं। काक ने यह देखने का बहुत प्रयत्न किया कि इस टुकड़ी में उनका कोई परिचित है या नहीं; किन्तु उसकी साँढ़नी सबसे पीछे थी, अतएव वह किसी को न देख सका। कुछ ही क्षण बीते कि एक सुभट उसे भटराज के पास ले जाने को आया।

जब काक परशुराम के पास पहुँचा, तब उसके पास एक वृद्ध योद्धा बैठा हुआ था और कुछ मनुष्य ज़रा दूर खड़े हुए थे। परशुराम ने उसे कठोर दृष्टि से देखा।

"तुम कहते हो कि तुम मंडलेश्वर महाराज के साथ थे?"

काक को इस कठोरता से क्रोध आ गया। वह अपने मन को रोककर कुछ क्षण भटराज की ओर तिरस्कार से देखता रहा।

"जब मैंने कहा था, तब आपको सुनने की परवाह नहीं थी; अब मुझे कहने की परवाह नहीं है।" काक ने कहा।

परशुराम की आँखें क्रोध से भभक उठीं। कठोरता से दबे हुए उसके होठ ज़रा काँपे। उसका हाथ तलवार की ओर गया। उस बूढ़े सुभट के पीछे दो-एक जने बैठे थे; उनमें से किसी ने उससे कुछ कहा अतएव वह बीच में पड़कर बोला, "तुम कौन हो, काक भट?"

काक ने गौरव से मस्तक हिलाकर हामी भरी।

"त्रिभुवनपाल महाराज कहाँ हैं?"

काक कुछ न बोला।

"हम उन्हें खोजने को निकले हैं, वे कहाँ हैं?"

"मुझे छोड़ दो। मैं खोज निकालूँगा। उनके मित्र और सुभट होने के नाते यह अधिकार मेरा है।"

सत्तापूर्ण स्वर में परशुराम ने कहा, "यह नहीं हो सकता। यह कौन है, मैं नहीं जानता। केवल इतना जानता हूँ कि रा'नवघण के साथ यह सोरठ की ओर भागा जा रहा था। महाराज की आज्ञा के सिवा मैं इसे नहीं छोड़ सकता।"

"परन्तु महाराज!" उस वृद्ध योद्धा ने कुछ कहना चाहा।

"परन्तु-वरन्तु कुछ नहीं। मेरा शासन तुमने सुन लिया बहादुर, ले जाओ कैदी को फिर अपनी जगह।" भटराज ने काक को फिर ले जाने का आदेश किया।

काक को जब फिर ले जाए गया, तब वह मूँछों के भीतर मुस्करा रहा था। उसे केवल यही चिन्ता थी कि त्रिभुवनपाल कहाँ पड़े होंगे।

रात हुई। साँढ़नी से बँधा हुआ काक आधा जाग रहा था। अचानक उसने सुना कि साँढ़नी के पास पड़े हुए सैनिक बैठकर किसी से धीरे-धीरे बातें कर रहे हैं। कान फड़फड़ाकर काक जाग गया।

"महाराज की कड़ी आज्ञा है।" एक सैनिक बोला।

एक आवाज़ आयी। यह आवाज़ उस वृद्ध योद्धा की थी। "पागल, तू मुझे पहचानता नहीं? मुझे जयसिंह देव महाराज ने भेजा है। इस काक भट को साथ न ले जाऊँ, तो मंडलेश्वर महाराज का पता लगेगा कैसे?"

"परन्तु भटजी, इस प्रकार मैं कैसे छोड़ सकता हूँ? भटराज तो हमारा सिर ही उड़ा देंगे।"

"नहीं छोड़ेंगे तो कल सबेरे जयसिंह देव महाराज तुम्हारा सिर उड़ा देंगे।"

"बापजी, यह सब हम नहीं जानते। हम तो अपने नायक को जानते हैं। इन्हें

छोड़ दें, तो हम कहाँ जाएँ?''

''हमारे साथ मंडलेश्वर महाराज को खोजने।'' उस वृद्ध के साथ खड़े हुए एक योद्धा की आवाज़ आयी। काक चौंका। वह आवाज़ किसी परिचित स्त्री की थी।

''तुम घबड़ा किसलिए रहे हो? मैं साथ हूँ न। मुझे नहीं पहचानते?'' कहकर उसने सिर पर का साफ़ा अलग कर दिया। ''मैं मीनलदेवी की भतीजी, मुंजाल मेहता की भानजे-बहू हूँ। मेरे साथ चलो। किस में साहस है कि तुम्हारा बाल भी बाँका कर सके? बोलो, किसकी आज्ञा मानोगे? काश्मरा देवी की या परशुराम की?'' सादे धीमे स्वर में, किन्तु ओजस्वी उच्चारण से पुरुष-वेष में सुसज्जित काश्मीरा देवी ने पूछा। चित्रवत खड़े हुए सैनिक कुछ बोल न सके। उसने साँढ़नी के पास जाकर काक के बन्धन अपनी तलवार से काट डाले।

काक उठ खड़ा हुआ और उसने काश्मीरा देवी के पैर छुए, ''देवी, आप यहाँ?''

''तुम्हारे मंडलेश्वर कहाँ हैं?''

''रा'नवघण के पीछे घोड़ा दौड़ाते हुए सरधार के रास्ते कीचड़ में फँस गये थे। स्वस्थ हैं। कोई चोट नहीं आयी है। मैं साथ ही रहता, परन्तु उन्होंने मुझे रा'नवघण का पीछा करने की आज्ञा दी थी।''

''अच्छा, चलो। मेरी साँढ़नियों को देर हो रही है।'' कहकर काश्मीरा देवी सिर पर साफ़ा बाँधते हुए आगे-आगे चली और वे तीनों सैनिक, वृद्ध योद्धा तथा काक उसके पीछे चलने लगे।

कुछ देर में वे छावनी से बाहर आए, कुछ दूर बँधी हुई साँढ़नियों को कसा और फिर तेज़ी से वे सरधार के रास्ते चल पड़े। काश्मीरा देवी, काक और उस वृद्ध योद्धा के साथ साँढ़नी पर बैठी थी। उसने काक से आरम्भ से अन्त तक सारा इतिहास सुनाने को कहा। काक ने सब सुनाया और पूछा, ''परन्तु देवीजी, इस वेश में कैसे?''

''तुमने जयदेव महाराज को ख़बर दी थी, उसके अनुसार पाटण से वे चुपचाप कुछ सैनिक साथ लेकर निकले। मोंढेरा से भी कुछ सैनिक लिए, परन्तु यहाँ आकर तो महाराज के क्रोध का पार न रहा।''

''क्यों?''

''क्योंकि उन्हें पांचाल हस्तगत करने का यश न मिला। तुम पर तो बहुत ही क्रोधित हैं, तुम्हें ख़बर है?''

''क्या?''

''इस समय परशुराम तुम्हें पांचाल ले गये होते तो तुम हाथी के पैरों तले होते। महाराज कहते हैं कि तुम मंडलेश्वर को यश प्राप्त कराने के लिए पहले ही ले आए।''

''यह भी ठीक है!''

''और तुम्हारे मंडलेश्वर ने पांचाल हस्तगत कर लिया है, इससे वे मुझ पर भी

क्रोधित हुए और आज्ञा दी कि उन्हें खोजने भी किसी को न भेजा जाए। जयदेव को भी अब राज-मद चढ़ गया मालूम होता है।"

"इसलिए तुम इस वेश में मंडलेश्वर महाराज को खोजने निकली हो?" काश्मीरा देवी की बुद्धि और साहस पर निछावर होकर काक ने पूछा।

"तब और क्या करती?" काश्मीरा देवी ने कहा।

रात और दिन मंजिलों पर तय करते हुए वे लोग वहाँ पहुँचे जहाँ सरधार के रास्ते में त्रिभुवनपाल को कीचड़ में गिरते हुए काक ने देखा था। बड़ी कठिनाई से पैरों के चिह्न देखते, पूछताछ करते और ठोकरें खाते हुए आखिर पता लगाकर वे लोग पास के एक गाँव में एक ब्राह्मण के यहाँ मंडलेश्वर से मिले। काक ने पहली ही बार मंडलेश्वर और काश्मीरा देवी को एक साथ देखा और दोनों में से कौन अनुपम हैं, इसका निश्चय करने में वह असमर्थ हो गया। काक को वे लोग कुटुम्बी-सा समझते थे, अतएव गाढ़ स्नेह के उल्लासों का अनुभव करते हुए उन्होंने कुछ देर विश्राम किया और फिर पांचाल की ओर चल दिए।

दो योद्धा

वे लोग निर्विघ्न पांचाल पहुँच गये। पहुँचने के पहले ही उन्हें ख़बर लग गयी थी कि पांचाल में रा'नवघण के पहुँचने के पहले ही पाटण से मुंजाल मेहता और खम्भात से उदा वहाँ आ पहुँचे हैं। रा'नवघण को यह दंड दिया गया था कि अपने शस्त्र डालकर, मुख में तिनका लेकर जयदेव महाराज से क्षमा-याचना करें। असहाय नवघण ने ऐसा ही किया; अतएव खंडनी लेकर वह छोड़ दिया गया और सोरठ पर पुनः शासन स्थापित करके मुंजाल और उदा के साथ जयदेव ने पाटण की ओर प्रयाण किया। इन सब उड़ती हुई ख़बरों में सत्य क्या है, इसका निर्णय वे नहीं कर सके।

पांचाल के दरवाजे में प्रवेश करते ही त्रिभुवनपाल ने अपना परिचय दिया और दरबान को लेकर परशुराम के निवास पर जाने की इच्छा प्रकट की। दो दरबान रास्ता दिखाने के लिए आगे हो लिए।

परशुराम ही हवेली पर पहुँचने से पहले बाजार से जाते हुए एक मनुष्य ने काक को पहचाना और कहा, "अरे यह तो नवघण का साथी है जो रात में भाग गया था।" इन शब्दों ने कई लोगों का ध्यान खींच लिया और कुछ लोग पीछे हो लिए। काक इस खलबली का कारण जान गया, परन्तु साथ में मंडलेश्वर थे, अतएव वह निश्चिन्त था।

हवेली के आगे वे लोग साँढ़नियों से उतरे और दोनों दरबान भटराज को खबर देने दौड़े। द्वार में ज्यों ही त्रिभुवनपाल ने प्रवेश किया कि एक सैनिक ने भाले को

आड़ा रखकर उन्हें रोक दिया। मंडलेश्वर का उग्र स्वभाव भभक उठा। उनकी आँखों में बिजली चमक उठी। उन्होंने तुरन्त तलवार निकाली और भाले के दो टुकड़े कर दिए।

"देवप्रसाद सोलंकी के पुत्र को रोकने का साहस करता है?" उसने गर्जना की। सैनिक घबड़ाया। ऐसे वेश में, इतने-से मनुष्यों के साथ लाट का दंडनायक यहाँ आए, इस पर उसे विश्वास ही नहीं हुआ। फिर भी वह चुप हो गया। केवल रोकने का कारण बताने के लिए काक की ओर अँगुली से संकेत किया।

"यह मेरा मित्र किसका साहस है कि जो इसको छुए?"

"महाराज, क्षमा कीजिए, यह साहस मुझ में है।" इस तरह शान्ति से कहता हुआ परशुराम त्रिभुवनपाल के स्वागत-सत्कार के लिए बाहर आया। क्षण भर जैसे चमकती हुई दो तेज़ तलवारें आपस में भिड़ गयी हों, इस प्रकार त्रिभुवनपाल की ज्वलन्त आँखों का प्रतापी तेज और परशुराम के स्थिर नयनों का शान्त, निश्चल, सत्तादर्शक तेज भिड़ गया। दोनों प्रचंड थे। दोनों कवच और शस्त्रों से सज्जित थे, दोनों की मुख मुद्रा तेजस्वी थी।

"परशुराम, तुम मुझे क्या समझते हो?" सिंहनाद करके क्रोध से सुर्ख हुए त्रिभुवनपाल ने पूछा। उसके हाथ की नंगी तलवार काँप उठी। उसके अनुचरों ने भी तलवार पर हाथ रखा।

सामने परशुराम शान्ति से, सम्मान-पूर्वक निर्भय खड़ा रहा। कहा, "अन्नदाता, मैं जानता हूँ कि आप दसों दिशाओं के दुश्मनों का दर्प हरने वाले गुजरात के वीर-शिरोमणि हैं।"

इन शब्दों से त्रिभुवनपाल का क्रोध ज़रा शान्त हुआ।

"इसीलिए ऐसा आदर कर रहे हो? यहाँ तो पाटण के शासन की कोई गणना ही नहीं है।"

"गणना है, इसी से ऐसा आदर कर रहा हूँ।"

"क्यों?"

"भट्टार्क जयदेव महाराज की आज्ञा है।" परशुराम शान्ति से बोला।

"क्या?"

"आपके साथ यह जो मनुष्य है..."

"काक भट?" त्रिभुवनपाल ने पूछा।

"जी हाँ, यह रा'नवघण का मित्र है और मेरे पास से छूटकर भाग गया है।"

"तो यह सब भ्रम है। मैं और काक रा'नवघण का पीछा कर रहे थे। रा' को पकड़ते हुए इन्हें भी तुमने पकड़ लिया और मैं कहाँ पड़ा हुआ था, यह जानने के लिए मेरी—काश्मीरा देवी—इन्हें तुम्हारे पास से छुड़ाकर ले गयी।" कहकर मंडलेश्वर ने काश्मीरा देवी की ओर दृष्टि की। परशुराम पुरुषवेश में खड़ी काश्मीरा देवी को

पहचानकर ज़रा अस्वस्थ-सा हो गया। लज्जा की लाली से छाया हुआ मनोहर मुख उसने देखा और अपने अविनय को याद करके हाथ जोड़ लिए, ''महाराज, देवीजी, मुझे क्षमा कीजिए; परन्तु इन भट को कैद करना होगा।''

''क्यों, अब क्या है?'' काश्मीरा देवी ने पूछा।

''महाराज की कड़ी आज्ञा है। इन्होंने जाकर खम्भात में बड़ा षड्यन्त्र रचा था।''

''किसने कहा?'' त्रिभुवनपाल ने पूछा।

''उदा मेहता फ़रियाद लाए थे। वे कहते थे कि इन्होंने नेतृत्व करके यवनों के घर-बार जला डाले हैं। इसके लिए महाराज इन्हें प्राण-दंड देने वाले हैं।'' त्रिभुवन, काश्मीरा और काक तीनों ने एक-दूसरे की ओर देखा। इस बात का मूल क्या है, यह तीनों जानते थे। उन्हें विश्वास हो गया कि इस बात का बतंगड़ उदा मेहता ने ही बनाया होगा। आखिर त्रिभुवनपाल ज़रा हँस पड़े।

''परशुराम, तुमने कभी मुझे असत्य बोलते सुना है?''

''नहीं महाराज।''

''तब मेरी बात मानो। इस बात में गूढ़ अर्थ छिपा है और मैं जब पाटण जाकर जयदेव महाराज से मिलूँगा, तब सब ठीक हो जाएगा। पहले यह कहो कि यहाँ क्या-क्या हुआ और फिर हमें पाटण जाने दो।''

''सुख से महाराज। परन्तु काक भट के लिए पच्चीस सवार साथ भेजने पड़ेंगे।''

''अब तक विश्वास नहीं है?''

''महाराज, आज्ञा तो आज्ञा ही है। आपका वचन है, अतएव इन्हें बाँधने की जरूरत नहीं है। अब आप अन्दर पधारिएगा! देवी को भी विश्राम की आवश्यकता होगी!''

''तुम्हारा यह आदर-सत्कार देखकर तो ऐसा प्रतीत होता है कि तुम विश्राम न करने दोगे।'' काश्मीरा देवी ने हँसते हुए कहा।

''अब देखो काक भट, तुम भी राज-सेवक हो। आज्ञा पालन करते हुए यदि मुझसे अविनय हुआ, तो क्षमा करोगे।'' कहकर तीनों जनों को अन्दर ले गया। काक का हृदय अचानक जैसे चिर गया। उसके हाथ से जो ख़तीब निकल गया था, उसका लाभ उठाकर उदा ने यह सारा चक्र रच डाला था।

सब कार्यों से निवृत्त होकर मंडलेश्वर ने पांचाल में क्या हुआ, इसका परशुराम से सारा हाल-चाल पूछा।

''महाराज, मैं रा' नवघण को लेकर पांचाल आया, उसके पहले ही पाटण से मुंजाल फूफा यहाँ आ पहुँचे।''

''ऐं!''

''उन्हें सब खबर थी। मैं सब समाचार दिया करता था।'' मंडलेश्वर ने काक की

ओर देखा। काक ने भी निःश्वास छोड़ा। ''उसने कितनी होशियारी दिखलाई पर जहाँ-तहाँ मुंजाल मेहता आगे ही रहे।''

''और खम्भात से उदा मेहता आए।''

''फिर?''

''नवघण से दाँतों में तिनका लेकर क्षमा-याचना कराई और खंडनी लेकर मुक्त कर दिया। अब वह जूनागढ़ जाकर जयदेव महाराज के सामन्त की भाँति राज करेगा।''

''और हमारे देसलदेव का भी कुछ हाल मालूम हुआ?''

''जी नहीं, वह तो शान्तु मेहता के साथ है।''

''ऐसा? तब मालवा के सेनापति का क्या हुआ?''

''उसके साथ तो सन्धि हो गयी। शान्तु मेहता उबक को लेकर होली तक पाटण में आ पहुँचेंगे।''

''यह सन्धि तो व्यर्थ ही गयी।'' काश्मीरा देवी ने कहा, ''नहीं तो उसे रक्त की धाराओं से होली खिलाई जाती।''

मंडलेश्वर ने पूछा, ''परन्तु उदा मेहता पाटण कैसे गये? वे कुछ व्याकुल से हो रहे थे न?''

''व्याकुल तो बहुत अधिक दिख रहे थे, परन्तु करें क्या? मुंजाल फूफा को तो जानते हो न? उदा मेहता को खबर नहीं थी कि वे आने वाले हैं। इसीलिए वे यहाँ आ गये, अन्यथा आते नहीं। और आए, इसलिए फँस गये। और मन से या बेमन से उबक का अतिथि-सत्कार करने पाटण जाना पड़ा।''

मंडलेश्वर ने कहा, ''काक, तुम्हें सावधान हो जाना चाहिए, तुम्हारा हार्दिक मित्र आगे गया है।''

''कोई हर्ज नहीं'', काक ने साहस दिखलाकर कहा, परन्तु उसका हृदय धक-धक कर रहा था कि उसका अब क्या होगा?

एक रात विश्राम करके वे सब परशुराम से छुट्टी लेकर पाटण की ओर रवाना हुए। भटराज ने उनके साथ पच्चीस साँढ़नियाँ कर दीं और उसके नायक को गुप्त रूप से आज्ञा दे दी कि यदि काक भागने का प्रयत्न करे, तो उसे समाप्त कर देना।

दूसरा खंड

सेनापति उबक

फाल्गुन सुदी तेरस के प्रातःकाल पाटण का रंग कुछ न्यारा ही था। प्रत्येक राजमार्ग नगर-जनों और राज-पुरुषों से, प्रत्येक झरोखा और अटारी हँसती और नयन-बाणों की वर्षा करती हुई सुन्दरियों से, और प्रत्येक चबूतरा नयी पिचकारियों की परस्पर तुलना करते हुए बालकों से भर रहा था। मान त्याग कर गजेन्द्र तेज चाल से जा रहे थे। मनचले सैनिक कठोरता त्याग कर, गले में पुष्पमाला डाले, मूँछों पर ताव दे रहे थे। मन्त्रियों की मुख-मुद्राएँ त्रासदायी गाम्भीर्य छोड़कर हास्य-विनोद में लीन हो रही थीं।

पाटण ने महोत्सव प्रारम्भ किया था। आज मालवे का सेनापति उबक शान्तु मेहता के साथ सन्धि करके पाटण के अतिथि-सत्कार का स्वाद चखने आ रहा था और पाटण के बाल-राजा ने अतुल पराक्रम दिखलाकर सोरठ के रा' पर पूर्वजों को भी दुर्लभ अपूर्व विजय प्राप्त की थी। पट्टणियों का भय भाग गया था और गर्व का पार न रह गया था और फिर यह अवसर तो अनुपम ही था। होली के लिए केवल दो दिन की देर थी। मदनदेव की पूजा करने के लिए उत्सुक बने हुए रसिक पुरुष और रसिका ललनाएँ वसन्तोत्सव आरम्भ करने के लिए मानो एक पैर पर खड़ी थीं और अपने मनों को उसके लिए अनेक प्रकार से उत्तेजित कर रही थीं।

एक महीने पहले पाटण भयंकर रूप से शस्त्र-सज्जित था, परन्तु इस समय प्रफुल्ल मौजी-सा बन गया था। युद्ध की कठोरता भूलकर पट्टणी लोग आह्लाद का अनुभव कर रहे थे। भीमनाथ के घाट पर राज-पुरुषों का समूह एकत्र था। भीमनाथ महादेव के मन्दिर में उबक का स्वागत-सत्कार करने के लिए आज एक बैठक की गयी थी और इस अवसर के अनुकूल नये-नये भड़कीले वस्त्र परिधान धारण कर सभी सामन्त, मन्त्री और सेठ-साहूकार आ रहे थे। कुछ दूरी पर उबक और मन्त्रियों को लौटा ले जाने के लिए लाकर खड़े किए हुए हाथी अधीरता से झूम रहे थे।

ऐसे अवसर पर पाटण-निवासियों का गर्व हृदय में समाता न था। अपने महापुरुषों को देखकर प्रसन्न होना, उनके गौरव को देखकर ही गौरवान्वित होना, महाप्रजा होने का यह मन्त्र पट्टणी लोग भली-भाँति जानते थे। और इस कारण, ज्यों-ज्यों राज्याधिकारी आने लगे त्यों-त्यों लोगों का हर्ष बढ़ता गया।

सज्जन मन्त्री भटराज मुरारपाल को लेकर उस पार उबक और शान्तु मेहता को बुलाने गये और उदा, लूला, देसलदेव आदि इस पार ही रहे। लोग सिर ऊँचा

कर-करके देख रहे थे, परन्तु, अभी तक मुंजाल मेहता नहीं आए थे और यह अफवाह फैल रही थी कि जयसिंह देव महाराज तो आएँगे ही नहीं।

यह गप्प भी उड़ रही थी कि उदा मेहता ने पाटण की सहायता के लिए सेना नहीं भेजी, अतएव, महाराज उस पर क्रोधित हैं। किन्तु उदा मन्त्री का हँसता हुआ और चारों ओर नमस्कार उच्चारण करता हुआ स्वस्थ मुख देखकर लोगों को आश्चर्य हुआ। हम देख आए हैं कि वह मुत्सद्दी यहाँ किसलिए आया है। उसने काक का पीछा किया और ऐसा समझकर कि जयसिंह देव पांचाल में अकेले हैं, उन्हें भी अपने हाथ में लेने के लिए तीन सौ सवारों के साथ वहाँ आ पहुँचा, परन्तु उसका दुर्भाग्य कि किसी को खबर होने के पहले ही मुंजाल मेहता वहाँ आ धमके और मुंजाल की इच्छा का अनादर करके खम्भात लौट जाने का साहस उस में न था, इसलिए हँसते हुए वह इस महोत्सव में भाग लेने के लिए पाटण आया। उसे सामना करना आता था, परन्तु सामना करने से यदि हानि होती हो तो ज़रा नत होकर इच्छित कार्य साध लेने की युक्ति भी उसे आती थी। वह ऐसे ही पासे फेंका करता था।

लोगों में एक बात से जरा चिन्ता फैल गयी थी। इस चिन्ता का कारण त्रिभुवनपाल थे। इन राज-पुरुषों में लाट के दंडनायक पांचाल तक आ जाने पर भी न आएँ, यह लोगों को विचित्र-सा मालूम हुआ। इस बात का विचार करने के लिए मुंजाल चूके न थे। उन्होंने त्रिभुवनपाल को खोज निकालने के लिए सैनिक भेजे थे और उन्हें यथा-सम्भव शीघ्र यहाँ ले आने की आज्ञा दी थी। पर यह बात कोई जानता नहीं था; अतएव, इस सम्बन्ध में अनेक गप्पें उड़ रही थीं।

उस पार से एक बजरा रवाना हुआ और लोगों का ध्यान उस ओर गया। उसमें आठ आदमी थे। ज्यों-ज्यों वह बजरा इस पार आता गया, त्यों-त्यों सर्वसाधारण और राज-पुरुषों में शान्ति छाने लगी। उस बजरे में पाटण का अतिथि आ रहा था। सदियों से अवन्ति और पाटण के बीच सतत वैर चले आते रहने के कारण इस अवसर पर सारे पाटण-निवासियों का आनन्द अदृश्य हो गया। इस भीड़ में ऐसे बहुत से लोग थे जिन्होंने मालवा के साथ लड़ते हुए अपने बाप, भाई और बेटे गँवाए थे। बहुत से ऐसे थे कि जो मालवा के साथ सन्धि करने की अपेक्षा प्राण दे देना अधिक पसन्द करते थे। कुछ लोग ऐसे भी थे जो अभी कुछ ही दिनों पहले मालवियों के साथ भिड़ आए थे। इन सब लोगों को शान्तु मेहता की की हुई सन्धि भली न लगी थी। उनके हृदय में आज का यह अवसर शूल-सा साल रहा था। ऐसा मालूम होता था कि उनके मन की तड़फड़ाहट इस समय बाहर निकल पड़ी है।

बजरे में सबसे आगे ऊँचा-सा साफ़ा बाँधे एक प्रचंड सोटे के समान सीधा मनुष्य खड़ा था। उसकी आँख पर भरे हुए घाव की एक बड़ी-सी लकीर दीख रही थी और इससे उसकी मुखाकृति विकराल प्रतीत हो रही थी। वह उबक था। पाटण-निवासियों के विचार से वह मालवा की सत्ता की मूर्ति था और वह सत्ता उनके द्वेष की, वैर की

केन्द्रस्थान थी। इस भाव से उबक का आगमन पाटण की पराजय है, सारी जनता में सनसनी फैल गयी। सभी लज्जित से हो गये थे। वृद्ध योद्धाओं की आँखों में पानी आ गया। उबक के पीछे वृद्ध शान्तु मेहता विषण्ण मुख खड़े थे। पाटण निवासियों के जो भाव थे, वह उनके भी थे, परन्तु बुद्धिमानी के आगे उन्होंने गर्व को दूर कर दिया था। यह सन्धि करते हुए उनका हृदय चिर गया था; परन्तु इस सन्धि के ही कारण पाटण इस प्रकार खड़ा हुआ था।

इन दोनों के पीछे सज्जन मेहता, भटराज मुरारपाल और एक जवान मालवी योद्धा खड़ा था। बजरा इस किनारे आ गया। मुंजाल मेहता अभी तक नहीं आए थे; अतएव लूला और उदा स्वागत के लिए आगे बढ़े। इस व्यवहार में उन्हें भी लघुता प्रतीत हो रही थी, फिर भी इस भाव को दबाकर उन्होंने उबक का स्वागत किया। लूला मन-ही-मन बड़बड़या, 'मुंजाल को आज क्या हो गया कि आया नहीं?'

उबक ने सत्ता और तिरस्कार से भरी दृष्टि लोगों पर डाली और यद्यपि उसकी वृद्धावस्था आरम्भ हो चुकी थी, फिर भी एक जवान की भाँति कूदकर वह बजरे से नीचे उतरा। वह कठोरता का अवतार था। उसके होठ गर्व और निश्चलता से दबे हुए थे। उसकी एक पूरी और दूसरी घाव से दबी हुई आधी आँख तीर की भाँति तेजी से दृष्टिपात कर रही थी। उसके कदम सीधे और अटल थे। मस्तक पर से वह गर्विष्ठ और स्वावलम्बी मालूम होता था। उसके मुख पर के चार-पाँच घावों के चिह्न उसकी वीरता की साक्षी दे रहे थे और उसके अद्भुत मुख को भव्यता प्रदान कर रहे थे।

उसके बाद शान्तु मेहता और वह जवान योद्धा उतरा। वह युवक नहीं, किन्तु मुख की कोमलता पर से बालक या पुरुष वेष में कोई स्त्री-सा प्रतीत होता था। वह जमीन पर तो उतरा, परन्तु ऐसा प्रतीत हो रहा था कि उसके पैर शायद ही ज़मीन पर टिके हैं। उसके शरीर पर शस्त्रों का बोझ लदा था, फिर भी उसके सुकुमार शरीर की छटा ऐसी थी की चाञ्चल्य में किसी नवोढ़ा को भी लज्जित कर दे। उसके मुख को सचमुच में मुखारविन्द ही कहा जा सकता था। उसकी बड़ी-बड़ी आँखों में अपार्थिव तेज था। वह तेज सारे लोक समूह पर पड़ता था; पर देवों या दीवानों के दृष्टिपात की भाँति वह लोकसमूह पर न ठहर कर जैसे किसी अदृश्य या कल्पना-प्रदेश की अनिर्वाच्य भव्यता देखने मे लगा हो, इस प्रकार दूर जाने का प्रयत्न कर रहा था।

बहुत से व्यक्ति पार्थिव तत्वहीन होते हैं। उन्हें देखकर प्रतीत होता है कि वे आकाश से अल्प समय के लिए ही नीचे उतर कर आए हैं और अब थोड़ी देर में फिर चले जाएँगे। ऐसे व्यक्ति संसार में दिखाई तो पड़ते हैं, परन्तु उसमें मिल नहीं जाते; जन-समाज के समागम में वे आते तो हैं, परन्तु उससे सम्बन्ध नहीं स्थापित करते। वे चलते हैं, फिरते हैं, जीवन बिताते हैं, परन्तु किसी को छूते नहीं हैं; हम उन्हें पूजते

हैं, परन्तु अपना नहीं बना सकते। उनके लिए अपने प्राण समर्पण करते हैं, परन्तु उनके स्नेह की आशा नहीं कर सकते। उस युवक को देखने वाले के मन पर छाप लग जाती थी कि यह ऐसा ही कोई व्यक्ति होगा। ऐसा ही उसका रूप था।

मन्त्री लूला और उदा ने उबक को नमस्कार किया, ''पधारिए सुभट शिरोमणि, आपके दर्शन करके हम कृतार्थ हो गये।'' लूला ने कहा।

अपनी ऊँचाई के कारण कैलास के समान प्रतीत होने वाले सेनापति ने नमस्कार किया, और अपने कठोर स्वर में कहा, ''मेरे भी धन्य भाग्य कि मैंने इस आयु में पाटण को देखा।''

जिस-जिस पट्टणी ने यह वाक्य सुना, उसका मुख लज्जा से लाल हो गया। उबक के इस वाक्य ने उनके गौरव पर गहरा आघात किया, पर उदा मेहता का मुख ज्यों का त्यों रहा, ''सेनापतिराज, आप अवन्ति कब दिखलाएँगे?'' भीमनाथ के मन्दिर की ओर घूमते हुए उसने पूछा।

उबक इस प्रश्न का अर्थ समझ गया। उसकी पूरी आँख चमक उठी; परन्तु वह केवल शूर-वीर ही न था, चतुर भी था। ''चलिए, कल सबेरे ही। कहिए, जयसिंह देव महाराज कैसे हैं?'' कहकर उबक ने चारों ओर इस प्रकार देखा जैसे उसने जयसिंह देव को यहाँ देखने की आशा रखी हो।

''महाराजाधिराज इस समय सन्ध्या-विधि में लगे होंगे।'' मन्त्री लूला ने उत्तर दिया। इसी समय वे लोग मन्दिर के आगे पहुँचे। सज्जन मेहता इतना समझ गये कि यह अवसर ऐसा विचित्र उपस्थित हो गया है कि किसी को सूझ ही नहीं रहा है कि क्या कहा जाए। उन्होंने उदा के कान में मुख लगाकर पूछा, ''मुंजाल मेहता कहाँ हैं?''

''न मालूम कहाँ हैं।'' उदा ने धीमे-से उत्तर दिया।

उबक समझ गया कि से सब अपनी लघुता से लजाकर मरे जा रहे हैं, अतएव वह मन-ही-मन कुछ फूल उठा। बिना लड़े ही वह विजय का आनन्द चख रहा था। उदा अपना रंग जमाए रखने के लिए मेहनत करने लगा, ''जी, यह दुर्ग आपने देखा? आपकी अवन्तिका ऐसी ही है, या इससे अधिक अच्छी? मैं अभी तक अवन्तिका नहीं गया।''

उबक ने दुर्ग की ओर दृष्टिपात किया और उस युवक की ओर घूम कर पूछा, ''कीर्तिदेव, क्यों हमारा दुर्ग इससे तो कुछ ऊँचा है? क्यों न?''

कीर्तिदेव ने दुर्ग पर दृष्टि डाल कर कहा, ''नहीं, यह ऊँचा है।''

इसी समय शान्त खड़े हुए लोगों में खलबली-सी मच गयी। उबक और उसके आसपास खड़े हुए राज-पुरुष आश्चर्य से पीछे की ओर हटे। घाट के दरवाज़े से होकर मुंजाल मेहता का हाथी गौरव से पैर बढ़ाता हुआ आ रहा था। अधिकार की अपूर्व भव्यता मुंजाल की मुखमुद्रा पर थी और राजसत्ता की मूर्ति के समान वह सब लोगों की ओर देख रहा था। उसके आने तक सब मन्दिर की सीढ़ियों के आगे खड़े रहे,

परन्तु, हौदे पर वह अकेला नहीं था। हाथी बैठा और लोगों ने साथ बैठने वाले को पहचान लिया।

लोगों के हर्ष का पार न रहा। उन्होंने एक गगनभेदी गर्जना की, ''मंडलेश्वर महाराज की जय।''

त्रिभुवनपाल अभी घड़ी भर पहले ही हारा-थका पाटण में आया था। आते ही मुंजाल को खबर मिली और उसने उसे एकदम अपने साथ ले लिया। मंडलेश्वर ने यात्रा में मैले हुए वस्त्र ही पहन रखे थे। एकत्र जन-समूह यह बात भूल ही गया कि अभी कुछ क्षण पहले ही वह खिन्न था। उसने उबक का आगमन भूलकर त्रिभुवनपाल का स्वागत करने के लिए प्रसन्नता के अनेक घोष आरम्भ कर दिए। सारा वातावरण बदल गया।

उबक होंठ चबाता हुआ देखता रहा। मुंजाल इस प्रकार आया, यह उसे अपमानजनक मालूम हुआ; परन्तु वह करे क्या?

''यह कौन हैं?'' उसने त्रिभुवन की ओर देखकर पूछा।

''महाराजाधिराज के भतीजे और लाट के दंडनायक त्रिभुवनपाल मंडलेश्वर।'',उदा ने कहा।

''कौन, मंडलेश्वर देवप्रसाद जी के पुत्र?''

''जी हाँ।''

उदा की जीभ बन्द हो गयी। मुंजाल के हाथी पर से तीन जने उतरे। तीसरे व्यक्ति को उदा ने देखा और वह चौंक पड़ा। उदा को उस व्यक्ति ने देखा और वह ज़रा हँस पड़ा। दोनों ने भयंकर दृष्टिपात का विनिमय किया। यह तीसरा व्यक्ति काक था।

कीर्तिदेव

मुंजाल मेहता के आने की गड़बड़ी से लाभ उठाकर उदा मेहता ने एक भट को संकेत करके पास बुलाया और उसके कान में कुछ कहा। वह भट वहाँ से निकला और लोगों की भीड़ में अदृश्य हो गया।

मुंजाल का व्यक्तित्व ऐसे समय पर चमक उठता था। वह आया और प्रसंग बदल गया, वातावरण में भिन्नता आ गयी। लज्जित पट्टणी लज्जा का कारण भूलकर उसे देखने लगे। वनराज के-से गौरव से डग भरता हुआ वह इस प्रकार आया, जैसे उसका गर्वयुक्त मस्तक गगन से जाकर लग रहा हो। कृपा की दृष्टि से सब की ओर देखकर, जरा हँसकर उसने सबको उनकी अल्पता का अनुभव करा दिया। नज़र से, बात से और सत्ता के दुर्जय गौरव से उसने सब पर और चर्चा के वातावरण पर उपने व्यक्तित्व

का प्रभाव स्थापित करा दिया। मालूम होने लगा कि उबक विजेता नहीं, सामान्य-सा योद्धा है और सारे महारथी और मन्त्री जैसे मुंजाल के दरबारी हैं। ऐसा अद्भुत व्यक्तित्व कभी-कभी नरसिंहों में ही दिखाई पड़ता है। कारण तो नहीं मालूम होता, परन्तु सब उनके लिए मार्ग छोड़ देते हैं। समझ में नहीं आता, फिर भी तो सब उनका शासन मानते हैं। इतिहास की रंगभूमि पर ऐसे व्यक्ति जब आते हैं तब दूसरे तत्व पुरुषार्थ-विहीन हो जाते हैं। इतिहास-क्रम रुक जाता है। समय-शक्तियों का मान भूलकर दर्शकों का मन उसके आसपास लिपट जाता है। नायक के मोह में नाटक का अर्थ विस्मरण हो जाता है। भूतकाल की रंगभूमि पर ऐसे अनेक व्यक्ति हुए हैं। परशुराम, मधुसूदन भगवान श्रीकृष्ण और समस्त जगत के राजनीतिज्ञ-शिरोमणि भगवान चाणक्य। मध्यकालीन गुजरात की छोटी-सी रंगभूमि पर ऐसा ही व्यक्ति था मुंजाल।

मुंजाल ने उबक का स्वागत किया, आदर किया। त्रिभुवन का परिचय कराया और उसके शौर्य का बखान करके उबक की दृष्टि में भी ईर्ष्या उत्पन्न कर दी। दो वर्षों के बाद त्रिभुवनपाल पाटण में लौटा था, इसलिए लोगों में उसे देखने की बहुत लालसा थी। इस लालसा के कारण जब सब मन्त्री उबक को हाथी पर लेकर लौटे, तब मंडलेश्वर की इस सवारी का नायक बन गया। उसको देख, लोग हर्ष से घोष करने लगे। उसके हाथी पर नगर-जनों ने फूलों और फूल-मालाओं की वर्षा कर दी और सिखाए हुए हाथी ही सूँड़ ने वे सब मालाएँ सूँड़ से उठाकर मंडलेश्वर के हौदे में डाल दीं। आगे जाते हुए हाथी पर बैठे मुंजाल और उबक की ओर कोई देख ही नहीं रहा था, बल्कि सब अपने युवक मंडलेश्वर को, –जिस महारथी ने लाट में पाटण का डंका पिटवाया था, देख-देख कर और झुक-झुक कर प्रणाम कर रहे थे। उबक का आदर करने को गया हुआ जुलूस त्रिभुवन की विजय-सेना बनकर लौटा। लोगों का ससम्मान नमस्कार, अटारियों पर चढ़ी युवतियों की नयन-किरणों और बालकों की पिचकारियों का केसरिया रंग झेलता हुआ त्रिभुवनपाल अपने सारे कष्ट और जयदेव की ईर्ष्या को भूल गया।

पीछे बैठा हुआ काक त्रिभुवन के साथ बैठे हुए उबक के भटराज कीर्तिदेव को देखता रहा। वह देवांगना के समान शरीर-तेज से दीप्त था और उसके लापरवाह बैठने के ढँग से गौरव और सौन्दर्य प्रकट हो रहा था। परन्तु उसका यह शरीर, यह सौन्दर्य-छटा, तेजस्वी और किसी को कुछ न समझने वाली आँखें, ललनाओं को लुभाने वाले आधे बन्द होठ, –इन सबकी ओर काक नहीं देख रहा था। वह केवल यह निर्णय कर रहा था कि उसका मुख परिचित-सा क्यों लग रहा है। उसने त्रिभुवनपाल की ओर देखा। क्या दोनों के मुख में कुछ समान लक्षण हैं? काक को विस्मय हुआ। कहाँ देवप्रसाद का पुत्र और कहाँ उज्जयिनी का भटराज!

"आप पर इन लोगों का अथाह प्रेम मालूम होता है।" कीर्तिदेव ने एकदम पूछा।

त्रिभुवनपाल ज़रा हँसा। बोला, "हाँ, मुझे ये लोग बहुत मानते हैं। पहले मेरे पिता को चाहते थे। मामा को तो चाहते ही हैं।"

"मामा?" साश्चर्य अपने सुन्दर नयनों को ऊपर उठाकर कीर्तिदेव ने पूछा।

"हाँ, महा अमात्य।"

कीर्तिदेव के होठ बन्द हो गये। काक ने देखा और विचार में पड़ गया।

"आप श्रावक हैं?"

"नहीं", मुक्त हृदय से हँसकर त्रिभुवन ने कहा, "पर मेरी माता जी श्रावक थीं। सोलंकी लोग भगवान सोमनाथ के सिवा और किसी को इष्टदेव नहीं मानते। क्यों, यह पूछने का क्या कारण है?"

"कारण कुछ नहीं। आप अवन्ति कब आएँगे?"

"सो कैसे कहा जा सकता है?"

"अब पाटण और अवन्ति के बीच सन्धि हो गयी है। क्या आप इसके विरोधी हैं? मैंने सुना है कि यहाँ इसके बहुत-से विरोधी हैं।" कीर्तिदेव ने पूछा।

"आपका क्या खयाल है?"

"मेरा खयाल? मेरे ही कारण यह सन्धि हुई है। महा कालेश्वर से मेरी अहर्निश प्रार्थना है कि यह सन्धि सतत बनी रहे। पाटण और अवन्ति आर्यावर्त की आँखें हैं। इन दोनों का पारस्परिक विरोध क्या आपको नहीं सालता?"

"नहीं, यह विरोध यहाँ बहुतों को तो उल्टा रुचिकर है। सच पूछिए, तो मुझे नहीं लगता कि यह सन्धि अधिक दिनों तक टिकेगी।" त्रिभुवनपाल ने कहा।

"क्यों नही टिकेगी, मंडलेश्वर महाराज? बाहु में बल है, तो उसे दिखाने के स्थान बहुत हैं। तीन वर्षों तक तो लड़ते रहे, अब और कहाँ तक लड़िएगा? आप बलवान हैं तो ऐसी छोटी-छोटी लड़ाइयों को छोड़कर महायुद्ध क्यों नहीं आरम्भ करते?" कीर्तिदेव के शब्दों में एक कल्पनातीत हृदय-भेदी प्रताप था। त्रिभुवन उसे न समझ सका। काक यह देखकर फिर विस्मित हुआ। इस मनुष्य की बातों में कुछ गुह्यार्थ जरूर है।

"यह मेरा काम नहीं है। राजनीति की बातों को मामा जानें।"

कीर्तिदेव की आँखें तिरस्कार-पूर्वक हँस पड़ीं। काक ने इस हास्य को समझ लिया। इतने में राजमहल आ गया। सवारी ठहर गयी और सब उतर पड़े।

काक पाटण आने पर अपने ऊपर झूमते हुए भय को जरा भूल गया था और उसे प्रतीत हो रहा था कि मुंजाल और त्रिभुवन के आश्रय में उसे कुछ भी न होगा। उसका अधीर हृदय केवल यही विचार कर रहा था कि कब उसे त्रिभुवनपाल आज्ञा दें और कब वह तुरन्त काश्मीरा देवी के पास जाकर मंजरी से मिले। वह ज्यों हाथी से उतरे त्यों ही डूँगर नायक उसके निकट आ पहुँचा।

"भटजी, आप को बुला रही हैं।"

"कौन?", पीछे घूमकर काक ने पूछा।

"काश्मीरा देवी।"

काक का हृदय धड़क उठा। त्रिभुवनपाल उबक को जयदेव महाराज के पास ले जाने में लगे हुए थे, अतएव उसे छुट्टी पाने का यह अच्छा अवसर मालूम हुआ। उसने डूँगर नायक से पूछा, " देवी राजगढ़ में हैं?"

"हाँ, मीनलदेवी के पास हैं।"

काक को त्रिभुवानपाल से आज्ञा लेने की इच्छा हुई; परन्तु उनके आसपास इतने मनुष्य थे कि मिलना असम्भव था। काक चुपचाप डूँगर के पीछे हो लिया।

लोगों की भीड़ को बचाकर बगल से होकर विशाल राजमहल के एक अपरिचित कमरे से डूँगर काक को ले गया। काक राजमहल से अभी परिचित न था, अतएव वह नहीं जानता था कि मैं कहाँ से होकर जा रहा हूँ। वह निश्चिन्तता से एक कमरे में जाने लगा और डूँगर ने उसके कन्धे पर हाथ रखा। वह तुरन्त पलटा। पीछे से किसी ने एकदम उसे पकड़ लिया। कुछ ही क्षणों में वह एक तहखाने के आगे घसीटा जाने लगा। फिर उसे धक्का दिया गया और वह उसमें जा गिरा। उसके गिरने से तहखाने के जीव-जन्तुओं में खलबली मच गयी। ऊपर से डूँगर ने उसका द्वार बन्द कर दिया।

काक तुरन्त सब कुछ समझ गया। जयदेव महाराज और उदा मेहता वैर का बदला ले रहे हैं!

मुंजाल का हृदय

जयदेव महाराज शोक-ग्रस्त थे। उन्हें प्रतीत हो रहा था कि उबक का आना पाटण का पतन है। उनका अभिमानी स्वभाव अल्पता की परिसीमा तक पहुँच गया था। उन्होंने नवघण को जीता, परन्तु उबक ने उनको जीत लिया था। उनकी कीर्ति में कलंक लग गया। उनके हृदय में क्रोध था, जोश था और साथ ही क्षुद्र-दौर्बल्य की निराशा भी थी। मुख पर तमाचा लगाकर उन्होंने अपने में साहस रखा और इस उपन्यास के आरम्भ में, जिस खंड में पाटण के राज-कर्ता एकत्र हुए थे, उसमें जाकर वे बैठ गये। प्रयत्न-पूर्वक ही उन्होंने अपने मुख पर से क्रोध और निराशा के चिह्न दूर किए।

मुंजाल उबक को लेकर आए। उनके साथ मंडलेश्वर और मन्त्री भी थे। जयदेव ने उबक का स्वागत किया। योद्धा ने दो-चार मधुर वचन कहकर महाराज की कृपा-याचना की। विनय-विधि पूर्ण होते ही उबक ने कहा, "कृपानाथ, हमारे महाराज ने सन्देश कहलाये हैं।"

"क्या?"

"मुझे माता सरस्वती का प्रसाद प्राप्त नहीं है, इसलिए थोड़ा कहूँ तो बहुत समझ लीजिएगा।"

"अजी, यह क्या कह रहे हैं? कहिए, अवन्तिनाथ ने क्या कहलवाया है?"

"हमारे महाराजाधिराज आपके सम्बन्धी बनना चाहते हैं।"

"किस प्रकार?"

"आपके साथ अपनी पुत्री ब्याह कर।"

जयदेव के मुख पर सन्तोष छा गया। जो विजेता होता है, उसे कन्या देकर हारा हुआ राजा प्रसन्न करने का प्रयत्न करता है। पर वहाँ तो विजयी राजा हारे हुए को कन्या दे रहा है! जयदेव का मुख प्रफुल्लित हो उठा।

"और आपको अवन्ति आने का निमन्त्रण भिजवाया है।"

"और कुछ?"

"और कुछ क्या होगा? आपकी कृपा और पाटण की मैत्री।"

सदा की टेव के अनुसार राजा ने मुंजाल और अन्य मन्त्रियों की ओर देखा। प्रत्येक के मुख पर कठोरता थी। जो बात जयदेव को रुचिकर मालूम हुई थी, उसे सब बिना बोले नापसन्द कर रहे थे।

"सेनापति जी," मुंजाल ने कहा,"आप दो-तीन दिन तो रहेंगे ही न?" महाराज विचार कर उत्तर देंगे। ऐसे विषयों में क्या जल्दी में आम पक जाते हैं? पूर्णिमा के दिन राज-सभा है, उस समय महाराज उत्तर देंगे। महाराज, अब सेनापति जी को आज्ञा दीजिए। मध्याह्न में अब थोड़ी ही देर रह गयी है।"

"हाँ, सन्ध्या समय तक तो आप पाटण ही में रहेंगे न?"

"जी हाँ। जिन सुभटों को मैं अपने साथ लाया हूँ, वे सरस्वती के उस पार पड़ाव डाले पड़े हैं। रात को मैं वहीं जाऊँगा।" उबक ने गर्व से कहा।

स्वतन्त्र राजा पर-राज्य में जाने पर गाँव के बाहर ही अपना पड़ाव डाला करते थे। एक सेनापति के द्वारा इस प्रथा का अनुकरण जयदेव को भला न लगा। फिर भी इस समय वह उबक से क्या कहता? "जो इच्छा।" कहकर वह उठा और उसके साथ सभी उठ खड़े हैं। जयदेव होठ चबाता हुआ इस उलझन को सुलझाता चला गया कि अवन्तिनाथ का जामाता बनने से प्रसन्न होना चाहिए या नहीं।

आये हुए समस्त नागरिक इधर-उधर हो गये। कुछ लोग उबक के स्वागत-सत्कार में लगे, कुछ लोग अपने घर होली खेलने चले गये, त्रिभुवनपाल अपने महल में गया; परन्तु काक की किसी ने याद नहीं की। उसकी अनुपस्थिति की किसी ने गिनती ही न की । भोजन करते समय त्रिभुवन को उसकी याद आयी; परन्तु यह सोचकर उसने अधिक विचार नहीं किया कि कदाचित वह अपने मित्र के यहाँ गया होगा।

मुंजाल मेहता राजमहल में बैठे विचार कर रहे थे। उबक ने जो सन्देश कहे थे, उनसे उन्हें आश्चर्य हुआ था। वे यह जानने का प्रयत्न कर रहे थे कि इन सन्देशों

में अवन्तिनाथ का हेतु क्या है? उन्हें उबक केवल योद्धा मालूम हुआ और इस रूप में उसका कोई महत्त्व नहीं था। पर वह रूपवान युवक कौन था? कीर्तिदेव का मुख मुंजाल की आँखों के आगे आ खड़ा हुआ। काक की भाँति उन्हें भी वह परिचित-सा प्रतीत हुआ। मुंजाल की समझ में यह तो न आया कि किसकी भाँति इस लड़के का मुख है, परन्तु उन्हें लगा कि इस लड़के की आकर्षक मुद्रा में कुछ समाया हुआ है। ''इस पर ध्यान रखना चाहिए,'' वह बड़बड़ाया, ''पर कौन इसपर ध्यान रखेगा? ऐसे रूपवान मुख तीनों लोकों का सत्यानाश कर सकते हैं। हंसा[1] में क्या कमी थी? उसने क्या कम सत्यानाश किया? और सेठानी भी कहाँ रूप में कम थीं?'' मुंजाल के मुख पर ग्लानि छा गयी। उसकी पत्नी सज्जन मेहता की बहन थी, मुंजाल ने उसके प्रति इतनी अन्यमनस्कता और क्रूरता दिखलाई थी कि उसने घुट-घुट कर प्राण त्याग दिए थे। अमात्य इस बात का पश्चात्ताप सदा ही किया करता था। इस समय उनका मन उस दिशा की ओर गया। उसने एक निःश्वास छोड़ा और वह बड़बड़ाया, ''इस समय फूलकुमारी कैसे याद आ गयी? वह तो गयी ही, बेचारा लड़का भी मर गया। वह आज होता, तो बीस वर्ष का हो जाता। बुढ़ापे में मेरी रक्षा तो करता। अब मुंजाल निःसन्तान ही मरेगा।'' मुंजाल बड़े कठोर भाव से हँसा और उसने अपने कपाल पर हाथ फेरा।

''गया, सो तो गया, अब क्या है?'' कहकर वह ज़रा सतर हो गया और अधिकार से बाहर जाती हुई मनोवृत्ति को संयत करने लगा। ''मुंजाल की सन्तान कैसी?'' मेरी सन्तान पाटण है। परन्तु इस कीर्तिदेव के पीछे किसे लगाया जाए? —हाँ, वह त्रिभुवन का मित्र कहाँ गया? सवेरे दिखलाई पड़ा था। यहाँ बाहर कोई है क्या?'' मुंजाल ने गहरा निःश्वास छोड़कर पूछा।

एक पार्श्वक आ खड़ा हुआ। ''जाओ, त्रिभुवनपाल के यहाँ जाकर काक भट को तुरन्त बुला लाओ।'' मुंजाल ने कहा।

आधी घड़ी में पार्श्व उत्तर ले आया कि काक भट वहाँ नहीं हैं और सवेरे से कहाँ गये हैं इसकी किसी को खबर नहीं है।

मुंजाल उठा और पीछे की ओर, जहाँ मीनलदेवी बैठी हुई थीं, गया।

जयदेव और मुंजाल नवघण रा' को मात करने के लिए गये थे, उस बीच राजमाता पाटण लौट आयी थीं।

मुंजाल ज्यों ही रानी के कमरे में गया त्यों ही वहाँ बैठी हुई युवतियों की भगदड़ से झाँझर झंकार कर उठे। उसने उनकी घबराहट को जरा हँसकर देखा और क्षण भर रुककर उन्हें भाग जाने का अवसर दिया; परन्तु महा अमात्य की तीक्ष्ण दृष्टि ने एक

---

1. मुंजाल की बहन और त्रिभुवन की माता।

नया मुख देखा। उस मुख का अलौकिक सौन्दर्य उसे अपरिचित-सार लगा। "मात्रा!" उसने कहा।

एक युवती लौटी। वाचस्पति गजानन पंडित की स्त्री और स्वर्गीय वैद्य लीलानन्द की पुत्री से 'पाटण के प्रभुत्व' में पाठक परिचित हो चुके हैं।

"जी।" कहकर उसने उत्तर दिया।

"यह तुम्हारे साथ कौन है?" उस लजाती हुई बाला की ओर अँगुली से संकेत करते हुए मुंजाल ने पूछा।

"मुंजाल," कोने में चौकी पर बैठकर जप करती हुई मीनलदेवी बोल उठी, "यह हमारे कविकुलशिरोमणि रुद्रदत्त की लड़की है।"

सवेरे जब काश्मीरा देवी और मंजरी आयी, तब राजमाता से मिलकर सारी बातें कह गयी थीं।

"यह तो अपने नाना के यहाँ जूनागढ़ में थी?" मुंजाल ने स्मरण करके पूछा।

मीनलदेवी ने कहा, "नहीं, इसकी माता श्रावक है। वह इसे किसी श्रावक के साथ ब्याह रही थी। इसकी कहानी बड़ी रसमयी है।"

"वह क्या?"

"त्रिभुवन का कोई भट है, वह इसे भगा लाया। आज सवेरे प्रसन्न ने वह कहानी सुनाई और हँसा-हँसाकर थका डाला।" मीनलदेवी ने हँसते हुए कहा।

"कौन? काक भट?" मुंजाल ने मंजरी की ओर देखकर पूछा। मंजरी लजा रही थी, परन्तु उसके प्रफुल्लित नयन महा अमात्य को निर्भयता से निरख रहे थे। वह धीमे-से सम्मान-पूर्वक बोली, "जी हाँ।"

मीनलदेवी ने पूछा, "वह कौन है? मैं उसे देखना चाहती हूँ।"

"मुझे भी उससे काम है; परन्तु न जाने सवेरे से वह कहाँ चला गया है। —लड़कियों, अब जाओ।" कहकर मुंजाल ने मात्रा और मंजरी को आज्ञा दी और वह रानी की ओर गया।

इन चार वर्षों में मीनलदेवी में बड़ा परिवर्तन हो गया था। उसका शरीर पहले की अपेक्षा जरा स्थूल हो गया था। जवानी में भी उसके मुख पर गौरव था, पर अब वह और पुख्ता हो गया था। अधिकार तथा अटलता की रेखाओं ने कोमलता और सरलता को उस पर से दूर कर दिया था। उसकी आँखों का तेज पहले के ही समान था; केवल वह स्थिर हो गया था। उनमें से प्रताप सतत बहता रहता, —पहले की भाँति न्यूनाधिक या भयंकर शायद ही होता।

गुजरात के राज्य की वह अधिष्ठात्री देवी थी। उसने बाहर से शासनसम्बन्धी कार्यों में भाग लेना बन्द कर दिया था, परन्तु उसकी दृष्टि चारों ओर घूमती थी। उसकी बुद्धि सब कुछ समझती थी। वह मुंजाल को पहचान गयी थी । उसके आशयों को समझ गयी थी। उसकी राजनीति में उसे विश्वास था और इससे वह किसी भी

काम में हाथ डालते न देखी जाती थी। परन्तु जो राजमहल की आन्तरिक बातों को जानने वाले थे, वे जानते थे कि जैसा भयंकर मुंजाल का प्रभाव था, वैसा ही रानी का भी था और चूँकि अन्तर में दोनों एक थे, इससे दोनों के प्रभावों में विरोध न होता था।

रानी ने मंजरी से त्रिभुवन और काक के पराक्रम की जो बातें सुनी थीं वे मुंजाल को कह सुनाईं और मुंजाल ने भी सवेरे की घटित घटना सुना दी।

"मुझे प्रतीत होता है, यह उबक केवल यहाँ शोभा पाने ही नहीं आया है, —इसका हेतु कोई और ही है। मैं कुछ समय में उसे खोज निकालूँगा! परन्तु जयदेव को कोई शीघ्रता नहीं करनी चाहिए।" मुंजाल ने अन्त में कहा।

"वह करने ही वाला क्या था?"

"बहुत कुछ। वह अधीर हो गया है। लक्ष्मवर्मा की कन्या से ब्याह का सन्देश सुनकर उसके मुँह में पानी आ गया है। उसका वश हो, तो उबक के साथ अवन्ती चला जाए।"

"वह बड़ा जल्दबाज है; परन्तु मालवे की कन्या आए, तो बुरा नहीं है।"

"बहुत बुरा है।" मुंजाल ने सिर हिलाकर कहा।

"क्यों?"

"पहले तो यह कि लक्ष्यवर्मा के कोई सन्तान ही नहीं है। यह तो उसके भाई यशोवर्मा की लड़की होगी।"

"ऐसा!" रानी ने चौंककर कहा।

"हाँ; और मालवे की लड़की आयी नहीं कि बिना शत्रु के ही यहाँ शत्रु उत्पन्न हो जाएँगे।"

"यह ठीक है। इसलिए हमारे यहाँ तो अभी एकतन्त्र ही चाहिए। अभी लाट और सोरठ का तो ठिकाना ही नहीं, फिर इस मालवे के उपद्रव को कैसे निमन्त्रण दे दिया जाए? यदि भाग्य में होगा तो क्या मालवे की कन्या न मिलेगी?"

"हाँ-हाँ, अभी पूरे गुजरात पर तो अधिकार कर ले, फिर सब कुछ हो रहेगा। नवघण खत्म हो गया, यह अच्छा ही हुआ।"

"हाँ, साथ ही उदा को भी सीधा करना पड़ेगा। यह काक की बात भी तुमने अच्छी कही। उदा में और जयदेव में इस समय खूब मेल है। इसमें उदा की ही कोई उस्तादी है।"

"अरे उसकी क्या बिसात है!" रानी ने कहा।

"देखो, भ्रम में न रहना। वह है तो मधुरभाषी, परन्तु जितना बाहर है उतना ही भूमि में धँसा हुआ है। अच्छा, तब मैं जयदेव से मिलता हूँ। यदि न माने तो फिर दो शब्द तुम कहना।"

"अवश्य!" कहकर मीनलदेवी जरा हँस पड़ी। उत्तर में मुंजाल की आँखों ने भी

स्मित किया। उनका भस्म हुआ प्रेम इतना ही व्यवहार शेष रख रहा था। मुंजाल जाने के लिए पलटा।

"मुंजाल!"

"क्यों?"

"आज काश्मीरा ने एक बात कही थी। उसने एक व्रत लिया है।"

"क्या?" मुंजाल ने पूछा।

"तुम्हारा विवाह फिर से कराने का।" रानी से ज़रा बनावटी गाम्भीर्य के साथ कहा।

"मेरा?" एकदम चौंककर महा अमात्य ने खेदयुक्त स्वर में पूछा। मीनलदेवी ने भी कोमल भावपूर्ण स्वर में उत्तर दिया, "मैं भी यही सोचती हूँ कि तुम इस प्रकार कब तक रहोगे?" रानी के स्वर में पूर्वावस्था की कुछ प्रतिध्वनि थी।

"मुझे कमी किस बात की है?"

"छिपा रहे हो किसलिए? तुम्हारे हृदय में निर्जनता नहीं छाती जा रही है? सच कहना?"

"देवी, इस प्रकार की बातें किस काम की? मेरे हृदय ही नहीं है। किसी समय..." मुंजाल ने दयनीयता से कहा, "हृदय सजीवन होता है, जलता है। बुढ़ापा आता है, और निर्बलता बढ़ती है।"

"इसी से काश्मीरा की सलाह विचारने योग्य है।"

"मुझे इस पर विचार नहीं करना है।"

"परन्तु, मुझे भी तुम्हें दुखी होता नहीं देखना है। मैं गयी, फिर तुम्हारा कौन है?"

हृदय में उमड़ते हुए अकेलेपन के दुःसह भार से मुंजाल ने आँखें मींच लीं और कोई उत्तर नहीं दिया। कुछ देर में ऊपर देख उसने कहा, "निराधार के आधार!" पीठ फेरी और वह वहाँ से चला गया।

अवस्था के साथ हृदय की यह व्यथा भी अमात्य के हृदय में बढ़ती जा रही थी। उसे ऐसा मालूम होता था कि उसका बुद्धि-प्रभाव फूल रहा है, परन्तु हृदय का प्रभाव मुरझा रहा है। उसमें स्नेह-सिंचन करने के लिए कोई अन्तर का साथी नहीं है। सामान्य जनों में से अलग बने हुए महापुरुष एकस्तंभी महल के निवासी बन जाते हैं। वे सबसे उच्च अवश्य होते हैं, परन्तु यह उच्चता ही उनका कारागृह होती है।

विधि और उसके साधन

नगर की स्त्रियों में पंडित गजानन वाचस्पति पाटण की नाक समझे जाते थे। कहा जाता था कि उनके प्रभाव से वेद-पारंगत विद्वान काशीपुरी में रहते हुए भी भली भाँति

वेदोच्चार नहीं कर सकते थे। अनेक बार इन्द्र का इन्द्रासन डावाँडोल हो जाता है। दानव-गण नरक में पड़े हुए सड़ना भूलकर काँपने लगते हैं। नक्षत्र-तारे और धूमकेतु तक, वे कहें उसी घर में, जैसी वे आज्ञा करें वैसी ही, दृष्टि डालकर देखा करते हैं। उनके पास पढ़ने के लिए अनेक देशों के शिष्य आते थे और उनसे पराजित होने के लिए दसों दिशाओं के पंडित आया करते थे। उनसे शास्त्र श्रवण करने के लिए नगरवासियों की भीड़ का पार न रहता था। उनसे मुहूर्त माँगने के लिए महाजन-लोग उनके द्वार तोड़े डालते थे। समधिनों का सम्बन्ध स्थापित करने के लिए तरसती हुई स्त्रियाँ उनके पास व्यतिपात, वैधृत और षडाष्टकों की अटपटी कठिनाइयों का अचूक फैसला कराने के लिए आती थीं।

कर्णदेव के सम्मानित वैद्य लीला की कन्या मात्रा से उनका विवाह हुआ था। वे मीनलदेवी के सम्मानित पंडित और ज्योतिषी थे। पाटण की पाठशाला के महा महोपाध्याय थे। वे थे तो जवान, परन्तु समझे जाते थे वृद्धों से भी वृद्ध ।

विघ्नेश शंकर-तनय का मंगलदायक नाम उन्होंने धारण कर रखा था; परन्तु गणपति में जो गुण विश्वविख्यात हैं, वे उनमें गैरहाजिर थे। गजानन तो बड़ी तोंदवाले हैं पर ये गजानन केवल हाड़चाम थे। देव गजानन तो सुख और चैन की मूर्त्ति हैं पर ये सतत अध्ययन से शुष्क और चिन्तातुर। एक का शरीर सिर से बड़ा था, दूसरे का सिर शरीर से बहुत बोझिल। एक गजानन की दो-दो स्त्रियाँ सेवा करती थीं, दूसरे गजानन लोगों की कुंडलियाँ देखने में अपनी एक स्त्री को भी अनेक बार भूल जाए करते थे।

राज्य और संसार की उथल-पुथल के बादल चारों ओर मूलसधार वर्षा कर रहे थे, फिर भी विद्या देवी की छत्रछाया में पंडित गजानन स्थिर और अस्पर्श्य रहकर अपना काम करते रहते थे। आज पाटण में वसन्तोत्सव आरम्भ हुआ था। परदेशी सेनापति पाटण में पधारे थे। घर में स्वर्गीय मित्र की पुत्री आयी थी, फिर भी पंडितजी पत्रा लिए हुए चौकी पर निश्चल मन से विराज रहे थे। दाहिने कान में उन्होंने कलम खोंस रखी थी और अँगूठे से अँगुलियों की रेखाओं पर गणना कर रहे थे। उनके सामने एक मोटी-सी जन्मपत्री पड़ी हुई थी। एक कोने में तीन शिष्य बिल्कुल सटे बैठे शपथ खाने के लिए हाथ में पुस्तक लिए धीरे-धीरे कानाफूसी कर रहे थे और पंडितजी के डर के मारे जब-जब पुस्तक पढ़ने का ढोंग कर लेते थे। एक शिष्य ने गुरु की ओर केवल आँख के एक कोने से दृष्टि डाली और अन्य शिष्यों के शरीर में अँगुली गड़ाकर उनका ध्यान गुरु की ओर आकर्षित किया। कौन-सा ग्रह कौन से स्थान से चलकर कौन स्थान पर पहुँचने वाला था, एकाग्रता से विचार करते हुए पंडितराज का अँगूठा न सीधा रहा, न टेढ़ा; बल्कि स्तब्ध होकर ठहर गया। एक क्षण बीता, दो क्षण बीते, परन्तु वह अटल रहा। इस आकस्मिक परिस्थिति से शिष्य घबरा गये। उन्होंने गुरुदेव के मुख पर दृष्टि डाली। पंडितजी की शान्त और सूक्ष्म आँखें अँगुली की रेखा पर ठहर

गयी थीं और कुछ बाहर उभर आयी थीं। शिष्यों का श्वास रुद्ध होने लगा। क्या गुरुदेव समाधिस्थ होने की तैयारी कर रहे हैं? धीरे-धीरे दस पल बीत गये, परन्तु न अँगूठा हिला और न पलकें ही हिलीं। शिष्य एक-दूसरे की ओर देखने लगे। अब क्या करना चाहिए?

निर्मल आकाश में जैसे अचानक बिजली कड़क उठी हो, इस प्रकार उस वेदोच्चार से पुनीत किए हुए शान्त और निःशब्द कमरे में खिलखिलाकर हँसने की ध्वनि गूँज उठी। तीनों शिष्य घबराकर खड़े हो गये। गुरु का हास्य पेट में न समा रहा था। उन्होंने किसी दिन गुरु को मन्द हास्य से अधिक इस प्रकार गौरवहीन कार्य करते नहीं देखा था और इससे उन्हें शंका हुई कि वे होश में हैं या नहीं।

कुछ देर में गुरुदेव ने हँसी रोकी, आँखों में आए हुए आँसू पोंछे, फिर अँगुली पर तीन बार गणना की –एक, दो, तीन, चार और पाँच–और फिर प्रसन्न होने लगे। आखिर बोले "आहाहा! कैसा वैचित्र्य है!" तीनों शिष्य भी यह निर्णय करने के लिए निकट आए कि कौन-से वैचित्र्य ने गुरुदेव को ऐसा अस्वाभाविक बना दिया हे। पंडित जी ने आँखें उठाईं। क्रोधपूर्ण मुख से इधर-उधर देखा और शिष्यों को वहाँ से चले जाने के लिए सूचित किया। हास्य का भेद जानने में निराश हुए शिष्य चले गये।

गजानन फिर कुछ हँसे, जन्म-पत्रिका को हाथ में लिया, देखा, और फिर हँसे। उसमें कोई अद्‌भुत हास्य-जनक बात थी। परन्तु अधिक समय उस बात पर विचार न कर सके। एक शिष्य दौड़ता हुआ आया, "गुरुदेव, काश्मीरा देवी आ रही है।"

"ऐं!" इस प्रकार अचानक आगमन से चौंककर उन्होंने कहा।

"कुछ बात करने के लिए, घर जाते-जाते आयी हूँ। बैठिए, बैठिए, उठते क्यों हैं?" सम्मान के लिए उठते हुए पंडित से काश्मीरा देवी ने कहा।

"कहो, प्रसन्न देवी–हाँ–हाँ–का–"

पंडित जी विगलित हो गये। "देवी जी भूल..."

"छोड़ो, इस बात को। मैं जल्दी में हूँ। मैं विवाह की बात करने आयी हूँ।" काश्मीरा देवी ने जरा आँखें नचाईं; और कहा, चार-चार वर्ष हो गये, परन्तु तुम्हारी जीभ पर प्रसन्न काश्मीरा नहीं बनी। न जाने किसने तुम्हें पंडित बना दिया।

पंडित की गम्भीर मुख-मुद्रा विचार-मग्न हो गयी। उनकी दृष्टि सामने पड़ी हुई जन्मपत्री पर पड़ी और वे एकदम हँस पड़े। काश्मीरा देवी पहले कुछ न समझीं, फिर पंडित जी को इस विचित्र प्रकार हँसते देख, स्वयं भी हँसने लगीं, "क्यों हँस रहे हो?"

हँसते-हँसते पंडित जी के मुख से आधे शब्द निकले, "मैं भी विवाह की ही बात करना चाहता हूँ।"

शुष्क और वेदाभ्यास से जड़ बने हुए पंडित की इस बात पर काश्मीरा देवी विचार करने लगीं कि यह सुध में है या नहीं।

“किसका विवाह?”

“मुंजाल मेहता का।” कहकर फिर खिलखिलाकर हँसते हुए पंडित ने जन्मपत्री को अँगुली से दिखलाया।

“यह जन्मपत्री मामाजी की है?”

“हाँ, इस वर्ष उन्हें स्त्री योग है।”

“क्या सच कहते हो?” काश्मीरा ने पूछा।

“देवी जी मैंने अनेक बार गणना की है। यदि इस वर्ष मुंजाल मेहता ब्याह न करें, तो मै जलांजलि दे दूँ, फिर किसी की जन्मपत्री को हाथ न लगाऊँ। योग ऐसा है कि वह चाहे लाख इनकार करें, परन्तु ब्याह अवश्य होगा। इसी पर मुझे हँसी आ रही है। मुंजाल मेहता ब्याह करेंगे! हाःहाःहाः।” पंडितजी फिर हँसने लगे। काश्मीरा अब इस हँसने का कारण समझी। पंडित जी के खयाल से मुंजाल का ब्याह एक बड़ी विचित्र बात थी।

“तब तुम्हारे मुख में घी-शक्कर!”

“क्यों, कोई बात चल रही है?” पंडितजी ने पूछा।

“नहीं। परन्तु मैंने निश्चय किया है, अतएव होगा ही।” काश्मीरा ने कहा, “योग के कारण ही मुझे प्रेरणा हुई होगी। परन्तु कठिनाई की बात एक है।”

“क्या?”

“मामाजी के योग्य कन्या कहाँ से लाई जाए?”

पंडित जी ने एकदम भौंहें चढ़ाईं, सिर खुजलाया और एक आँख मींचकर उत्तर दिया, “मैं बताऊँ? ईश्वर ने कन्या पैदा न की हो, तो ग्रह-योग ही कैसे आए?”

“कोई है? दृष्टि में उतरी है?” काश्मीरा ने पूछा।

“हाँ, है।”

“कौन?”

पंडितजी ने नीचे झुक कर और धीरे से कन्या का परिचय दिया। काश्मीरा चौंककर अलग हट गयी।

“मामाजी उसे कैसे ब्याहेंगे?”

“ग्रहयोग ही ऐसा है। उसकी कुंडली मैंने देखी है। ऐसा जोड़ा ब्राह्मांड में नहीं मिल सकता।”

काश्मीरा देवी ने सिर हिलाया, “ऊँ हुँ, वे त्रिकाल में भी उससे ब्याह नहीं करेंगे। परन्तु वह है कैसी? मैंने नहीं देखी। अब मैं देखूँगी।”

“देखकर क्या करोगी? दोनों के ग्रह कैसे पड़े हैं! अहाहाहा!” कहकर पंडितजी ने मुंजाल मेहता की जन्मपत्री हाथ में ले ली।

“अच्छा, परन्तु अब मैं जा रही हूँ। एक बात तुमसे कहना है।”

“खुशी से कहो।”

"काक भट नामक मंडलेश्वर महाराज का एक मित्र है।"

"हाँ, जो मंजरी को ले आया है।"

"उस बेचारे के आगे-पीछे कोई नहीं है। इसलिए मैं उसकी मँगनी के लिए आयी हूँ।"

"किस की मँगनी?"

"मंजरी की। देखो, मंजरी का कन्या-काल बीत गया है, और पिता हैं नहीं। माता श्रावक है, नाना अपंग हैं और जूनागढ़ में पड़े हैं। मंडलेश्वर महाराज का यह विचार है कि इनका विवाह हो जाए, तो दोनों सुखी हो जाएँ।"

"देवी, काक की कुंडली है?"

"कुंडली गयी..." काश्मीरा बोल उठी।

"हाःहाःहाः।" पंडितजी बोले, "वह कैसा ब्राह्मण है?

"लाट का योद्धा है, बड़ी आनवाला, शूरवीर और कुलीन। मुझ पर विश्वास नहीं है क्या?"

"देवी, मेरे मित्र के कुल को लांछन नहीं लगना चाहिए।"

"पंडित जी, पाँच वर्षों में वह पाटण का सेनापति बन जाएगा।"

"उससे क्या लाभ? यदि ब्राह्मण होकर भी वेदाच्चार भली भाँति न आता हो तो?"

"पंडित जी, तुम उसे देख लेना, फिर विचार करना। उससे अधिक अच्छा पति मंजरी को तीन लोक में नहीं मिलेगा।"

"अच्छा, मैं कल मिलूँगा। आशीर्वाद देवीजी, कुमार प्रसन्न हैं? और महाराज? मैं महाराज से मिलने आऊँगा, पर वे तो इस गरीब ब्राह्मण को पहचानते भी न होंगे।"

"तुम्हें भूलकर कोई मनुष्य जाएगा कहाँ," कहकर, नत-मस्तक प्रणाम करके काश्मीरा वहाँ से रवाना हुई। पंडित जी ने फिर जन्मपत्री हाथ में ले ली।

कुछ देर में घर के अगले भाग में किवाड़ों की खड़खड़ाहट हुई और मंजरी बड़ी तेजी से हाँफ़ती-हाँफ़ती आयी। पीछे-पीछे चकित हुई काश्मीरा देवी भी इस घबराहट का कारण जानने को आयी।

"देवी, क्या है?" पंडित जी ने मात्रा से पूछा।

"जरा ठहरो, कहती हूँ।" कहकर उसने मंजरी को बैठाया। मंजरी के होश-हवास उड़े हुए थे। उसकी कमल की-सी आँखें फट गयी थीं। रमणीय अपूर्वता को प्राप्त उसकी छाती ज़ोर-ज़ोर से धड़क रही थी। इस घबराहट में उसके सौन्दर्य ने, उसके लालित्य ने, अद्‌भुत मनोहरता धारण कर ली थी। यह प्रश्न पंडितजी के शुष्क हृदय में भी खड़ा हो गया कि शुक्रदेव जी ने रम्भा को लौटा दिया था; परन्तु अगर वे इसे देखते तो क्या सोचते? वे खड़े हुए और फिर लौट आए।

मात्रा ने कहा, "काश्मीरा बहन, पंडित जी, हम राजमहल से लौट रही थीं कि मंजरी एकदम चिल्ला पड़ी और मेरा हाथ पकड़कर यहाँ तक दौड़ा लाई।"

"क्यों?"

मंजरी ने होठ दबाकर जरा स्वस्थ होने की चेष्टा की। और कहा, "स्वयं मैंने जाते हुए देखा।"

"किसे?" काश्मीरा देवी ने पूछा।

मंजरी अपना सिर हाथों से ढँक कर सिसकियाँ लेने लगी।

"जो खम्भात में तुम्हारे साथ ब्याह करना चाहता था, वह?" काश्मीरा देवी ने पूछा।

झुके हुए सिर को हिलाकर मंजरी ने कहा, "हाँ।"

"क्या उदा मेहता के साथ खम्भात से कोई सेठ आया है?"

मंजरी ने फिर कहा, "हाँ।"

"अच्छा! उसे मार्ग में जाते देखा होगा, इससे यह घबड़ा गयी।" कहकर काश्मीरा ने पंडित जी की ओर देखा। पंडित जी उस दृष्टि का अर्थ समझ गए।

मंजरी का विवाह कर देना चाहिए, इसका एक और सबल कारण मिल गया।

"बहनजी, बहनजी" मंजरी ने काश्मीरा देवी से दयनीय स्वर में कहा, "उसने मुझे देख भी लिया। अब मैं कहाँ जाऊँ? वह मुझे अवश्य ले जाएगा।"

"घबरा क्यों गयी पगली? यह खम्भात नहीं है, पाटण है?"

"बहनजी, आप उसे पहचानती नहीं हैं।"

"घबराओ मत। पंडितजी, मंजरी को मुझे अपने यहाँ ले जाने दो। यहाँ यह घबड़ाएगी।"

"हाँ, ठीक है।" मात्रा ने कहा। पर पंडित गजाननजी कोई निश्चय पर न आ सके।

"चलो मंजरी, मेरे साथ चलो। किस में साहस है कि मंडलेश्वर के यहाँ कोई तुम्हारा बाल भी बाँका कर सके।" कहकर काश्मीरा देवी मंजरी को अपने साथ ले गयी। उनके जाने पर पंडित जी बोले–" कैसा विधि-वैचित्र्य है!"

"क्यों?" उनकी अर्धांगिनी ने पूछा।

"बिना कुंडली देखे ही कहता हूँ, मंजरी का विवाह योग आ पहुँचा।"

"क्यों जी, तुम विवाह-योग देखते-देखते क्या पागल हो गये हो?"

"देवी, तुम प्रसन्न बहन को तो पहचानती हो न?"

"खूब। जब हम बचपन में एक साथ बैठकर गुड़ियों से खेला करती थीं तब से। परन्तु उसमें यह मंजरी के विवाह की बात कहाँ से निकल आयी?"

"प्रसन्न देवी ने निश्चय किया है कि मंजरी का विवाह किया जाए।"

"किसके साथ?"

"कोई काक भट है, उसके साथ।"

"ऐं! उसकी कीर्ति तो बहुत लोग गाते हैं। तो इसमें कौन बुरी बात है? हम लोग मंजरी को कब तक रखेंगे? इससे अच्छा और क्या होगा?"

पंडित जी अपना अधिकार नक्षत्रों पर चलाते, परन्तु उन पर मात्रा अधिकार चलाया करती थी। वह भी इस मत के हो गये कि इससे अच्छा और क्या होगा?

मालिक कौन

जयदेव की मानसिक स्थिति विचित्र हो रही थी। सोरठ के स्वामी को हराया था, इस कारण उसका मन प्रफुल्लित था। त्रिभुवन ने पहल की थी, इस कारण उससे ईर्ष्या हो गयी थी। उबक के आने से वह खिन्न हो गया था और मालवपति की कन्या की मँगनी के सन्देश से वह परितृप्त हुआ था। वह काक से चिढ़ गया था, त्रिभुवनपाल पर क्रोधित था, मुंजाल से असन्तुष्ट था और अपने आप पर उसे तिरस्कार हो आया था। उसे स्पष्ट प्रतीत हो रहा था कि वह पाटण के चक्र की केवल नाम की ही धुरी है। यथार्थ धुरी दूसरे हैं। उसे यह भी भान होता गया था कि अभी वह कच्चा है, उसमें राजनीतिज्ञता कम है। उसके पास अधिकार प्राप्त करने का मन्त्र ही नहीं है। उसे अपने राज्य में बढ़ रहे उवद्रवों की लहरों पर से तैरकर समुद्र के पार जाना था; परन्तु ऐसा प्रतीत हो रहा था कि उसके हाथों में जोर नहीं है। वह विचार कर रहा था कि इस निर्बलता के भाव से उत्पन्न हुए असन्तोष को किस पर निकाला जाए।

उसकी विचार-माला भंग हो गयी। पैरों की एक भारी आवाज़ आयी। उसने अपने मुख पर से चिन्ता और निराशा के चिह्न जैसे बने वैसे दूर करने का प्रयत्न किया।

"महाराज हैं क्या?"

"कौन, त्रिभुवन? आओ न। बहुत दिनों में मिले। तुम तो बड़े महारथी हो गये हो, इसलिए महँगे हो जाओ, इसमें आश्यचर्य ही क्या है?" असन्तोष से जयदेव ने पूछा।

"मैं महारथी बना हूँ सो महाराज के ही लिए तो!"

"या मैं राजा हूँ तुम्हारे लिए।" ज़रा तिरस्कार से जयदेव ने कहा।

त्रिभुवन के उग्र स्वभाव पर ज़रा आघात हुआ। वह होठ चबाकर, आँखें फैलाकर कुछ देर जयदेव की ओर देखता रहा।

त्रिभुवन के ऊँचे और सुदृढ़ शरीर, उसकी हाथी की सूँड़ के समान विशाल भुजाएँ, उसकी बड़ी-बड़ी शुद्ध हृदय का अकंलक भाव दर्शाने वाली तेजस्वी आँखें, उन

से ऐसा आभास हो रहा था कि जैसे वह शौर्य की प्रतिमा हो। यह देखकर जयदेव अधिक चिढ़ गया। उसे ऐसा प्रतीत हुआ कि इन सिंहों के समूह में केवल एक ही निर्बल बकरे के समान है। वह होठ दबाए मंडलेश्वर की ओर देखता रहा।

"काकाजी," यथासम्भव शान्ति धारण करके त्रिभुवन ने कहा, "आप क्रोधित हो गये हों, तो क्षमा कीजिएगा। इस बात को छोड़ दीजिए। मैं एक विशेष काम से आया हूँ।"

"क्या?"

"मेरा एक सुभट नहीं मिल रहा है। आख़िर में वह डूँगर के साथ राजमहल में आया था, और डूँगर कहता है कि मुझे कुछ मालूम नहीं। मुझे इसमें कोई रहस्य दिखलाई पड़ता है।"

जयदेव के जलते हुए मस्तिष्क में घी पड़ गया। उसने दाँत पीस कर कहा, "कौन काक?"

"हाँ, वही। जिसे मैंने लाट से भेजा था वह।"

"वह कैद में है।"

"कैद में?" लाल-पीले होते हुए मंडलेश्वर ने पूछा, "किस की आज्ञा से?"

"मेरी आज्ञा से।" जयदेव ने अधिकार-पूर्वक उत्तर दिया।

"मुझसे क्यों नहीं पूछा? क्यों कैद किया उसे?"

"मेरी इच्छा।"

"मामा जी और माताजी को खबर है?"

"किसी से पूछने की मुझे क्या जरूरत?"

"क्या जरूरत? क्या जरूरत? हम आपके लिए प्राण देकर मरें, और हमें पूछने की क्या जरूरत?" त्रिभवन का संयम भंग होने लगा। उसका शरीर क्रोध से काँपने लगा।

"त्रिभवुन, तुम मुझे बालक समझ रहे हो, क्यों? यह मैं नहीं सहूँगा।"

"सहना पड़ेगा। महाराज, मेरे सुभट को छोड़ दीजिए। उस उदा की सलाह से काक को कैद करते हुए आपने विचार नहीं किया? पहले मैं हूँ, या उदा?"

"पहले मेरी आज्ञा। कल सवेरे तुम्हारा काक हाथी के पैरों तले होगा, समझे? एक छोटे से नौकर के पीछे इतना बखेड़ा!", तिरस्कार से राजा ने कहा।

"मैं आपकी तरह अपने सेवकों को छोटा और पैरों की धूल नहीं मानता।"

"नहीं, नहीं, तुम तो मुझे अपने पैरों की धूल समझ रहे हो, क्यों न? जाओ, नहीं छोड़ूँगा उसे, तुमसे जो हो, सो कर लो!" कहकर जयदेव जहाँ बैठा था वहीं खड़ा हो गया और अन्दर के कमरे की ओर जाने लगा।

त्रिभुवन एक छलाँग मारकर निकट जा पहुँचा और उसने अपना भयंकर पंजा जयदेव के कन्धे पर रख दिया। जयदेव ने आवाज़ दी, "डूँगर-डूँगर!"

"आपको देखना है कि मुझसे क्या हो सकता है?"

जयदेव ने त्रिभुवन की भयंकर मुखमुद्रा को देखा और वह घबड़ाकर खड़ा हो गया। "तुम्हें खबर नहीं कि मैं कौन हूँ?"

"मुझे खबर है, कि तुम्हारे पिता जैसे उपद्रवी थे, वैसे ही तुम भी बनने लगे हो।" साहस रखकर राजा ने कहा।

इतने में डूँगर आया और इन दोनों का तांडव-नृत्य देखकर अलग खड़ा हो गया।

"मैं जब पिताजी की भाँति बन जाऊँगा," अभिमान से मस्तक को पीछे की ओर कर उसने कहा, "तभी तो मेरा जीवन वास्तव में कृतार्थ होगा। मैंने और मेरे पूर्वजों ने क्या किया है, इसका तुम्हें भान है?" सिंहासन पर बैठ तो गये, परन्तु यह सिंहासन किसके बल पर है, इसका कुछ ध्यान है? स्वयं सिंहासन पर आरूढ़ हो सकते थे, फिर भी मेरे दादा[1] ने उसे तुम्हारे बाप को सौंप दिया। वे इस सिंहासन को धूल में मिला सकते थे, फिर भी मेरे पिताजी ने हजारों समरांगणों में खेलकर इसका प्रताप बढ़ाया; मैं स्वयं इस सिंहासन पर बैठ सकता था, फिर भी तुम्हारे लिए उसको सँभाल रखा। आज लाट और सोरठ पर उसकी सत्ता स्थापित की और अब भी तुम मुझे पहचानते नहीं कि मै कौन हूँ?"

जयदेव कुछ न बोल सका। उसकी दृष्टि में त्रिभुवन अधिक उच्च, अधिक प्रचंड होता प्रतीत हुआ। जयदेव को अपने दादा भीमदेव बाणावली के पराक्रमों की याद आयी; परन्तु ज्यों-ज्यों त्रिभुवन अधिक प्रतापी प्रतीत होने लगा त्यों-त्यों उसके स्वाभिमान को अधिक कठोर आघात लगा और अपनी निर्बलता का उसने अधिक अनुभव किया। उसका बाल-स्वभाव, बुद्धिमानी भूलकर त्रिभुवन को कुचल डालने के लिए तत्पर हो गया।

"और तुम जानते हो कि मैं कौन हूँ?" उसने कहा, "डूँगर, तुम त्रिभुवन को पकड़ लो। पकड़ो, मैं कहता हूँ?"

त्रिभुवनपाल क्रोध में भी खिलखिलाकर हँस पड़ा। डूँगर इस बखेड़े से भयभीत होकर जहाँ-का-तहाँ अलग ही खड़ा रहा।

"मुझे पकड़ना है?" अभिमान-पूर्ण उच्चारण से त्रिभुवन बोला, "अभी बालक हो, अतएव ज्ञात नहीं कि त्रिभुवनपाल मंडलेश्वर को पकड़ना कितना कठिन है। डूँगर, तुम जानते हो कि काक कहाँ है? चलो, मुझे रास्ता दिखाओ।"

डूँगर ने अनेक उपद्रवों के झटके सहे थे, परन्तु यह झटका कुछ भिन्न ही प्रतीत हुआ। वह साहसी था। वह मल्लों के सिर नित्य तोड़ा करता था, परन्तु इस समय घबड़ाई हुई गाय की भाँति एक से दूसरे की ओर देखता रहा।

---

1. क्षेमराज-कर्णदेव का बड़ा भाई, जिसने वाणप्रस्थ होकर सिंहासन अपने छोटे भाई को सौंप दिया था।

"डूँगर, तू नहीं मानता? तू अपने महाराज की आज्ञा नहीं मानता? अच्छा, खड़ा रह!" जयदेव ने कहा और त्रिभुवन को जाने से रोकने के लिए उसका हाथ पकड़ लिया। जैसे छोटे-से बालक का हाथ जरा-सा झटका देकर अलग कर दिया जाता है, उसी प्रकार त्रिभुवन ने जयदेव का हाथ अलग कर दिया और गौरव से डूँगर को आगे होने के लिए संकेत किया।

"महाराज, आप अन्नदाता हैं, परन्तु मंडलेश्वर महाराज भी तो मेरे मालिक हैं।" कहकर डूँगर आगे हो गया। जयदेव की ओर एक तिरस्कारपूर्ण दृष्टि डालकर, त्रिभुवन उसके पीछे-पीछे गया।

जयदेव अचेत-सा होकर देखता रहा। अपनी निराधारता का भान होने से उसका हृदय विदीर्ण हो गया। उसका हृदय कहता था कि डूँगर ने जो कहा और किया वह सारा पाटण और सारा गुजरात कहेगा और करेगा। वह राजा नहीं है, किन्तु नाम का एक पुतला है। स्वाभिमान भंग होने से टप-टप करके उसकी आँखों से आँसू बहने लगे।

उन आँसुओं के साथ उसका क्रोध भी बह गया। वह महत्त्वांकाक्षी था, विचारशील था और कार्य-साधकता का उसमें विकास हो रहा था। वह बालक था, परन्तु प्रौढ़ विचारों और राजनीतिज्ञता के बीज उसके स्वभाव में कभी से अंकुरित होने लगे थे। एक क्षण उसने अनेक विचार किए; अनेक डौल रचे; त्रिभुवन के पीछे दौड़ा और खुले हुए द्वार से आवाज़ लगाई, "त्रिभुवन, त्रिभुवन!"

बड़े-बड़ों को अल्पता का अनुभव कराने वाले गौरव से त्रिभुवन लौटा और जयदेव की ओर देखने लगा। उसने जयदेव की आँखों में आँसू देखे। उसे अपने द्वारा जयदेव के स्वाभिमान पर किए गये आघात का ध्यान आया और उसके हृदय में अपने बाल राजा की ओर राज-भक्ति के अंकुर प्रस्फुटित हुए।

"क्यों?" उसने कठोर स्वर में पूछा।

"मैं काक को मुक्त करता हूँ, तुम इधर आओ। डूँगर, जाओ, जाकर काक भट को यहाँ ले आओ।"

त्रिभुवन के आश्चर्य का पार न रहा। उसने यह ज़रा भी नहीं सोचा था कि जयदेव इस प्रकार बिल्कुल नत हो जाएगा।

"सब के बिना तो मेरा काम चल जाएगा, परन्तु तुम्हारे बिना कैसे चलेगा?" जयदेव ने हाथ बढ़ाकर कहा।

स्नेह-पूर्ण और सरल-हृदय मंडलेश्वर इन स्नेह-भरे वाक्यों को सुनकर हँसा और निकट आकर उसने जयदेव के दोनों हाथ अपने हाथों में ले लिए।

वह बोला, "महाराज, मैंने जो कुछ कहा, उसके लिए क्षमा कीजिएगा; परन्तु आप अनेक बार कोई गणना ही नहीं करते। तब क्या किया जाए?"

"क्या किया जाए? मुझ पर उपकार करके मुझे लज्जित किया करो। मैं तुम्हारा

उपकार कैसे भूल सकता हूँ? तुम मेरे दाहिने हाथ, मेरे समस्त सामन्तों के शिरोमणि हो।"

"तब मुझे अपना समझकर, मेरे पराक्रमों से प्रसन्न क्यों नहीं होते? ऐसा करेंगे, तो आप राजा कैसे बनेंगे?"

"राजा-राजा, त्रिभुवन, मैं कब राजा बनूँगा? मालूम होता है, मैं ईर्ष्या करता हूँ, मैं चिढ़ जाता हूँ, और इसका कारण मेरी महत्त्वाकांक्षा है। इस समय मैं कितना अधम हूँ? मुंजाल हैं, तुम हो, शान्तु हैं, तो मेरा राज चल रहा है। मैं तो केवल इसकी एक शोभा हूँ।"

"ऐसा क्यों कह रहे हैं?"

"ऐसा? त्रिभुवन, यह मैं किससे कहूँ? रात-दिन मुझे स्वप्न दिखा करते हैं; किसे सुनाऊँ? मुझे सच्चा राजा बनना है, सच्चा शासन करना है; मैं अपने पूर्वजों की कीर्ति को भी मन्द कर देना चाहता हूँ, मैं भरतखंड की भूमि को कँपाना चाहता हूँ, अपनी बनाना चाहता हूँ। इस अभिलाषा की अग्नि से मेरा अंग-अंग जला जा रहा है। यह अग्नि कब शान्त होगी? उसके शान्त न होने से ही तो मैं बेचैन रहा करता हूँ, ईर्ष्या से जला करता हूँ और तुम जैसे आत्मीय को शत्रु समझता हूँ भाई!" कहकर जयदेव ने दोनों हाथ दोनों कनपटियों से लगा लिए, "मुझे मार्ग नहीं सूझता।"

जरा स्तब्ध होकर मंडलेश्वर ने धीरे-से उत्तर दिया, "महाराज, इस अग्नि को शान्त करने का मार्ग लीजिए।"

"रास्ता नहीं सूझता।"

"रास्ता सुझाने वाला मैंने आपके पास भेजा था।"

"कौन, काक?" चौंककर जयदेव ने पूछा।

"हाँ।"

"क्या उसे इतना काबिल समझते हो?"

"हाँ काकाजी, जब हम में बुद्धि न हो, तो किसी बुद्धिशाली को अपने निकट रखना चाहिए। मुझ में अधिक सूझ-बूझ नहीं है, परन्तु काक की ही सूझ-बूझ से मैंने जितने विजय प्राप्त किए हैं, उतने अपने बाहुबल से नहीं किए हैं। रा' को किसने हराया?"

"तुमने।"

"यह भ्रम है, उसे काक ने हराया है। विचार कर देखो, उदा मेहता किसी के चक्कर में न आते थे, उन्हें किस ने चक्कर में डाला? काक ने।"

"क्या कह रहे हो? खम्भात में तो उसने बड़ा उपद्रव मचाया था और इससे मैंने उसे कैद किया है।" जयदेव ने कहा।

"सब झूठ है।"

"कैसे? मुझ से तो उदा मेहता ने कहा है।"

"इसी से सब झूठ है। उदा बड़ा उस्ताद है। उसने पहले पहुँचकर काक को कैद करवा दिया।" यह कहकर त्रिभुवनपाल ने खम्भात में काक पर बीता हुआ सब हाल कह सुनाया। इतने में ही डूँगर काक को लेकर आया।

काक का मूल्य कैसे बढ़ा?

तहख़ाने की धूल से लथपथ काक होठ चबाकर, मन को रोककर, लापरवाही से खड़ा हो गया। उसने महाराज को प्रणाम करने का भी कष्ट न उठाया। त्रिभुवन ने डूँगर को हाथ के संकेत से बाहर जाने के लिए कहा। वह चला गया।

त्रिभुवनपाल ने कहा, "काक, जयदेव महाराज तुम्हारी सलाह चाहते हैं।"

"उन्हें मेरी सलाह की दरकार नहीं है।" काक ने कुछ रुष्ट भाव से कहा।

"नहीं, नहीं मुझे दरकार है।" जयदेव ने कहा।

काक ने कोई उत्तर नहीं दिया।

"काक, महाराज तुम्हें क्षमा करते हैं।"

"मैंने कोई अपराध नहीं किया कि मुझे क्षमा की दरकार हो।"

"काक," जयदेव ने कहा, "जो चाहे समझो। मैंने भूल की। अब न होगी, बस?"

"काक, अब बहुत हो गया। महाराज कह रहे हैं, तुम उनकी बात को उड़ा रहे हो?" त्रिभुवन ने कहा।

"जिस स्वामी की दृष्टि में मेरी कदर नहीं, उसकी मुझे क्योंकर होगी?"

"अब शान्त हो जाओ, बहुत हो गया।" जयदेव ने कहा, "काक, गुस्सा कर-करके अब इतना अधिक मान क्यों चाह रहे हो? तुमने इस बार जो सलाह दी थी, वह सब सच निकली। त्रिभुवनपाल ने मुझे खम्भात का सारा हाल सुनाया है। तुम्हारे साथ मैंने अच्छा व्यवहार नहीं किया; परन्तु अब आगे देखना। तुम यह ज़रा नहीं विचारते, कि तुम्हारा महाराजा इस समय अकेला है और सहायक की खोज में है। उसकी सहायता करके सत्ता के शिखर पर ले जाने का काम मैं तुम्हें सौंपना चाहता हूँ। इससे अधिक बड़ा काम तुम जैसे को शोभा दे सकता है? तुम्हें कुछ चाहिए? जो आवश्यकता हो, माँगो। चाहते हो वह माँगो, तुम्हें दूँगा।"

"मुझे आपकी और अपने मंडलेश्वर की सेवा के सिवा कुछ नहीं चाहिए।" काक राजा के शब्दों से पसीज गया।

"तो अब बीती हुई बातों को जाने दो। उस बार हम ने तीन कठिनाइयों की बात की थी—सोरठ का रा', उदा और उबक।"

"जी।"

"तुम्हारे प्रताप से दो तो दूर हो गयीं।"

''प्रताप मेरे महाराज का और आपका।''

जयदेव ने 'मेरे महाराज' को दिया हुआ अग्रस्थान किसी प्रकार गले से नीचे उतारा।

''अब उबक की कठिनाई रह गयी है।''

''उसने क्या किया है? उसके साथ तो सन्धि हो गयी।''

जयदेव ने सब हाल कह सुनाया।

''मुझे जरा अधिक खोज-ख़बर लगा लेने दीजिए, तब मैं बताऊँगा।''

''काक, अब बात को जल्दी समाप्त करो।'' त्रिभुवनपाल ने कहा, ''आज से तुम्हें जयदेव महाराज के कथनानुसार ही सब कुछ पार लगाना है।''

''महाराज को यह पसन्द हो, तो सेवक तैयार है। उस बार भी मैंने यही कहा था।''

''उस बार की बात छोड़ दो।'' जयदेव ने अधीरता से कहा।

''महाराज की जो इच्छा, परन्तु मुझे किसी भी समय आप के पास आने की आज्ञा मिलनी चाहिए।''

''अच्छा, मैं डूँगर से कह दूँगा।''

''महाराज, आज्ञा हो, तो मैं स्नान-सन्ध्या करने जाऊँ? मध्याह्न कभी का बीत चुका है।''

''हाँ, सवेरे से तुमने कुछ खाया भी न होगा?'' त्रिभुवनपाल ने ''चलो, चलें।'' कहकर आज्ञा ली।

''क्यों, क्या काक को अपने यहाँ ले जा रहे हो?''

''महाराज,'' काक ने ज़रा झुककर कहा, ''आज्ञा हो, तो मैं वहीं रहूँ। यदि लोग यह जान जाएँगे कि आप मुझे अपना आन्तरिक व्यक्ति समझते हैं, तो मेरी सारी युक्तियाँ निष्फल हो जाएँगी। मेहरबानी करके मुझे छोड़ देने की बात भी किसी से न कहिएगा, नहीं तो उदा मेहता को खाना-पीना नहीं रुचेगा।'' कहकर वह और त्रिभुवनपाल वहाँ से निकल पड़े।

उन लोगों के जाते ही जयदेव महाराज बोले, ''यह ब्राह्मण पहुँचा हुआ मालूम होता है। जो हो, सो सही। देखूँ तो कि इसकी सहायता से कितना क्या होता है? गाजर की सीटी जब तक बजती रहे, ठीक है, नहीं तो उसे चबाते क्या देर लगती है?''

जयदेव के स्वभाव में अनेक कोण थे। जिस कोण से उसे अनुभव प्राप्त होता, उस कोण से वैसा ही तेज वह प्रकाशित करता। इस समय का कोण धूर्तता का था और इससे वह गहरे, अगाध और अस्पष्ट प्रकाश से चमक रहा था।

त्रिभुवन और काक इधर महल से निकले और उधर मुंजाल मेहता उन्हें आते हुए मिले।

''इस समय कहाँ से? जयदेव महाराज के पास से आ रहे हो?''

''हाँ।'' त्रिभुवनपाल ने कहा।

"तुम्हारे काक कहाँ जा छिपे थे? मैं न जाने कब से खोज रहा हूँ।"

"महाराज, मैं हाज़िर हूँ।" काक फूल उठा कि अब मेरा मूल्य बढ़ा है।

"त्रिभुवन, तुम राजमाता से मिले? ज़रा मिल आओ। तब तक मैं काक से कुछ बातें कर लूँ।"

"अच्छा!" कहकर त्रिभुवनपाल चला गया और मुंजाल मौनमुख महल की ओर जाने लगा। काक उसके पीछे हो लिया।

वे लोग अन्दर जाकर पास के ही एक कमरे में गये और मुंजाल ने अन्दर से जंजीर चढ़ा ली। पूछा, "आज तुम कहाँ धूल में लोट आए?"

अचानक इस प्रश्न से काक कुछ उलझन में पड़ गया। कुछ सँभलकर उत्तर दिया, "नहीं तो महाराज।"

"तब?" पूछकर मन्त्री ने उसके पैरों, घुटनों और हाथों पर लगी हुई धूल की ओर नजर डाली, "जयदेव महाराज और तुम में फिर सुलह हो गयी न? क्यों? चलो, अच्छा हुआ।"

काक यह जानकर चकित हो गया कि मुंजाल मेहता का मस्तिष्क कितने वेग से, कितनी स्पष्टता से कड़ियाँ जोड़कर अज्ञात बात को भी जान लेता है।

"जी हाँ, महाराज की मुझ पर कृपा है।" काक ने कहा।

"होनी ही चाहिए। सोरठ के रा' पकड़े गये सो तुम्हारी ही सलाह से।"

"महाराज, यदि त्रिभुवनपाल न पहुँचते, तो आप के भेजे हुए भटराज परशुराम उन्हें अवश्य दबोच लेते।"

मुंजाल हँस पड़ा, "किसी और को न लेकर राजा ने तुम्हें सलाहकार की भाँति लिया है, यह मुझे बहुत भला लगा।" कहकर मन्त्री ज़रा रुक गया। काक कुछ न बोला। "कारण, कुछ ही समय में तुम्हारे प्रति मुझे श्रद्धा हो गयी है।"

मेरा भाव इतना कैसे बढ़ गया, इसे काक न समझ सका। अतएव उसने उत्तर दिया, "बड़ा अनुग्रह हुआ महाराज!"

"इसलिए तुम्हें एक काम सौंपना है।"

"क्या?"

"आज हमारे यहाँ दो शूर-वीर अतिथि के रूप में आए हैं।"

"एक उबक सेनापति और दूसरे कीर्तिदेव।"

"हाँ, वही। वे क्यों आए हैं, कुछ खबर है?"

"पाटण का आतिथ्य स्वीकार करने के लिए।"

"मैंने समझा था, तुम में बुद्धि अधिक होगी। राजनीतिज्ञ, निरर्थक आतिथ्य कभी स्वीकार करते हैं?"

"क्षमा कीजिए महाराज, मैंने समझा कि कदाचित आप ही बताएँगे कि वे कैसे आए। इससे मैंने नहीं कहा।"

मुंजाल ज़रा हँसा, "अच्छा, अब सच बोलो, तुम्हारी क्या धारणा है?"

"मेरी धारणा यह है कि वे लोग पाटण में मालवे का पक्ष सबल करने के लिए आए हैं।"

"इसका कोई कारण मालूम है?"

"कारण यही कि अवन्ति और पाटण के बीच सदा के लिए सन्धि रहे।"

"काक," मुंजाल ने खुले दिल से कहा, "तुम अच्छे-अच्छे मन्त्रियों के भी कान काट सकते हो।"

"क्यों महाराज?"

"जो बात किसी को ज्ञात नहीं, सिर्फ मुझे ही जिसके विषय में केवल कुछ सन्देह है, उसी का तुम्हें विश्वास है।"

काक कुछ हँस पड़ा।

"इसीलिए तुम्हें बुलवाया है। उबक केवल योद्धा है, उसकी तो कोई गणना नहीं; परन्तु साथ में जो गोरा-सा युवक आया है, वह भयंकर है।"

"जी। उसने त्रिभुवनमाल महाराज के साथ जो वार्तालाप किया, उस पर से मुझे भी ऐसा ही प्रतीत हुआ।" काक ने कहा।

"तो अब देखना केवल यही है कि कीर्तिदेव अपनी धारणा के अनुसार काम कर लेता है, या तुम नहीं करने देते।"

"जैसी आज्ञा।"

"मैं महाराज से कहकर तुम्हें आज्ञा दिला दूँगा। कदाचित मुझे कहने के लिए आने को समय न मिले, तो हर्ज नहीं; परन्तु अन्त में हिसाब सब ठीक दे देना।"

"जी।"

"तो मैं निश्चिन्त रहूँ?"

"जी हाँ, निश्चिन्त रहिए।" उस पर मुंजाल ने इतना विश्वास और श्रद्धा प्रकट की, इससे प्रसन्न होते हुए काक ने कहा।

"अच्छा, जाओ।"

काक चला गया। उसे ऐसा प्रतीत हुआ कि मुंजाल ने उस पर विश्वास करके बहुत गुप्त बात उससे कह दी है; परन्तु मुंजाल मेहता की चाणक्य नीति से वह परिचित नहीं था।

वह गया और उसके जाते ही मुंजाल ने तुरन्त गुमाश्ते-जैसे प्रतीत होने वाले एक मनुष्य को बुलाया। कहा, "बिहारी, अभी जो गया, उस भट को तुम ने देखा? वह त्रिभुवनपाल का सुभट है।"

"जी।"

"उसका नाम काक भट है। वह कहाँ जाता है और क्या करता है, इस पर तुम्हें दृष्टि रखना है।"

"जो आज्ञा, अन्नदाता।"

"देखना, बड़ा जबर्दस्त आदमी है। दिन में दो-तीन बार मुझे ख़बर देना।"

"जी।" कहकर बिहारी चला गया।

मंजरी के स्वामी

त्रिभुवन काक को लेकर फिर अपने महल में आ पहुँचा। काक भोजन की तैयारी में लगा और मंडलेश्वर विश्राम के लिए गये। काक ने भी नित्यकर्म और भोजन आदि से निबट कर यात्रा और तहख़ाने की थकावट उतारने के लिए ज़रा देर सोने का विचार किया। अन्दर के खंड में जहाँ ख़ास घर के लोग रहते थे; एक खाली कोना खोजकर वह सो गया। परन्तु निश्चिन्त होकर सोना उसके भाग्य में न बदा था। वह एकदम चौंककर जाग पड़ा। कारण, कि एक सुसंस्कृत और परिचित स्वर उसके कानों में आ पड़ा। उसका हृदय उछल पड़ा। वह कान लगाकर सुनने लगा। सुनते ही वह बिल्कुल एकचित्त और स्तब्ध हो गया और सुनता ही रहा। वह सब कुछ भूल गया—राजनीतिक चालें, युद्ध-प्रसंग, महत्त्वाकांक्षा, केवल दो स्त्रियों की स्वरलहरी में लीन होकर उनकी बातों को हृदय में उतारते हुए, वह रस-तरंगों में झूलता रहा।

जहाँ वह सोता था, उसके पीछे वाले कमरे मे काश्मीरा और मंजरी झूले पर झूल रही थीं। झूला ज़ोर से चल रहा था और कभी धीमे, कभी जोर से दोनों बातें कर रही थीं। दोनों ललनाएँ पूर्ण यौवन में थीं। दोनों का रूप, ठस्सा और छटा अपूर्व भिन्न-भिन्न लक्षणों वाली, फिर भी मोहक थीं। काश्मीरा, सुगठित शरीर वाली शक्ति की प्रतिमा थी; मंजरी, विकासोन्मुख अंगों वाली मानो परिपूर्ण लक्ष्मी-पद को पहुँचने की तैयारी में थी। काश्मीरा, चपल, उत्साहप्रेरिका और सत्ताधारिणी मालूम होती थी; मंजरी अपूर्व उन्मादक और कल्पना-शक्ति को भी बन्दी बना लेने वाली थी। मालूम होता था कि पुरुष, एक को देखकर तो उसका शासन स्वीकार करने के लिए दौड़ पड़ेंगे और दूसरी को देखकर ऐसा लगता, मानो वे सारे शासनों को तोड़कर उसे पूजने लगेंगे। जब काक का ध्यान आकृष्ट हुआ, तब मंजरी बोल रही थी। उसके कंठ से गर्व और तिरस्कार के साथ निराशा की भी झनकार थी।

"बहनजी, मेरा सम्बन्ध किससे हो सकता है? पिताजी के स्वर्गवास के बाद संसार में मुझे समझने वाला, मुझे रुचने वाला कोई नहीं दीख पड़ता। कहाँ मेरे मनोराज्य के महार्घ वीर और कहाँ ये निस्तेज निराधार तुच्छ प्राणी। किसी में न तो बुद्धि है, न बल है और न आदर्श है। अगर सबका सामान्य लक्षण देखा जाए, तो वह है तुच्छता।"

उत्तर में काश्मीरा देवी हँसी, "अरी मूर्खा, तुझे कुछ ज्ञान है? जैसे वीर पाटण में हैं वैसे क्या और भी कहीं हैं?"

मंजरी ने तिरस्कार से कहा, "हूँ, आपके पाटण के वीर और पंडित सब—"

"तेरे निकट उनकी कोई गिनती नहीं?"

"बहनजी, मेरे साथ बात करते-करते आप का सिर पक जाएगा, जाने दो, इसे। मैं आपके जमाने की नहीं हूँ, त्रिलोकों को गुँजा देने वाले महाकवियों के जमाने की हूँ। मैं पाटण की ब्राह्मणी नहीं, वरना ब्रह्मा, विष्णु, और रुद्र को अपनी गोदी में खिलाने की हवस रखने वाली दूसरी अनुसूया हूँ।"

"यह तो कौन जानता है, पर तू है पगली।"

"पर मेरा यह पागलपन ही मेरे खयाल में बुद्धिमानी है।"

"परन्तु तू ऐसी की ऐसी कब तक बनी रहेगी? न पिता हैं, न भाई, इस उम्र में इस प्रकार अकेला कैसे रहा जाएगा? अनुसूया तभी न बनेगी, जब कोई अत्रि होगा?" काश्मीरा ने हँसते-हँसते कहा।

"बहनजी, सो मैं जानती हूँ। वह काक भट न होता, तो मुझे प्राण गँवाना पड़ता। मोहिनी के रूप ने जैसे देव और दानवों को अस्थिर कर दिया था। वैसे ही मेरे रूप में भयंकर शक्ति है। अतएव लालसा के सेवक दुःख देने आएँगे; दुःख देंगे, सताएँगे, परन्तु मैं किससे विवाह करूँ? किसके साथ सम्बन्ध करूँ? मैंने अभी आपसे क्या कहा है? मैं जहाँ देखती हूँ, मुझे वहाँ तुच्छ जीव नजर आते हैं। इनमें से मैं किसकी दासी बनूँ?" भयंकर काटक्ष से मंजरी ने पूछा। उसके शब्दों की अपेक्षा उसके बोलने का ढँग गर्वपूर्ण और हृदय-भेदक था। काक का हृदय रो पड़ा। मंजरी की बातें सच थीं; फिर भी वे उसकी आशाओं का खून कर रही थीं।

"किसी का छुटकारा हुआ है कि तेरा होगा? तू बड़ी पंडिता है न, फिर भी इस प्रकार धर्म को क्यों किनारे छोड़ रही है? तू अभी घबड़ा रही थी कि खम्भात का सेठ तुझे पकड़के न-ले जाए। तब फिर तेरा धर्म कैसे बचेगा? किसी के साथ विवाह क्यों नहीं कर लेती? फिर किसकी ताब है कि तेरा बाल भी बाँका कर सके?" काश्मीरा ने मंजरी के कन्धे पर हाथ रखकर कहा।

"श्रावक बनना अथवा किसी तुच्छ प्राणी से विवाह करना, मेरे लिए दोनों बातें अधमता की चरम सीमा है।"

"खबरदार! मेरे पीहर वाले श्रावक हैं और मेरी सास भी श्रावक थीं। और तेरे खयाल में जब सभी क्षुद्र जीव हैं, तब मेरे पति मंडलेश्वर भी वैसे ही हुए!" कहकर काश्मीरा फिर हँसने लगी। वह मंजरी को धीरे-धीरे विवाह की बात पर ले आ रही थी। बाहर सोता हुआ काक यह समझ गया और उसको मन-ही-मन सच्चे हृदय से उसने धन्यवाद दिया।

"तो फिर मुझसे आप ऐसी बातें कहलवाती ही क्यों हैं? मैं कैसे विवाह कर

सकती हूँ?'' मंजरी ने ऐसे गौरव से कहा, जैसे वह स्वयं महाराणी हो और मंडलेश्वर की पत्नी दासी।

''सो तो अपने आप ही समझ में आ जाएगा। बहुत-सी तो अन्धे और लँगड़े पतियों तक की सेवा करती हैं। वे कैसे करती होंगी?''

''मैं भी करती हूँ, जो दिल मैं बैठ गये हैं, उनकी! दूसरों के लिए वे भले ही निकम्मे हों।''

काश्मीरा चौंक पड़ी। ''ऐं!''

''हाँ।''

''अरे, यह क्या?''

''सच कह रही हूँ। मैंने एक बार आपसे कहा था, मेरा स्वभाव विचित्र है।''

''परन्तु तूने अपने हृदय में किसे बिठा लिया है, सो तो बता। बात को क्यों उड़ा दे रही है?''

''मैं कहाँ बात उड़ा रही हूँ? आप कहती हैं कि मैं अकेली हूँ; परन्तु वास्तव में देखा जाए तो मेरा संसार भरा-पूरा है। आप कहती हैं कि मुझे विवाह करना चाहिए, परन्तु सच पूछो तो मेरा विवाह हो चुका है।''

''क्या बक रही है?''

''बिल्कुल सच्ची बात है। विवाह से आप को जो सुख मिलता है, उससे कहीं अधिक सुख मेरे पति मुझे दे रहे हैं।''

''पति! तुझे कुछ होश भी है या नहीं? कुछ भान है?'' कहकर काश्मीरा एकदम झूले को रोक कर उस पर से उतर पड़ी और मंजरी को पगली समझकर उसकी ओर आँखें फाड़कर देखने लगी।

''मेरे होश-हवास दुरुस्त हैं। घबड़ाइए मत। मेरे पति बहुत-से हैं। पांचाली से भी अधिक।''

काश्मीरा की समझ में ही न आया कि वह मंजरी की बात पर हँसे या क्रोध करे। उसे ऐसा प्रतीत हुआ कि मंजरी उसके साथ मजाक कर रही है, परन्तु वह गम्भीर और शान्त थी। अपने प्राणनाथ की बात करते हुए उसके प्रफुल्लित नयन वैसे ही चमक रहे थे जैसे एक नवोढ़ा के चमकते हैं। उसके मुख पर एक उमंग-भरी लजावती नववधू के मुख पर जो रेखाएँ प्रदीप्त हो उठती हैं वे ही रेखाएँ दीख रही थीं। अभी तक वह जिस गर्वपूर्ण शान्ति के साथ बात कर रही थी, वह अब न रहा था। उमंग भरकर वह रसभरी बातें करने लगी।

''उन में से किसी एक का नाम तो बतला। तेरी बात तो कुछ समझ में ही नहीं आती।''

काक ने नाम सुनने के लिए एकाग्र होकर कान लगा दिए और उन सब का संहार करने का उसने मन-ही-मन संकल्प कर लिया।

“मेरे पहले प्राणनाथ मेरे पिता द्वारा समर्पित पहले मुकुटमणि कौन हैं, जानती हो? कालिदास।”

“कालिदास कौन?”

बड़ी उमंग से मंजरी ने कहा, “कालिदास हैं मेरे हृदय के हार। अहर्निवश वे मेरे साथ रहते हैं। खाते-पीते उठते-बैठते हमारे दोनों के हृदय एक ही तान छेड़ते रहते हैं। हम साथ-ही-साथ गगन में विचरण करते हुए मेघों को देखा करते हैं, —निकट होते हुए भी दूर बनकर मेघदूतों से सन्देश भेजा करते हैं। हृदय में रस उँड़ेलकर एक-दूसरे को खोजा करते हैं। जीवन के विलासों को भोगते हुए अपने बाल-बच्चों का लालन-पालन किया करते हैं।”

काक की समझ में ही नहीं आया कि मंजरी किस के विषय में बातें कर रही है। काश्मीरा भी चकित होकर देखती रह गयी।

“बच्चे?”

“हाँ, हमारे बच्चे हैं—शकुन्तला, पुरुरवा, मालविका;—बहुत से। यह सब मेरे बच्चे हैं, —क्योंकि मेरे प्राणनाथ ने इन्हें जन्म दिया है।”

“परन्तु हैं कौन वे?”

“नहीं पहचानतीं समस्त कवि-मंडल के तिलक मेरे कालिदास को? विक्रमादित्य के प्रिय सखा को?” काश्मीरा की ओर तिरस्कारपूर्ण दृष्टि से देखते हुए उसने पूछा।

“वह विक्रमादित्य की सभा का कालिदास?” अन्त में समझने पर काश्मीरा ने पूछा।

“वही।” मंजरी ने हँसकर कहा, जैसे कोई विजय प्राप्त की हो।

काश्मीरा समझ गयी और इस विचित्र बाला का मनोराज्य देख खिलखिलाकर हँस पड़ी।

“हाय, हाय, मुझे व्यर्थ ही घबड़ाकर मार डाला।” काश्मीरा ने कहा। वह बड़ी पक्की थी और मंजरी के स्वाभाव और उसकी लहरों को जान गयी थी और अपनी मीनल काकी की कला से वह मंजरी को अपने इच्छानुसार चलाने की कोशिश करने लगी। “और कौन-कौन हैं? सब ऐसे ही हैं या उनमें कोई शूर-वीर योद्धा भी है?”

“यह न सोचिएगा कि केवल आप ही योद्धाओं को पूजने वाली हैं। मैंने भी बहुत-से योद्धाओं को वरमाला पहना रखी है।”

“किस-किसको? ज़रा कहो तो सही।”

“किस-किसको? मेरे वीर, मेरे योद्धा, आपके योद्धाओं की भाँति अपदार्थ नहीं हैं। मेरे महाप्रतापी स्वामी, वीरों में भी वीर, सकल शस्त्रविद्या के पिता परशुराम हैं।”

"कौन, सज्जन मन्त्री का लड़का?"

"कह क्या रही हो?" मंजरी की आँखों से गर्व और उत्साह की चिनगारियाँ निकल रही थीं। उसका तेजस्वी मुख अनिवार्य भावों से तमतमा रहा था।

"मेरे परशुराम? मेरे परशुराम तो त्रिपुरारि के अवतार हैं। अनेक भीष्म और कर्णों को शस्त्र-विद्या सिखाने वाले महागुरु, इक्कीस बार निःक्षत्रिय करके भूमंडल को कँपा देने वाले समर्थ महारथी, सर्वशास्त्रविशारद महर्षि, पल भर में सारी पृथ्वी दान कर देने वाले जमदग्नि के पुत्र। बहनजी, आप मजाक कर रही हैं? कीजिए, भले ही कीजिए। आपके खयाल से वे किताबों के बैंगन हैं, पर मेरे लिए तो वे प्राणों के आधार हैं। आप मंडलेश्वर की पटराणी बनकर गर्व से झूम रही हैं। मैं ब्राह्मण-श्रेष्ठ भगवान की अर्धांगिनी हूँ। इसी में खुश हूँ। बहनजी, उनके शब्दों से शास्त्र रचे जाते थे, उनकी गर्जना से शेषनाग डोलने लगता था, उनके फरसे की चमक से महाराज्य नष्ट-विनष्ट हो जाते थे, उनके तप से देव-देवेन्द्र भी थर्रा उठते थे अगर प्राण अर्पित करना हो, तो ऐसे की हो करना चाहिए।"

"परन्तु ऐसी बातें किस काम की? उनसे क्या सदेह विवाह हो जाता है?"

"क्यों नहीं? आप मंडलेश्वर को निरखती हो, उससे भी अधिक स्पष्टता से मैं उन्हें निरखती हूँ—उनके शब्दों को सुनती हूँ—उनके जीवन के आदेशों को समझती हूँ। तुम्हें वे नहीं दीखते होंगे, परन्तु मैं उन्हें देखती हूँ, जैसे उन्हें महाराज दशरथ ने देखा था वैसे ही।" कहकर भावों और तरंगों से उछलते काँपते हुए स्वर में वह बोली—

ददर्श भीमसंकाशं जटामंडलधारिणम्।
भार्गवं जामदग्नेयं राजा राजविमर्दनम्।।
कैलाशमिव दुर्धर्षं कालाग्निमिव दुःसहम्।
ज्वलन्तमिव तेजोभिर्दुर्निरीक्ष्यं पृथग्जनैः।।
स्कन्धे चासज्जपरशुं धनुर्विद्युद्गणोपमम्।
प्रगृह्य शरमुग्रं च त्रिपुरघ्नं यथा शिवम्।।[1]

काक को प्रतीत हुआ, जैसे अन्तिम शब्द सुमधुर संगीतमय नृत्य करते हुए किसी झरने के द्वारा नीचे गिरते हुए उच्चरित हुए हों। काश्मीरा देर तक उत्साह की तरंगों के तेज से प्रदीप्त मंजरी को देखती रही और फिर बोली, "भाड़ में गयी तेरी कहानी।

---

1. राजा ने (दशरथ ने) भयंकर जटामंडलधारी, राजाओं के विनाशक, कैलाश के समान अजेय, कालाग्नि के समान असह्य, तेज से चमकते हुए, सामान्य जनों को न दीखने वाले, कन्धे पर फरसा रखे हुए और विद्युत्समूह के समान धनुष और उग्र शर लेकर (आते हुए) त्रिपुर का विनाश करने वाले शंकर के समान, भृगुवंशोत्पन्न जमदग्नि के पुत्र परशुराम को देखा।
—रामायण बालकांड, सर्ग 74

छोड़ इसे। जो समझ में आएँ ऐसी बातें कर। ये तो ऐसी बातें हैं कि तू ही बोले और तू ही समझे।" काश्मीरा मंजरी की बातों का अर्थ उसके शब्दों की अपेक्षा मुख और स्वर के भाव से अधिक समझ रही थी। मंजरी की कल्पना-शक्ति की बढ़ती हुई बाढ़ रुक गयी। उसने काश्मीरा को श्लोकों का अर्थ समझाया। "बहनजी, आप वीर-वीर कर रही हैं, सो वीर तो इनका नाम है। मानोगी? मैं तो इनके साथ रहती हूँ, इनके पैरों पर पैर रखकर चलती हूँ, इनकी विजय से विजय प्राप्त करती हूँ, इनका त्र्यंबक लेकर जनक के दरबार में जाती हूँ, इनका परशु लेकर अपने हाथों क्षत्रियों का शिरच्छेद करती हूँ।" उसने अपनी छोटी-सी मुट्ठी बाँधकर आगे कहा, "हम दोनों पृथ्वी को निःक्षत्रिय करते हैं, त्रिभुवन को कँपाते हैं। इन्द्रासन को डोलाते हैं। बहन, बहन, आपको मैं पगली मालूम होती होऊँगी, परन्तु मेरे विचार से तो आप का संसार मायाजाल है, मेरा संसार ही सत्य है,–प्रत्यक्ष है अब आपके इस जमाने के तुच्छ वीरों की मेरे आगे क्या बिसात है? किस वीरता पर आपने उन जामदग्नेय की वरमाला दूसरे के गले में अर्पित करूँ?" उसके नाक सिकोड़कर ज़रा अधिक शान्त होकर पूछा।

"तुझे जामदग्नेय ही चाहिए तो हमारा काक भट है।" काश्मीरा ने इस प्रकार कहा, जैसे यों ही ठिठोली कर रही हो। "उसका गोत्र भी कुछ ऐसा ही है। उस दिन तू माथापच्ची कर रही थी न?"

बाहर काक का प्राण तालू से जा चिपका।

"कौन काक?" मंजरी फिर पहले जैसी थी वैसी ही गर्विष्ठ और शान्त हो गयी, "बहिनजी, ऐसी बात न कहो। क्या यही महान योद्धा और यही महान ब्राह्मण है? न संस्कृत का ही ज्ञान है, न पूर्ण संस्कार ही हैं और न बड़ा योद्धा ही है। आप तो उसी के पीछे पागल हो गयी हैं।"

काक को ऐसा प्रतीत हुआ, जैसे उसके हृदय की धड़कन रुक गयी है। मंजरी की तिरस्कार भरी बातें उसे अल्पता के विष के घूँट पिला-रही थीं। उसके हृदय में उत्पन्न हुई व्यथा से उसकी आँखों में पानी भर आया। मंजरी के भयंकर शब्दों की प्रतिध्वनि उसके कानों में गूँजने लगी। वह एक अधम सेवक है,–न ब्राह्मण, न योद्धा।

"वह क्या बुरा है? अच्छे-अच्छे भूपतियों को भी पानी पिला सकता है। तुम कहाँ नहीं जानतीं? उसी के कारण तुम बचीं और जीवित आयीं। उसी के कारण रा' पराजित हुआ और पकड़ा गया। उसे मेरे मंडलेश्वर अपना दाहिना हाथ समझते हैं। आगे शीघ्र ही बढ़कर वह भटराज हो जाएगा। जागीर मिलेगी, दौलत मिलेगी, और संभव है, सेनापति भी हो जाए।"

"बहनजी, मैं-मैं-मैं और काक से विवाह करूँ? कहाँ मैं और कहाँ वह लाट का भटकने वाला भट?"

"परन्तु वह तो यों नहीं कहता है कि कहाँ मैं मंडलेश्वर का प्रियपात्र सुभट और

कहाँ तू बे-घर-बार की एक भटकती छोकरी?'' काश्मीरा ने एक के पश्चात् दूसरी युक्तियाँ आजमानी शुरू कीं।

''भले ही न कहे। न देखीं कभी रवि-किरणें, न जाना उनका प्रताप, तो क्या इसी से उल्लू दूरदर्शी हो गया?''

काश्मीरा क्षण भर इस अभिमान को देखती रह गयी। उसे मंजरी की ओर आकर्षण होता था। उसका सौन्दर्य, सरलता और गर्व भी काश्मीरा को अलौकिक और प्रिय लगते। उसे स्नेह की एक उमंग आयी और वह मंजरी से लिपट गयी। बोली, ''मंजरी, तू तो अद्भुत है।''

मंजरी, इस प्रकार स्वस्थता से आलिंगन से छूट गयी, जैसे उसे इस बात में कोई नवीनता ही न मालूम हुई हो, और बोली, ''बहन, संसार में पदवी, पैसा या बहादुरी से ही श्रेष्ठता नहीं मिल जाती।''

''तब?''

''पहले संस्कार और शुद्धता चाहिए। यदि ब्राह्मण ही संस्कार और शुद्धता से भ्रष्ट हो जाएँ, तो पृथ्वी रसातल को चली जाए।'' मंजरी ने गर्व से कहा।

''यानी तुम्हारे विचार से काक न संस्कारी है और न शुद्ध ही, क्यों? अच्छा कहने दे उससे।''

''भले ही कहिए।''

काक हृदय-शून्य बनकर कुछ देर पड़ा रहा। जो कुछ थोड़ी-बहुत संस्कृत उसे आती थी, उसकी सहायता से वह मंजरी के बोले हुए श्लोक को याद कर रहा था—''कैलासमिव दुर्धर्षं'' उसने कपाल ठोक लिया। ''कहाँ मैं जमदग्नि गौत्रज और कहाँ जामदग्नेय भगवान परशुराम? मंजरी ने सच कहा। मैं निर्बल निराधार हूँ। कहाँ मेरे वीर पूर्वज और कहाँ मैं बौना वीर? 'कालाग्निमिव दुःसहम्' मंजरी के योग्य मैं पति हूँ? नहीं, नहीं।'' कुछ क्षण वह मौन पड़ा रहा।

''पर मैं बुद्धिशाली हूँ, बहादुर हूँ, मंडलेश्वर का सम्मानित हूँ, मंजरी के योग्य क्यों नहीं हूँ? हाँ, मैं अल्प हूँ, मुझमें विशालता नहीं है। 'त्रिपुरघ्नं तथा शिवम्' मंजरी, तुम्हारी बात सत्य है...मंजरी, ठीक है। तुम भी देखोगी।'' कहकर वह उठ बैठा।

''कलियुग आ गया है, परन्तु मेरी रगों में शुद्ध सनातन रक्त बह रहा है। तुम भी देखोगी कि काक निर्बल है कि 'राजविदर्मन' है?'' कहकर काक खड़ा हो गया।

दो पुराने मित्र

उबक सेनापति महाराजा के पास से उठकर, सज्जन के साथ राजमहल के दूसरे खंड में गया। उबक का आतिथ्य सज्जन मेहता को सौंपा गया था।

वे दोनों शान्ति से बैठे और विनयशील सेवक जल और पान रखकर चले गये। कीर्तिदेव अभी बाहर ही खड़ा हुआ कुछ योद्धाओं से वार्त्तालाप कर रहा था। इन दो वृद्ध योद्धाओं ने इस एकान्त अवस्था में पहली बार एक दूसरे के सामने स्मितपूर्ण और स्नेह-सिक्त दृष्टि से देखा।

"कितने वर्षों में मिले?" उबक ने कहा, "परन्तु तुम तो ज्यों-के-त्यों हो।"

"हाँ भाई, परन्तु तुम ज़रा दुर्बल दिखलाई पड़ते हो। शरीर पर घावों के निशान भी बढ़ गये हैं, क्यों?" तकिए के सहारे टिककर सज्जन मेहता ने कहा।

"मित्र, मेरी वयस घावों से गिनी जाती है, वर्षों से नहीं।" मूँछ पर ताव देते हुए उबक बोला, "याद है, अपनी पहली चोट?"

"क्यों नहीं! भीमदेव महाराज ने जब तुम्हारे भोजराज को समाप्त किया, तब मैंने की थी, वह कैसे भूली जा सकती है?" कहकर सज्जन खिलखिला उठा।

"अहा, वह भी क्या अवसर था!" उबक की एक आधी आँख बाल्यकाल के आनन्द का स्मरण करके हँस उठी, "वह अवसर तो गया।"

"हाँ जी," सज्जन ने ज़ोर से कहा, "कहाँ हम लोगों की वह भयंकर भिड़न्त, और कहाँ आज-कल के लड़कों का यह खेल? परन्तु परमार,", चारों ओर सावधानी से देखकर वह बोला, "उसका क्या हाल है?"

"किसका?"

"अरे वही!"

"मन्त्रिवर्य, तुमने मुझ पर बड़ा अनुग्रह किया। कैसा अच्छा लड़का है!"

"कुल को लजाने वाला तो नहीं है?"

"नहीं जी, वह तो दोनों कुलों को तारने वाला है। तुमने पहचाना नहीं? मेरे साथ–"

"वह जो लड़का है, वही?"

"हाँ।"

"उसका नाम?"

"कीर्तिदेव।"

"कितना रूपवान है? कितना बढ़ गया है?" साश्चर्य बोलते हुए सज्जन ज़रा सतर हो गया।

"कैसे पागल हो, सोलह वर्षों का समय भी तो बीत गया!"

"ऐं?"

"और क्या? मैं जब देवपट्टण की यात्रा को गया था, तब की बात है।"

"समय भी कैसे बीत जाता है! परन्तु युद्ध में कैसा है?"

"मन्त्री जी, युद्ध में हम लोगों को भी लज्जित कर सकता है। चातुर्य में बड़े-बड़े कविवर उसकी प्रतिष्ठा करते हैं।" सेनापति ने संक्षेप में कहा।

"हमने इसे खो दिया, अन्यथा यह अपने पिता की और हमारी शोभा बढ़ाता।"

"इसका पिता कौन है, यह तो तुमने कहा ही नहीं?"

सज्जन के माथे पर बल पड़ गये। उसकी आँखों में ग्लानि का भाव आ गया। वह बोला– "सेनापतिराज, इस कर्म-कथा को जाने दो, परन्तु लड़के ने अपने कुल का पता नहीं लगाया?"

"लगाया था। यह जानने के लिए तो वह बहुत उत्सुक है; परन्तु मैंने कहा कि मुझे खबर नहीं। अतएव बेचारा अधिक नहीं पूछता। उसके हृदय में यह जानने की बड़ी अभिलाषा है। बतला दो न भाई!"

"अभी नहीं।"

"कुल कलंकित तो नहीं है?"

"ऐसा कुल सारी पृथ्वी पर मिलना कठिन है।" खेदयुक्त गर्व से सज्जन ने कहा, "परन्तु भाई उबक जी, इस विषय में अधिक बातें करना व्यर्थ है।"

"बेचारा यह तो जानता है कि गुजरात का हूँ और इसीलिए पाटण आने के लिए तरस रहा था।"

"तुब कुछ दिनों यहाँ रहने दो।"

"पूर्णिमा तक तो है ही। आगे के लिए विचार किया जाएगा।"

"रहने दो। आज कई दिनों से मिलने की इच्छा थी।" सज्जन ने कहा, "उसे मेरे घर भेजना।"

"अच्छा बात है।" उबक ने आवाज दी, "कीर्ति!"

"जी" कहकर कीर्तिदेव सम्मान-सहित आकर हाथ जोड़कर खड़ा हो गया।

"इन्हें पहचानते हो?" सज्जन की ओर अँगुली से संकेत करके सेनापति ने कहा।

"चाँपानेर गढ़ के दुर्जय पति को कौन नहीं पहचानेगा?" अपने सुन्दर नयनों को सविनय ऊँचा करके कीर्तिदेव बोला।

सज्जन अवर्णनीय स्नेह से उसकी ओर देखने लगा।

"परन्तु मेरे मित्र के रूप में कहाँ पहचानते हो।" उबक ने कहा।

"परमार और ये बाल्यकाल के मित्र हैं। जिस युद्ध में सबसे पहले इन्होंने पैर बढ़या था, उसी में मैंने भी मंगलाचरण किया था।"

"जी।"

"और तब से एक दूसरे की चोटें सहते और सन्धि होने पर एक साथ मिलते सारा जीवन बिताया है।" सज्जन ने कहा, "सेनापति, हमारी मैत्री को कितने वर्ष हुए होंगे?"

"तुम्हारे पुत्र की वयस से भी दो वर्ष अधिक।"

"हाँ, परशुराम की वयस चालीस के लगभग होगी।"

"तो बस, समझ लो। कीर्तिदेव", उबक ने कहा, "सज्जन मेहता की जोड़ सारी पृथ्वी पर नहीं है।"

"हाँ जोड़ नहीं है, परन्तु एक योद्धा बढ़-बढ़ कर हैं; और वह सेनापति उबक।"

"अच्छा, कीर्तिदेव, तुम इनके यहाँ जाओ।"

"जो आज्ञा।" कीर्तिदेव ने कहा।

"तुम भी वणिक हो, इसलिए कोई आपत्ति नहीं होगी।"

"जी।"

"अच्छा, चलो तब।" कहकर सज्जन मेहता ने आज्ञा ली।

सज्जन मेहता कीर्तिदेव को साथ लेकर हाथी पर चढ़े और अपने घर की ओर चले, मार्ग में वृद्ध योद्धा के मुख पर अनेक भाव दिखलाई पड़ रहे थे। वे कीर्तिदेव की ओर इस प्रकार देख रहे थे, मानो बहुत वर्षों के बाद खोया हुआ रत्न मिल गया हो। कभी वह निःश्वास लेते और कभी स्मित करने लगते थे।

कीर्तिदेव की अस्पर्श्यता अटल रही। इन सब भावों को उसने नहीं देखा। वह केवल पाटण के लोगों की ओर देखकर गहन विचार कर रहा था।

कीर्तिदेव क्यों आया?

मंजरी की बातों को रटता हुआ काक घर से बाहर निकला। उसकी महत्त्वाकांक्षा प्रदीप्त हो उठी थी; उसकी इच्छा-शक्ति निश्चल बन गयी थी। 'मंजरी से विवाह!' ये दो शब्द उसके मस्तिष्क में अंगारों के समान दहक रहे थे।

पुरुष जिस स्त्री को देवी के समान पूजता हो, उससे अपना स्वामित्व स्वीकार कराना; उसके हृदय की बड़ी से बड़ी अभिलाषा होती है। यह कायर को नर बनाती है और नर को देव या पिचाश बना छोड़ती है। सामान्य अवसरों को भी ऐतिहासिक गौरव से अनोखा बना देती है और मनुष्य-जीवन को सफल कर देती है। वह अभिलाषा इस समय काक के रोम-रोम में व्याप्त हो गयी और उसने अपनी कल्पना-शक्ति का उद्दीपन करके, जमदग्नि-सुत परशुराम का रूप धारण कर लिया। काक मार्ग में चलते-चलते बड़बड़ाने लगा—"कैलासमिव दुर्धर्षं कालाग्निमिव दुःसहम्।"

वह बड़े वेग से पैर उठाता हुआ सज्जन मेहता के घर की ओर चला। जब से उसने पाटण में पैर रखा था, तब से उसे अपने पुराने मित्र कृष्णदेव से मिलने की बड़ी इच्छा हो रही थी। कृष्णदेव के विषय में उसने अनेक संकल्प-विकल्प किए थे और यह जानना उसे बहुत आवश्यक प्रतीत हो रहा था कि वास्तव में कृष्णदेव कौन है। उसने सज्जन मेहता के यहाँ जाकर कृष्णदेव की खोज की और यह जानकर वह बहुत प्रसन्न हुआ कि अभी कृष्णदेव यहीं है। वह पूछता हुआ अन्दर गया। पत्थर से पटे शीतल-

चौक में उसने कीर्तिदेव, कृष्णदेव, सज्जन के छोटे लड़के लक्ष्मण और अन्य दो एक जवान योद्धाओं को बैठे देखा।

कीर्तिदेव औंधे पैरों बैठा था। छलाँग भरने से पहले सिंह का-सा उसका सारा शरीर चपल, संकुचित और आवेश के वेग से काँपता हुआ दिख रहा था। स्वभावजन्य निश्चिन्तता से तकिए पर पड़े हुए, पैर लम्बे करके कृष्णदेव आराम से सुन रहा था। पूज्यभाव प्रदर्शित करता हुआ मुख कीर्तिदेव की ओर फेरकर लक्ष्मण उसे एकटक देख रहा था।

मंजरी के कोड़े से काक का स्वाभिमान तिलमिला रहा था। अपनी अभिलाषा को परितृप्त करने का दिन दूर होने से वह अल्पता का अनुभव कर रहा था। ऐसे समय कार्तिकेय के समान भास होते हुए कीर्तिदेव की भव्यता तथा तेजस्विता और कृष्णदेव की सृष्टि का शासन करने के लिए अवतरित राज-राजेन्द्र की-सी लापरवाही और गौरवपूर्ण मनोहरता देखकर काक मन-ही-मन बहुत संकुचित हुआ। वह अपने तथा इन दोनों के बीच का अन्तर समझकर जलने लगा। दूसरे क्षण हृदय-दौर्बल्य का त्याग कर परंतप की भाँति उसने गर्व से विचार किया। भले ही ये दोनों रूपवान हों, –दोनों गौरवशाली प्रतीत होते हों, तो भी, वह स्वयं, जैसा मंजरी ने कहा था, शुद्धता और संस्कारों में श्रेष्ठ है, उसकी रगों में अनन्त काल से भूदेवों का विशुद्ध रक्त बह रहा है, यह विचार आते ही कि सारी धरणी उसके पूर्वजों के प्रताप से टिकी हुई है, उसके शरीर में विद्युत प्रकट हो गयी। उसके मुख पर गौरव छा गया।

"नमस्कार कीर्तिदेव, नमस्कार कृष्णदेव, कहिए, कुशल तो है?"

कीर्तिदेव ने एकदम सिर उठाकर ऊपर देखा। कृष्णदेव ने धीमे से तिरस्कार भरी दृष्टि डाली।

"आपका नाम काक भट है?" कीर्तिदेव ने बहुत ही मधुर और मनोहर हास्य से कहा।

काक हृदय एकदम इस अद्‌भुत व्यक्ति की ओर आकृष्ट हो गया। "मुझे सवेरे मालूम न था कि आप ही का नाम काक भट है।" कीर्तिदेव ने कहा, "मैंने आपकी बहुत कीर्ति सुनी है। लोग कहते हैं कि वास्तव में रा' को आपने ही पराजित किया।"

काक इस अचानक प्राप्त प्रशंसा को सुनकर चकित हो गया। कृष्णदेव ने तिरस्कार से अपना मुख मरोड़ा।

कीर्तिदेव के स्वर में, बोलने की रीति में, उच्चकुल-तिलकों को शोभा देने वाली संस्कारिता थी। इसके उपरान्त भी उसमें देववाणी की झंकार और एक अज्ञेय तटस्थता के साथ उत्साह। उसके प्रभावशाली नेत्रों ने स्नेह और मैत्री को आकृष्ट करने वाली किरणें डालीं। उन सूर्य की-सी किरणों ने काक के हृदय को विकसित और आकृष्ट कर लिया।

"हाँ जी, काक भट," ज़रा विनोद से कृष्णदेव ने कहा, "तुमने भी बड़ा भारी शिकार मारा, क्यों?"

कृष्णदेव ज्यों-का-त्यों शान्त, संयत और तिरस्कार-पूर्ण था। काक की धारणा के अनुसार तो वह इस समय शोकग्रस्त होना चाहिए था; परन्तु वह धारणा असत्य हो गयी। काक को प्रतीत हुआ कि कृष्णदेव कौन है, यह समस्या अब भी वह भली भाँति हल नहीं कर सका है।

परन्तु कीर्तिदेव की बातों ने उसे अधिक देर विचार करने का अवसर न दिया। "काक भटजी, आप आए, बहुत अच्छा हुआ। आपकी ख्याति सुनकर आपसे मिलने की बहुत इच्छा थी। मुझे पाटण के समस्त वीरों से मैत्री करना है। पाटण तो एक स्थूल शरीर है, पर इसकी आत्मा तो आप सब लोग ही हैं।" कोई दूसरा यह बात कहता, तो काक को बड़ी प्रशंसा प्रतीत होती; परन्तु कीर्तिदेव इन शब्दों को ऐसे बोल रहा था, जैसे एक-एक अक्षर सार्थक हो; और उच्चारण इस प्रकार कर रहा था जैसे कोई साधारण बात हो। इससे सुनने वाले को खुशामद नहीं मालूम होती थी, फिर भी शब्दों का जादू रग-रग में प्रविष्ट हो जाता था।

"मेरा भी अहोभाग्य कि यहाँ आ पहुँचा। कहिए, पाटण कैसा मालूम हो रहा है?" कहकर काक सामने बैठ गया।

"जब आप आए, तब मैं यही बात कर रहा था।" कीर्तिदेव ने कहा। पाटण और अवन्ति मुझे तो आर्यावर्त्त की दो आँखें मालूम हो रही हैं।"

"कमी केवल यही है कि ये दोनों आँखें एक सीध में नहीं देख सकतीं।" कृष्णदेव ने कहा।

"क्यों नहीं देख सकतीं," कीर्तिदेव ने कहा, "अब तो सन्धि हो गयी है, और महाकालेश्वर प्रभु की इच्छा होगी, तो सदा रहेगी। आपका क्या खयाल है काक भट जी?"

"मुझे इसमें सन्देह है। पाटण को युद्ध से विश्राम लेना अच्छा नहीं लगता।"

"मैं कब यह कहता हूँ? मेरा कहना तो यह है कि युद्ध किया जाए, परन्तु अवन्ति के विरुद्ध नहीं, उसके साथ रहकर।"

"इस युग में तो यह नहीं होगा।" कृष्णदेव ने तिरस्कार से कहा।

"क्यों नहीं होगा कृष्णदेव जी? यह विरोध का नहीं, परन्तु सन्धि रखने का है।"

"रखी जा सके तो बहुत शुभ; परन्तु ऐसा प्रतीत नहीं होता कि सन्धि अधिक समय रखी जा सकेगी।"

"कारण, तुम्हें भान नहीं कि हमारे सिर पर क्या मँडरा रहा है।"

कीर्तिदेव के स्वर में पहली बार सत्ता की ध्वनि प्रतीत हुई। काक कुछ देर उसकी तेजस्वी कान्ति की ओर देखता रहा। "मैं केवल अवन्ति में ही नहीं रहा हूँ, सारे

आर्यावर्त्त में फिरा हूँ। अनेक देशों का पर्यटन करते हुए मुझे स्पष्ट भास हुआ है कि यदि हम सब केवल एक-दूसरे से ही लड़ते रहेंगे, तो हमारे राज्य छिन जाएँगे, हमारा धर्म नष्ट हो जाएगा, हम लुट जाएँगे और पृथ्वी पर से हमारा नाम-निशान मिट जाएगा।''

काक को सन्देह हुआ कि कहीं कीर्तिदेव को सन्निपात तो नहीं हो गया, परन्तु उसकी गम्भीर मुख-मुद्रा, उसकी तेजस्वी आँखों और उसके स्वर से प्रकट होती हुई सत्यता और समवेदना से स्पष्ट ज्ञात हो रहा था कि वह बहुत ही सचेत और शुद्ध अन्तःकरण से इन शब्दों का उच्चारण कर रहा है।

''परन्तु यह सब क्योंकर हो जाएगा?'' कोहनियों के बल ज़रा सतर होकर कृष्णदेव ने कहा।

''क्योंकर हो जाएगा? सिर पर घन-गर्जना हो रही है और आप को सुनाई नहीं पड़ती? जयदेव महाराज अवन्तिनाथ के साथ लड़ रहे हैं, जूनागढ़ के रा' पाटण के साथ लड़ रहे हैं; सपादलक्ष (अजमेर के आसपास का प्रदेश) के राजा चित्तौड़ के रावल के साथ लड़ रहे हैं, कोई भी कुछ नहीं समझता। अकेले एक काश्मीराधिप समझते हैं। जब आपके भीमदेव महाराज थे, तब जिन यवनों ने पाटण को ध्वस्त करके परमधाम देवपट्टण का विनाश किया था, उनकी बात याद है? दानवों के समान विकराल निर्दय यवनों की महासेना को रोकते-रोकते काश्मीर पति का भी साहस समाप्त हो गया है!''

''क्या कह रहे हो?'' लक्ष्मण ने पूछा।

''हाँ, ठीक कह रहा हूँ। आप सब लोग तो बैठे हैं आत्मबल के गर्व में सन्तोष मानकर; परन्तु प्रति वर्ष वह महाविनाशक यवन-सागर आगे ही बढ़ता आ रहा है। कन्नौज और सपादलक्ष ने उसकी लहरों का स्पर्श किया है। हमारी अवन्ति में उसकी भयंकर गर्जना की प्रतिध्वनियाँ सुनाई पड़ी हैं। समय पर सावधान न हो जाइएगा, तो काश्मीरा डूब जाएगा, सपादलक्ष का भी विनाश हो जाएगा, महाकालेश्वर की ध्वजा धूल में मिल जाएगी और पाटण का नाम और निशान भी हाथ न लगेगा।'' अपनी बात पर भार देने के लिए हाथ को बहुत ही अच्छे ढँग से हिलाकर कीर्तिदेव ने अपनी भविष्यवाणी समाप्त की। उसके शब्दों में आवेश था। उसका स्वर शोक-ग्रस्त प्रतीत होता था। उसकी अनासक्ति ज़रा अदृश्य होती मालूम हो रही थी।

काक के मस्तिष्क पर एक नया प्रकाश आ पड़ा। उसने आतुरता से पूछा, ''इसीलिए तुम सन्धि करना चाहते हो?''

''हाँ, मैं यही चाहता हूँ। जब अवन्ति और पाटण; कन्नौज, चित्तौड़ और सपादलक्ष; ये सब एकत्र होकर मद्रदेश (काश्मीर) की सहायता करेंगे, तभी आर्यावर्त्त सही-सलामत रह सकेगा।''

''क्या यवन-सेना इतनी बलवान है?'' कृष्णदेव ने पूछा।

"बलवान? प्रलय काल के झंझावात की भी उसके आगे कोई गिनती नहीं है। काक भट, क्या विचार कर रहे हो?"

"कीर्तिदेव जी, आप जो कह रहे हैं, यदि वह सब सत्य हो तो कुछ करना चाहिए।"

"इस समय एक-एक पल युग के समान बीत रहा है। इसीलिए जयदेव महाराज के निकट सन्धि याचना करने के निमित्त हमारे सेनापति आए हैं और आप सबसे भी मेरी यही अभ्यर्थना है। परस्पर मार-काट करने की अपेक्षा अपनी वीरता का उन असुरों पर व्यवहार करना चाहिए।" कीर्तिदेव ने कहा। इसी समय सज्जन मन्त्री आ पहुँचे। अतएव सब उठ खड़े हुए। "और इन महारथियों से मेरा यही निवेदन है कि पाटण और अवन्ति को एक होने दें। तभी भला होगा।" खेद से सिर हिलाते हुए कीर्तिदेव ने कहा।

"होगा, सब होगा।" सज्जन मन्त्री ने ज़रा स्नेह से हँसते हुए कहा।

"मैं मुंजाल मेहता से सब बातें करूँगा। उनसे मेरी भेंट करा दीजिए।"

सज्जन के मुख पर ज़रा खेद छा गया, "मैं उनसे पूछ देखूँगा, अभी कुछ कहा नहीं जा सकता। जल्दबाजी से आम नहीं पका करते।"

"मन्त्रिवर, तो फिर शायद आम जड़-मूल से ही उखड़ जाएँगे!"

"कीर्तिदेव, आर्यावर्त्त के योद्धा अभी इतने निर्बल, निस्तेज नहीं हो गये हैं। अब चलो, परमार प्रतीक्षा कर रहे होंगे।" कहकर सज्जन कीर्तिदेव को लेकर राजमहल की ओर रवाना हुआ।

मध्यरात्रि की मैत्री

काक कृष्णदेव के साथ कुछ देर वार्त्तालाप करके सज्जन मेहता के घर से बाहर निकला। उसने अनेक कार्य अपने सिर पर ले रखे थे। जयदेव महाराज को सत्ता प्राप्त करनी थी, मुंजाल मेहता को कीर्तिदेव का परिचय प्राप्त करना था और स्वयं उसे कृष्णदेव को पहचानना और मंजरी से विवाह करना था। इन सब कार्यों को साधने की युक्तियाँ रचता हुआ वह जगह-जगह जाने लगा।

वह पहले महाराज के मित्र शोभ से मिला। उसके साथ कुछ वार्त्तालाप किया और फिर उसे साथ लेकर कई ब्राह्मण युवकों से भेंट की।

इसके पश्चात वह राजमहल में गया। उसने वहाँ जाकर सुना, सेनापति उबक उस पार अपनी छावनी में चले गये हैं और केवल कीर्तिदेव ही सज्जन मेहता के यहाँ रहेंगे। वह जयदेव महाराज से भेंट करने को गया, परन्तु वे मीनलदेवी के पास थे,

अतएव भेंट न हो सकी। राजमहल के एक ओर एक वृद्ध और प्रतिष्ठित भाट रहते थे। काक पूछता हुआ उनके पास पहुँचा। "भाटजी, जय भगवान सोमनाथ की!"

"कौन है भाई?" वीरा भाट ने पूछा।

"मैं मंडलेश्वर महाराज का भट हूँ।"

"कैसे आए भाई?"

"परसों राजसभा है।"

"हाँ, मुझे ख़बर मिल गयी है।" भाट ने ज़रा तेजी से कहा।

"जयदेव महाराज ने रा' को पराजित कर दिया, यदि उसका कुछ हाल जानना हो तो मैं कहने के लिए आया हूँ।" भाट अपने को सब हाल का जानकार समझता था; अतएव यह धृष्टता देखकर हँस पड़ा। बोला, "किसी ने भेजा है कि तुम अपने आप आए हो?"

"मैं अपने आप ही आया हूँ। जयदेव महाराज ने इस युद्ध में इतना शौर्य दिखलाया है कि उनका यशोगान भली भाँति होना चाहिए।"

"लड़के, साठ वर्ष बिताकर भी मुझे यह सीखना पड़ेगा?"

"तो ठीक है, परन्तु जयदेव महाराज यदि अप्रसन्न हों, तो मुझे दोष न दीजिएगा।"

"क्यों?" ज़रा घबड़ाकर भाट कुछ नरम पड़ गया।

"कारण कि इस युद्ध के विषय में गप्पें उड़ रही हैं। सच बात बहुत थोड़े ही लोग जानते हैं।"

"तुमने कहाँ से जानी?"

"मैं आरम्भ ही से महाराज के साथ था और अन्त तक युद्ध में भाग लेता रहा।"

"काक भट।"

वीरा भाट एकदम आँखें फाड़कर देखने लगा। उसने काक भट की थोड़ी-बहुत ख्याति सुनी थी।

"ओह भटजी! ज़रा बैठा जाओ," बूढ़े ने कहा, "और युद्ध का हाल बताओ।"

"जी नहीं, जब आपको मालूम है, तब बताने की क्या आवश्यकता? मैं जाता हूँ।"

"नहीं जी, ज़रा बैठो, तुम जैसे शूर-वीरों से भेंट बड़ी कठिनाई से होती है।" काक बैठ गया, युद्ध का हाल-चाल बतलाने लगा और सत्य-असत्य का विचार दूर रखकर उसने जयदेव महाराज की महिमा को बढ़ा दिया। अन्त में भाट ने काक के प्रति आभार प्रकट किया; कारण कि महाराज ने जिस युद्ध-कुशलता का व्यवहार किया था, यदि काक कहने के लिए न आया होता तो उसके विषय में उसे कुछ भी ख़बर न लगती और परिणाम-स्वरूप जयदेव महाराज भाट पर बहुत ही अप्रसन्न हो जाते।

काक वहाँ से निकलकर त्रिभुवनपाल के घर की ओर चला। इन सब झंझटों से

छूटने पर उसे कीर्तिदेव का स्मरण हो आया। उसके व्यक्तित्व का प्रभाव काक को अद्भुत प्रतीत हुआ। उसका ज्ञान और अनुभव विशाल दिखलाई पड़े और ऐसा आभास हुआ कि उसके विचार नवीन, गूढ़ और विश्वव्यापी हैं। मंजरी की उत्पन्न की हुई भावना के उत्साह में काक की दृष्टि में उन विचारों के कारण उसके समान साहसी और बुद्धिमान वीर के लिए अनेक अज्ञात महाक्षेत्र दिखलाई पड़े और पाटण में ही पड़े रहकर प्रताप प्राप्त करने की महत्त्वाकांक्षा तनिक भी गणना के योग्य न रह गयी। काश्मीर और सपादलक्ष काक के लिए कोरे नाम थे। वहाँ की राजनीति कीर्तिदेव के तो मुख पर थी। यवनों का उत्पात उसके विचार में वर्षों पहले आए हुए स्वप्न के समान था। परन्तु कीर्तिदेव के लिए वह ताजा, सचेतन और भयंकर त्रास था। सम्भव है, कीर्तिदेव ने उन यवनों को देखा भी हो और अपनी असिधारा को असुरों के रक्त से पवित्र भी किया हो। त्रयोदशी की मध्यरात्रि की चाँदनी में, पाटण की सूनी पड़ी हुई एकान्त गलियों में, काक इस प्रकार के अनेक विचार करता हुआ चला जा रहा था।

मध्यरात्रि व्यतीत हो रही थी। चिल्लाकर पहरा देते हुए चौकीदारों की आवाज़ के सिवा निःशब्दता को भंग कोई नहीं कर रहा था। दादा क्षेमराज के बाड़े की ओर, जहाँ त्रिभुवनपाल की हवेली थी, अधिक शान्ति थी और इस विचार से कि दस ही कदम दूर मंजरी होगी, काक का चपल मस्तिष्क अधिक तीव्र हो रहा था। ज्यों ही वह हवेली के पिछले द्वार की ओर गया, त्यों ही उसे धीरे-धीरे बोलते हुए कुछ मनुष्यों की आवाज़ सुनाई पड़ी और तुरन्त ही बहुत धीमी निःश्वास की भाँति एक चीख भी उसके कानों में आ पड़ी। वह निर्णय ही न कर सका कि यह सब सत्य है या भ्रम। दूसरा कोई मनुष्य होता, तो उसका ध्यान ही नहीं जाता, परन्तु काक की कर्णेन्द्रिय विलक्षण थी और इस चीख का स्वर उसके मस्तिष्क में घूम रहा था। "क्या यह मंजरी की आवाज़ है? सत्य है, या भ्रम?"

सिंह की-सी चपलता से उसने छलाँग मारी और उस ओर वह जा कूदा जहाँ से आवज़ आयी थी। हवेली के आड़ के अन्धकार में दो-तीन मनुष्यों की परछाईं उसे दीख पड़ी। "कौन है?" कहकर उसने आवाज़ लगाई कि वे परछाईं से प्रतीत होने वाले मनुष्य दौड़ने लगे। काक चौंक उठा। अवश्य ही ये लोग मंजरी को ले जाने के लिए आए होंगे। मन-ही-मन उसने यह भी विचार किया कि पुकारकर मंडलेश्वर के पहरेदारों को बुलाया जाए; परन्तु इससे विलम्ब होने की सम्भावना थी और इतनी देर में चोर अँधेरी गलियों में लोप हो जा सकते थे। उसने अधिक विचार न किया और उन परछाइयों के पीछे लग गया। वे लोग हवेली की आड़ छोड़कर, चाँदनी की शुभ्र सरिता पार करके, दूसरी ओर दौड़े। काक ने देखा कि जो दो मनुष्य पहले दौड़कर गये हैं, उन में से एक के हाथ में मनुष्य के आकार-सी कोई लम्बी वस्तु है। पीछे से एक दूसरा मनुष्य दौड़ा। काक को विश्वास हो गया कि ये खम्भात के उसी सेठ के मनुष्य हैं जिसके भय से मंजरी भयभीत हो गयी थी और उसी की आज्ञा से मंजरी को उठाए

लिए जा रहे हैं। दाँत पीसता हुआ काक उनके पीछे दौड़ा। उसके सद्भाग्य से रात चाँदनी थी, अतएव वह मंजरी को ले जाने वालों का पीछा सरलता से कर सका।

अगले दिनों की सफ़र और आज सारे दिन की थकावट से काक का वज्र के समान शरीर भी यथोचित काम न कर सका और धीरे-धीरे आगे दौड़ने वाले मनुष्यों और उसके बीच अन्तर बढ़ने लगा। गालियों पर गालियाँ और मुहल्लों पर मुहल्ले उन्होंने पार कर डाले। धीमे-धीमे वे नगर के दूसरे की भाग की ओर जाने लगे। काक ने दाँत पीसकर अधिक दौड़ने का प्रयत्न किया। उसका श्वास भर आया था। प्रति पल उसे भय हो रहा था और हृदय काँप रहा था कि क्या मंजरी को ले जाने वाले उसके हाथ से निकल जाएँगे? एम महान साहस करके उसने आगे बढ़ने का प्रयत्न किया।

काक को ज्ञान नहीं था कि वे शहर के किस भाग में आ गये हैं; परन्तु वे एक बड़ी-सी हवेली के पीछे की ओर आ पहुँचे थे। मंजरी को उठाकर ले जाने वाले हवेली की दीवार से पचास कदम दूर थे कि एक दीवार की आड़ में से एक मनुष्य निकला।

"पकड़ो, इन चारों को पकड़ो!" काक ने हाँफते हुए चिल्लाकर कहा।

दीवार की आड़ से निकले हुए मनुष्य ने मंजरी को ले जाने वालों को रोकने के बदले हवेली के पास की गली की ओर का रास्ता बता दिया।

काक उझलन में पड़ गया। मित्र के बदले यह तो कोई शत्रु है। काक उसकी ओर बढ़ा, परन्तु अचानक मंजरी को उठाकर ले जाने वालों ने आवाज़ लगाई, "महाराज!" उस नये मनुष्य के उस ओर बढ़ने के पहले ही आगे दौड़ते हुए मनुष्यों को किसी ने रोक दिया। अचानक आ पहुँचनें वाले इस मनुष्य के हाथ में तलवार चमक उठी। दूसरे ही क्षण उसकी तलवार मंजरी को उठाने वाले पर पड़ी। उन घबराए हुए लोगों ने मंजरी को नीचे फेंक दिया और वे प्राण लेकर भाग गये। काक नवागन्तुक मित्र को देखने के लिए ज्यों ही बढ़ा कि अवसर से लाभ उठाकर वह दीवार की आड़ से निकलने वाला व्यक्ति प्राण लेकर भागा और पास की ही एक गली में घुसकर लोप हो गया। नवआगन्तुक उस ओर गया जहाँ मंजरी पड़ी हुई थी और काक भी वहाँ पहुँच गया।

दोनों ने एक-दूसरे की ओर देखा, और दोनों ही बाले उठे, "कौन, कीर्तिदेव महाराज?"

"कौन, काकभट?"

"कीर्तिदेव जी, बहुत ही शुभ हुआ कि आप यहाँ आ पहुँचे, नहीं तो ये बदमाश मंजरी को ले जाते।"

मंजरी का परिचय पाने की उत्कंठा दिखाए बिना बहुत ही संयत भाव से कीर्तिदेव ने पूछा, "अब इसे क्या करोगे?"

"महाराज, यह मंडलेश्वर त्रिभुवनपाल जी के यहाँ रहती है और कविवर रुद्रदत्त

की कन्या है। मैं अब इसे मंडलेश्वर महाराज के यहाँ ले जाऊँगा।" कहकर काक ने मंजरी को उठाकर कन्धे पर डाल लिया। मंजरी अचेत हो गयी थी। वह ख़तरे से बच गयी, अतएव काक के हृदय को बड़ी शान्ति मिली। अब उसने यह जानने का प्रयत्न किया कि कीर्तिदेव अचानक यहाँ कैसे आ पहुँचे। उसने कहा, "आपके आ जाने से मेरी प्रतिष्ठा रह गयी," काक ने बात निकलवाने के लिए दाना डाला, "इस समय आप कहाँ जा रहे हैं?"

"काक भटजी, आप ब्राह्मण हैं न?"

"जी हाँ।"

"इस समय यदि मुझ पर वास्तविक अनुग्रह करना हो, तो एक वचन मुझे दो। वचन को भंग करोगे, तो ब्रह्म-हत्या का पाप होगा।"

काक को यह न सूझा कि वह क्या करे; परन्तु कीर्तिदेव के किए हुए उपकार का विचार करके उसने वचन दे दिया।

"तो यह किसी से न कहना कि तुम मुझे इस समय मिले थे।" कीर्तिदेव ने सत्तापूर्ण स्वर में कहा।

"जो आज्ञा। आप पधारिए।"

"नहीं, तुम कहो तो मैं तुम्हें मंडलेश्वर के महल तक पहुँचा आऊँ।"

"हाँ, यदि चलें, तो बहुत ही अच्छा हो।" कहकर काक ने मंजरी की ओर देखा। वह अचेत अवस्था में थी। काक ने उसे दूसरी बार इस प्रकार उठाया कि उसके हृदय की धड़कन उसे अपने हृदय के पास सुन पड़ी। काक की रग-रग उल्लास से उन्मत्त हो गयी; परन्तु उस उल्लास को वह बाहर प्रकट न कर सका। कीर्तिदेव गम्भीर मुख रखकर अमानुषीय निरपेक्षता से इस प्रकार साथ-साथ चल रहा था, जैसे कोई बहुत साधारण बात हुई है।

"काक भट, दोपहर में मैंने जो बात कही थी, वह तुम्हें पसन्द आयी या नहीं?"

"महाराज, सच पूछिए तो मेरी तो आँखें खुल गयीं।"

"यदि मेरी बात वास्तव में ठीक हो, तो मेरी सहायता करो। मैंने आज तुम्हारे विषय में बहुत कुछ सुना है सज्जन मेहता और मंडलेश्वर त्रिभुवनपाल जी से।" कीर्तिदेव ने कहा।

"मैं क्या सहायता करूँ? आपको सहायता चाहिए बड़े लोगों की।"

"नहीं, मुझे सहायता चाहिए ऐसे व्यक्तियों की जिनकी बुद्धि और बल पर आर्यावर्त्त की नींव खड़ी है। तुम भी उन्हीं में से एक हो।"

"महाराज, मैं एक राजसेवक हूँ, स्वंय अपना स्वामी नहीं। आपकी दीर्घ दृष्टि ने मुझे चकित कर दिया है। आप मुझे महाप्रतापी प्रतीत होते हैं, परन्तु जब तक आपके राजनीतिक विचारों को मुंजाल मेहता स्वीकार न करें, तब तक मुझसे क्या हो सकता है?"

कीर्तिदेव ने एकदम काक की ओर मुड़कर उसके कन्धे पर स्नेह से हाथ रखा। काक के शरीर में जरा कम्पन उत्पन्न हो गया। कीर्तिदेव ने श्रीकृष्ण की मुरली की भाँति मीठे स्वर में कहा, "तुम भूदेव हो, भारतखंड की भूमि के अधिष्ठाता हो। तुम्हीं अपनी भूमि को न बचाओगे, तो कौन बचाएगा?"

प्रश्न में मधुरता और दुर्जय मोहकता थी। काक के कानों में और रग-रग में उसका नाद गूँज उठा। अचेत मंजरी का श्वासोच्छ्वास मानो दोपहर के शब्दों का उच्चारण कर रहा हो, इस प्रकार काक के हृदय में "कैलासमिव दुर्धर्षं कालाग्निमिव दुःसहम्" गूँज उठा।

"कीर्तिदेव जी, क्षमा कीजिए। मुझे अधिक विचार करने दीजिए। प्राण देने पर भी यदि आपका कार्य सधेगा, तो मैं प्रस्तुत हूँ।"

कुछ देर तक दोनों मौन मुख चलते रहे। उसका हृदय कीर्तिदेव की ओर आकर्षित हो गया। स्वीकार की हुई अपनी राज-सेवा उसे अखरने लगी।

"यह लीजिए, वह मंडलेश्वर महाराज का घर आ गया," काक ने कहा, "आप मार्ग खोज लेंगे?"

"हाँ, खोज लूँगा। एक बार मार्ग देख लेने पर मैं कभी नहीं भूलता; परन्तु तुम इस लड़की को रखकर फिर लौटोगे?"

"क्यों, कोई काम है?"

"हाँ, मुझे तुम्हारे साथ की आवश्यकता है।"

"तब यहीं खड़े रहिए। महल के दीपक दिखलाई पड़ रहे हैं। लोग जाग गये होंगे। आप आएँगे, तो कोई पहचान लेगा।"

"अच्छी बात है। मैं यहीं खड़ा हूँ।"

काक मंजरी को लेकर आगे बढ़ा। उसका एक कन्धा थक गया था; अतएव क्षण भर ठहरकर वह दूसरा बदलने लगा। मंजरी ने निःश्वास छोड़ा। काक का हृदय, चन्द्र की अपूर्वता को लज्जित करने वाले सुमधुर मुख को इतना निकट पाकर, प्रेम-अर्चना से उसका स्वागत करने के लिए तरसने लगा; परन्तु उसने प्रयत्न करके उसे संयत किया। काक देख ही रहा था कि मंजरी को कुछ चेत हो आया और वह घबराकर देखने लगी।

काक ने धीरे-से कहा, "मंजरी, घबराना मत।"

"कौन, काक? मुझे वे पकड़कर लिए जा रहे हैं!" कहकर वह भय के कारण काक से लिपट गयी। अज्ञात रूप में काक ने उसे हृदय से चिपटा लिया।

"क्यों घबरा रही हो? मैंने उन बदमाशों को मार भगाया है। अब निश्चिन्त हो जाओ।"

मंजरी को ये शब्द सुनकर कुछ साहस आया और बच जाने का विश्वास होने पर वह तुरन्त काक के हाथ से छूटकर अलग खड़ी हो गयी। चेत होते ही उसका

अभिमान फिर जाग्रत हो गया। उसने अपनी गर्विष्ट आँखों से काक को तिरस्कार पूर्वक निहारा।

"मुझे कहाँ ले जा रहे थे?"

"मैं?" काक ने ज़रा अपमानित हृदय से कहा, "यह पूछो कि मैं कहाँ से ले आया? तुम्हें ये बदमाश उठाकर लिए जा रहे थे। मैं आधा कोस दौड़कर तुम्हें फिर लौटा लाया। इसमें कोई अपराध हुआ हो, तो क्षमा करना।"

मंजरी नरम पड़ गयी। उसने काक का हाथ थामकर कहा, "काक मुझे क्षमा करो। तुमने मुझे दूसरी बार बचाया है। चलो, कहाँ चलना है?"

"यह है मंडलेश्वर महाराज का घर।" कहकर दोनों वहाँ गये।

मंडलेश्वर और काश्मीरा देवी दोनों जग उठे थे और सारे घर में खोज हो रही थी। काश्मीरा देवी को देखते ही मंजरी दौड़कर उनसे चिपट गयी। काक ने सारी घटना कह सुनाई।

"मंजरी, अब तो काक को सिरोपाव दिए बीना निस्तार नहीं!"

अभी तक मंजरी की कँपकँपी दूर नहीं हुई थी; अतएव वह समझ न सकी और उसने पूछा, "कैसा सिरोपाव?"

"यह!" कहकर काश्मीरा देवी ने मंजरी का दाहिना हाथ पकड़कर दिखलाया। भय के कारण मंजरी काश्मीरा देवी से लिपट गयी।

मंडलेश्वर से आज्ञा लेकर काक फिर बाहर निकला।

हिंगलाज का घाट

काक बड़े वेग से कीर्तिदेव की ओर चल पड़ा। मंजरी के स्पर्श से और उसको बचाने की सेवा से काक का हृदय प्रफुल्लित हो गया था और कीर्तिदेव के निष्कपट आदर्शमय जीवन तथा उसके सच्चे, शुद्ध, निःस्वार्थ विचारों ने काक के प्रौढ़ हृदय में भी प्रतिष्ठा और स्नेह की अनुभूतियाँ उत्पन्न कर दी थीं। कीर्तिदेव का दिव्य स्वरूप और व्यक्तित्व सात्विक और स्नेहमय वातावरण प्रसारित करता था। वह जितना ही दूसरों से निराला मालूम होता था, उतनी ही उसकी भावना में असाधारणता भी। काक को प्रतीत होता था, जैसे वह युवास्था में भीष्म पितामह हो। वह बड़ी हौंस से उसकी ओर दौड़ा जैसे वह उसका परम मित्र हो! वह क्षण भर के सन्देह और अपने सिर पर लिए हुए महाविकट कार्य को भूलकर कीर्तिदेव की मैत्री प्राप्त करने को उत्सुक बन गया।

कीर्तिदेव इत्मीनान के साथ खड़ा था। उसका रूपवान मुख गहन विचारों से ग्रस्त

था। उसकी आँखें इस प्रकार स्थिर हो गयी थीं, जैसे चन्द्रकिरणों में छिपे हुए रहस्य को यह खोज रहा हो।

"कीर्तिदेव जी, कहिए, क्या काम है?"

"मैं इस समय क्यों निकला हूँ, यह बताना है।"

काक को मुंजाल मेहता का आदेश याद आया और ऐसे मनुष्य के साथ धोखेबाजी करने को उसके हृदय ने इनकार कर दिया। वह क्षोभ-पूर्ण स्वर में बोला, "महाराज, मुझ से ऐसा क्यों कहते हैं? मैं राजसेवक हूँ और आप आज तक हमारे कट्टर शत्रु थे। इस समय आप परराज्य में, शत्रु के नगर में, अकेले चाहे जो करते हों, मुझे उसके जानने की क्या आवश्यकता? आपको अधिक सावधान रहना चाहिए।"

लापरवाही से कीर्तिदेव हँस पड़ा, "भटजी, आपको ज्ञात है कि एक दिन मैं पिता-हीन निराधार बालक था पर आज उबक परमार जैसे मेरे पिता हैं? यदि ईश्वर को मुझे मारना ही होता, तो अब तक वह मुझे क्यों बचाता?"

इस भाव में गर्व नहीं था, परन्तु भक्ति-भाव की कोमलता थी।

"परन्तु कीर्तिदेव जी, आप अभी मुंजाल मेहता के चक्कर में पहली बार ही आ रहे हैं।"

"क्या मुंजाल मेहता इतने अन्धे हैं?"

"यह कैसे कहा जा सकता है? परन्तु अवन्ति के साथ वे अधिक समय तक सन्धि न रहने देंगे। अतएव आपके लिए तो वे व्यर्थ–"

"काक भट, सभी यह कहते हैं। क्या मुंजाल मेहता ब्रह्मराक्षस हैं?"

"नहीं; परन्तु राजनीतिज्ञों के शिरोमणि हैं।"

"तब चिन्ता नहीं। मुझे विश्वास है, मैं उन्हें समझा सकूँगा, परन्तु मैं तुमसे दूसरी ही बात कह रहा था। पाटण में रहने का कारण मेरा एक विशेष स्वार्थ है।"

काक ने कोई उत्तर न दिया।

"मुझे अपने पिता को खोज निकालना है।"

"आप के पिता?"

"हाँ। मैं बालक था, तभी से उबक राज ने लालन-पालन करके मुझे बड़ा किया है; परन्तु वास्तव में मेरा कुल गुजरात का, –बहुत करके पाटण का है।"

"आप कह क्या रहे हैं?"

"हाँ, ठीक कह रहा हूँ," खेदयुक्त स्वर में कीर्तिदेव ने कहा, "जब मैं तीन-चार वर्ष का था, तब किसी घोर संकट के अधीन होकर मेरे माता-पिता ने मुझे देश से निर्वासित कर दिया था। सेनापति राज मेरे वंश को नहीं जानते। बस उसे परमात्मा जानता है, और दूसरा कोई जानता हो, सज्जन मन्त्री।" कीर्तिदेव के स्वर में पहली बार मनुष्य-स्वभाव की निर्बलता की प्रतिध्वनि हुई।

"तब उन से पूछते क्यों नहीं?"

"वे कुछ नहीं बतलाते और इसीलिए तो मैं इस समय निकला हूँ।"

"किससे पूछने को? कहाँ जाने को?"

"किससे? कालभैरव से।"

काक काँप उठा, "ऐं!"

"हाँ, इसके सिवा और मार्ग नहीं है।"

"काल भैरव कहाँ मिलेंगे?"

"यहाँ हिंगलाज का घाट है, वहाँ की योगिनियों से पूछने पर ज्ञात होगा।"

काक का हृदय घबरा उठा।

हिंगलाज के घाट के पास पाटण का श्मशान था। उसके उस किनारे दस कोस तक एक बड़ा बीहड़ जंगल खड़ा हुआ था। यह बात सुप्रसिद्ध थी कि उस जंगल में हिंगलाज चाचर देवी की आराधना करने वाली योगिनियाँ, पिशाच और पिशाचिनियाँ रहती हैं। केवल नदी तट पर बने हुए हिंगलाज देवी के मन्दिर में ही कुछ लोग जाए करते हैं; परन्तु जंगल में जाने का साहस तान्त्रिक विद्या की साधना करने वालों के सिवा और किसी को नहीं होता। माना जाता था कि उस जंगल में कालभैरव भी रहते हैं।

"क्या इस समय आप अकेले जा रहे थे?"

"और कौन साथ जाता? और कहा भी किससे जाए? यह तो अवसर ही ऐसा आ गया, तब तुमसे पूछ रहा हूँ। तुम चलोगे?"

काक अनिश्चित-सा खड़ा रह गया। उसे रोमांच हो आया।

"परन्तु आप कालभैरव की साधना कैसे करेंगे?"

"अवन्ति के निकट योगिनियों का आवास है। मैंने वहाँ कुछ तान्त्रिक विद्या सीखी है।"

"कीर्तिदेव जी, आपने यह विद्या क्यों सीखी?"

"क्यों सीखी? भटजी, तुम मेरे हृदय की व्यथा को नहीं जानते। जब तक मेरे माता-पिता का पता न लगे, तब तक मैं अपूर्ण हूँ, अनाथ हूँ। संसार में मेरा कोई स्थान ही नहीं है।" कीर्तिदेव के स्वर में खेद का कम्पन था। उसकी आँखों में निराधारता स्पष्ट दिख रही थी। काक को दया आ गयी।—कैसा प्रतापी व्यक्ति और यह कैसी निर्बलता!

"किसलिए ऐसे मृगजल के पीछे दौड़ रहे हैं कीर्तिदेव जी? मेरी बात को मानें, तो भैरव की आराधना को छोड़ दीजिए।"

"भटजी, तुम्हें भय होता हो, तो मैं आग्रह नहीं करता। मेरा तो निश्चय है, और मैं अवश्य जाऊँगा।"

काक कुछ देर देखता रहा और समझदारी को त्याग कर बोला, "कीर्तिदेव जी, तब चलिए मैं भी चलता हूँ। जीने की अपेक्षा देखना भला।"

जब कभी काक को इस प्रकार साहसयुक्त कार्य करने का अवसर आ जाता, तब वह उससे चूकता नहीं। इस समय कीर्तिदेव के व्यक्तित्व ने और उसके प्रभावशाली स्वभाव में दिखती हुई निराधारता ने काक को जीत लिया।

दोनों बिना अधिक बोले हिंगलाज के घाट की ओर चले।

जिस प्रकार उस समय आर्य-धर्म के शुद्ध विभागों में पौराणिक और जैन मत थे, उसी प्रकार तान्त्रिकों का अशुद्ध मत भी था। तान्त्रिक लोग मर्यादा त्याग कर माँस खाते, मदिरा पीते, मृतक-विद्या का अध्ययन करते, अज्ञान और श्रद्धालु जनों को घबराकर समाज और राजनीति पर अपना प्रभाव डालते। उनकी विद्या के कारण स्वार्थी और द्वेषी लोग उनकी आराधना करते और भय के कारण बड़े-बड़े लोग भी उनसे सावधान रहकर चलते। ज्यों-ज्यों ब्राह्मण और जैन साधुओं का प्रताप बढ़ता गया, त्यों-त्यों तान्त्रिक लोग जंगलों में और देवियों के मंदिरों में ही घुसे रहने लगे और ज्यों-ज्यों वे लोग अदृश्य होते गये, त्यों-त्यों उनके प्रभाव की ख्याति बढ़ती गयी और लोग अधिकाधिक डरते गये। सर्वसाधारण में यह माना जाने लगा कि साध्य वस्तु को ससाध्य करने वाले तान्त्रिक ही हैं। तान्त्रिकों के देवता अन्य मत-पन्थों के माने हुए देव और देवियों की भाँति अदृश्य नहीं थे। श्मशानों में, वीरान जंगलों में, मध्यरात्रि के समय दुर्गा या कालिका के मन्दिर में कभी-कभी भयंकर वीभत्स स्वरूप दिखलाई पड़ते और यह बात सब लोग जानते थे कि शुद्ध और सात्विक लोग उन्हें खोजने का प्रयत्न नहीं करते, परन्तु जो लोग सिद्ध कहे जाते थे वे योगिनियों को वशीभूत करके उनकी सहायता से साधारण लोगों को चकित कर वहमी और अज्ञान स्त्री-पुरुषों पर अपनी सत्ता जमाते थे।

लाट में तान्त्रिकों का ज़ोर अधिक न होने के कारण काक इस पन्थ से परिचित नहीं था; परन्तु ब्राह्मण कुल में जन्म लेकर, विशुद्ध संस्कारों में पला होने के कारण भूत-प्रेतों की इस भयानक सृष्टि की खोज करने को जाते हुए उनका हृदय डगमगाने लगा। वह बारम्बार कीर्तिदेव के मुख की ओर देखता था। उस मालवी योद्धा का बालिका के समान मुख उसे वैसा ही निर्दोष, तेजस्वी और बुद्धि-दर्शक प्रतीत हुआ। काक को आभास हुआ कि यह व्यक्ति जहाँ जाता है वहाँ पवित्रता का उच्च अस्पर्श्य वातावरण साथ ही ले जाता है और उसके साथ रहने से ऐसा साहस उसमें आ गया कि कालभैरव से ही क्या, माता कालिका से भी वह मिल सकता था।

कुछ देर में वे दोनों हिंगलाज चाचर के घाट पर आ गये। परन्तु नगरकोट का द्वार बन्द था।

"काक भटजी, तुम्हें साथ क्यों लाया हूँ, अब समझ गये? इस समय इस कोट के बाहर कैसे निकला जाए? मैं जाऊँ, तो पहचान लिया जाऊँ।"

"मैं देखता हूँ। कोई परिचित होगा, तो खिड़की खुलवाता हूँ।" कहकर काक द्वारपाल के पास गया। द्वारपाल ने उठने में कुछ देर जरूर लगाई, परन्तु त्रिभुवनपाल के नाम से वह उठ खड़ा हुआ। सवेरे मंडलेश्वर के हाथी पर बैठकर सारे नगर में घूमने वाले भाग्यशाली लाट योद्धा को उसने पहचान लिया और मन-ही-मन बड़बड़ाते हुए उसने खिड़की खोल दी। कीर्तिदेव ने अपना मुख छिपा रक्खा था, अतएव द्वारपाल उसे न पहचान सका।

कोट के बाहर निकल कर कीर्तिदेव ने धीरे-से पूछा, "काक भट, साथ चलोगे या इस मन्दिर में बैठोगे?"

"जब आरम्भ कर दिया है, तब कार्य को पूरा ही करूँगा।"

"तो चलो।"

बड़ी फुर्ती से दोनों जने घाट से नीचे उतरे और दाहिनी ओर मुड़े। काक को फिर से कँपकँपी आयी। पाटण के श्मशान में वे जा रहे थे।

चाँदनी की झिलमिलाहट में श्मशान-भूमि स्पष्ट नहीं दीख रही थी। केवल थोड़ी-थोड़ी देर में रुपहले पट पर लाल-पीली विचित्र रंगों वाली लपटें अधजली चिताओं के स्थान सूचित कर रही थीं, और चिताओं पर जलते हुए तथा जल चुके शवों पर दृष्टिपात कर रही थीं। जगह-जगह से धुआँ निकल रहा था! हवा के झोंकों से दम घोंटने वाली दुर्गन्ध आ रही थी। चिताओं पर पड़े हुए शवों से थोड़ी-थोड़ी देर में चट-चट की आवाज आ रही थी और विविध अंग शरीर से अलग हो-होकर गिर रहे थे। कुछ कुत्ते दूर बैठे हुए, अलग गिरे हुए अंगों को खींच ले जाकर, प्रीति-भोज का आनन्द ले रहे थे।

श्मशान में निर्जनता दिखलाई पड़ रही थी; परन्तु फिर भी ऐसा लगता था जैसे बहुत साल पहले के जले हुए स्त्री-पुरुष प्रेत-लोक से लौट आकर वहाँ इकट्ठे हो गये हैं। जैसे ज़बर्दस्त भीड़ में आदमी का दम घुटने लगता है, वैसे ही अकुलाकर, घबराकर काक का दम घुटने जा रहा था। अनेक शताब्दियों की मान्यता और विचित्र अनुभवों से श्मशान एक भयानक स्थान समझा जाता था। हिंगलाज देवी के त्रासदायक प्रभाव से तो पाटण का श्मशान बहुत ही भयानक समझा जाता था। सन्ध्याकाल हो जाने पर वहाँ जाने का किसी को साहस न होता था। उधर से अचानक निकलते समय अथवा किसी सम्बन्धी को जलाकर लौटते समय यदि सूर्यास्त हो जाता, तो लोग डाकिनी या योगिनी के चिपट जाने के भय से मुट्ठियाँ बाँधकर भाग खड़े होते और घर पहुँच कर अनेक जप करके शुद्ध और निर्भय होते थे। ऐसे स्थान पर, उस श्मशान की अकल्प्य भयानकता के मूलरूप समझे जाने वाले कालभैरव के दर्शन करने के लिए मध्यरात्रि के समय आने के कारण बहादुर काक का भी गात्र शिथिल हो गया। उसके पैर काँप रहे थे, उसके शरीर में जूड़ी चढ़ आयी थी, थरथराते होठों को बड़ी कठिनाई से वह

बन्द किए था। केवल उसके साथी का अटल आचरण और भयहीन सुन्दर मुख ही काक को लज्जा के मारे भागने से रोक रहा था।

ज्यों ही ये लोग चिताओं के पास आने लगे त्यों ही कीर्तिदेव का मुख भी कठोरता से बन्द हो गया और उसकी आँखों का तेज दृढ़ होते हुए भी घबराहट सूचित करने लगा।

काक एकदम घबरा उठा। एक तीखे भयंकर स्वर की चीख सुनाई दी। वह कहाँ से आयी, यह समझ में न आया। उसकी प्रतिध्वनि चारों ओर आकाश में और सरस्वती के जल में भी सुनाई पड़ी। कुत्ते गुर्राने लगे। काक ने आँख बन्द करके पीठ फेर ली, मुट्ठियाँ बन्द कर लीं और भाग जाने का विचार किया।

"काक भटजी, साहस रखना।" कीर्तिदेव ने कहा। उसके स्वर में भी भय का कुछ कम्पन था। उसने काक का हाथ पकड़ लिया। दोनों हाथ पसीने से भीगे थे, दोनों की अँगुलियाँ थर-थर काँप रही थीं। कीर्तिदेव घूमा और उच्च स्वर में उसने एक मन्त्र पढ़ा। काक भी विवश होकर घूमा। चिताओं के आसपास कुछ ऐसे प्रकाशयुक्त आकार दिखलाई पड़ने लगे, जैसे उनके सिर पर धधकते हुए अंगारे रखे हों। काक अधिक न देख सका। वह आँखें मींच कर गायत्री का पाठ करने लगा। तुरन्त उन पर हड्डियों और कोयलों की वर्षा हुई। "कीर्तिदेव!" काक ने कहा और अपना हाथ छुड़ाने का प्रयत्न किया, परन्तु कीर्तिदेव ने उसका हाथ बड़ी कठोरता से पकड़ रखा था।

उसने आँखें खोलीं। वे आकार निकट आते हुए, बढ़ते हुए मालूम हुए। उसे ऐसा प्रतीत हुआ कि उसके हाथ में जो कीर्तिदेव का हाथ है, उसकी नसें ज़ोर से खिंचने लगी हैं। कीर्तिदेव अपने को संयत करने का प्रयत्न कर रहा था। उसने उच्च स्वर में दूसरा मन्त्र पढ़ा। घबराया हुआ काक केवल इतना ही समझ सका कि उसमें कालभैरव का आवाहन था।

आगे बढ़कर आते हुए वे आकर तुरन्त वहीं रुक गये। सब ने एक साथ जोर की चीख मारी। दसों दिशाएँ काँपती हुई मालूम हुईं। कान के परदे फट गये-से प्रतीत हुए। कीर्तिदेव मन्त्र पढ़ता ही रहा।

कीर्तिदेव दो कदम आगे बढ़ा और उसके पीछे काक भी घिसट गया। उनके पैरों के नीचे हड्डियाँ और माँस मालूम होता था। वे सब आकार दूर जा खड़े हुए। केवल एक काला-सा आकार निकट खड़ा रहा। काक ने ध्यान से देखा, वह स्त्री का-सा मालूम होता था। सिर के बड़े-बड़े बाल उसके वस्त्रहीन शरीर के आसपास लिपटकर पैरों तक पहुँच रहे थे। उसके मुख पर लाल रक्त के-से दाग थे। उसके हाथ में पैर की हड्डी का दंड था। वह योगिनी केवल, "ह्रीं" का उच्चारण कर रही थी। काक मन-ही-मन गायत्री का पाठ करता रहा।

कीर्तिदेव ने मन्त्र बदल दिया। उस मन्त्र को सुनकर वह योगिनी मौन हो गयी। कीर्तिदेव ने फिर से मन्त्र पढ़ा।

''क्या, क्या, क्या?'' योगिनी ने अप्रभंश संस्कृत में पूछा।

''मैं जानना चाहता हूँ।'' कीर्तिदेव ने संस्कृत में कहा।

''क्या?''

''अपने पिता का नाम, अपने कुल का पता।'' कहकर कीर्तिदेव ने फिर मन्त्र पढ़ा।

''कृष्णपक्ष और चतुर्दशी की मध्यरात्रि में।''

''इससे पहले नहीं?''

''नहीं।'' योगिनी ने कहा।

''कालभैरवाय नमः'', कीर्तिदेव ने उत्तर में केवल मन्त्र का ही पाठ किया।

''कौन है? रक्त लाओ।'', योगिनी ने कहा।

होठ पर होठ दबाकर कीर्तिदेव ने बायाँ हाथ बढ़ा दिया। योगिनी ने विद्युत की गति से अपना दंड घुमाया और कीर्तिदेव ने एक चीत्कार किया। काक ने देखा कि दंड के प्रहार से योगिनी ने कीर्तिदेव के बाएँ हाथ पर घाव कर दिया है।

वह योगिनी तुरन्त अन्तर्धान हो गयी। एकदम खिलखिलाकर हँसने की आवाज चारों ओर गूँज गयी; और चारों ओर से हड्डियों और माँस की वर्षा होने लगी।

कीर्तिदेव ने एकदम पीठ फेरी और अपने साथ काक को खींचकर वह भागने लगा। काक को यही चाहिए था। वे अपने प्राण लेकर भागे और कुछ देर में कोट के द्वार के बाहर घाट पर आकर दम लेने को खड़े हो गये।

''काक, तुम ज़रा ठहर जाओ। मैं अपने घाव पर पट्टी बाँध लूँ।'' कीर्तिदेव ने कहा।

काक ने देखा कि कीर्तिदेव के बाएँ हाथ से खून टपक रहा है।

काक ने आँखों के संकेत से ही पूछा कि इस घाव का अर्थ क्या है?

''मैं कौन हूँ, यह परखने के लिए मेरा खून लिया है।''

''आप नदी पर हाथ धोने जा रहे हैं?''

''हाँ।''

''ठहरिए, मुझे भी नहाना है। कीर्तिदेव जी, आपका साहस भी गजब का है।''

''यह श्मशान भयंकर है; परन्तु माँ-बाप का न जानना इससे भी भयंकर है।''

''भगवान सोमनाथ मुझे फिर यहाँ न लाएँ।'' काक काँपता हुआ बोला।

''अभी एक बार और आना पड़ेगा।''

''किसलिए?''

''मेरे साथ उत्तर प्राप्त करने के लिए आगामी कृष्ण पक्ष की चतुर्दशी के दिन।''

"नहीं, क्षमा करो, अब मुझ में साहस नहीं है।" कहकर काक ने पवित्रता प्राप्त करने वाले अनेक मन्त्र पढ़कर नदी में डुबकी लगाई।

कीर्तिदेव ने भी घाव को धोया, पट्टी बाँधी और नहाना शुरू किया।

"काक भटजी, आरम्भ करके अन्त करना, यह बुद्धिमानी का दूसरा लक्षण है। मैं पाटण में पन्द्रह दिनों तक रहना चाहता हूँ। रह गया, तो ठीक ही है; परन्तु यदि, भगवान महाकालेश्वर न करें, मुझे जाना पड़ा, तो क्या तुम आकर उत्तर न ले जाआगे?"

काक मौन मुख देखता रहा। कीर्तिदेव अत्यन्त दुखी हो गया। उसके मुख पर खिन्नता छा गयी। उसकी आँखें अवर्णनीय चातुर्य से काक को समझा रही थीं। काक अधिक देर इनकार न कर सका।

"परन्तु मुझे तान्त्रिक विद्या नहीं आती।"

"मैं अभी सिखा देता हूँ। हाथ में जल लो और वचन दो कि इतना काम करोगे। यह उपकार मैं कभी न भूलूँगा।"

काक मात हो गया। उसने मौन-मुख जल छोड़ा। कीर्तिदेव विजयी हुआ। विवश होकर काँपते-काँपते काक ने मैली विद्या का मन्त्र सीखा।

स्नान-ध्यान से निबट कर दोनों जने शहर में गये और कीर्तिदेव से अलग होकर काक मंडलेश्वर मे घर जाकर सो गया।

मंजरी ने विवाह कैसे स्वीकार किया?

काक बहुत ही थक गया था, अतएव उसे तुरन्त नींद आ गयी। नींद में उसे अनेक स्वप्न आए। मंजरी के हरण के और योगिनी के दृश्य उसने बार-बार देखे। आख़िर प्रातःकाल हुआ। उससे भी कुछ देर पश्चात उसकी नींद खुली। उसके शरीर में थकावट सहने की अद्भुत शक्ति थी। अतएव वह इतनी थोड़ी नींद लेकर भी ज्यों का त्यों स्वस्थ हो गया।

वह देर से उठा था, अतएव घर में सब अपने-अपने काम से लग गये थे। उसने मंडलेश्वर के बारे में पूछा; परन्तु वे काक को सोता छोड़कर नदी पर नहाने चले गये थे।

ज्यों ही वह काश्मीरा देवी से मिलने को गया, त्यों ही उसने एक नयी मूर्ति चौकी पर बैठी देखी। उसने उसे नमस्कार किया। इस नयी मूर्ति के पैरों में खड़ाऊँ, कन्धे पर शाल, कपाल पर त्रिपुंड, हाथ में पंचपात्र और आचमनी और गले में रुद्राक्ष की माला थी। काक ने पूछा, "काश्मीरा देवी कहाँ हैं?"

यह नयी मूर्ति अँगुली के पोरुवों पर कुछ गिन रही थी। उसने बिना ऊपर देखे कहा, "अन्दर गयी हैं। अभी आएंगी।"

"महाराज, क्षमा कीजिएगा, मुझे आप से एक काम है।" कहकर काक उसके निकट पहुँचा।

यह नयी मूर्ति पंडित गजानन थे। उन्हें आश्चर्य हुआ। उन्होंने काक की ओर देखा। धीरे-धीरे सारे शरीर पर दृष्टि डाली और मौन मुख देखते रहे। पंडित जी ने न मालूम हो ऐसा एक तिरस्कार का निःश्वास छोड़ा।

"मैं राज-ज्योतिषी हूँ।"

"महाराज, मुझे प्रायश्चित करना है।"

"कैसा प्रायश्चित?"

"तान्त्रिक विद्या सीखने और कालभैरव की आराधना करने का।"

पंडितजी ने घबराकर तिरस्कार और क्रोध से काक की ओर देखा।

"कौन वर्ण हो?"

"ब्राह्मण।"

"कहाँ के?"

"लाट का।"

"लाट के?" कहकर पंडित गजानन ने अधिक ध्यान से देखा और ज़रा मुस्करा कर देखते हुए कहा, "क्या काम करते हो?"

"भट हूँ।"

"अच्छा, तुम्हारा वेद?"

"महाराज, इतनी अधिक पूछताछ का कारण?" काक ने कुछ ऊब कर पूछा।

पंडित जी ने प्रश्न की ओर ध्यान ही नहीं दिया। "तुम्हारा वेद कौन-सा है?" यह पूछकर पंडित जी ज़रा मुस्कराने लगे।

"ऋग्वेद।"

"तुम्हारा राशि नाम?"

"आपको इन सबसे मतलब?" काक ने क्रोध से कहा।

"मुझे मतलब नहीं, तो और किसे होगा?"

क्षण भर काक क्रोध से देखता रहा। अचानक उसे कुछ स्मरण हो गया। उसका क्रोध शान्त हो गया। मुख पर मधुरता लाकर उसने नम्रता से कहा, "मेरा नाम है काक।"

"अच्छा, ठहरो। मिथुन, कर्क, सिंह—"

काक के मुख पर हँसी छा गयी। उसने पूछा, "आप ही पंडित गजानन हैं?" पंडित ने केवल सिर के संकेत से 'हाँ' में उत्तर दिया। "सिंह, कन्या, तुला—"

"क्या गणना कर रहे हैं, पंडितजी?"

पंडितजी ने एक आँख मूँद कर शीघ्रता से कुछ गणना की और फिर वे विचित्र प्रकार से हँसने लगे। ''तुम्हारा नाम काक है? तुम्हारी राशि मिथुन है। मैं क्या गणना कर रहा हूँ, कहूँ? विधाता के लेख से इस समय तुम्हारे लिए संपूर्ण स्त्री-योग उपस्थित हुआ है।''

काक के मुख में पानी भर आया।

''कब है?''

''जब मैं कहूँ।'' पीछे की ओर से ठिठोली करता हुआ काश्मीरा देवी का स्वर सुनाई पड़ा।

''आप क्या कह रही थीं?'' पंडित गजानन तीखे स्वर में बोल उठे, ''ग्रह कहते हैं, राशि कहती है, नक्षत्र कहते हैं। आप विवाह कर देना चाहती हैं?''

''हाँ, जितनी जल्दी हो सके।''

एक आँख मूँद कर, खुली आँख से काश्मीरा देवी और काक की ओर देखते हुए पंडित जी ने इस प्रकार कहा, जैसे बहुत बड़ी हँसी की हो, ''धुलहरी के दिन का मूहूर्त निकालूँ?''

काक को ऐसा प्रतीत हुआ कि संसार में अच्छे-से-अच्छा और हँसमुख से हँसमुख यदि कोइे मनुष्य है, तो वह गजानन पंडित है।

''क्यों ज्योतिषी जी महाराज, क्या बुद्धि का दिवाला ही निकल गया है?''

''हाँ देवीजी, द्वितीया अच्छी है, त्रयोदशी...''

''वह तो अभी बहुत दूर है।''

काक लज्जा के कारण कुछ ने कह सका। उसके मस्तिष्क में आनन्द के नगाड़े बज रहे थे।

''तब पंचमी?''

''हाँ, यह ठीक है। मुझे शीघ्र ही यह सब करना है। द्वितीया की भी तैयारी रखिएगा।''

''जो आपकी आज्ञा।'' कहकर पंडितजी उठे और विदा ली।

''काक अब तुम भी तैयार हो जाओ।''

काक मन-ही-मन विचार करने लगा कि मैं तो इसी क्षण मंजरी का पाणिग्रहण करने को तैयार हूँ।

''बहनजी, आप कहाँ, बाहर हैं?'' अन्दर से मंजरी का स्वर सुनाई पड़ा।

काश्मीरा देवी ने काक की ओर आँखें नचाईं; ''हाँ मंजरी, ज़रा यहाँ तो जाओ।''

''आयी।''

काक लज्जा से लाल मुख करके इस प्रकार नीचे देखने लगा, जैसे बारह बरस का नन्हा-सा उमंग भरा दूल्हा हो। मंजरी आयी और उसने काक को देखा। उसका मुख भी लाल हो गया। पर यह समझ में न आया कि गर्व से या क्षोभ से।

''मंजरी,'' काश्मीरा ने मंजरी को अन्दर खींचते हुए मजाक में कहा, ''यह काक भट हैं, लाट के दंडनायक, महाराज के परम मित्र।''

इस मजाक की ओर ध्यान न देते हुए मंजरी ने पूछा, ''कौन पंडितजी थे?''

''हाँ, तुम्हारे ब्याह का मूहूर्त निकलवाया है।''

मंजरी जरा उलझन में पड़ गयी।

''इसी आगामी द्वितीया को।''

''परन्तु—''

''देखो, फिर तुम अपनी बुद्धिमानी बघारने लगीं! क्या उस खम्भात वाले सेठ को भूल गयीं? चलो, अब बुद्धिमती बन जाओ,'' कहकर काश्मीरा ने मंजरी को एक चपत लगाई और वह दूसरे कमरे में चली गयीं; जाते-जाते द्वार भी बन्द कर गयीं। जिस द्वार के पास काक खड़ा था उसके अतिरिक्त जाने का दूसरा मार्ग नहीं था। मंजरी का मुँह उतरा हुआ था, परन्तु उसके होठ गर्व से बन्द थे, उसकी आँखें अभिमान से परिपूर्ण थीं। वह काक की ओर तिरस्कार से देखने लगी, ''किस लिए मुझे दग्ध कर रहे हो?''

''मैं दग्ध कर रहा हूँ?''

''हाँ।'' और मंजरी के अभिमान-पूर्ण स्वर में भी दयनीयता आ गयी। ''तुम, काश्मीरा बहन और पंडितजी सभी मुझे दग्ध कर रहे हैं। मैं असहाया हूँ; पितृ-हीना हूँ; मेरे नाना बहुत दूर देश में रहते हैं; हजार हाथों वाला रावण मेरे पीछे लगा है; यह कहकर तुम मुझे घबराए डाल रहे हो। मुझे कुछ सूझता नहीं है; इसी से मुझे अपनी स्त्री बनाना चाहते हो। तुम सबको यह अत्याचार करते लज्जा नहीं आती?''

''अत्याचार कर रहे हैं? तुम्हें यही प्रतीत होता है? तो लो, मैं विवाह ही नहीं करूँगा।''

'' नहीं, तुम क्यों इनकार करोगे?'' तिरस्कार और कटाक्ष से मंजरी ने पूछा, ''तुमने दो-दो बार मुझे मरते हुए बचाया है और काश्मीरा बहन कहती हैं कि तुम मेरा पाणिग्रहण करने के अधिकारी हो गये हो।''

''परन्तु मैं कब यह कह रहा हूँ?''

''तुम चाहे मुख से न कहते हो, —हृदय से कहते होगे।''

''मैं क्यों झूठ बोलूँ? मैं जानता हूँ कि तुम्हारा पति बनने की योग्यता मुझ में नहीं है। तुम विदुषी हो, मैं अपढ़ हूँ। तुम संस्कार-शीला हो, मैं ग्रामीण हूँ। मैं अधिकारी नहीं, केवल दास हूँ।''

''जब यह बात है, तब किसलिए मुझ से विवाह करने के लिए तैयार हुए हो?'' मंजरी ने अपने विशाल नेत्र काक पर स्थिर करके पूछा।

''तुम्हारे लिए।''

मंजरी ने कोई उत्तर नहीं दिया।

काक ने फिर कहा, ''तुम्हारे सिर पर चक्र घूम रहा है, यह तुम्हें ख़बर नहीं?''

"मैंने कल रात को ही इसका अनुभव किया है।" सिर पर जरा बल डाल कर मंजरी ने कहा।

"तो अब अधिक क्या कहूँ? मंडलेश्वर के महल से तुम्हें उठा ले जाना कोई सरल बात समझती हो? जिस मनुष्य ने यह किया, वह और क्या नहीं कर सकता? वह बलवान होना चाहिए। यदि तुम जूनागढ़ अपने नाना के पास जाओगी, तो भी उसके हाथ तुम्हें पकड़ लेंगे। वह कौन है, यह तुम जानती हो।"

"हाँ, काश्मीरा बहन भी यही कह रही हैं।"

"क्या?"

"कि वह मनुष्य रावण के समान समर्थ है, परन्तु तुमसे विवाह करके भी कैसे बच सकूँगी?" मंजरी अपने विवाह की बात बिल्कुल लापरवाही से कर रही थी।

काक ने कुछ देर विचार किया, "काश्मीरा देवी क्या कहती हैं!"

"वे कहती हैं कि मैं किसी दूसरे से विवाह कर लूँगी, तो वह तुरन्त मेरा पीछा छोड़ देगा।"

"कारण?"

"मेरी अपेक्षा उसे अपनी प्रतिष्ठा अधिक प्रिय है।" मंजरी ने तिरस्कार से कहा और फिर निराशा से, एक हाथ से दूसरे हाथ को मोड़ते हुए, उसने कुछ क्रोध, कुछ अकुलाहट और कुछ कटाक्ष से कहा, "इसलिए तुमसे विवाह किए बिना बचने का और कोई रास्ता ही नहीं।"

काक विचार में पड़ गया, "मंजरी, मुझसे विवाह करते हुए तुम्हें इतना दुःख हो रहा है?"

"तुमने मेरी प्राण-रक्षा की है, इसलिए मैं जन्मभर तुमसे स्नेह रखूँगी।" कहकर मंजरी सतर हो गयी और गौरव से काक की ओर देखकर बोली, "परन्तु मुझ से मेरी इच्छा के विरुद्ध विवाह करोगे, तो –"

"तो?"

"जीवन भर धिक्कार देती रहूँगी।"

काक के हृदय पर कोड़ा-सा लगा। वह मौन हो गया। उसकी आशा का सूर्य अस्त होने लगा। कुछ देर में वह बोला, "मंजरी, मैं तुम्हें इतना असह्य हूँ, यह मैंने नहीं जाना था।" काक ने निःश्वास छोड़ा।

मंजरी ने उत्तर नहीं दिया। वह केवल अभिमान से देखती रही।

काक ने कुछ देर में फिर कहा, "तुम्हें निर्भय करने का एक दूसरा मार्ग है।"

"क्या?" मंजरी के कठोर बने हुए सुन्दर मुख पर कोमलता आ गयी।

"वह पापी कौन है, यह मुझे बतला दो। कल प्रातःकाल होने से पहले ही मैं उसे परधाम पहुँचा दूँगा!" दाँत पीसकर काक ने कहा और फिर अकुला कर बोला, "इससे

तुम्हें निश्चिन्तता प्राप्त होगी और विवाह करने का दुःख भी दूर हो जाएगा।'' काक का स्वाभिमान भी चोट खा गया था।

मंजरी ने खिन्नता से सिर हिलाया।

''क्यों?'' काक ने पूछा।

''यों कि तुम उस पापी का नाम नहीं जानते।''

''क्या ऐसा दुर्जेय है?''

''दुर्जेय नहीं, पर ऐसा अस्पर्श्य।''

''कौन?'' कहकर काक ज़रा निकट आया। मंजरी ने धीरे-से एक शब्द कहा। काक उछलकर ऐसे दूर जा खड़ा हुआ, जैसे उसे साँप ने डँस लिया हो।

मंजरी ने नाक पर अँगुली रखकर चुप रहने के लिए संकेत किया। काक ने निराशा से सिर हिलाया, ''मंजरी, तुम्हारी बात सच है। इस मनुष्य को नहीं मारा जा सकता।''

''और दूसरी बात, वह भी सत्य है?''

''हाँ, वह केवल अप्रतिष्ठा से डरता है। तुम किसी दूसरे से विवाह कर लो, तो फिर वह स्वप्न में भी तुम्हारा विचार न करेगा।''

''तब बिना विवाह किए छुटकारा ही नहीं है।'' मंजरी ने तिरस्कार से कहा।

काक मंजरी से विवाह करना चाहता था; उसके पैर पूजता था; फिर भी ऐसी बातों से उसे क्रोध आ रहा था। जिस तिरस्कार का व्यवहार मंजरी उसके साथ कर रही थी, वह उसे अखरता था। ज्यों-ज्यों मंजरी उसका अधिक तिरस्कार करती जाती थी, त्यों-त्यों काक उसे अपनी पत्नी बनाने की इच्छा बढ़ाता जा रहा था और उससे स्वामित्व स्वीकार कराने को तरस रहा था। अपने गौरव की रक्षा के लिए उसने भी शान्ति से उत्तर दिया, ''हाँ, या तो मेरे साथ, या जैन मन्त्री के साथ।''

मंजरी ने होठ चबा लिए, ''यह बात कल से मैंने पचास बार सुनी है।''

''सच्ची बात इक्कावनवीं बार सुननी पड़े तो भी अच्छा।''

मंजरी काक की ओर अवर्णनीय अभिमान और तिरस्कार से देखने लगी।

''मुझ से विवाह करके क्या करोगे?'' मंजरी की छोटी-सी रसाल ठोढ़ी हठ से दृढ़ हो गयी। उसके नेत्रों से स्थिर और प्रभावशाली प्रकाश निकल रहा था। काक ने देखा कि मंजरी और उसके बीच युद्ध आरम्भ हो गया है और तब उसने उसमें विजयी होने का निश्चय कर लिया। उसके कानों में मंजरी के शब्द टकरा रहे थे ''कैलास मिव दुर्धर्षं कालाग्निमिव दुःसहम्।'' काक की गहरी तीक्ष्ण आँखें ज़रा बढ़ीं और स्थिर हो गयीं। उनमें से निश्चल असिधारा के समान चमकता हुआ तेज निकलने लगा। तेज के दो खड्ग एक-दूसरे से टकराये और उनमें से अदृश्य चिनगारियाँ निकलीं।

''यह विवाह के पश्चात् कहूँगा।''

"तुम जानते हो, मैं गर्विष्ठा हूँ, मेरे आचार-विचार विचित्र हैं, तुम्हें वे कैसे रुचेंगे?"

"यह मेरे समझने की बात है।" कहकर काक ज़रा हँस पड़ा। मंजरी की तिरस्कारपूर्ण दृष्टि, काक को अल्प से अल्प बनाकर उसे उस अल्पता का अनुभव कराने का प्रयत्न करने लगी। एक सम्राज्ञी की शान से, गौरव से, वह बाहर जाने के लिए सतर हो गयी। द्वार के आगे संयत होकर प्रताप की मूर्ति के समान काक नतमस्तक खड़ा था। मंजरी को ऐसा प्रतीत हुआ, जैसे वहाँ उसके भविष्य का विनाशक यमराज खड़ा था। यह विचार आते ही उसका साहस, गौरव और दृढ़ता पलायन कर गयी। आँखों पर हाथ रखकर वह रो पड़ी।

काक आर्द्र हो गया। वह मंजरी को रोती हुई न देख सका, "मंजरी, क्यों रो रही हो?"

"अनाथ के भाग्य में आँसुओं के अतिरिक्त और क्या है?"

"तो मैं नाथ बनकर इन आँसुओं को सुखाऊँगा।"

मंजरी ने अश्रुपूर्ण आँखों से काक की ओर देखा। उसके होठ ज़रा काँपे और वह तुरन्त बोली, "काक, तुमने मुझ पर असीम उपकार किया है।" कुछ देर वह देखती रही और अश्रु-सर में तैरते हुए उन दो अपूर्व कमलों को काक देखता रहा।

"एक उपकार और करोगे?" मंजरी के मुख पर, आँखों में, स्वर में दयनीयता व्याप्त हो गयी थी। उसके होठ काँप रहे थे। उसका हृदय विचार उर्मियों की तरंगों में उछल रहा था। मंजरी का भव्य मोहिनी-रूप, अंग-अंग का लालित्य वाक्-चातुर्य से याचना कर रहा था। उस चातुर्य के सामने काक निर्बल हो गया।

"हाँ, जो कहोगी, वही करूँगा।" काक ने कहा।

"मुझसे विवाह करने के पश्चात मुझे मेरे नाना के यहाँ छोड़ आना।"

मंजरी ने इतना कहा और चली गयी। उसके अदृश्य होते हुए शरीर की ओर काक अचेत-सा होकर देखता रहा। यदि पृथ्वी रसातल में चली गयी होती, तो वह ऐसा न घबड़ाता, उसे ऐसे चक्कर न आते। उसने पिछले हाथों दीवाल का सहारा ले लिया।

बहुत देर तक मुख नीचा किए हुए, विचार-हीन, केवल निराशा का ही अनुभव करता हुआ वह खड़ा रहा। भारी हृदय से अन्त में उसने निःश्वास छोड़ा और वह बाहर निकला। उसके हृदय में से सुख का सूर्य अस्त हो गया। उसे ऐसा प्रतीत हुआ कि उसके जीवन का उद्यान सूख गया है और अब अरण्य-मात्र ही रह गया है।

जब वह बाहर निकला, तब उसे जयदेव महाराज का एक सेवक महाराज का सन्देश लेकर आया दिखा। महाराज ने काक को दोपहर के पश्चात बुलाया था।

काक को अपने वाक्-चातुर्य पर श्रद्धा न रही

अपने को संयत करने में काक को कुछ विलम्ब लगा। उसके स्वभाव में उछलती हुई उमंगों और शान्त दूरदर्शी बुद्धि का अनोखा मिश्रण हो गया था। पहले उसने कोमल बालक की-सी मूर्खता से मंजरी को वचन दे दिया; और अब वह पाषाण-हृदय राजनीतिज्ञ की बुद्धि से उसमें से मार्ग खोज निकालने का प्रयत्न करने लगा।

पहले उसने मंजरी से विवाह कर लेने और फिर अपने वचन को भंग कर डालने का विचार किया, परन्तु यह विचार उसने तुरन्त दूर कर दिया। यदि वह ऐसा करे, तो मंजरी ने उसकी असंस्कारिता पर जो आक्षेप किए थे, वे सच हो जाएँ, मंजरी के हृदय में वह अब्राह्मण सिद्ध हो जाए और सदा के लिए अपनी पत्नी की दृष्टि में अधम बन जाए।

और कौन मार्ग है? उसने बहुत विचार किया, परन्तु एक भी मार्ग न दिखलाई पड़ा। यदि उदा मेहता का भय न हो, तो मंजरी उससे कभी विवाह न करे और यदि कर ले, तो काक को अपने वचन का पालन करना पड़े। दोनों मार्ग निराशा-जनक थे। दोनों मार्गों में काक को अपनी भलाई नहीं मालूम होती थी। तब क्या करना चाहिए? काक को अचानक एक विचार सूझा। उदा मेहता मंजरी का पीछा क्यों न छोड़ेगा? यदि वह पीछा छोड़ दे, तो चाहे मंजरी उससे विवाह न करे, परन्तु सुखी तो हो जाएगी। काक की कल्पना में मंजरी का सुमधुर मुख निराशा और दुःख से मुरझाया हुआ दिखलाई पड़ने लगा। क्या अपने स्वार्थ के लिए उस मुख को सदा के लिए मुरझा जाने दिया जाए? नहीं, नहीं, कभी नहीं। काक ने निश्चय किया; परन्तु दूसरी कठिनाई और भी भारी थी। उदा मेहता अपनी हठ कैसे छोड़ेगा? किसी के कहने से? काक का हृदय कह रहा था कि उदा मेहता की दृढ़ता कोई साधारण नहीं है। तब फिर किस की सहायता ली जाए? उसने अनेक व्यक्तियों का विचार किया; परन्तु ऐसा कोई व्यक्ति दिखालाई न पड़ा जिससे सहायता मिल सके। अन्त में काक ने अपने साहस से ही उदा मेहता का हठ छुड़ाने का निश्चय किया।

इस समय उसे अवकाश था; अतएव तुरन्त ही उसने उदा मेहता से मिलने का विचार किया।

शस्त्रों से सजकर काक बाहर निकला। उदा मेहता अपने ससुर शान्तु मेहता के यहाँ ठहरा था। अतएव पूछता-पूछता, जिस जगह रात को कीर्तिदेव ने उन बदमाशों को रोका था, काक वहाँ जा पहुँचा। उसकी बगल में शान्तु मेहता का बाड़ा था। काक को अब विश्वास हो गया कि रात को जो अपरिचित मनुष्य दीवार की आड़ से निकल कर फिर अदृश्य हो गया था, वह उदा मेहता ही होना चाहिए।

काक ने शान्तु मेहता के यहाँ पूछताछ की, तो मालूम हुआ कि उदा मेहता पूजा कर रहे हैं। काक ऊबता-अकुलाता हुआ प्रतीक्षा करने लगा और दो-तीन घड़ी के पश्चात एक नौकर उसे उदा मेहता के पास बुला ले गया।

काक ने ज्यों ही अन्दर प्रवेश किया त्यों ही उदा मेहता मुख पर मधुर से मधुर हास्य लाकर बड़ी उमंग-भरे प्रेम से उसका स्वागत करने को आगे बढ़ आया।

"आइए, आइए, काक भटजी, कहिए, कैसे? आप हमारे खम्भात को त्याग कर गये और ख़बर भी न दी? वाह! वाह!" ऐसे स्वागत का काक ने कभी विचार भी न किया था। उदा मेहता ने हँसते हुए निकट बैठे एक मनुष्य से कहा, "धर्मपाल, यही काक भटजी हमारे यहाँ अतिथि हुए थे और पूरा आतिथ्य स्वीकार किए बिना ही चल दिए थे। हाँ जी, उसी रोज़ तो आप गये थे जिस रोज़ बेचारा हमारा वह तिलक मर गया।" उदा मेहता के मुख से यह स्पष्ट प्रकट हुआ कि तिलक का घातक काक ही था; परन्तु इस प्रश्न के उत्तर में पकड़ा जाना उसे उचित नहीं मालूम हुआ।"

"ओह! तिलकचन्द्र मर गये?" काक ने शोक प्रदर्शित करने के लिए गम्भीर मुख बनाकर कहा, "कैसी कच्ची वयस में भगवान सोमनाथ ने उन्हें उठा लिया!"

"भाग्य का लेख! भटजी, आइए, बैठिए तो जरा। आज मैं वास्तव में कृतार्थ हो गया कि आप मुझे खोजते हुए आए।"

इस मधु के सागर को तैरकर पार करना काक को बड़ा कठिन मालूम हुआ।

"मुझे आपसे ज़रा काम है।"

"ओह! मेरा कैसा दुर्भाग्य कि मुझे इसी समय राजमहल को जाना है।"

"इसी समय?"

"हाँ जी, यह कैसे हो सकता है कि तुम्हें मालूम न हो। इसी समय महाराज ने सब मन्त्रियों को बुलाया है और किसी समय न आइएगा?"

"कल के दरबार के विषय में बातचीत करने के लिए?"

"यह तो महासज जानें। मैं अधिक झंझटों में नहीं पड़ता।"

"दो-चार क्षण के लिए भी ठहर कर मेरी बात नहीं सुनेंगे?"

"दो-चार क्षण? अवश्य। धर्मपाल, ज़रा शान्तु मेहता से कहो कि पालकी तैयार होते ही मुझे बुला लें।"

"जो आज्ञा," कहकर धर्मपाल चला गया।

"कहिए, मेरे योग्य जो काम-काज हो, उसे निश्चिन्ततापूर्वक कहिए।" कहकर उदा मेहता हँसते हुए, तकिए के सहारे बैठे गये। केवल उनकी आँखें ही काक के मुख के भावों पर अचूक पहरा देती रहीं। काक घुटनों के बल सामने बैठ गया। वह भी यह विचार कर रहा था कि इतनी देर में किस प्रकार बात कि जाए?

"मन्त्रिवर, एक बार आपने मुझे अपना मित्र बनाने के लिए कहा था।"

"अवश्य। मैं आपको अपने परम मित्रों की ही पंक्ति में समझता हूँ।"

''आपको खबर है कि मेरी मैत्री की आवश्यकता आपको जैसी इस समय है, वैसी और कभी नहीं थी।''

''सच्चा मित्र सदा काम देता है।'' कहकर उदा मेहता ने केवल मुख के भाव से ही शीघ्रता प्रकट की।

''देखिए मेहताजी, समय थोड़ा है। अतएव मैं विनय की रक्षा न कर सकूँ, तो क्षमा करिएगा। मैं अपकी भाँति बुद्धिमान या राजनीतिज्ञ नहीं। आपने मेरी शक्ति और प्रभाव को समझ लिया है।''

उत्तर में उदा मेहता ने मधुर-सा हँस दिया।

''आज आप सत्ता प्रताप भोग रहे हैं। सम्भव है, इसी क्षण या कल ही ये न रहें।''

''सुख चंचल है, देह क्षणभंगुर है।'' उदा मेहता ने गाम्भीर्य से इन सूत्रों का उच्चारण किया।

''और राजाओं की कृपा इससे भी अधिक चंचल है।''

''यह विषय बहुत ही ज्ञान-पूर्ण है। हम इस विषय में कभी निश्चिन्तता से बैठकर बातचीत करें, तो कैसा रहे?''

काक ने होंठ चबा लिए। उदा उसका मजाक कर रहा था।

''नहीं, इस समय यह बात करना है। मैं एक वचन माँगने के लिए आया हूँ। वह वचन दे दीजिएगा, तो मैं सदा के लिए आपका सेवक बन जाऊँगा और न दीजिएगा तो कट्टर शत्रु।''

''क्या वचन चाहते हैं, कहिए तो?'' बहुत ही मधुरता से उदा ने कहा और फिर जरा उद्धत स्वर में कहा, ''देखिए, राग और द्वेष दोनों त्यागना चाहिए। इन पर अधिक भार देने की आवश्यकता नहीं है।''

''कविकुलशिरोमणि रुद्रदत्त की कन्या का पीछा छोड़ दो।'' काक ने उदा पर आँखें गड़ाकर कहा।

उदा के मुख पर जरा-सा परिवर्तन हुआ न हुआ कि वह बिल्कुल अनजान–सा बनकर देखने लगा और बोला, ''क्या कहा? कविवर रुद्रदत्त तो स्वर्गवासी हो गये हैं न? उनकी कन्या कहाँ है?''

''खम्भात में थी और आप उससे विवाह करना चाहते हैं।''

कुछ देर उदा काक की ओर देखता रहा और बोला, ''भटजी, यदि तुम शुद्ध ब्राह्मण न होते, तो मैं कहता कि आप किसी नशे की धुन में हैं। आप क्या कहते हैं? मेरी समझ में ही नहीं आ रहा है।''

काक क्रोध से देखने लगा; क्या उदा उसे बना रहा है या मंजरी की बात झूठ है?

''मेहताजी, क्या रुद्रदत्त की स्त्री को नहीं जानते? क्या मंजरी को नहीं पहचानते?'' काक ने कटाक्ष करते हुए पूछा।

"उन्हें पहचानने का अहोभाग्य प्राप्त होता, तो इनकार क्यों करता?" उदा ने बहुत ही सरलता से उत्तर दिया।

"तो ठीक है मन्त्रिवर, नमस्कार," कहकर काक उठ खड़ा हुआ, "अधिक बातें करने की आवश्यकता नहीं है।"

"भटजी, मेरी बात मानो, तो ऐसी धुनों पर अधिक ध्यान ही न देना चाहिए। साहस करने से पहले दीर्घ विचार कर लेना चाहिए।" कहकर काक को विदा करने के लिए उदा खड़ा हुआ।

एकाग्र हुए क्रोध से काक ने उसकी ओर देखा। उसकी आँखें चमक उठीं और क्रोध-कम्पित स्वर में उसने कहा, "मेहताजी, अब सावधान रहिएगा। मेरा भविष्य भी पाटण के साथ निहित है।"

"अच्छी बात है। हम फिर मिलेंगे। इससे अच्छा और क्या होगा?" बड़ी ही शान्ति से उदा ने उत्तर दिया। उसका संयम अटल था। केवल उसके होठों से उसकी विजय प्रकट हो रही थी।

"इससे अच्छा और क्या होगा कि खबर अब पड़ेगी।" कहकर काक ने पीठ फेर ली।

"फिर कभी दर्शन दीजिएगा।" बहुत नम्रता से उदा ने कहा।

काक बिना उत्तर दिए चला गया। उसने देखा कि वाक्-चातुर्य में वह पराजित हो गया है और मंजरी से विवाह कर लेने के अतिरिक्त अब दूसरा मार्ग ही नहीं है।

सत्ता के सूत्र

दोपहर होने पर, यह विचार करता हुआ काक राजमहल में पहुँचा कि महाराज को क्या उत्तर दिया जाए। उस समय मन्त्रियों की बैठक हो रही थी; अतएव समय बिताने के लिए वह वीरा भाट के पास जा बैठा। जब बिल्कुल सन्ध्या होने को आ गयी, तब उसे खबर मिली कि सभा समाप्त हो गयी है। वह उठकर जयदेव महाराज के पास गया।

जिस खंड में महाराज थे, उसके द्वार के आगे डूँगर खड़ा हुआ था। उसने काक को रोका। महाराज किसी से वार्तालाप कर रहे थे। कुछ देर में एक साधारण-सा राजपूत बाहर निकला और अन्दर से महाराज जयदेव की आवाज़ सुनाई पड़ी, "डूँगर, वह काक अभी तक दिखलाई नहीं पड़ा?" काक को शान्ति मिली। महाराज के स्वर में आनन्द की प्रतिध्वनि थी।

"महाराज, मैं तो कभी का हाज़िर हूँ। आपको अवकाश मिलने की ही प्रतीक्षा कर रहा था।" कहकर काक अन्दर प्रविष्ट हुआ।

काक की धारणा ठीक थी। जयदेव के मुख से हँसी फूटी पड़ रही थी, आँखें

चमक रही थीं। उसके हाथ में एक पलाश का फूल था। काक को देख कर उसने फूल को मुट्ठी में छिपा लिया।

"क्यों काक भट, कुछ किया?"

"महाराज!" हाथ जोड़कर काक ने कहा, "सब तैयार है।"

"क्या?"

"कल सवेरे बड़े-बड़े लोग आपके प्रताप से चकित हो जाएँगे। बस, अब केवल एक ही बात रह गयी है।"

"वह क्या?"

"आपका निश्चय कि आपने मालव-राज की कन्या की मँगनी स्वीकार की या नहीं।"

"इसका निश्चय नहीं हुआ। यह निश्चय हो गया कि मालवे के साथ अधिक समय तक सन्धि न रखी जाए। केवल मँगनी की बात ही रह गयी है। मुंजाल मेहता और माताजी दोनों स्वीकार नहीं करते।"

"परन्तु आपकी क्या इच्छा है?"

"मैं मँगनी स्वीकार करना चाहता हूँ; अतएव यह समय व्यर्थ ही बीत गया।"

काक उत्तर खा गया। जब तक जयदेव की विचारधारा मालूम न हो जाए, तब तक कुछ कहना उसे अनुचित प्रतीत हुआ।

"मँगनी स्वीकार की जाए या नहीं, कुछ समझ में नहीं आ रहा है।" कहकर अज्ञात रूप से जयदेव की दृष्टि हाथ में छिपाए हुए फूल की ओर गयी। काक ने इस दृष्टि को ध्यानपूर्वक देखा। काक के उत्तर देने से पहले ही डूँगर अन्दर आकर बोला, "अन्नदाता, राजमाता जी आ रही हैं।"

"माताजी?" जयदेव ने आश्चर्य से आँखें फाड़कर पूछा।

"हाँ अन्नदाता।"

जयदेव-ने होठ चबा लिए। उसके मुख पर घबराहट छा गयी। उसने शीघ्रता से कहा, "काक, जरा तुम बाहर खड़े रहो।"

काक नतमस्तक होकर डूँगर के साथ बाहर चला गया।

काक ज्यों ही बाहर गया त्यों ही जयदेव ने मुट्ठी में लिए हुए फुल को अंटी में खोंस लिया और प्रसन्न मुख को गम्भीर बनाने का प्रयत्न किया।

कुछ ही क्षणों में मीनलदेवी आ पहुँचीं। मीनलदेवी के मुख पर अपूर्व भव्यता थी। उनकी चाल धीमी और गौरवपूर्ण थी। उन्होंने आते ही एक तीक्ष्ण दृष्टि जयदेव पर और सारे कमरे पर डाली। जयदेव मन-ही-मन घबड़ा गया। मीनलदेवी से वह बहुत डरता था।

"जयदेव!"

"हाँ, माताजी!"

"वह डूँगर के साथ कौन खड़ा है?"

"माताजी, वह लाट का भट है।"

"कौन, काक भट?" मीनलदेवी ने पूछा।

जयदेव हँस पड़ा, "आपने कैसे जाना?"

"यदि यह मैं न जानूँ कि तुम्हारे राज्य में कहाँ क्या हो रहा है, तो घर चलेगा कैसे?" ज़रा हँसकर राजमाता ने कहा, "मनुष्य तो अच्छा है, क्यों?"

"हाँ, अच्छा है।"

"हाँ, जयदेव, फिर उस मालवे की मँगनी के विषय में क्या किया जाए?"

"माताजी, बार-बार पूछने से क्या लाभ? मैं स्वीकार करना चाहता हूँ।" जयदेव ने कहा।

"पर जो मैंने कहा, वह अधिक अच्छा है।"

"माताजी," जयदेव ने अधीरता से कहा, "जब मुझे अपने विचारों के अनुसार चलाना है, तब पूछती ही क्यों हैं? आप कहती हैं कि तुम राज्य का संचालन करो। मुंजाल मेहता भी यही कहते हैं और जब राज्य के संचालन का समय आता है, तब आप कहती हैं कि आपके विचारों के अनुसार मैं चलूँ। ऐसी दशा में बतलाइए, मैं राज-कार्य कर सकता हूँ?"

"आकुल न होओ बेटा, अभी तुम बालक हो।"

"मुझे तो ऐसा प्रतीत होता है कि मरने तक मैं बालक ही रहूँगा।" ऊबकर जयदेव ने कहा।

"माता के लिए लड़का सदा ही बालक रहता है।" मीनलदेवी ने कहा।

"आप कहें, तो मैं राज-कार्य करने का परिश्रम ही न करूँ।"

"यह कौन कहता है?"

"आप कहती हैं। मेरा विचार आप जानती हैं, मन्त्री भी जानते हैं और कुछ देर में सारा नगर जान जाएगा। फिर उस विचार को छोड़कर, जो आप कहती हैं, वह करूँ? यह राजा होने का तो बहुत अच्छा लक्षण है!" कहकर दृढ़ता से जयदेव देखने लगा।

"ऐसे गम्भीर अवसर पर हमारी बात न मानोगे," मीनलदेवी ने धीरे-से समझाते हुए कहा, "तो परिणाम क्या होगा, जानते हो?"

"यही गम्भीर अवसर है?"

"हाँ, तुम्हें अभी कई बातों की खबर नहीं है।"

"किन बातों की?"

"उबक पाटण के साथ सन्धि करने आया है, और हम इनकार करेंगे, तो भी वह सन्धि करने का प्रयत्न करेगा। ऐसे समय तुम बिना विचारे कुछ कर डालो, तो परिणाम क्या होगा?"

"परन्तु सन्धि को तो हम स्वीकार नहीं करते?"

"किन्तु वह लड़की जब ब्याह कर यहाँ आ जाएगी, तब पाटण में और राजमहल में दो पक्ष हो जाएँगे।"

"दो पक्ष?"

"हाँ, एक मेरा और एक लक्ष्मवर्मा की लड़की का। तुम्हारी दो रानियों का पीहर तो अपने से नीचा है पर इस नयी रानी का पीहर अपने से बढ़ जाएगा। हम स्त्रियों की यह कहावत तुम्हें मालूम है कि अपने से अधिक प्रतापी कुल की कन्या को न लाना चाहिए? वह आएगी, तो अपने कुछ मनुष्यों को साथ लाएगी। फिर यहाँ अपनी सत्ता स्थापित करना चाहेगी और अन्त में पाटण अपनापन भूलकर अवन्ति का मंडल बन जाएगा।–यही तुम करना चाहते हो?" राजमाता ने कठोरता से पूछा।

"अतएव मुझे किसी प्रतापी राज्य के साथ सम्बन्ध ही न करना चाहिए?"

"नहीं, करना चाहिए; परन्तु तब जबकि उसे हरा कर अपने अधीन कर लिया जाए।"

जयदेव कुछ देर देखता रहा।

"हमें तो अपने यहाँ एक ही तन्त्र चाहिए," मीनलदेवी ने आगे कहा, "नहीं तो हमारी पनपती हुई सत्ता मुरझा जाएगी।"

"एकतन्त्र! एकतन्त्र! इसका अर्थ यही कि आप और मुंजाल मेहता जो कहें वही मैं करूँ, क्यों?"

"नहीं, इसका अर्थ यही है कि यदि कोई बहुत ही गम्भीर बात हो, तो मैं और मुंजाल तुम्हारी इच्छा के विरुद्ध जाएँ।"

"अन्यथा नहीं?" जयदेव की आँखें कुछ चमकीं और मुख पर प्रसन्नता-सी आ गयी।

"कभी नहीं।"

"अच्छा, तो स्मरण रखिएगा कि अब और कहीं से मँगनी आए, तो यह न कहिएगा कि यह कुल तो बिल्कुल दरिद्र है।"

"क्यों, क्या कहीं से आयी है?" जरा हँसकर मीनलदेवी ने पूछा।

"यह आप जानिए। बस, अपने वचन का पालन कीजिएगा।"

"हाँ, परन्तु और कोई कलंक न होना चाहिए। अब प्रसन्न हुआ? तो उस मँगनी को अस्वीकार कर देना।"

"जब आप इतना कह रही हैं, तो ठीक है, इनकार कर दूँगा; परन्तु माताजी, मैं अपनी निर्बलता से थक गया हूँ।"

"इससे अच्छा और क्या होगा? मैं केवल तुम्हें चक्रवर्त्ती बनाने के लिए ही तो जी रही हूँ। जब तुम चक्रवर्त्ती हो जाओगे, तब मैं सद्‌गति पा जाऊँगी।"

''मैं जानता हूँ माताजी, आपने ही राज्य को अब तक टिका रखा है; परन्तु अब मैं राज्य को वास्तव में अपना बनाना चाहता हूँ।''

''तुम्हारा ही तो है।'' मीनलदेवी हँस पड़ी।

''नहीं है।'' गाम्भीर्य से जयदेव ने कहा। उसकी बड़ी-बड़ी आँखें अधिक विशाल हो गयीं और उसके नथुने फूल उठे; ''माताजी, अब से मैं उसे अपना बनाऊँगा। अभी तक मैं केवल स्वप्न देखा करता था, अब उन स्वप्नों को सिद्ध करूँगा। जब से हम यात्रा से लौटे हैं, तभी से यह बात मेरे हृदय में घुटा करती है। अब मैंने निश्चय कर लिया है।''

''क्या?'' जयदेव की गम्भीर बातों से मीनलदेवी के मुख पर हँसी आ गयी।

''पाटण की ध्वजा सारे भरतखंड में फहराई जाए।''

अपने हृदय की महत्त्वाकांक्षा की मूर्त्ति के समान अपने पुत्र की ओर मीनलदेवी हर्ष-भरे नेत्रों से देखती रही।

''अच्छा बेटा, अपने पूर्वजों की कीर्ति की रक्षा करना।''

''माताजी, मूलराज देव महाराज्य स्थापित करने के पहले ही मर गये और महाराज भीमदेव भरतखंड में अपना डंका न बजवा सके; परन्तु मैं तो महाराज्य भी भी स्थापित करूँगा और दसों दिशाओं में डंका भी बजवाऊँगा।''

वार्त्तालाप करते-करते जयदेव के हृदय में महत्त्वाकांक्षा की अग्नि प्रज्वलित हो उठी। उसके ऊपर उठे हुए सिर पर, उसके ज्वलंत मुख पर, उसकी बड़ी-बड़ी चमकती हुई आँखों में से और पृथ्वी के महाविजेताओं जैसी अमर, निश्चल, भव्य मखमुद्रा पर चमकते हुए तेज की वर्षा होने लगी। मीनलदेवी ने निकट आकर जयदेव को हृदय से लगा दिया। उसकी आँखों से आँसू टप-टप टपक पड़े। उसका स्वर गद्गद हो गया। उसने जयदेव का माथा चूमा और आँचल से अपनी आँखें पोंछ लीं।

''बेटा, दूसरे विक्रम बनना और मेरी कोख को दीप्त करना।'' गद्गद कंठ से मीनलदेवी ने कहा।

''माताजी,'' आँखों को कुछ संकीर्ण करके, जयदेव ने एकदम उमंग में आकर कहा, ''आपने मेरे अन्तर की सच बात कह दी। मेरे हृदय में भी वह परदुःख भंजन ही रमा करता है। रात और दिन मुझे उसके पराक्रम के स्वप्न आया करते हैं।''

''तो जरूर तुम वैसे बनोगे। केवल एक कमी तुममें है।''

''वह क्या?''

''तुम सत्ताशील नहीं हो।''

''ऐं!'' जयदेव का जैसे मान-भंग हो गया। उसकी गर्व-पूर्ण बातों से आए हुए आवेश पर ठंडा पानी पड़ गया।

"हाँ, मैं ठीक कहती हूँ। सच्चा प्रताप कौन डाल सकता है, खबर है?" जयदेव देखने लगा।

"जो सूर्य के समान हो।"

"अर्थात प्रभावशाली?"

"नहीं, प्रभाव तो बुद्धि या सत्ता का होता है; परन्तु वह किस काम का?" मीनलदेवी ने कहा।

"तब?"

"सूर्यनारायण को देखा है? दूसरे ही लोग जलने लगते हैं और सिर झुका कर अर्घ्य देते हैं। यदि वे घर के दीपक पर आ बैठें, तो लोग उन्हें फूँक मारकर बुझा दें। मुंजाल मेहता को तुम नहीं जानते? उसकी बुद्धि का प्रभाव किसी ने देखा है? फिर भी सब लोग उसके भय से काँप उठते हैं और उसकी बातों को सिर पर उठा लेते हैं। अन्तर के बिना सत्ता नहीं, समझे?"

कुछ देर जयदेव मौन देखता रहा और फिर बोला, "सच बात है। कुछ लोग आते ही प्रताप डाल देते हैं, मुझ में ऐसी सिद्धि नहीं है।"

"सिद्धि न हो, तो उसे प्राप्त किए बिना निस्तार नहीं है। बेताल के बिना विक्रम को कौन पूछता? घबराते क्यों हो? तुम्हें भी ऐसी सिद्धि प्राप्त हो जाएगी। अभी बहुत समय है। चलो, मेरे साथ चल रहे हो?" रानी ने बात को समाप्त करने की इच्छा से कहा।

जयदेव विचारों से जाग पड़ा, "नहीं! मैं न जाऊँगा; मुझे ज़रा काम है।" कहकर वह द्वार तक अपनी माता को पहुँचाने गया और मीनलदेवी वहाँ से विदा हो गयीं।

प्रताप के बीज

मीनलदेवी ने बहुत विचार के पश्चात यह शिक्षा दी थी। उसे अपनी आँखों से जयदेव में महान होने के सब गुण दीखते थे; परन्तु केवल एक ही बड़ा दुर्गुण उसमें था, —मिलनसारी। मीनलदेवी को भय था कि यही दुर्गुण कहीं और सब गुणों को न धो डाले।

जयदेव का स्वभाव भावुक था। जब वह क्रोध या ईर्ष्या के बादलों से घिरा न होता, तब सब के प्रति स्नेह रखता, सबको अपना मानता, सबके साथ सद्भाव से बातें करता। उसके स्वभाव की चालाकी और राजनीतिज्ञता परिपक्व और सर्वग्राही नहीं थी; अतएव सत्ताशाली मनुष्य जिस प्रकार शान्ति और दृढ़ता से सबको अपनी सत्ता में रख सकते हैं, उस प्रकार वह नहीं रख सकता था।

मीनलदेवी के सूत्र की चिनगारी समय साध कर अनुकुल वस्तु पर पड़ी। कभी-कभी विकासमान स्वभाव में सब सामग्री होती है। अज्ञात रूप में उसकी झनकार सुनाई पड़ती है, परन्तु समझ में नहीं आता कि वह कैसी है, काहे की है। अचानक कोई शब्द सुनाई पड़ता है, किसी का चारित्र्य मालूम होता है, कोई प्रसंग आता है और तैयार सामग्री अचानक भड़क उठती है। ऐसा ही जयदेव में हुआ।

स्वभाव से, माता की प्रेरित भावना से, चारों ओर रहने वाले मन्त्रियों के चारित्र्य से उसे अधिकार या सत्ता के स्वप्न आया करते थे। उन स्वप्नों को कैसे सच्चा किया जाए, इसके लिए वह ज्ञात या अज्ञात रूप से अनेक विचार किया करता था। राजमाता के वचन से उसके विचारों पर पड़ा हुआ पट दूर हो गया। शौर्य और बुद्धि होते हुए भी उसके पिता अपना प्रताप क्यों न डाल सके, यह बात उसकी समझ में आ गयी। घर के कोने में बैठे हुए भी, मीनलदेवी का प्रभाव देश में कैसे गूँजता रहा, यह भी उसकी समझ में आ गया। राजमहल में रहकर मुंजाल मेहता ने सत्ता और प्रताप को कैसे अपने हाथ में कर लिया, इसे भी वह समझ गया। अपनी निर्बलता को भी उसने समझा। वह दुर्गम नहीं था; उसके विचारों को सब जानते थे; और उसकी शक्ति का माप भी सब कर लेते थे। उसके प्रभाव का माप उबक ने, काक को कैद कराकर उदा ने, त्रिभुवन ने और काक ने इन दो दिनों में कर लिया था; परन्तु इतने वर्ष हो गये, मुंजाल के प्रभाव का माप कौन कर सका था?

परन्तु उसने सोचा कि मुंजाल के इतनी राजनीतिज्ञता मुझ में नहीं है। साथ ही त्रिभुवनपाल के शब्द भी उसे याद आए, "अगर हममें बुद्धि न हो, तो किसी बुद्धिशाली को अपने निकट रखना चाहिए।" मन्त्रियों की बुद्धि, वीरों की वीरता, – इन सबका उपयोग करने की शक्ति क्या मुझ में नहीं है? इन सब का उपयोग कैसे हो? जिस प्रकार एक के बाद एक दीपक जलता जाता है, वैसे ही उसके हृदय में प्रकाश बढ़ता गया। उसके और अन्य राजपुरुषों के बीच अन्तर बढ़ना चाहिए। सबको दिखा देना चाहिए कि अन्य सब लोगों से वह अधिक प्रभाव रखता है और उनकी सहायता के बिना वह स्वयं राज-काज चला सकता है।

जब इस विचारमाला के समाप्त होने पर उसने ऊपर देखा, तब काक सामने खड़ा हुआ था। विचारों के कारण वह काक को भूल गया था। काक ने भी जयदेव की मुखमुद्रा पर से उसके विचारों के गाम्भीर्य की कल्पना कर ली थी और वह ससम्मान मौनमुख खड़ा था। इस समय उसने दृढ़, निश्चल नेत्रों से देखता हुआ प्रभावशाली नरेश देखा। ऐसे अज्ञेय परिवर्तन जयदेव में उसने बहुत देखे थे। काक कोई आश्चर्य नहीं हुआ।

धीरे से, कठोरता से, विचार के भार से स्थिर हुई दृष्टि को जयदेव ने काक पर डाला और पूछा, "काक, तुम किस तैयारी की बात कर रहे थे?"

और किसी समय महाराज का ऐसा स्वरूप देखता, तो काक नत होकर उन्हें

प्रसन्न करने का प्रयत्न करता; परन्तु मंजरी को दिए वचन से उसके स्वभाव में कटुता आ गयी थी। निराशा के दुख से वह लापरवाह बन गया था। निष्फलता के भान से उत्पन्न हुई व्यथा को वह अभिमान से दबाना चाहता था। प्रश्न करने की जिस रीति को जयदेव जैसे नरेश के लिए वह साधारण समझता था, वह उसे इस समय अखर गयी। उसने गौरव से महाराज की ओर देखा और शान्ति से उत्तर दिया, "जिसके लिए महाराज ने कहा था।"

जयदेव इस उत्तर में की हुई सत्ता की प्रतिध्वनि को समझ गया। उसे मीनलदेवी का वाक्य ठीक मालूम हुआ। इस मनुष्य ने उसे परख लिया था और उसके हृदय में उसकी कोई गणना नहीं थी। उसकी बुद्धिमानी ने उसे सूचित किया कि राजमाता का सूत्र भली भाँति व्यवहार में नहीं लाया जा सकता। अतएव ज़रा धीरे और शान्ति से उसने पूछा, "क्या-क्या किया?"

"मैंने जो किया, उसका बहुत कुछ आधार आप के निश्चय पर रहेगा। आपने मँगनी स्वीकार करने का निर्णय कर लिया?"

"नहीं," राजा ने संक्षेप में कहा। काक ने कोई उत्तर न दिया। "अतएव कल राजसभा में ज़रा खलबली मचेगी; परन्तु मुझे इसकी परवाह नहीं।"

जिस सत्ताशीलता का भाव राजा दिखलाने का प्रयत्न कर रहा था, उसे देखकर काक को मन-ही-मन हँसी आ गयी; परन्तु उसके सिर पर हठ सवार हो गयी थी और वह खुशामद नहीं करना चाहता था। उसने उत्तर दिया, "जी।"

"मुझे उबक को दिखाना है कि पाटण का राजा खिलौना नहीं, परन्तु सच्चा सत्ताधीश है।"

काक निश्चल था। वह केवल हाथ जोड़कर खड़ा रहा। उसने विचार किया कि यह क्या मीनलदेवी के सिखाए हुए पाठ का उच्चारण किया जा रहा है?

"मुझे अपने मन्त्रियों को भी विश्वास करा देना है कि पाटण का स्वामी मैं हूँ।" जयदेव ने आगे कहा।

"जैसे अन्नदाता की इच्छा।" काक ने अपनी हँसी दबाकर कहा।

"इस इच्छा को पार लगाना कोई सरल नहीं है। अवन्ति का सेनापति ऐसा नहीं है कि यों ही प्रभाव में आ जाए।" राजा ने विचार करते हुए कहा।

"मुझे ख़बर है महाराज, हमारी राज-सभा महाजनों की पंचायत के समान मालूम होती है।"

जयदेव काक के साहस से चकित हो गया। उसने अपने गौरव की रक्षा के लिए कठोरता से पूछा, "अर्थात?"

"अर्थात्" काक ने शान्ति से आगे कहा, "उबक जैसे दुर्जय सेनापति को व्यापारियों की यह पंचायत नहीं डरा सकती। उसे तो योद्धाओं के तेज से प्रभावित करना चाहिए।"

"ठीक कहते हो।" जयदेव से कहे बिना न रहा गया।

"आप आज्ञा दें, बस इतनी ही देर है।"

"क्या आज्ञा?"

"मंडलेश्वर महाराज के साथ लाट के तीन सौ सुभट सभा में आने को तैयार हैं।"

"परन्तु महासभा में भटराज के बिना दूसरे कैसे आ सकते हैं? महा अमात्य की भी तो आज्ञा चाहिए?"

" जो दस युद्धों में लड़ा हो, वह भटराज का भी भटराज है और महाराज की आज्ञा हो, तो महा अमात्य से पूछने की क्या आवश्यकता?"

जयदेव कठोरता को भूलकर हँस पड़ा। उसको ऐसा प्रतीत हुआ कि काक उसके हृदय की अभिलाषाओं को वास्तविक रूप में सिद्ध कर सकता है, "परन्तु इससे क्या होगा? तीन सौ योद्धाओं को देखकर क्या उबक घबरा जाएगा?"

"हम उसे घबराना कहाँ चाहते हैं? हमें तो यही दिखलाना है कि पाटण का प्रताप अवन्ति से कुछ कम नहीं है।"

"परन्तु इतने ही से आप कहाँ रुक जाएँगे? चौंसठ परमारों के बिना अवन्तिनाथ बाहर नहीं निकलता। पाटण के नाथ को भी सौ सुभटों के बिना सभा में न आना चाहिए।"

"सौ सुभट? आँखें फाड़कर राजा ने कहा, तीन सौ तो तुमने अभी बतलाए थे; और यह सौ कैसे?"

"वे तीन सौ योद्धा तो साधारण होंगे और यह सौ होंगे श्रेष्ठ वर्ण वाले, देव के समान तेजस्वी, विशाल-बाहु वीर। उनका कर्त्तव्य होगा केवल आप के अंग और गौरव की रक्षा।" प्रत्येक शब्द का पूरा प्रभाव डालने के लिए काक ने धीमे-धीमे कहा।

"क्या कह रहे हो? ये सब लाओगे कहाँ से?"

"सौ ब्राह्मण योद्धा आपके अंग-रक्षक बनने को तैयार हैं। बस, आप की आज्ञा की देर है। आपका मित्र शोभ उनका नायक बनने को तैयार है।"

जयदेव ने उत्तर न दिया। ऐसे योद्धाओं से घिरा हुआ वह कैसा भव्य मालूम होगा, क्षण भर इसका विचार करते हुए वह चकित हो गया।

"परन्तु ब्राह्मण अंगरक्षक --"

"जी हाँ, मनुष्यों में श्रेष्ठ ब्राह्मण," काक ने गौरव से कहा, "न जैन और न राजपूत।"

राजा समझ गया। वह काक की बुद्धि पर मुग्ध हो गया। उसने पूछा, "फिर?"

काक ने देखा कि उसने विजय प्राप्त कर ली है।

"फिर क्या? आपके नये अन्तिम पराक्रम ने तो हद कर दी है। आप के भाट उसका यशोगान करेंगे।"

“कौन-सा अन्तिम पराक्रम?” जयदेव ने ज़रा विस्मय से कहा।

“उसे वीरा भाट ने अपनी एक अमर कविता में अंकित किया है। आपने जूनागढ़ के रा' को पांचाल में पराजित किया, वह।” काक ने गम्भीर मुख से कहा। उसकी आँखों में ज़रा हास्य दिखलाई पड़ रहा था।

“तुम क्या कह रहे हो?”

“मैं नहीं कह रहा हूँ, वीरों की वीरता के प्रमाण में कविता कह रही है।”

“तुमने सुनी?”

“मैं उसे सुनकर ही आया हूँ।”

“तुम्हीं ने बनवाई होगी?” राजा ने प्रसन्न होते हुए कहा।

“मुझसे तो जो उसने पूछा, मैंने बतला दिया।”

“काक, तुम बड़े राजनीतिज्ञ हो।” राजा ने प्रसन्न होकर कहा।

“आपकी सेवा मेरा धर्म है।”

“ठीक है। तो कल मैं और भी कुछ करना चाहता हूँ।” राजा ने कहा।

“क्या?”

“न्याय। उदा ने मेरी खम्भात की प्रजा को बहुत सताया है।”

“जी।” काक जरा दाँत पीसकर बोला।

“मुझे अपने राज्य में न्याय का प्रसार करना है और उसका आरम्भ मैं कल ही करना चाहता हूँ।”

काक समझ न सका कि किस विचार से जयदेव का मुख फिर हँस उठा।

“पहला दंड मैं भोगूँगा। पांचाल जाते समय मेरे सैनिकों ने दो गाँव उजाड़ दिए थे। उस गाँव के मालिक को पाँच गाँव देकर मैं बदला चुकाऊँगा। यह भी कल ही होगा।”

“इससे अच्छा और क्या हो सकता है?” काक ने राजा की चतुराई पर रीझते हुए कहा, “किसके गाँव उजाड़ दिए हैं?”

“कालड़ी के स्वामी देवड़ा के। बेचारा न्याय के लिए आज कई दिनों से आया हुआ है; परन्तु कोई दाद नहीं देता।” राजा ने कहा और उसकी आँखों में एक जुदा ही तेज चमकने लगा। “अच्छा काक, तुम इस समय उसके पास जाओ। वह बड़े पाड़े में रूप सिंह जादव के यहाँ ठहरा है। उससे कहना कि महाराज कल तुम्हारी अर्जी पर ध्यान देंगे।”

“जो आज्ञा,” कहकर काक विदा लेने का विचार कर रहा था कि इसी समय जयदेव की दृष्टि ने उसे रोक दिया। वह दृष्टि स्नेह-परिपूरित और आनन्द से प्रफुल्लित हो गयी और उसने धीरे-से कहा, “काक,” राजा का हाथ अज्ञात रूप से उसकी अंटी में खुंसे हुए फूल की ओर गया, “देवड़ा से मिलकर तुम रूप सिंह के घर के पीछे वाली गली में जाना।”

“जी।”

“जब ज़रा अँधेरा हो जाए, तब वहाँ कबूतरखाने के पास खड़े होकर दो तालियाँ बजाना। इससे सामने वाली खिड़की में एक लड़की आ जाएगी। उसे एक रंग-गुलाल की पुड़िया देना और कहना–”

काक कठोर होकर गौरव से सतर हो गया और मर्यादा त्यागकर बीच ही में बोला, “महाराज, मैं योद्धा हूँ, ब्राह्मण हूँ। यह काम मेरा नहीं है। इस काम के लिए आप के महल में हजारों दास हैं।”

राजा ने होंठ चबा लिए। साधारण लोगों में ऐसा कहने का साहस उसने बहुत ही कम देखा था। फिर भी उसमें गर्व का मूल्य आँकने और उसकी विशेषता पहचानने की बुद्धि थी।

“काक भट,” उसने कुछ नत होकर कहा, “बुरा न मानना। मैं तुम्हें साधारण दास नहीं, अपना मित्र समझता हूँ।”

“तो मित्र की भाँति मैं सब कुछ करने को तैयार हूँ; परन्तु दास का काम –”

“नहीं, यह केवल होली की गुलाल नहीं भेज रहा हूँ, विवाह करने का वचन दे रहा हूँ।”

“विवाह? कालड़ी के स्वामी देवड़ा की –”

“लड़की। हाँ काक, इसी से मैं तुम्हें उसके पास भेज रहा हूँ। राणक के स्त्री नहीं, देवी है। उसमें दैवी अंश है। उसे मैं अपने राज्य की राजलक्ष्मी बनाऊँगा। काक, तुम विश्वासपात्र हो, इसलिए तुमसे कहता हूँ। कुछ दिनों पहले हम मिले थे और तब से मेरी रगों में कुछ जुदा की रक्त प्रवाहित हो रहा है। वह अभी बालिका है, परन्तु सच्ची क्षत्राणी है। अग्नि की चिंगारियाँ और प्रताप उसके कदम-कदम से निकलते हैं।”

काक को जयदेव के स्वभाव का एक अज्ञात प्रान्त दिखलाई पड़ा। उसके स्वभाव के विचित्र स्वरूप और उनके प्रभावशाली रूपान्तर काक को भी अद्‌भुत मालूम हुए।

काक ने सन्देश ले जाना स्वीकार किया।

कालड़ी का देवड़ा

काक ज्यों ही राजमहल से बाहर निकला, त्यों ही उदा मेहता सामने पालकी में बैठकर आता हुआ मिला। उदा ने सिर झुकाकर नमस्कार किया। काक ने आँख चुराई। उदा के अन्दर जाने पर, उसके आने का हेतु जानने के लिए काक ने भी अन्दर प्रवेश किया।

उदा जयदेव के पास पहुँचा; परन्तु ऐसा मालूम हुआ कि जैसे उन्होंने मिलने से इनकार कर दिया, कारण कि थोड़ी ही देर में मन्त्री लौट आया और पालकी में बैठकर राजमहल से बाहर हो गया। काक कुछ समझ न सका।

उदा मेहता को यह विश्वास था कि उसका प्रभाव दुर्जय है। जयदेव को वह खिलौना समझता था और उसकी धारणा थी कि शान्तु के जामाता तथा श्रावकों की आँख की पुतली का कुछ भी अपकार करने का किसी में साहस नहीं है। काक बच गया, परन्तु राजनीतिक कार्यों में उदा के विचार से वह एक मच्छर के समान था। अतएव, जयदेव महाराज ने रनवास में होने के कारण मिलने से इनकार कर दिया, इससे वह घबराया नहीं और सन्ध्या हो जाने पर काक की ओर से कोई भय की बात उपस्थित हो जाने के डर से, उसने जल्दी ही घर लौटना उचित समझा। अभी वह काक के प्रभाव को भलीभाँति समझ न सका था।

उदा घर की ओर लौटा, अतएव काक रूपसिंह जादव के घर गया और कालड़ी के देवड़ा से उसने महाराज का सन्देश कहा। सन्ध्या होने में कुछ देर थी। अतएव इधर-उधर घूमकर उसने समय बिताने का निश्चय किया।

सन्ध्या होने पर मौजी लोगों की टोलियों रंग उड़ाती और पिचकारियाँ जलाती गली-गली में घूम रही थीं और होली खेलने वाले चौराहे पर खिलवाड़ करते, तूफान मचाते, गाली-गलौज करते कल के लिए तैयारी कर रहे थे। लोगों की भीड़ में से निकलते समय हमेशा का चापल्य भूलकर काक अपने विचारों में मगन रहा। आखिर सन्ध्या होने को आयी, अतएव वह फिर रूपसिंह जादव के घर की ओर चला। अचानक एक व्यक्ति ने आकर उसका हाथ पकड़कर हिलाया और कहा, ''काक!'' काक अपने विचारों से जाग पड़ा।

''कौन? कृष्णदेव जी?'' काक का हाथ हिलाने वाला सज्जन मन्त्री का अतिथि कृष्णदेव था। ''आप कहाँ से?''

''इस समय यों कहाँ मरने को जा रहे हो?'' कृष्णदेव ने शान्त भाव से पूछा।

''अर्थात?''

''अर्थात तुम बुद्धिहीन हो। दस-बारह होली खेलने वालों की टोली कभी से तुम्हारे पीछे घूम रही है।'' कृष्णदेव ने धीरे से कहा, ''देख नहीं रहे हो? अभी ही तुम्हें छोड़कर वह उस गली के पास खड़ी है।''

''मेरे पीछे क्यों घूमेगी?''

''यह तुम जानो; परन्तु बुद्धिमान हो, तो लौट जाओ।''

''मुझे इसी गली में काम है।''

''तब तुम जीवित नहीं लौटोगे।''

''यह तुमने कैसे जाना?''

"तुम्हारे पीछे वे लोग थे और उनके पीछे मैं था। उनमें से पाँच-छह के पास तलवारें हैं और चार के पास लाठियाँ। एक ने आकर तुम्हारा परिचय दिया, 'यह काक है,' तुम्हारा नाम सुनकर मैंने भी ध्यान दिया। दूसरे ने कहा; 'इसे समाप्त ही कर डालना है'। पहले आदमी ने स्वीकार कर लिया। 'मेहताजी की आज्ञा है;' अतएव तुम्हें परमधाम पहुँचाने की तैयारी हो रही है। अब जाना हो, तो जाओ।"

काक ने विचार किया। उसे प्रतीत हुआ कि यह उदा मेहता का ही षड्यन्त्र है। "परन्तु मुझे इस गली में ही काम है, तब क्या किया जाए?"

"इन सब बातों का विचार मैं करूँ?" कटाक्ष करते हुए कृष्णदेव ने कहा।

"तुम मुझ पर एक अनुग्रह करोगे?"

"एक तो कर दिया, अब दूसरा बाकी है। बोलो, क्या कहते हो?"

"इस गली में एक कबूतरखाना है। वहाँ जाकर दो तालियाँ बजाना, इससे समाने की खिड़की में एक लड़की आ जाएगी।"

"वाहजी काक भट! तुम ऐसी-ऐसी कारस्तानियाँ भी किया करते हो, क्यों?" कहकर कृष्णदेव खिलखिला पड़ा, "अच्छा फिर?"

"उसे यह गुलाल की पुड़िया दे देना।"

कृष्णदेव रँगीला आदमी था। उसे बड़ा आनन्द मिला। बोला, "कैसी लड़की है? आँखों में चकाचौंध पैदा करने वाली?"

"खबरदार!" कृष्णदेव को सन्देह न हो, अतएव काक ने झूठा रोष दिखाकर उसे चेतावनी दी, "मैत्री में विश्वासघात नहीं किया जाता। बोलो, अवश्य दे दोगे?"

"हाँ, वचन देता हूँ, परन्तु तुम यहाँ से चले जाओ। नहीं तो जीवन के सौ बरस आज ही पूरे हो जाएँगे। मैंने क्या कहा था। पाटण के मेहताओं से ईश्वर बचाए।" तिरस्कार से उसने भौहें चढ़ाईं और गुलाल की पुड़िया काक से ले ली।

काक के हृदय में विचार हुआ कि कृष्ण झूठ तो नहीं बोल रहा है; परन्तु वह झूठ क्यों बोलेगा? और चाहे जो हो, परन्तु इस समय लौटने में ही उसे बुद्धिमानी मालूम हुई। सम्भव है, वह घायल हो जाए या मर जाए, तो फिर मंजरी का कौन है? उसके शत्रु की इच्छा पूरी हो जाए और मंजरी सदा के लिए दुःख भोगे, इस विचार से उसने कृष्णदेव की सलाह मान ली; परन्तु उसे सब कुछ भली-भाँति जाने बिना कल न पड़ी, अतएव कृष्णदेव ज्यों ही आगे बढ़ा, त्यों ही उसके पीछे, घरों की आड़ में लुकता-छिपता वह भी आगे बढ़ा। एक चबूतरे पर आठ-दस होली खेलने वाले छिपकर बैठे थे और जब-तब ताक-ताक कर किसी के आने की प्रतीक्षा कर रहे थे। काक यथासम्भव निकट पहुँच गया। जब कृष्णदेव गाता हुआ वहाँ से निकला, तब छिपकर बैठे हुए मनुष्यों में से एक बोला, "यह चला।"

"नहीं जी," दूसरे ने धीमे-से कहा, "यह तो होली खेलने वाला है, वह तो सादे वेश में है।"

काक को विश्वास हो गया और वहाँ से वेग-पूर्वक घर की ओर चल पड़ा।

कृष्णदेव आनन्द से गाता हुआ आगे बढ़ा। वह पाटण में आकर यहाँ के रसिक जीवन का पूरा-पूरा स्वाद ले रहा था और वसन्तोत्सव जैसे अवसर के सारे आनन्द लूट रहा था। जब वह पाटण आया था, तब इस आनन्द के उपरान्त और भी एक काम करने का उसका विचार था, परन्तु वह उस काम को भूलता गया और आनन्द अधिक लेने लगा। उसका स्वभाव जैसे चिन्ताविमुक्त था, वैसा ही अज्ञेय भी था। वह था खिलाड़ी, परन्तु यहाँ उसका कोई मित्र नहीं था। वह सबसे निराला तटस्थ रहता था। इसी कारण इस समय वह अकेला मौज करने को निकला था और ऐसी अवस्था में काक का सौंपा हुआ काम उसे बहुत ही पसन्द आया।

वह कबूतरखाने के पास पहुँचा। सामने एक छोटी झरोखे वाली खिड़की थी। काक के कथ्यनुसार उसने तालियाँ बजाई। तुरन्त की एक लड़की खिड़की में आ खड़ी हुई; जैसे प्रतीक्षा ही कर रही हो। सन्ध्या के बढ़ते हुए अन्धकार में कृष्णदेव उसे भली भाँति न देख सका। साहस से वह निकट गया।

लड़की का मुख स्पष्ट नहीं दिख रहा था। खिड़की में से केवल दो काली आँखें ही चमकती हुई उसे दिखीं।

"जिसकी प्रतीक्षा कर रही हो, उसने सन्देश भेजा है।" कृष्णदेव ने मजाक में कहा। लड़की चौंककर पीछे हट गयी।

"कौन है?" स्वर में मधुरता थी।

"जिसकी प्रतीक्षा कर रही हो, उसका मित्र।"

"मित्र?"

"हाँ, यह रंग-गुलाल भेजा है। कल इस रंग से रँगकर होली मनाना।"

कृष्णदेव ने ज़रा हँसकर कहा। कृष्णदेव का मुरली का-सा स्वर और उसके बोलने की शैली का वर्णन आगे किया जा चुका है। उसने इस लड़की का भी ध्यान आकृष्ट कर लिया।

"ठीक, महाराज से कहना।" लड़की बोली।

"महाराज!" ज़रा विस्मय से कृष्णदेव ने पूछा। वह तो केवल उसे काक की ही प्रियतमा समझा था।

"हाँ, तुम्हारे मित्र," ज़रा हँसकर लड़की ने कहा, "उनसे कहना कि मुझसे कल मिलें।"

"अच्छी बात है, महाराज से और भी कुछ कहलाना है?" महाराज कौन, यह जानने के लिए कृष्णदेव ने कहा।

"और क्या कहलाना है? हाँ, कहना कि कल सभा में कसौटी है। तुम महाराजा हो, और महाराजा ही होगे।" कहकर, लड़की खिड़की बन्द करके चली गयी।

कृष्णदेव चकित हो गया। महाराज—सभा—महाराजा—क्या यह लड़की जयदेव

की प्रियतमा है? शीघ्रता से वह निर्णय पर आया और जिस घर में से वह लड़की निकली थी, उसके मुख्य द्वार पर जाकर बैठ गया।

थोड़ी देर में दो आदमी अन्दर से निकले और उनमें से एक ने घर की ओर हाथ करके कहा, "देवड़ा हैं तो बड़े भाग्यवान!"

कृष्णदेव को यही चाहिए था। उसने आगे बढ़कर पूछा, "देवड़ा यहीं रहते हैं न?"

"कौन, कालड़ी के?" उन लोगों में से एक ने पूछा।

"हाँ।"

"हाँ, यहीं रहते हैं।"

"परन्तु यह घर किस का है?" मैं तो नाम ही भूल गया।" कृष्णदेव ने कहा।

"रूपसिंह जादव का।"

"ओह, ठीक!" कहकर कृष्णदेव नमस्कार करके घर में प्रविष्ट हुआ।

राजसभा

पूर्णिमा के सवेरे राजमहल में लोगों की भीड़ उमड़ रही थी और सभा-भवन इन्द्र की सभा के समान सुशोभित हो रहा था। सभा-भवन के चौथे भाग में जरा ऊँचा-सा स्वर्णमंडित चबूतरा बना हुआ था और उसके बीच महाराज के लिए जगमगाते हुए मखमल के गद्दी-तकिए लगे हुए थे। उसके पीछे चार मनुष्य हाथ में चँवर लेकर पत्थर के पुतलों की भाँति खड़े थे और उनके बीच एक मनुष्य ज़रदोज़ी का बन्द किया हुआ छत्र लेकर खड़ा था।

प्रातःकाल होते ही भटराज आयुधमल्ल लाट के हृष्ट-पुष्ट, शस्त्रों से सुसज्जित, और घावों से विभूषित तीन सौ योद्धाओं को लेकर आ पहुँचा। सब इस सम्मान से प्रसन्न हो रहे थे और मूँछों पर ताव दे रहे थे। आते ही काक आयुधमल्ल को महाराज के पास ले गया। महाराज ने एक सेवक को बुलाकर सब योद्धाओं को राजसभा में ले जाने की अज्ञा दी।

बाहर के मैदान में लोगों की भीड़ उमड़ने लगी। सभा-भवन भी धीरे-धीरे भर गया। लाट के योद्धा सभा-भवन के चारों ओर बिल्कुल दीवार से सटकर खड़े हो गये। तत्पश्चात भटराज आए। मूँछों पर बल देते हुए, रंग से रँगे हुए। जागीरदार लोग भी कोई घोड़े पर बैठकर और कोई पैरों चलकर धीरे-धीरे आ पहुँचे और द्वार से सिंहासन तक जाने का सीधा रास्ता छोड़कर नियमानुसार बाईं ओर जा बैठे। फिर पगड़ियों और शाल-दुशालों की चमक से सुशोभित, चारों ओर हँसते और झुक-झुककर नमस्कार करते हुए महाजन लोग आए और सभा-भवन के दाहिनी ओर बैठ गये। जटा-जूट

धारण किए हुए, रुद्राक्ष की मालाओं के भार से झुके हुए, पंचपात्र और आचमनी हाथ में लिए हुए विप्रवर्य धीरे-धीरे आए और महाजनों के आगे जा बैठे। जैन साधु भी आए और वंश-परम्परा का द्वेष भूलकर ब्राह्मणों के साथ बैठ गये।

फिर चबूतरे पर बैठने के अधिकारी सैनिक आने लगे—कुछ घोड़ों पर. चढ़कर, कुछ पालकियों पर, कुछ रथों पर या हाथियों पर; और अपने-अपने पदानुसार चबूतरे पर जा विराजे। चारों दिशाओं में पाटण की पताका फहराने वाले सेनापति, गुजरात की सत्ता के स्तम्भस्वरूप सामन्त, सरस्वती के वरपुत्र महापंडित और पाटण के गौरव के स्रष्टा माने जाने वाले मन्त्रिवर्य धीरे-धीरे चबूतरे पर विराजने लगे। कई अग्रगण्य लोगों के कुटुम्बी, अनेक देशों के सन्धि विग्रहिक (एलची), और अतिथि भी चबूतरे पर बैठे। चबूतरे से उतरते ही भाटों के लिए स्थान था। वहाँ आठ प्रतिष्ठित भाट बैठे। नवघण रा' के पराजित होने के कारण निराश और राज्य का प्रताप देखकर निरन्तर जलने वाले मंडलेश्वर देसलदेव और उसके भीई बीसलदेव आए। अँगुलियों पर ग्रहों की गणना करते हुए पंडित गजानन और भविष्य में जयदेव की सभा को सुशोभित करने वाले राजगुरु आमशर्मा चारों ओर से नमस्कार स्वीकार करते हुए आए। पंचासर पारसनाथ की पोषधशाला के अधिष्ठता साधु-श्रेष्ठ मुनि विजय चन्द्रसूरि अपने दो शिष्यों के सहित आए। वृद्ध मन्त्री लूला और अपने पैरों से पृथ्वी को कँपाते हुए चाँपानेर के स्वामी सज्जन अपने पुत्र लक्ष्मण के साथ आए।

तुरन्त ही हाथी पर बैठकर उदा आया। उसका हृदय ज़रा उचाट हो रहा था। कल जयदेव महाराज से भेंट न हो सकी, रात को काक हाथ से निकल गया और बहुत रात बीते सुना कि राजसभा के प्रबन्ध के लिए महाराज स्वयं आदेश दे रहे हैं। इन सब घटनाओं के होने पर भी उसे घबराने की आवश्यकता नहीं मालूम हुई। पाटण के जैनों का वह सम्मान्य था, और खम्भात का अधिष्ठाता। ख़तीब उसके विश्वसनीय मनुष्यों के संरक्षण में खम्भात में था। और किसी दिशा से कोई भय था ही नहीं। सभा-भवन में आते ही उसने लाट योद्धाओं को देखा और उसके कपाल पर बल पड़ गये। क्या इनकी उपस्थिति काक का प्रताप सूचित कर रही है? उसने इस विचार को हँस कर दूर कर दिया। काक सभा में दिखलाई नहीं पड़ रहा था। वह जाकर सज्जन मेहता के साथ बैठा। इधर-उधर की बातें करने लगा।

उस समय राजमहल के अन्दर जयदेव महाराज तैयार हो रहे थे, त्रिभुवनपाल वहाँ आ पहुँचे थे; और काक कुछ दूर सम्मान से सिर झुकाए खड़ा था। जयदेव मन-हीं-मन प्रसन्न हो रहा था और आज के अवसर का विचार कर कुछ क्षुभित भी था। गले में आभूषण धारण करते हुए उसके हाथ काँप रहे थे।

अचानक द्वार से मुंजाल का स्वर सुनाई पड़ा और तीनों जने अपने-अपने हृदय में उससे भयभीत हो गये।

''कहिए महाराज, तैयार हो गये,'' मुंजाल मेहता सफेद पगड़ी और सादे मूल्यवान

वस्त्रों से सुसज्जित होकर आए थे। उनकी भव्य मुखमुद्रा अद्‌भुत मालूम हो रही थी। एक तीक्ष्ण दृष्टि से उन्होंने तीनों जनों को देखा।

"हाँ, तैयार हो रहा हूँ।"

"मैंने विचारा कि नीचे जाने से पहले जरा मिल आऊँ। देखना, आज आपकी परीक्षा है।"

इन ममतापूर्ण कृपा-पूर्ण शब्दों को सुनकर जयदेव को ऐसा आभास हुआ जैसे वह बालक हो। उसे सूझा ही नहीं कि वह क्या कहे।

"आज राजसभा में तुमने लाट के योद्धाओं को बुला लिया, यह बहुत अच्छा किया।" कहकर उन्होंने काक की ओर दृष्टि डाली। "जैसे अंकुश से हाथी चलता है, उसी तरह सम्मान और आदर से योद्धा शौर्य प्रदर्शित करता है। क्यों त्रिभुवन?"

तीनों जनों ने एक दूसरे की ओर देखा। उन्हें ऐसा प्रतीत हुआ, जैसे वे चोरी करते पकड़े गये हों।

"आपको यह बात पसन्द आयी?" आखिर जयदेव ने पूछा।

"जिससे आपका गौरव बढ़े, वह बात मुझे पसन्द ही होगी; परन्तु जो कुछ करो, ऐसा करो जिससे तुम्हारे कुल की शोभा बढ़े।"

"वह क्या?"

"इन सबको एक-एक गाँव भेंट देकर भट बना दो।"

जयदेव के प्राण तालू में जा अटके। त्रिभुवनपाल आँखें फाड़कर देखने लगे। काक ने निःश्वास छोड़ा। उन्हें प्रतीत हुआ कि मुंजाल मेहता की समानता कभी नहीं की जा सकती। एक ही वाक्य में उसने इनकी राजनीतिज्ञता को अल्प कर डाला।

"हाँ, यह भी अच्छा है।" जयदेव ने कहा, "बेचारों ने लाट और सोरठ दो सर किए–"

"और राजसभा में ये आप के बुलाने पर आएँ और फिर खाली हाथ लौट जाएँ?" मुंजाल ने कहा।

"ठीक है।" त्रिभुवन बोला।

"अच्छा, तो मैं जाता हूँ, पर जल्दी आ जाना।" मुंजाल ने कहा, "परन्तु हाँ महाराज, यदि वह खम्भात की बात आज छेड़ने का विचार हो तो अवश्य छेड़ना।"

"क्यों?" अपनी सारी बुद्धिमानी पर पानी फिरता देखकर जयदेव महाराज ने पूछा।

"काक की बात सच है। उदा ने उस यवन को क़ैद कर रखा था।"

"आपने कैसे जाना?" आश्चर्यान्वित होकर राजा ने पूछा।

"जब हम पांचाल में थे, तब त्रिभुवन ने मुझसे कहा, और मैंने तुरन्त ख़तीब को बुलाने के लिए आदमी भेज दिया। वह म्लेच्छ आज ही आया है। बाहर खड़ा है। ठहरो, मैं उसे अन्दर भेज रहा हूँ। अच्छा, तो जल्दी आ जाना।" कहकर काक की

ओर एक विजय-सूचक दृष्टि डालकर राजनीतिज्ञ शिरोमणि महा अमात्य वहाँ से चले गये। राजा, त्रिभुवनपाल और काक इस प्रकार अचेत-से खड़े रह गये, जैसे उनके पैरों के नीचे से भूमि निकल गयी हो। सबको ऐसा प्रतीत हुआ कि मुंजाल मेहता ने उन्हें बुरी तरह पराजित किया है और उनके आगे वे सब बालक के समान हैं।

"मामा गज़ब के आदमी हैं!" त्रिभुवन ने तीनों के हृदय की बात कह डाली। किसी के उत्तर देने से पूर्व ही द्वार में खतीब आ खड़ा हुआ। वह हाथ जोड़े हुए काँप रहा था।

"यही ख़तीब है?" राजा ने पूछा।

"जी हाँ।"

"अच्छा, जब मैं इसे बुलाऊँ, तब तुम लेकर आ जाना।" कहकर राजा और त्रिभुवनपाल सभा-भवन में गये। मुंजाल और शान्तु वहाँ उबक को पहले ही से लेकर पहुँच गये थे।

काक की कल्पना-शक्ति बहुत सही थी। लाट के योद्धाओं की पंक्ति सभा को एक न्यारा ही स्वरूप दे रही थी और जब शस्त्रों से सजे हुए पचास अंगरक्षक सभा में प्रविष्ट हुए, तब तो सभाजनों के आश्चर्य का पार नहीं रहा। सब चकित हो गये और इस सत्ता के आडम्बर से मात हो गये। इन अंगरक्षकों के पीछे जयदेव महाराज ने त्रिभुवनपाल के साथ प्रवेश किया। उनके पीछे अंगरक्षक और आए।

बाहर नगाड़े गड़गड़ाने लगे। अन्दर बैठा हुआ समूह उठ खड़ा हुआ। चारों दिशाएँ "जय सोमनाथ" और "जयदेव महाराज की जय" के घोष से गूँज उठीं।

राजा ने सभा में उपस्थित छह-सात सौ मनुष्यों की ओर एक दृष्टिपात किया। यह देखकर उसके मुख पर प्रसन्नता छा गयी कि शूरवीर, बुद्धिवीर तथा धनवीरों का ऐसा अप्रतिम समूह उसका आज्ञाकारी है। उसकी आँखों में प्रकाश आ गया। उसके पैरों में देवों की-सी निश्चलता दिखाई देने लगी। अभिमानपूर्ण हास्य और दुर्जेय दृष्टिपात से उसने उबक की ओर देखा। मालवे का सेनापति निर्भय और स्वस्थ खड़ा था। यह सब ठाठ-बाट शोभा शृंगार चाहे जैसा क्यों न हो, परन्तु पट्टणी आज उसी की कृपा से जी रहे हैं, यह विचार उसके मुख पर स्पष्ट दिखाई पड़ रहा था। राजा बैठ गये और वीरा भाट ने अपनी कविता आरम्भ की। उसने अपनी कविता में असीम वीर-रस भर दिया। उसके एक-एक शब्द से शौर्य टपकने लगा। उसकी एक-एक उपमा से जयदेव का मूल्य बढ़ता गया। जब कविता समाप्त हुई, तब सभाजनों को विश्वास हो गया कि जयदेव के समान शूर-वीर योद्धा भूत और भविष्य में न हुआ है न होगा। पांचाल में जैसा दारुण युद्ध हुआ, वैसा न किसी ने आँखों से देखा और न कानों से सुना। और जयदेव ने रा' पर जैसी विजय प्राप्त की, वैसी कभी इन्द्र ने भी प्राप्त न की होगी। उबक ने अपनी एक आँख को अधिक फाड़कर देखा। जयदेव के इस पराक्रम की उसे ख़बर नहीं थी। उसके हृदय में जयदेव के लिए सम्मान अंकुरित

हो गया। जयदेव जरा लजाए। उसने क्या किया है! और उसका यह कैसा वर्णन है! उसने हृदय से काक का उपकार माना।

कुछ और विधि और वार्त्तालाप के पश्चात जयदेव ने उबक से पूछा, "क्यों सेनापति राज, पाटण में अच्छा लगता है न? हमारे आतिथ्य में तो कोई कमी नहीं रह गयी?"

"नहीं, कमी कैसी? अब आप हमारी अभ्यर्थना स्वीकार करें, यही देर है।"

"क्यों, क्या हमसे अघा गये?"

"नहीं, यह बात नहीं है, परन्तु आज सन्ध्या-समय मैं मुकाम छोड़ना चाहता हूँ। कोई काम हो, तो हमारे कीर्तिदेव कुछ दिन यहाँ रहने वाले हैं ही।"

"हाँ, प्रसन्नता से रहें; परन्तु मेहताजी, मुझे अपने लाट के योद्धाओं को सिरोपाव देना है।"

"जो आपकी आज्ञा।" कहकर मुंजाल जरा हँसा। उदा ने चौंककर चारों ओर देखा, परन्तु काक कहीं दिखलाई नहीं पड़ा, अतएव उसके चित्त को शान्ति हुई।

"मेरे बहादुर सैनिकों," जयदेव ने ज़रा उच्च स्वर में सैनिकों को सम्बोधित करके कहा, "मैंने तथा मंडलेश्वर ने जो कुछ किया है, वह सब तुम्हारे ही सहयोग से। आज उस शौर्य के सिरोपाव स्वरूप मैं तुम सबको एक-एक गाँव देकर भट बनाता हूँ।"

यह औदार्य देखकर सभा-जन क्षण भर के लिए विस्मित हो गये और फिर एकदम आनन्द का निनाद कर उठे। भटराज से निम्न पद के मनुष्यों के बिना मतलब सभा में आने पर कई लोगों को बुरा मालूम हुआ था। वे भी अब समझ गये और शूरवीरों का आदर करने के लिए उबक भी मन-ही-मन जयदेव की प्रशंसा करने लगा।

"मेहताजी," सभा के नियमानुसार महाराज ने फिर महा आमात्य से कहा, "मैं अब न्याय करना चाहता हूँ।"

"जी।" मुंजाल ने कहा और केवल साधारण राजसभा का विचार कर आए हुए मनुष्य, असाधारणता की झनकारें सुनकर, सिर ऊँचा कर-कर के, एक-एक अक्षर सुनने को लालायित हो गये।

"कालड़ी के देवड़ा के साथ एक बड़ा अन्याय हुआ है। उनके दो गाँव हमारी सेना के अत्याचार से उजड़ गये। —देवड़ाजी!" कहकर राजा ने चारों ओर देखा और तब चबूतरे पर पीछे की ओर बैठा हुआ देवड़ा घबराता हुआ आगे आ गया। "मुझे अपने राज्य से अन्याय का विनाश कर देना है। उन दो गाँवों के फिर से बसाने के लिए मैं तुम्हें पाँच गाँव भेंट करता हूँ।" लोग फिर से हर्षनाद कर उठे। देवड़ा राजा के प्रति उपकार प्रकट करता हुआ, जहाँ खड़ा था, वहीं बैठ गया।

"दूसरा न्याय मुझे अपनी खम्भात की प्रजा के प्रति करना है।" राजा ने आगे कहा। उदा चौंक पड़ा। सभा में उसके जितने शिष्य और समर्थक थे, वे भी चौंक उठे। मन्त्री उदा का हृदय धड़क उठा।

"क्या महाराज?" उसने मधुर से मधुर स्वर में पूछा। राजा ने उस ओर ध्यान ही न दिया।

"खम्भात की म्लेच्छ, परन्तु गरीब प्रजा को वहाँ के लोगों ने पथ का भिखारी बना दिया है और उनके घरबार जला दिए हैं।"

"महाराज, यह बात बिल्कुल झू-"

राजा ने एक सत्तासूचक दृष्टि से उदा को धमकाया। उसका मुख भव्यता से तप्त हो रहा था। वह उच्च स्वर में बोला, "जयदेव सत्य के सिवा कुछ सुनता ही नहीं।"

"परन्तु महाराजाधिराज, इसकी जाँच होनी चाहिए।" शान्तु मेहता ने धीरे से जामाता का पक्ष लिया।

"जाँच होने की आवश्यकता नहीं। मैंने स्वयं जाँच की है।" अधिक बढ़ते हुए गौरव से जयदेव ने कहा।

"आपने?" उदा बोला।

"हाँ, मैंने। आप समझते हैं कि आपके शासन में राम-राज्य हो रहा है, क्यों?" महाजनों में खलबली मच गयी। उदा लोकप्रिय व्यक्ति था और उसकी प्रतिष्ठा पर होने वाले आघात साधारण लोगों को भले न लगे। "हाँ, मैंने ही जाँच की है। शोभ!"

"जी।"

"काक को बुलाओ। "शोभ अभिवादन करके बाहर गया। उदा ने काक का प्रभाव देखा और उस प्रभाव का शमन करने के लिए वह अपनी शक्ति इकट्ठी करने लगा उसने सहायता के लिए श्रावक मन्त्रियों की ओर देखा।"

काक तुरन्त ही ख़तीब को सभा में ले आया। बहुत लोगों ने यवन को पहली ही बार देखा था। सब विस्मय से देखने लगे।

"जिन म्लेच्छों को मार डाला गया, जिन के घर फूँक दिए गये, उन्हीं में से यह एक बचा है।"

उदा ने ख़तीब को देखा और उसके गात्र शिथिल हो गये। वह सिर ऊपर न उठा सका। काक ने मूँछों पर ताव दिया।

"मेहता जी, खम्भात का राज्य-कार्य इस प्रकार होता है, यह मैंने नहीं सोचा था।" राजा ने फिर मुंजाल से कहा। "मुझे अपने राज्य में इस प्रकार शासन करना चाहिए कि राज्य के सब लोग सुख और शान्ति से रह सकें। खम्भात के ब्राह्मणों और अन्य प्रत्येक जाति के मुखियाओं को मिलकर एक लाख टंक इसे देना चाहिए और इसकी जाति के लोगों के जो घरबार जल गये हैं, उन्हें फिर से बनवा देना चाहिए। यह दंड है खम्भात को। -शोभ, वे वस्त्राभूषण ले जाओ।"

शोभ वस्त्र आभूषण ले आया और राजा ने उन्हें ख़तीब को दिया। वह बेचारा गद्गद होकर पृथ्वी पर लोटकर, अपनी भाषा में अनेकानेक उपकार प्रकट करने लगा।

काक ने संकेत से समझा दिया कि अब उसे विदा ले लेनी चाहिए। उसने ऐसा ही किया।[1]

म्लेच्छ को भी ऐसा न्याय प्राप्त होते देख, उबक विचार में पड़ गया और सभा जयदेव पर मोहित हो गयी। राजा उबक की ओर घूम ही रहा था कि इसी समय मुंजाल ने झुककर राजा के कान में कहा, "सब का न्याय हो गया, परन्तु एक का रह गया है।"

"किसका?"

"जिसने रा' को जीवित पकड़ा और ख़तीब के प्राण बचाए, उसका।"

"किसका, काक का?" राजा इन तमाम झंझटों में यह बात भूल ही गया था कि परिश्रम का कुछ बदला काक को भी देना है। सत्तावान लोग सर्वदा सम्मान प्राप्त करना ही अपना कर्त्तव्य समझते हैं, किसी को सम्मानित करने का कर्त्तव्य याद नहीं रखते। मुंजाल इस सिद्धान्त का अपवाद था। बोला, "जी हाँ।"

"अवश्य।" कहकर जयदेव, ख़तीब को लेकर जाने की तैयारी करते हुए काक की ओर देखकर बोला, "काक भट, पांचाल के युद्ध में, और ख़तीब की रक्षा करके तुमने जो सेवा की है, उसका बदला नहीं चुकाया जा सकता। फिर भी तुम भटराज का पद स्वीकार करके मेरी सभा की शोभा बढ़ाओ। इस पद के योग्य तुम्हें आठ गाँव भी भेंट में दिए जाते हैं।"

काक ने नतमस्तक होकर राजा के दिए हुए वस्त्राभूषण ग्रहण किए और ख़तीब को एक अंगरक्षक के साथ भेजकर, वह चबूतरे पर जा बैठा।

"उबक राज, अब आप को भी उत्तर दे दूँ। आप जैसे वीर पुरुष के दर्शन से हम पावन हो गये। अवन्ति आने और आपके और आपके राजा का आतिथ्य स्वीकार करने की इच्छा तो मुझे बहुत हो रही है; परन्तु अभी वह सम्भव नहीं है। मुझे क्षमा करना।" क्षण भर ठहरकर उसने फिर कहा, "ईश्वर चाहेगा, तो हम फिर मिलेंगे।"

"मैं जो मँगनी का सन्देश लाया हूँ, उसे तो आप स्वीकार करते हैं?"

"उसे स्वीकार करना भी अशक्य है।" सभा में एकदम शान्ति छा गयी। आज आकस्मिक घटनाओं का दिन था। यह उत्तर सुनकर उबक के होठ फड़क उठे, उसकी आँखें सुर्ख हो गयीं। उसने होठ चबाकर अपने को संयत किया।

"क्यों?"

"सेनापतिराज, राजाओं की परिस्थिति को आप कहाँ नहीं जानते?" राजा ने शान्ति से आगे कहा, "भाग्य में होगा तो अवन्तिराज की कन्या का पाणिग्रहण करूँगा; परन्तु वह अवन्ति की सीमा में पहुँकर ही। जब आप पाटण की सीमा में होंगे, तब नहीं।"

---

1. जमा-उल-हिकायत।

राजा की मार्मिक बात से पट्टणी लोग प्रसन्न हो गये। उसमें पुनः युद्ध करके अवन्ति को जीतने का संकेत था। उबक ने गर्व से सिर ऊँचा किया और उच्च स्वर में पूछा, ''क्या आप अपमान कर रहे हैं चालुक्यराज?''

''अतिथि का अपमान किया जा सकता है?'' जयदेव ने मधुरता से उत्तर दिया, ''परन्तु जैसे आप पाटण आए हैं, वैसे मुझे भी तो अवन्ति आना पड़ेगा? मेरा सन्देश परम भट्टार्क लक्ष्मवर्मा तक पहुँचा दीजिएगा। अच्छा, जय सोमनाथ।''

राजा को उठते देखकर विप्रवर आशीर्वाद देने लगे और लोगों की हर्ष गर्जना के बीच जयदेव अंगरक्षकों सहित सभा भवन से बाहर निकला।

बहुत लोग प्रसन्न हुए; कुछ असन्तुष्ट हुए, कुछ ईर्ष्या से जल उठे और कुछ नाराज हुए। उदा की व्याकुलता का पार नहीं था; उबक के क्रोध का पार नहीं था; कीर्तिदेव की निराशा का पार नहीं था।

काक के हर्ष का भी पार न रहता; परन्तु मंजरी को दिया हुआ वचन उसे साल रहा था।

मुंजाल मेहता उठे और स्नेह से काक के कन्धे पर हाथ रखकर बोले, ''काक, यह अपने बाप-दादों से भी महान होगा।'' मन्त्री की हृदय जीतने की कलाएँ कुछ अद्‌भुत ही थीं।

''जी हाँ।'' काक ने उत्तर दिया।

''और अच्छे-अच्छे राजनीतिज्ञों के भी छक्के छुड़ाएगा।''

तीसरा खंड

कीर्तिदेव का निश्चय

सज्जन मेहता के घर की पीछे वाली वाटिका में, फाल्गुण कृष्ण प्रतिपदा के सन्ध्या समय चार जने वृक्ष के थाले पर बैठे थे। चारों की मुखमुद्रा गम्भीर थी। चारों धीमी आवाज में कुछ वार्त्तालाप कर रहे थे। ये चारों जने कीर्तिदेव, काक भट, कृष्णदेव और देसलदेव थे।

अगले दिन दरबार समाप्त होने पर उबक अपनी सेना लेकर विदा हो गया था और उसकी सेना में से केवल कीर्तिदेव और दस योद्धा ही पाटण में रह गये थे। इस समय खास तौर पर निमन्त्रण देकर कीर्तिदेव ने काक और देसलदेव को बुलाया था। कृष्णदेव घर में ही था।

निराशा से म्लान हुए कीर्तिदेव के मुख पर इस समय दृढ़ता दिखाई पड़ रही थी।

''कल मैं अन्तिम पासा डालता हूँ।''

''किस प्रकार?'' देसलदेव ने सिर उठाकर पूछा।

''किस प्रकार? कल सवेरे मैं तुम्हारे मुंजाल मेहता से मिलूँगा और उन्हें समझाने का अन्तिम प्रयत्न करूँगा।''

काक ने सिर हिलाया, ''कीर्तिदेव जी, आपका प्रयत्न व्यर्थ होगा।''

''मुझे भी यही भय है,'' कीर्तिदेव ने कहा, ''कल की सभा देखकर मुझे विश्वास हो गया है कि मुंजाल मेहता गुजरात और सारे आर्यावर्त्त का गला घोंटने को बैठे हैं।''

''यह कोई नयी बात नहीं है,'' कृष्णदेव बोला, ''पहले ही से पाटण की प्रणाली स्वार्थ-पूर्ण रही है।''

''परन्तु मैंने मूर्खता की कल्पना न की थी। अवन्ति का ऐसा तिरस्कार? अब वैर बढ़ेगा और म्लेच्छों के प्राणहारी आक्रमण के पहले ही हम पारस्परिक कलह से कट मरेंगे। आपके मुंजाल मेहता ने मेरा न जाने कितने दिनों का परिश्रम धूल में मिला दिया।'' भूमि की ओर एकाग्रता से देखते हुए कीर्तिदेव ने कहा।

''परन्तु अब कोई मार्ग नहीं रहा। अब शान्ति धारण करो।'' कृष्णदेव ने जरा ठिठोली में कहा।

''मार्ग?'', कीर्तिदेव इस प्रकार बोला, जैसे बहुत गहन विचार कर रहा हो, ''मार्ग न मिलेगा, तो आर्यावर्त्त की दशा क्या होगी?'' आपके इस होशियार मन्त्री में इतनी भी बुद्धि नहीं है? इतना देखने की भी शक्ति नहीं है? क्या सपादलक्ष और अवन्ति

को म्लेच्छ जीत लेंगे, और पाटण को यों ही छोड़ देंगे? यही है आप के मन्त्री की राजनीतिज्ञता?''

''हमारे यहाँ तो यही राजनीतिज्ञता रहेगी, कीर्तिदेव जी!'' कृष्णदेव ने शान्ति से कहा।

''देखिए, कल क्या होता है।'' कीर्तिदेव ने कहा।

''और कुछ न हुआ, तो?'' काक ने पूछा।

''महाकालेश्वर करें और मुंजाल मेरी बात को मान जाएँ। पर यदि न मानें तो–'' कहकर कीर्तिदेव दाँत पीसकर मौन हो गया।

''तो?'' देसलदेव ने पूछा।

''तो?'' कीर्तिदेव की आँखों में भयंकर तेज व्याप्त हो गया। उसने मुट्ठी बाँध ली, ''तो एक पलड़े में होगा आर्यावर्त्त का भविष्य और दूसरे में मुंजाल मेहता। भगवान शंकर मुंजाल मेहता के पलड़े को कैसे झुकाए रहेंगे?''

''अर्थात?'' बहुत ही आतुरता से देसलदेव ने पूछा।

''अर्थात हम कल निश्चय करेंगे। मैं स्वार्थ के लिए नहीं लड़ता। अपने देश का दुःख मुझे प्ररित कर रहा है। तो क्या मुंजाल जैसे को सीधा करने की शक्ति भगवान शंकर नहीं देंगे?''

देसल और काक चौंक पड़े। कीर्तिदेव की बात का अर्थ स्पष्ट था; परन्तु उसे समझ कर वे दोनों काँप उठे। पाटण और मुंजाल एक हैं; यह विचार उनके हृदय में इतना समा गया था कि इस बात को वे जरा भी हृदय में न ला सके कि एक को रखकर दूसरे को अलग किया जा सकता है। इन दोनों को अश्रद्धावान देखकर कीर्तिदेव बोला, ''आप मुझे पहचानते नहीं। जीवित रहा, तो मैं जीते बिना न रहूँगा। आप लोग कल सबेरे मुझसे मिलेंगे?''

''हाँ, अवश्य।'' कृष्णदेव और देसलदेव ने कहा।

''मैं कल सवेरे न मिल सकूँगा।'' काक ने कहा।

''क्यों?''

''मुझे थोड़ा-सा काम है।'' काक ने अन्यमनस्कता से कहा।

''तो कल रात को मुझसे ज़रूर मिलना। ठीक मध्य रात्रि के समय, इस वाटिका के बिल्कुल पीछे की ओर। अपने सब मित्रों को बुलाकर हम कोई निश्चय करेंगे।''

''अच्छा।''

''देखो, अवश्य मिलना और यदि मुझे कुछ हो जाए, तो अपने उस वचन की रक्षा करना।''

''अवश्य।'' कहकर काक विदा हुआ।

''कृष्णदेवजी, आपके विश्वसनीय मित्र कितने हैं? कारण कि अब अवसर बड़ा गम्भीर है। अब ढुलमुल-यकीन आदमियों की आवश्यकता नहीं है।''

"कीर्तिदेवजी, आप ज़रा भी न घबड़ाइए। मैं, देसलदेव और लक्ष्मण, तीनों मिल जाएँगे तो आकाश-पाताल एक कर डालेंगे। तीस-चालीस सामन्त तो अवश्य सहायता करेंगे।"

काक का 'थोड़ा-सा काम'

यदि काश्मीरा देवी पुरुष होतीं, तो पाटण की सेना का नायक तो वे सहज ही बन जातीं। उनमें निश्चयात्मक बुद्धि बहुत थी। उन्होंने एक काम हाथ में ले रखा था। काक और मंजरी के विवाह का, और उसके किए कलेऊ बाँधकर जुट गयी थीं। मंजरी को समझाने, अज्ञात रूप से विवाह का सब प्रबन्ध करने और उसके लिए छोटी से छोटी वस्तु एकत्र करने का काम वे सारे दिन किया करती थीं। महासेनायक का एक दूसरा गुण भी उनमें था कि एक दुर्ग को जीतते ही दूसरे पर आक्रमण कर देना। काक और मंजरी का विवाह हो जाने पर एक और अधिक कठिन काम उन्हें करना था। उस काम का आरम्भ भी कर दिया गया था, अतः पंडित गजानन के यहाँ से लौटते हुए उन्होंने अपनी पालकी सज्जन मेहता के घर की ओर घुमाने को कहा।

काश्मीरा देवी ज्यों ही सज्जन मेहता के अन्तःपुर में पहुँची, त्यों ही सारे अन्तःपुर में खलबली मच गयी। मन्त्री की स्त्रियाँ, बच्चे, दास-दासियाँ, मारे सम्मान, और क्षोभ के ऊँचे-नीचे होने लगे।

मन्त्री की पटरानी पानकुँवरि देवी के स्वागत को स्वीकार कर, काश्मीरा देवी खानगी वार्त्तालाप के लिए उन्हें दूसरे कमरे में ले गयीं।

"मौसीजी, मैं एक बहुत ही आवश्यक काम से आयी हूँ।"

त्रिभुवनपाल की माता हंसा (मुंजाल की बहन) दूर के रिश्ते में पानकुँवरिदेवी की बहन होती थीं।

"मैं आपकी लड़की सोम को देखने आयी हूँ।"

"अच्छी बात है, अभी बुलाती हूँ। सोम! बेटी!"

दूसरे ही क्षण सोमसुन्दरी, जिसे हम पहले खंड में सरोवर में स्नान करते देख चुके हैं, आ पहुँची! उसका आकर्षक सौन्दर्य अधिक-से-अधिक खिल गया था। काश्मीरा देवी ने एक ही दृष्टि में उसे नख से शिख तक देख डाला।

"देखो बेटी, काश्मीरा देवी के लिए पानी तो लाओ।" पानकुँवरिदेवी ने कहा और सोम के जाते ही धीरे-से पूछा, "कहो, क्या बात है?"

"मैं इसका विवाह-सम्बन्ध ठीक करना चाहती हूँ।"

"ऐं?" प्रसन्न होकर पानकुँवरिदेवी बोली, "किस के साथ बहन? जरा कहो तो।

हमें तो दीपक लेकर देखने पर भी कोई नहीं मिलता और यह दिन दूनी बढ़ती ही जा रही है।"

"एक व्यक्ति मेरी दृष्टि में है।"

"कौन?"

इसी समय सोम पानी ले आयी और लोटा रखकर चली गयी।

"कौन! हैं एक।"

"कोई लायक व्यक्ति तो हैं न?" वृद्धा धीरे-धीरे निश्चय करने लगी, "मैं अपनी लड़की के द्वार पर ध्वजा फहराते देखना चाहती हूँ।"

पाटण में केवल करोड़पति के द्वार पर ध्वजा फहराती थी।

"बस, करोड़ में ही सन्तुष्ट हो जाओगी? वह तो इससे भी अधिक का धनी है।"

सेठानी पानकुँवरि के मुँह में पानी आ गया, "क्या कोई छप्पन करोड़वाला है?"

"ऊँह!" सेठानी की जिज्ञासा बढ़ाने के लिए काश्मीरा ने तिरस्कार से कहा, "उससे भी अधिक!"

वृद्धा विचार में पड़ गयी। पाटण में जो गिने-चुने लोग थे, उनके नाम वह गिनने लगी। "कोई महाराज सेठ है? बताओ बहन, मुझ वृद्धा से क्या मसखरी कर रही हो?"

"नहीं मौसीजी, सच कहती हूँ। वह उससे भी अधिक है।"

"क्या कह रही हो? वह पाटण का ही है या कहीं बाहर का?"

"पाटण का, बिल्कुल पाटण का, सात पीढ़ियों से पाटण का।"

"तब तो कोई मन्त्री होगा।"

"नहीं, उससे भी अधिक।" खिलखिलाते हुए काश्मीरा ने कहा, "क्या बतलाऊँ?" अभी किसी से कहना मत।"

"हाय, हाय, तुम कहतीं क्यों नहीं?"

"आपका भाई।" काश्मीरा ने कहा।

"कौन मुंजाल मेह–"

मुख से सीत्कार करते हुए काश्मीरा ने नाक पर अँगुली रखकर कहा, "देखिए, चुप रहिए। कहीं बात को हवा न उड़ा ले जाए।"

वृद्धा पानी-पानी हो गयी, "नहीं बहन, परन्तु यह कैसे होगा?"

"जल्दी से कोई फल होता है? इसके लिए तो बहुत कुछ उलटा-सीधा करना होगा।"

"तुम्हारे मुँह में घी-शक्कर बहन, मैं सेठ से भी कहूँ कि नहीं?"

"मौसीजी, आप भी यों ही रहीं। उनसे कहोगी, तो दूसरे ही क्षण सारा नगर जान जाएगा।"

"नहीं बहन, तब न कहूँगी।"

काश्मीरा देवी विदा लेकर और पालकी में बैठकर अपने घर आ पहुँचीं।

मंजरी गम्भीर और कठोर मुख बनाकर बैठी थी। इन दिनों उसके होठ गर्व और तिरस्कार से सिकुड़े रहा करते थे। वह धीमे स्वर में कोई संस्कृत काव्य गुनगुना रही थी। ''मंजरी, अब सारा प्रबन्ध हो गया। अब तुम और तुम्हारा दूल्हा चौकी पर जा बैठे, बस यही देर है।''

मंजरी ने निःश्वास छोड़ा और वह अभिमान-सूचक भ्रू-भंगी से देखने लगी।

''क्यों, फिर पागलपन सवार हुआ?''

''मैं कब पागल नहीं थी?''

''आह! तुम्हारी क्या गति होगी?''

''जो भगवान भोलानाथ करेंगे वह।''

''करेंगे क्या, तुम्हारा सिर। अन्तिम समय तक इस प्रकार बल क्या खाया करती हो?'' कठोरता से काश्मीरा देवी ने पूछा, ''लज्जा नहीं आती? इसी प्रकार मूर्खता कर-करके उस बेचारे काक को दुःखी करना चाहती हो? इतना समझा रही हूँ, परन्तु तुम्हें परवाह ही नहीं है, क्यों?''

मंजरी मौनमुख देखती रही।

''जानती हो, समझती हो, तो भी इतनी हठ? काक की जगह मैं होऊँ, तो तुम्हारी ओर देखूँ तक नहीं। उसे भी दबाए जा रही होगी। वह बेचारा तो अपने सुख की अपेक्षा तुम्हारा सुख अधिक देखा करता है और तुम्हें कुछ परवाह ही नहीं है!''

काश्मीरा का उलाहना कठोर था पर, उसकी उचितता को स्वीकार कर मंजरी ने सिर झुका लिया।

''चलो, अब उठो, कल प्रातःकाल की तैयारी करो।''

मौनमुख मंजरी उठ खड़ी हुई। उसकी आँखों में आँसू नहीं थे। उसके चेहरे पर गर्व था। फिर भी कठोरता, संयम और एकाकीपन की मूर्ति के समान वह आँसू बहाती हुई असहाय सुन्दरी की अपेक्षा भी अधिक दयाजनक दिख रही थी।

सवेरे ब्रह्म मुहूर्त से पहले त्रिभुवनपाल के महल से दो पालकियाँ, दो मशालें और बीस-पचीस घुड़सवारों का जूलूस चुपचाप पंडित गजानन के घर की ओर चल पड़ा।

एक पालकी में मंजरी होठ पर होठ दबाए बैठी थी। सामने बैठीं काश्मीरा देवी तरह-तरह की बातें कह रही थीं। घुड़सवारों के पीछे दो जने घोड़ों पर मौनमुख आ रहे थे—काक और दूसरे त्रिभुवनपाल।

जुलूस पंडितजी के यहाँ जा ठहरा और सवार लौट गये। काक और मंजरी का विवाह यथासम्भव गुप्त रीति से ही करने का सब का निश्चय था। पंडितजी ने दो-चार ब्राह्मणों को बुला लिया था और मात्रा जामाता का आदर-सत्कार करने को तैयार थी।

शीघ्रता से सब विधियाँ पूर्ण होने लगीं और मुहूर्त निकट आने लगा। अतः सबको

पंडितजी का स्मरण हुआ। कन्यादान देने वाले वही थे, फिर भी यह कोई न समझ सका कि ऐसे अवसर पर वे कहाँ जा छिपे। एक शिष्य ने कहा कि वे स्नान करने गये थे और अभी तक नहीं लौटे। एक ब्राह्मण ने कहा कि गप उड़ रही थी कि नदी में मगर आया है! मात्रा ने कहा कि मैंने उन्हें लौटकर आया हुआ देखा था। काश्मीरा की व्याकुलता का पार न रहा। काक और मंजरी दोनों इस प्रकार अधीर हो गये, जैसे वे विवाह की फाँसी पर चढ़ने वाले हों और सोच रहे हों कि कब उसका अन्त आ जाए।

आख़िर मात्रा ने कहा, ''ज़रा ठहरो, मैं घर में देख आऊँ। नहीं मिलेंगे, तो फिर नदी पर किसी को भेजा जाएगा। इस समय वे चले कहाँ गये?''

सब लोग सामग्री तैयार करके प्रतीक्षा में बैठे और मात्रा एक दीपक जलाकर पंडितजी की खोज में बड़बड़ाती हुई आगे बढ़ी।

वह एक कमरे से दूसरे कमरे में गयी, परन्तु पंडितजी ग्रहण के वक्त साँप की तरह न जाने कहाँ जाकर बैठे थे कि कोई पता ही न लगा; आखिर मात्रा निराश होकर लौट ही रही थी, कि आचमनी के बजने की झंकार सुनाई पड़ी। वह एकदम भंडार-घर की ओर दौड़ी और देखा कि वहाँ अँधेरे में पंडितजी बड़े वेग से कुछ गुनगुना रहे और सिर हिला रहे हैं। आँखें ज़ोर से मींच रखी थीं।

''अजी पंडितजी, कहाँ घुस बैठे हो? वहाँ सब आपकी प्रतीक्षा कर रहे हैं।''

पंडितजी बिना बोले सिर हिलाते रहे और उनकी गुनगुनाहट का वेग बढ़ने लगा।

''क्यों, सुनते हो, या बहरे हो गये?''

उत्तर नहीं मिला। सिर हिलाने का वेग बढ़ गया।

''क्यों, तुम्हें हो क्या गया है?'' कहकर मात्रा निकट गयी और पंडितजी का कन्धा पकड़ा।

पंडितजी का सिर हिलाना और गुनगुनाना रुक गया। भय से आँखें खोलीं और बोले, ''शान्तम् पापम्!''

''अजी, यह सब गया भाड़ में। चलो उठो, मुहूर्त निकल जाएगा। मंडलेश्वर महाराज और काश्मीरा बहन को विलम्ब हो रहा है।''

''ऊँहुँ!''

''उँहुँ कैसी?'' आँखें निकालकर पंडितानी जी ने पूछा।

''असम्भव।''

''क्या असम्भव।''

''मैं नहीं आ सकता।''

''क्यों? अचानक यह क्या हो गया? पागल क्यों हुए जा रहे हो?''

''तुम नादान हो, तुममें बुद्धि नहीं है। मैं नहीं आ सकता।''

''परन्तु क्यों? किसलिए?''

''कन्या-दान मैं नहीं कर सकता। महापातक होगा।''

''ओ हो, यह नया शास्त्र कहाँ से खोज निकाला? रात तक तो सब ठीक था, अब यह भूत कहाँ से चिपट गया?''

'भूत नहीं है। मात्रा मैं अधम हूँ, अशुद्ध हूँ, कन्या-दान करने के योग्य नहीं हूँ।'' गम्भीरता से पंडितजी ने कहा।

''क्या बक रहे हो? कुछ समझ ही में नहीं आता।''

''मैं समझता हूँ देवी, मैं समझता हूँ। मैं मंजरी को कन्या के रूप में दान नहीं कर सकता।''

''क्यों? तब और कौन करेगा? कविकुलशिरोमणि के मित्र, उसके पिता के समान।''

''यह बात नहीं है, यही तो संकट खड़ा हो गया है।'' हास्यजनक रीति से दयनीय से बनकर पंडितजी ने कहा।

''हाय, हाय, यह क्या हो गया?'' खिलखिलाकर हँसते हुए मात्रा ने पूछा।

''मैं यही प्रायश्चित कर रहा था। पाप तीन प्रकार से होता है; मनसा, वाचा, कर्मणा!''

''बात जल्दी समाप्त करो। मुहूर्त निकला जा रहा है।''

''देवी, मैं रात को सोया तो स्वप्न आया कि रुद्रदत्त जीवित हो गये हैं।''

''अच्छा।''

''और उन्होंने कहा कि मेरी कन्या को सिवा विद्वान के किसी को न देना। मैंने कहा कि विद्वान कहाँ मिलेगा? तो उन्होंने कहा,'' कहते-कहते पंडितजी का मुख खिल उठा, ''कि यदि कोई न मिले, तो खुद उससे विवाह कर लेना। मैं तुरन्त चौंककर जाग पड़ा और मुझे विचार आया कि मैं ही उससे विवाह क्यों न कर लूँ? ठीक याज्ञवल्क्य और मैत्रेयी की जोड़ी मिल जाए!''

''फिर?'' हँसते हुए मात्रा ने पूछा।

''देवी, यह विचार आते ही मुझे अपने घोर मानसिक पाप का ध्यान आ गया।'' ऐसा विचार हो जाने पर, मैं उसे कन्या के रूप में दान कैसे कर सकता हूँ, तुम्हीं बताओ?''

''तो मुझ पर सौत लाना चाहते थे, क्यों?'' बड़े प्रयत्न से हँसी रोकते हुए मात्रा बोली, ''बड़े आए मैत्रेयी वाले! उठते हो कि नहीं?''

''कैसे उठा जा सकता है?''

''ठहरो, अभी बताती हूँ।'' कहकर मात्रा ने हाथ पकड़ा, ''उठते हो कि नहीं?'' नहीं तो हाथ पकड़कर बाहर घसीट ले जाऊँगी।''

''देवी, मेरे हाथों ऐसा पाप कराती हो! मैं नहीं जाऊँगा।''

किसी प्रकार हँसी दबाकर मात्रा ने उन ज्ञान के भंडार पंडितजी को घसीटना शुरू किया। इसी समय पीछे से काश्मीरा देवी आ पहुँचीं।

"अजी वाह! वहाँ तो मूहुर्त निकला जा रहा है और यहाँ आप लोग धींग-मस्ती कर रहे हैं? चलो जल्दी।"

दोनों लजा गये। मात्रा को एक मार्ग सूझा।

"चलते हो या नहीं? नहीं तो काश्मीरा बहन से कह दूँगी।"

"नहीं, नहीं, कहना मत।"

"तब उठो।" मात्रा ने कहा।

"क्या बात है?" काश्मीरा ने पूछा, "यह खींचातानी कैसी हो रही है?"

"कह दूँ?" मात्रा ने धमकी दी।

"नहीं-नहीं-नहीं।"

"उठो, नहीं तो कह दूँगी।" मात्रा ने कहा।

"क्या बात है?" काश्मीरा ने पूछा।

"नहीं कुछ नहीं।" पंडितजी ने कहा।

"तब उठो।"

"हे शम्भो!" कहकर पंडितजी ने दयनीय मुख से आकाश की ओर देखा, परन्तु यह समझ में न आने से कि भगवान शंकर के दरबार में यह अर्जी स्वीकार हुई या नहीं, असहाय बलि के बकरे की भाँति घिसटते हुए पंडित गजानन उठे और मात्रा ने साड़ी के अंचल से मुँह ढाँककर हँसी छिपाई। कन्या-दान-दाता के आ जाने से मूहुर्त सध गया, काक और मंजरी का विवाह हो गया और सवेरा होते ही अधिकांश लोग चले गये।

काक और मंजरी गम्भीर, कठोर और संयत थे। विवाह-कार्य हो जाने पर तो दोनों तटस्थ-से उठ खड़े हुए। काक के मुख पर खेद मालूम होता था। मंजरी के मुख पर अभिमान दिख रहा था। दोनों की आँखों में चिन्ता की रेखाएँ खिंची थीं।

मुंजाल से कीर्तिदेव की भेंट

जब काक मंजरी का पाणिग्रहण करने में व्यस्त था, तब कीर्तिदेव अपने जीवन का महाकार्य आरम्भ करने को तत्पर हुआ। वह महाकार्य था मुंजाल से भेंट करना।

सज्जन ने अनेक बार रोका, तुरन्त वह मालवी योद्धा अटल रहा। उसके जीवन के दो निश्चय थे; एक अपने पिता की खोज और दूसरे अपने देश का ऐक्य-साधन।

इन दो भावनाओं के लिए ही वह जी रहा था और इन्हें सिद्ध करने के लिए अमानुषीय,—अचेतन सृष्टि महतत्व जैसा निश्चल बन जाता था। जिस प्रकार एक

कार्य की साधना के लिए उसने कालभैरव की आराधना की थी, उसी प्रकार दूसरे कार्य की साधना के लिए राजनीतिक कार्यों में भैरव के समान भयानक मन्त्री को मानने के लिए वह जा रहा था।

कीर्तिदेव की बुद्धि-प्रधान दृष्टि में मुंजाल कार्य-साधना के मार्ग में एकमात्र आड़ी दीवार था; परन्तु पाटण के छोटे-से संसार की दृष्टि में वह सभी बातों का कर्त्ता-धर्त्ता था। लोगों से पूछने पर कीर्तिदेव को उसमें प्रभाव के कोई बहुत असाधारण लक्षण नहीं दिखे थे और न परिणाम की ख्याति उसने सुनी थी। जवानी में वह बड़ा उपद्रवी था, अधिक व्ययी था; लोगों को पागल बना छोड़ता था। उसने अपने अतुल धन को और भी अधिक बढ़ा लिया था। चन्द्रपुर जाकर वर्तमान राजमाता की मँगनी वही पाटण ले आया था। कुछ युद्धों में भी वह जूझा था। कुछ नगर भी उसने विजय किए थे; सीधे-सादे महाराज कर्णदेव के समय राज-सत्ता भी उसने अपने हाथों में ले ली थी। राजा के भतीजे और अपने बहनोई देवप्रसाद को दुखी करके दुर्दशाग्रस्त कर दिया था। महारानी की सेवा करते हुए अपनी स्त्री और पुत्र को त्यागकर दोनों को मृत्यु के मुँह में डालने में भी वह न हिचका था। राजा के मर जाने पर विद्रोही पट्टणियों को प्रसन्न करके मीनलदेवी की सत्ता पाटण में फिर स्थापित की थी। इस समय वह रानी और राजा की कृपा और अन्य मन्त्रियों की निर्बलता से समस्त सत्ता का अधिकारी बन बैठा है।

कीर्तिदेव को इन सब बातों में कोई असाधारणता नहीं मालूम हुई। केवल उसके उत्पन्न किए हुए वातावरण में ही उसे कुछ असाधारणता मालूम हुई। वातावरण में जैसे उदासी रहती है, सुगन्ध रहती है, भय रहता है, वैसे ही गुजरात में पैर रखते ही मुंजाल के प्रभाव से परिपूर्ण वातारण उसे स्पष्ट प्रतीत होने लगा था। अकल्पित भय से, अज्ञेय सम्मान से, अज्ञात ममता से सब उसकी ओर देखा करते। कीर्तिदेव महापुरुष था, फिर भी उसकी वयस कम थी, इस कारण उसने मान लिया था कि यह प्रभाव पट्टणियों की निर्बलता से उत्पन्न हुआ है।

वह अपनी भावनामयी दृष्टि तथा अघटित कल्पना-शक्ति, दोनों से मुंजाल के प्रौढ़ व्यक्तित्व के वास्तविक प्रभाव को परख नहीं सका। वह मुंजाल से अपरिचित था, अतएव उसके प्रभाव में जो प्रतापी सृजन-शक्ति थी, उसे भी वह नहीं देख सका था। वह उससे मिला नहीं था। उसके अद्भुत व्यक्तित्व का असह्य प्रताप भी उसने नहीं देखा था। उसे पता नहीं था कि जिसकी सत्ता किसी समय एक छोटे से गाँव के स्वामित्व तक ही सीमित थी वही पाटण आज बारह मंडलों और बावन नगरों पर अपना शासन किस के कारण कर रहा है।

परन्तु जब सज्जन मेहता के साथ वह राजमहल में आया, तब उसे क्षण भर के लिए विचार हो आया कि वह लौट जाए, —भय से नहीं, परन्तु केवल इसी विचार से कि मुंजाल से मिलने पर उठाए हुए काम में कहीं कोई विघ्न न आ जाए। दूसरे ही

क्षण वह विचार अदृश्य हो गया और वाणासुर के साथ द्वन्द्वयुद्ध के लिए प्रस्तुत हुए अनिरुद्ध के समान कीर्तिदेव मुंजाल के पास गया।

मुंजाल की मानसिक स्थिति कुछ भिन्न ही थी। जब से कीर्तिदेव को देखा तब से ही उसके प्रभाव के भनकारे उसके कानों से टकरा रहे थे। उसकी बालिका के समान मनोहर मुखमुद्रा न जाने क्यों उसके हृदय में रम रही थी और उसकी भावनाओं और कर्तव्यों को सुनकर उसे आश्चर्य हुआ था। इन का करणों से सज्जन ने जब फुरसत के समय कीर्तिदेव से मिलने के लिए मुंजाल से याचना की तो उसने तुरन्त ही स्वीकार कर लिया। मुंजाल मनुष्य-रत्नों को परखने वाला था, इसलिए उसे अपनी शक्ति की परीक्षा एक नये जगमगाते हुए रत्न पर करने की इच्छा हो गयी।

जब कीर्तिदेव आया, तब मुंजाल तकिए के सहारे बैठा पान चबा रहा था। बड़ी मधुरता से हँसते हुए मुंजाल ने कीर्तिदेव का स्वागत किया, "आओ कीर्तिदेव, सज्जन मेहता को तो तुमने जीत लिया है। वे तुम्हारी ही प्रशंसा किया करते हैं।"

"मन्त्रिवर, 'परगुणकथनैः स्वान् गुणान् ख्यापयन्तः'[1]–ऐसे भी विरल मनुष्य संसार में पड़े हैं।" कीर्तिदेव ने नम्रता से उत्तर दिया।

"मेहता जी, आप कीर्तिदेव को कैसे पहचानते हैं?" मुंजाल ने एकदम सज्जन की ओर देखकर पूछा।

सज्जन मेहता घबरा गये। उनका मुख लाल हो गया। "मैं?" वे ज़रा उलझन में पड़कर बोले, "मैं, –कीर्तिदेव, उबक के पुत्र, –दत्तक हैं, इसलिए पहचानता हूँ।"

"ऐसा!" मुंजाल ने सिर हिलाकर कहा।

"तुम तो वणिक हो? तुम्हारा सौभाग्य कि उबक राज जैसा शिरच्छत्र प्राप्त कर सके।"

"जी हाँ। मेरे माता-पिता चाहे जो हों, उन्होंने मुझे बचपन से ही त्याग दिया है; परन्तु परमार ने उसकी सब कमी पूरी कर दी है।" परन्तु यह बात सज्जन मेहता को न रुची। वे एकदम खड़े हो गये। ऐसा प्रतीत हुआ, जैसे उन्हें कोई मानसिक घबराहट हो रही है।

"मेहताजी, मैं अब जाता हूँ।"

"क्यों? बैठिए।"

"नहीं, मुझे महाराज से मिलना है। फिर और भी काम हैं। मैं जाऊँगा।" कहकर शीघ्रता से आज्ञा लेकर वे चलने लगे। मुंजाल आँख ज़रा सिकुड़ी। वह इस व्यवहार को न समझ सका।

"अच्छा मेहताजी, फिर कभी दर्शन दीजिएगा।" मुंजाल ने कहा और सज्जन के

---

1. दूसरों के गुणों की प्रशंसा से ही अपने गुणों को प्रकट करने वाले।

जाते ही कीर्तिदेव की ओर घूमकर ज़रा हँसते हुए कहा, ''कहो कीर्तिदेवजी, क्या काम है?''

कीर्तिदेव क्षण भर मुंजाल के विशाल भाल और अगम्य आँखों को देखता रहा। उसे प्रतीत हुआ कि वह एक महारथी के साथ वाग्युद्ध में उतर रहा है।

''मन्त्रिवर्य, मैं दो कामों से आया हूँ। एक आपके दर्शन करके कृतार्थ होने, दूसरे एक याचना करके भिक्षा प्राप्त करने।'' कीर्तिदेव ने कहा। उसकी तेजस्वी आँखों में कपट नहीं था; गहराई नहीं थी; केवल सरलता और श्रद्धा थी। उसका स्वर कोमल था।

उस स्वर ने, उस दृष्टि ने, मन्त्री के हृदय में कोई अगम्य-सी झंकार उत्पन्न कर ही; परन्तु मुंजाल ने उसे सुनने या समझने का कष्ट नहीं किया। उसने मधुरता से उत्तर दिया, ''बताओ, क्या काम है?''

मन्त्री की मधुरता से कीर्तिदेव को आशा हो गयी। उसने कहा, ''काम, आप जैसे व्यक्ति के लिए सरल है। आप कीजिएगा?''

''भटराज, तुम्हें सरल मालूम हो सकता है; परन्तु मैं जैसा कुछ भी हूँ, एक राजसेवक हूँ।'' अपने शब्दों को असत्य सिद्ध करने वाले सत्ताप्रदर्शक हास्य से मुंजाल ने कहा।

''आप राज-सेवक नहीं, राज्य के भाग्य-विधाता हैं।''

''तुम्हारी धारणा असत्य है।''

''नहीं मन्त्रिवर्य, इतना ही नहीं, समस्त भरतखंड का भाग्य भी आपके हाथ में है।''

''मेरे हाथ में?'' ज़रा विस्मित होकर मुंजाल ने पूछा।

''जी हाँ। जबसे मैंने गुर्जर भूमि पर पैर रखा है तभी से मैं आपके प्रभाव का परिचय देखता और सुनता आ रहा हूँ और इसी से एक याचना करता हूँ।''

''क्या?''

''जैसे गुजरात का राज्य-तन्त्र एक अँगुली पर आप लिए हुए हैं, वैसे ही आर्यावर्त्त का राज्य-तन्त्र भी लीजिए।'' कीर्तिदेव ने कहा।

''अर्थात?''

''महाराज, आप जैसे व्यक्ति को केवल एक-एक राष्ट्र की राजनीति के पीछे ही जीवन समर्पित नहीं कर देना चाहिए। आप समस्त आर्यावर्त्त की राजनीति को अपने हाथ में लीजिए। छिन्न-छिन्न हो गये राष्ट्रों और परस्पर-विरोधी राज्यों को एक धागे में पिरो दीजिए। आपकी जैसी शक्ति के बिना यह कोई नहीं कर सकता।''

कुछ देर मुंजाल देखता रहा। उसे कीर्तिदेव का मस्तिष्क भ्रमित-सा प्रतीत हुआ।

''कीर्तिदेव जी, क्या अवन्ति और पाटण की सन्धि के विषय में कह रहे हो? जरा स्पष्ट कहो।''

"मन्त्रिवर्य, आप क्या यह विचार रहे हैं कि मैं पाटण और अवन्ति की सन्धि-याचना करने आया हूँ? महाराज, उबक परमार तलवार की धार से सन्धि कराते हैं, सन्धि की याचना नहीं करते। कल उन्होंने गौरव त्यागकर जो इच्छा प्रकट की, वह केवल मेरे लिए। मैं ऐसा नहीं हूँ कि फिर उस इच्छा को प्रकट करके, याचना करके, अवन्ति की प्रतिष्ठा भंग करूँ, उसे नीचा दिखाने की कोशिश करूँ। पट्टणी यदि युद्ध ही चाहेंगे, तो क्या मालवी देंगे नहीं?"

"तब तुम क्या चाहते हो?"

"केवल पाटण और अवन्ति के बीच ही कलह है, यह बात नहीं है। सपादलक्ष और मालवा में भी शत्रुता है। कान्यकुब्जाधिपति महाराज चन्द्रदेव मालवा और सपादलक्ष दोनों से लड़ रहे हैं। चेदिराज कीर्तिवर्मा (बुन्देलखंड के राजा) वायु से भिड़ रहे हैं। चित्तोड़ के रावल की महदिच्छा दिन-प्रतिदिन बढ़ती जा रही है। इन सबके ही वैर और कलह का शमन करना है। इन सबको एकत्र करके एक महा प्रबल सेना तैयार करनी है। यह सब कुछ करने के लिए आर्यावर्त्त को एक महान राजनीतिज्ञ की आवश्यकता है। इस पद को आप लीजिएगा?"

मुंजाल के मुख पर एकाग्र हुई कीर्तिदेव की आँखों से चिनगारियाँ निकलने लगीं। ज्यों-ज्यों उसकी वाचा का प्रवाह बढ़ा, त्यों-त्यों मुंजाल के प्रभाव का खयाल भी कम होता गया। कीर्तिदेव देवदूत के समान मालूम होने लगा। उसकी निर्मल कान्ति चमक उठी। उसकी इकहरी सुकोमल देह अज्ञात रूप से काँपने लगी।

"इस सब परिश्रम का कारण?" मुंजाल ने शान्ति से पूछा।

"कारण? आर्यावर्त्त के सिर पर भय झूम रहा है, मन्त्रिराज!"

"कैसा भय?"

"महाराज, कल राजसभा में अपने एक अर्धनग्न म्लेच्छ को देखा था? यहाँ तो वह अकेला है; परन्तु काश्मीर के पास उसकी जाति के एक करोड़ योद्धा हैं। वे सारे आर्यावर्त को भस्मीभूत करने के लिए मानो कदम उठाए खड़े हैं। उनके भयंकर रणसिंहों की आवाज़, उनकी भयानक पुकार उत्तर प्रदेशों में गूँज रही है। मन्त्रिवर, आप भी भूल गये गज़नी के सुलतान के द्वारा किए हुए पाटण और देवपट्टण के विनाश को? कल ज़यदेव महाराज ने जिस पापी को सिरोपाव भेंट किया उसके पौत्र आपके और मेरे बच्चों के तन पर कपड़े का एक टुकड़ा भी न रहने देंगे।"

"इसलिए हमें अपने बीच सन्धि करा के उन शत्रु-दलों का संहार करना है? उन म्लेच्छों को फिर निकाल भगाना है?"

"हाँ, मेहताजी। और इस काम को आपके अतिरिक्त और कोई नहीं कर सकता।"

मुंजाल विचार कर रहा था। उसकी प्रभावशाली आँखें कीर्तिदेव पर जमी हुई थीं। वह मन-ही-मन इस बाल-योद्धा की प्रशंसा कर रहा था। कुछ देर में वह बोला,

"कीर्तिदेवजी, तुम्हारी बात सच है, परन्तु मुझसे या गुजरात से यह कुछ नहीं हो सकता।"

"क्यों?" कीर्तिदेव ने चौंककर पूछा।

"तुम बालक हो। कभी नहीं समझ सकते। इस प्रकार स्पष्टता से अभी तक किसी ने नहीं कहा था, परन्तु चार वर्ष पहले हमारे यहाँ एक यति थे। वे भी यही कहते थे।" मुंजाल ने कहा।

"क्या?"

"मुझे उनके शब्द याद आ रहे हैं।" कहकर मुंजाल ने आँखों को सिकोड़ा और शब्दों को याद किया, "उन्होंने कहा था कि तुम मन्त्रियों का परिश्रम मिट्टी हो जाएगा, तुम्हारे लड़के-बच्चे गजनी के बाज़ार में बिकेंगे[1] स्पष्ट याद आता है।"

"उनकी बात सच है। इसीलिए मैं निवेदन करता हूँ कि मेरी बात को मानिए।"

"कीर्तिदेव," सिर हिलाकर मुंजाल ने कहा, "तुम्हारी बात सच भले ही हो; परन्तु प्रत्येक सच बात सम्भव नहीं होती।"

"सम्भव न हो, तो होनी चाहिए।"

"तो दुनिया का अन्त आ जाए।" मुंजाल ने कहा, "मेरा सूत्र है कि जो सम्भव न हो, उसे हाथ ही में न लेना चाहिए।"

"परन्तु आप सम्भव कर सकते हैं। इसके लिए समर्थ हैं। जब आपने महा अमात्य का पद ग्रहण किया, तब गुजरात की क्या दशा थी और आज क्या है?"

"परन्तु मैं अमात्य था, सो भी मालूम है? अपने दुःख को मैं ही जानता हूँ कीर्तिदेव जी, आपने याचना करके मेरा गौरव बढ़ाया है। यदि मैं किसी महाराज्य का मन्त्री होता, मेरे अधीन दस हजार सामन्त होते, तो मैं स्वीकार कर लेता। परन्तु, अवस्था ऐसी नहीं है, इसलिए असमर्थ हूँ।" कहकर मुंजाल मौन हो गया। कीर्तिदेव न उसे अद्‌भुत रूप से विगलित कर दिया था।

"आप सब कुछ कर सकेंगे। मैंने बहुत से राजाओं को समझा-बुझा लिया है। वे सब आपकी बात मानेंगे।"

"तनिक भी नहीं मानेंगे। भय बिना प्रीति कभी सुनी है? अपने विचारों के तेज से तुम्हारी आँखों में अँधेरा छा गया है। कलह से सुलह अधिक कठिन है।"

"सो तो मैंने कल ही देख लिया। आपके घर बैठे सन्धि आयी, परन्तु आपने स्वीकार नहीं की; अन्यथा आपको आज पाटण और अवन्ति दोनों का बल प्राप्त होता।"

"कीर्तिदेव, मैं शब्दों के जाल में नहीं आ सकता। मैं और पाटण उबक परमार के गुलाम बन जाते। पाटण का उदयोन्मुख गौरव अस्त हो जाता।"

---

1. पाटण का प्रभुत्व।

"यह बात यदि सब लोग मान लें, तो एकत्र होकर यवनों का सामना ही न करें।"

"जिन्होंने तुम्हें साथ देने का वचन दिया होगा, उनके हेतु को मैं जानता हूँ।"

"क्या?"

"यवनों को हराकर प्रत्येक राजा चक्रवर्ती होने की आशा करता होगा।" मुंजाल ने कहा।

"तब इस आशा से आप भी क्यों नहीं जुट जाते?"

"गुजरात अभी छोटा है। वह अभी पैरों के बल खड़ा होना सीख रहा है। यदि वह ऐसी आशा करे, तो मूर्ख समझा जाएगा। यवन तो न जाने कब हारेंगे, परन्तु हमारा सत्यानाश आगामी वर्ष ही हो जाएगा।" यह सुनकर निराशापूर्ण दृष्टि से कीर्तिदेव देखने लगा। मुंजाल ने आगे कहा, "तुम्हारे जैसे निःस्वार्थ मनुष्य के आगे सत्य कहते मुझे क्या हानि हो सकती है? बड़े परिश्रम से मैंने अपनी झोंपड़ी खड़ी की है। यदि मैं आर्यावर्त्त का महल खड़ा करने जाऊँ, तो यह झोंपड़ी उसके नीचे ढेर हो जाएगी। समझे? तुम्हें जिस महल के बनाने की लालसा है, उसे तुम भले ही बनाओ। मुंजाल तो अपनी झोंपड़ी ही सँभालेगा।"

"अर्थात मेरे स्वप्न नष्ट हो जाएँगे?" खेदयुक्त स्वर में कीर्तिदेव ने कहा।

"तो क्या तुम्हारे स्वप्नों के लिए मैं अपने सिद्ध हुए सत्यों को नष्ट कर दूँ?"

"तो क्या एक छोटे से राज्य की महत्त्वाकांक्षा की रक्षा के लिए आर्यावर्त्त का सत्यानाश होने देने में ही आप अपनी राजनीतिज्ञता समझते हैं?" निराशापीड़ित हृदय से कीर्तिदेव ने कहा, उसके मुख से निकल गया।

मुंजाल ने गौरव से सिर उठाकर देखा। उसे प्रतीत हुआ कि कीर्तिदेव का निःस्वार्थ भाव देखकर उसने अकल्पित अयोग्य सौजन्य दिखलाया था। उसकी आँखें निश्चल हो गयीं। शान्ति से उसने कहा, "इसका उत्तर पाने का तुम्हें अधिकार नहीं है। जब तक मैं हूँ, तब तक मेरी राजनीतिज्ञता,-वह कैसी भी हो, काम करती रहेगी।"

"और मैं अपने वशभर उसे काम न करने दूँगा।" कीर्तिदेव ने बलपूर्वक कहा।

मुंजाल तिरस्कार से हँस दिया। बोला, "ऐसा कहने वाले मुझे बहुत मिले हैं, और..."

"और आपने उन सबको पराजित किया है," कीर्तिदेव ने कहा। निराशा से उसे क्रोध उत्पन्न हो गया था, "आप सोचते हैं कि आर्यावर्त्त के भविष्य में बाधक होने में आप सफल हो जाएँगे? मन्त्रिवर, मैं आपको भय नहीं दिखाता; सच बात कह रहा हूँ। मैं कुछ दिनों में अवन्ति जाऊँगा और समय आने पर अपनी इच्छा को सिद्ध करूँगा। देश-देश के राजाओं की सेना से म्लेच्छों का संहार कराऊँगा और जीवित रहा, तो बताऊँगा कि 'सत्यमेव जयति', आपकी जैसी अल्पबुद्धि की स्वार्थमय राजनीति नहीं जीतती; और विश्वास करा दूँगा कि गुजरात आर्यावर्त्त का अंग नहीं, वरन स्वार्थी

श्रावक धनिकों के धनसंचय करने का बाज़ार है। उबकराज जैसा कहते हैं, पाटण केवल अवन्ति का मंडल बनने के योग्य है।" कहते हुए कीर्तिदेव खड़ा हो गया। उसकी जाज्वल्यमान कान्ति देव के समान प्रदीप्त हो गयी। यह उमंग का लहराता हुआ सागर मुंजाल के शान्त गौरव से टकराया और फैल गया।

"तुम्हारी आशाएँ सिद्ध न हुईं, तो?"

"तो मैं जगत से कहूँगा कि जब समस्त राज्य सन्धि करके एक होने को तैयार थे, जब सबके ऐक्य से यवनों का संहार हो जाता और भरतखंड की रक्षा होती, तब एक मन्त्री ने यह नहीं होने दिया। जब आपके राज्यों का विनाश होगा, आपके पाटण का पतन होगा, तब कहूँगा कि यह प्रताप एक मन्त्री का है, एक स्वार्थपरायण राजनीतिज्ञ का है। आपका वह यति जिस प्रकार कह गया है, उस प्रकार जब आपके लड़के-बच्चे गज़नी के बाज़ारों में बिकेंगे, तब आपको अपने इस कृत्य का परिणाम समझ में आएगा। आवेश से कीर्तिदेव का अंग-अंग काँप रहा था।

"कीर्तिदेव", एक क्षण भर रुककर मुंजाल ने कठोरता से कहा, "तुम उत्तेजित हो गये हो, अतएव अब अधिक वार्तालाप करने में सार नहीं। तुम अवन्ति कब जा रहे हो?"

"आगामी अमावस्या को।"

"मेरी बात मानो तो आज ही विदा हो जाओ।"

"क्यों?"

"कारण जानने की आवश्यकता नहीं।"

"क्या महा अमात्य के रूप में आप मुझ पर शासन कर रहे हैं? मैं अवन्ति का सन्धि-विग्रहिक हूँ, जानते हैं?" कीर्तिदेव ने गौरव से कहा।

"मैं शासन नहीं कर रहा हूँ, उपदेश दे रहा हूँ। अतएव जितना जल्दी पाटण को त्याग दो, उतना अच्छा।"

"मुझे डरा रहे हैं?" क्रोधित होकर कीर्तिदेव ने पूछा।

"जिसके पास शक्ति या सत्ता न हो, वह डराए। मेरे पास तो दोनों हैं। जय सोमनाथ! फिर कभी आना।" मुंजाल ने शान्ति से कहा और वह खड़ा हो गया।

कीर्तिदेव बाहर निकला। उसके मन में निश्चयात्मक बुद्धि का प्रवेश हो गया था। उसका हृदय क्रोध से जल रहा था।

उसके जाने पर मुंजाल उसके पीछे देखता रहा और अन्त में बड़बड़ाया, "ओफ़! कैसा लड़का है! कैसा प्रभाव है! ऐसा पुत्र हो, तो इकहत्तर पीढ़ियों को तार दे। बोलने की तर्ज कैसी भयंकर है! इसे यहाँ रहने न देना चाहिए। पर्वत को भी पिघलाने का इसकी जिह्वा में बल है। ऐ, बाहर कोई है?"

बाहर से बिहारी आया, "क्या आज्ञा है, महाराज?"

"क्यों, क्या समाचार है?"

"रात को बारह बजे सज्जन मेहता की वाटिका में सब इकट्ठे होंगे।" बिहारी ने कहा।

"कौन-कौन?"

"एक यह जो अभी गया—कीर्तिदेव। दूसरा काक, और तीसरा वह कृष्णदेव..."

"वह अभी यहीं है?"

"जी हाँ, कीर्तिदेव का दाहिना हाथ है।"

"और?"

"देसलदेव तथा और भी कई हैं। सबके नाम मैं फिर बतलाऊँगा।"

"क्यों इकट्ठे होंगे?"

"आपने जो उत्तर दिया उस पर विचार करने के लिए।"

"और वह काक कैसा है?"

"महाराज, वह तो कुछ समझ में ही नहीं आता। वह सभी का परम मित्र दिखलाई पड़ता है, —कीर्तिदेव का, कृष्णदेव का, मंडलेश्वर महाराज का और महाराज का।"

मुंजाल हँस पड़ा, "हर्ज नहीं, यह सब समझने की तुम्हें आवश्यकता भी नहीं। अच्छा, और कुछ?"

"महाराज, काक का विवाह हो गया।"

मुंजाल हँस पड़ा, "विवाह हो गया! किसके साथ?"

"कवि रुद्रदत्त थे न, उनकी कन्या से। विवाह में मंडलेश्वर महाराज थे और काश्मीरा देवी भी।"

"विवाह कहाँ हुआ?"

"पंडित गजानन के घर में।"

"अच्छा, डूँगर नायक से कह आओ कि मुझसे मिल जाए और दस मल्लों को तैयार रखे।"

"जो आज्ञा।" कहकर बिहारी चला गया।

"देखता हूँ, अब रात को यह सब लोग क्या करते हैं।" कहकर मुंजाल मीनलदेवी के पास गया।

काश्मीरा देवी गुरु-पद पर

मुंजाल मेहता ने राजमाता के पास जाकर कीर्तिदेव से हुई बातचीत का सार कह सुनाया। आख़िर मीनलदेवी ने कहा, "तो मेहताजी, अब क्या करोगे?"

"रात को क्या होता है, यह देखने के लिए मैं जाऊँगा।"

"तुम स्वयं जाओगे? और किसी को भेजो न। अपने प्राण क्यों संकट में डालते हो?"

"बिना मरे कहीं स्वर्ग देखा जा सकता है? मुझे स्वयं देखना है कि ये षड्यन्त्रकारी क्या विचार कर रहे हैं। आप चिन्ता न कीजिए, मुझे कुछ न होगा।"

"यह कैसे जान लिया?" मीनलदेवी ने हँसकर कहा।

"आपका आशीर्वाद जो है।" मुंजाल के नेत्र ज़रा चमक उठे, "इन षड्यन्त्रकारियों के नायक को अपने हाथ में रखूँगा।"

"किसे? कीर्तिदेव को?"

"हाँ, आज सन्ध्या समय ही उसे कैद करूँगा। यह मनुष्य बड़ा भयंकर है। देवी, आपने तो उसे देखा नहीं, परन्तु पर्वत को भी हिला देने वाला मनुष्य है। उसके समान यदि कोई यहाँ हो, तो हमारे कितना काम आए।"

"अवन्ति में न जाने कितने रत्न भरे पड़े हैं।" रानी ने विचार करके कहा।

"इसी से अवन्ति इतना प्रभावशाली है। हमारे यहाँ शूरवीर हैं और धनी भी हैं, परन्तु यथोचित उदार नहीं हैं।"

"अर्थात?"

"देवी, हमारे यहाँ सब कुछ है; साथ ही स्वार्थपरता भी है। स्वार्थ और उदारता दोनों साथ कैसे रह सकते हैं?"

"क्या किया जाए? हमारे मन्त्रियों में यदि देखने जाएँ तो उदा मेहता हैं और सामन्तों में वह देसलदेव।" रानी ने कहा।

"ये ही नहीं हैं।" महा अमात्य ने हँसकर कहा, "मन्त्रियों में मैं और सामन्तों में त्रिभुवन भी तो है। और अभी जो तीसरा आया है, वह भी आगे जाकर सबसे टक्कर लेगा।"

"कौन?"

"काक। वह भटराज तो अभी कल ही हुआ है, परन्तु सबसे पानी भराएगा। उसको भी मुझे आज रात को कसौटी पर कसना है।"

"वह भी षड्यन्त्रकारी है?"

"कुछ समझ में नहीं आता। जयदेव, त्रिभुवन, कीर्तिदेव और कृष्णदेव, सब उसे मित्र माने बैठे हैं।"

"कृष्णदेव कौन? वह जूनागढ़ वाला?"

"हाँ।"

"वह अच्छा हाथों में आ गया। नवघण से कहना चाहिए कि तुम –"

"लीजिए, काश्मीरा देवी भी आ गयीं।" मुंजाल ने हँसते हुए कहा। केवल शोभा के लिए लजाती हुई काश्मीरा देवी आ पहुँचीं।

"क्यों बेटी, क्या हालचाल हैं?"

"अच्छे हैं।" कहकर काश्मीरा ज़रा दूर खड़ी हो गयी; अतएव मुंजाल उठ खड़ा हुआ।

"क्यों, तुम तो विवाहोत्सव मना आयीं?" मुंजाल ने पूछा। काश्मीरा चौंक पड़ी। उसने सोचा था कि काक के विवाह की बात कोई नहीं जानता। मुंजाल ने मीनलदेवी की ओर घूमकर कहा, "आपको मालूम हुआ, ये दूल्हे की माता हैं?"

"मामाजी," काश्मीरा ने मार्मिका अर्थ में कहा, "विवाह का सच्चा अवसर तो अभी आने वाला है।"

मुंजाल हँसता हुआ वहाँ से चला गया और मीनलदेवी ने पूछा, "किसका विवाह हुआ?"

"काक और मंजरी का, परन्तु यह बात किसी से कहिएगा नहीं।"

"क्यों?"

"कारण कि इस लड़की से उदा जबर्दस्ती विवाह करना चाहता था, इसलिए मैंने इन दोनों का विवाह कर दिया।" काश्मीरा ने हँसकर कहा।

मीनलदेवी ने हँसकर कहा, "अब एक का विवाह और रह गया।"

"किस का?"

"त्रिभुवन का। लाट की मृणाल कुमारी को जो लाना है।"

"ऊँह, परन्तु एक व्यक्ति अभी और रह गया है।"

"कौन?" मीनलदेवी ने पूछा।

"मामाजी।" हँसी त्यागकर एकदम गम्भीरता से काश्मीरा ने कहा। मीनलदेवी का हँसता हुआ मुख उतर गया। तेजस्वितापूर्वक वह देखने लगी और होठ से होठ दबा लिया।

मार्मिकता से काश्मीरा ने पूछा, "आप उनसे विवाह करने के लिए क्यों नहीं कहतीं?"

सारे राज्य में जो अधिकार किसी को न थे, वे अधिकार काश्मीरा भोगती थी और उनसे वह राजमाता या महा अमात्य जैसे भयंकर गौरवशाली व्यक्तियों को भी सीधे और सही रूप में ठिकाने ले आती थी।

"मैं क्या कहूँ?" कोई उत्तर न सूझने से मीनलदेवी ने कहा।

"बुआजी, आप न कहेंगी तो कौन कहेगा? आप राजमाता हैं। राज-सेवक के हित को आप न देखेंगी तो कौन देखेगा?"

"मुंजाल मानने वाला नहीं है।"

"और किसी की चाहे न मानें, आपकी मानेंगे।" दृढ़ता से रानी के सत्ताशील मुख पर सत्तापूर्ण आँखें जमाकर काश्मीरा ने कहा। क्षण भर ठहर कर वह फिर बोली, "आपकी जगह मैं होती, तो उनका विवाह कभी का हो गया होता।"

मीनलदेवी की भौंहें चढ़ गयीं। वह इस वाचाल भतीजी की ओर देखने लगी। ''काश्मीरा,'' रानी ने बलपूर्वक कहा, ''तुम छोटे मुख से बड़ी-बड़ी बातें करती हो?''

''क्या करूँ, जब बड़े मुख वाले कुछ करते नहीं? आप देखती हैं, पहले के मामाजी अब कहाँ रह गये हैं? उनके कन्धे लटक गये हैं, तलवार की धार के समान तेज आँखों पर जंग चढ़ गयी है। राजकार्य करते हुए थक जाते हैं। कभी-कभी अज्ञात रूप से निःश्वास भी उनके मुख से निकल जाते हैं। पहले कभी आपने उन्हें 'प्रभु की इच्छा' कहते सुना था? मैंने अभी इधर थोड़े में चार-पाँच बार ये शब्द उनके मुख से सुने हैं। बुआजी, उन्हें अज्ञात रूप से कोई कष्ट हुआ करता है और आप उसे देखने की परवा भी नहीं करतीं।''

काश्मीरा देवी का प्रत्येक शब्द मीनलदेवी के हृदय में आघात कर रहा था; परन्तु उन्होंने हिम्मत रखी और स्वस्थ रहकर बात को उड़ाने का प्रयत्न किया, ''क्यों, तुझे त्रिभुवन ने अपने मामा का पक्ष लेने के लिए भेजा है क्या?''

''वे क्यों मामा का पक्ष लेंगे? आप जागती जोत तो बैठी हैं!''

''चाहे जैसा हो, वह भानजा है और मैं हूँ राजमाता।'' मीनलदेवी ने कहा।

काश्मीरा तिरस्कार-पूर्वक हँसी, ''बुआजी, आप जानती हैं, फिर भी इस प्रकार बात को उड़ाने का प्रयत्न क्यों कर रही हैं? सारा संसार जानता है कि आपके और आपके पुत्र के लिए उन्होंने जो कुछ किया है, वह न किसी ने किया है और न कर सकता है।'' काश्मीरा अनुभवी योद्धा के वेग से आघात पर आघात करने लगी। रानी ने उनसे बचने के लिए एक महान प्रयत्न किया।

''प्रसन्न, जो कुछ उसने किया, एक अमात्य के तौर पर किया है।''

''बुआजी, ये शब्द आपको शोभा नहीं देते। यह मैंने आज ही जाना कि वे किसी कृतघ्न सेठ के केवल किराए के कारिन्दे हैं। मामाजी यह बात जानते होते, तो मामाजी को कभी न मरने देते।'' कहकर काश्मीरा देवी ने ब्रह्मास्त्र छोड़ा। मीनलदेवी को इस वाग्वाण ने छेद डाला। सूखे होठों से वह देखते रह गयी।

''क्या तू मेरे साथ लड़ने को आयी है?''

''नहीं बुआजी, परन्तु कभी-कभी सच बात कहने वाला मनुष्य भी चाहिए।''

''अच्छा तो तू ही बतला,'' रानी ने क्रोध को कंठ से नीचे उतारकर धीमे से पूछा, ''मुंजाल, क्यों ऐसा करता है?''

''उन्हें अपना एकाकीपन अखरता है। उन बेचारों की देख-भाल, सार-सँभाल करने वाला कोई नहीं है। यही तो दुःख है।''

''इतने सेवक क्या कम हैं?''

''सेवकों से काम चलता होता, तो लोग विवाह क्यों करते?''

रानी के मुख पर से चिन्ता का बादल दूर हो गया, ''तू उसका विवाह करना चाहती है?''

"हाँ।"

"वह विवाह नहीं करेगा।" रानी ने कहा।

काश्मीरा मानो आघात करने के लिए कुछ समय लेने को ठहर गयी और बोली, "आप कहेंगी तो अवश्य कर लेंगे।"

"कैसे जान लिया?"

"आपकी बात को उन्होंने कभी टाला है?"

रानी कोई उत्तर न दे सकी।

"उनके योग्य स्त्री भी मैंने देख रखी है।"

"कौन?"

"सज्जन मेहता की लड़की सोम।" मीनलदेवी चौंक पड़ी। उसकी भौंहें चढ़ गयीं।

"पहली सेठानी की भतीजी? मुंजाल उसे कैसे स्वीकार करेगा?"

"सब आप के हाथ में है। आज सन्ध्या-समय सोम को यहाँ भिजवाऊँगी। उसे देखिएगा और विचार करिएगा। इतनी-इतनी सेवाओं के बाद मामाजी को यह बदला चुकाना ही चाहिए, नहीं तो उनका दुःख बढ़ जाएगा। अच्छा, तो मैं जाती हूँ।" कहकर काश्मीरा उठी और आज्ञा ले कर विदा हो गयी

राजमाता स्थिर दृष्टि से बहुत देर तक भूमि की ओर देखती रहीं। आँख में से एक आँसू धीरे-से टपक पड़ा। कुछ देर में वह बुदबुदाई, काश्मीरा की बात सच है। मुंजाल के लिए कुछ करना चाहिए।

सोहाग-रात का अनुभव

पाणिग्रहण से निवृत्त-होकर काक सज्जन मेहता के घर गया। यह जानने के लिए वह उत्सुक था कि मुंजाल मेहता ने कीर्तिदेव को क्या उत्तर दिया, परन्तु कीर्तिदेव तब तक आया नहीं था, इसलिए वह लौट आया।

कीर्तिदेव ने काक को चमत्कृत कर छोड़ा था और उसके दिव्य गुणों का बखान काक ने मंडलेश्वर और काश्मीरा देवी के आगे भी कर दिया था। उन दोनों गुण-ग्राहक पति-पत्नी में ऐसे असाधारण योद्धा को देखने की जिज्ञासा बढ़ गयी, और यह जानकर कि रात को सज्जन मेहता के यहाँ कीर्तिदेव के मित्रों का गुप्त सम्मेलन होगा, दोनों ने वहाँ जाकर गुप्त रूप से उसे देखने की इच्छा प्रकट की। काक ने भी उन्हें वहाँ ले जाना स्वीकार किया।

यह विचार कर कि नववधू कहीं घर में अकेली न रह जाए, काश्मीरा ने हठ करके मंजरी को भी अपने साथ ले लेने का निश्चय किया।

सज्जन मेहता की वाटिका में तो आधी रात के बाद जाना था, अतएव, रात पड़ने पर काक अपनी अटारी में पहुँचा। उसका हृदय काँप रहा था। जिस विवाह के लिए वह तरस रहा था, जिस विवाह को निर्वाण-प्राप्ति के समान आनन्दमय मानता था, उसी विवाह के हो जाने पर वह अधिक दुखी हो गया। मंजरी के प्रति उसके हृदय में सम्मान और प्रेम था। उसे वह स्वर्ग-सुन्दरी समझता था; परन्तु उसके निश्चल हृदय, अस्पृश्य अभिमान, और माँगे हुए वचन, इन सबसे काक का जीवन कड़वा हो गया था। उसके हृदय में केवल आशा का एक बिन्दु था। काक को अब भटराज का पद मिल गया था। पाटण के महाराजा ने नगर के सारे जन-समूह के सामने उसकी सेवा के प्रति कृतज्ञता प्रकट की थी। यह सब देखकर भी मंजरी क्यों न पिघलेगी? अपने माँगे हुए वचन से काक को क्यों न मुक्त करेगी?

डरते-डरते वह अटारी पर आया। उमंग-भरी काश्मीरा देवी ने काक को अपना देवर मानकर, उसके और मंजरी के सहजीवन समारम्भ को बड़ी हौंस से अधिक से अधिक रसिक बनाने का प्रयत्न किया था, अतएव वह युद्धों में ही लालित-पालित योद्धा क्षण-भर के लिए उस सुसज्जित अटारी की सामग्री की ओर और उसमें विराज रही अनुपम लावण्यमयी मंजरी की ओर देखता ही रह गया। उसे प्रतीत हुआ, जैसे स्वर्ग के अनोखे सुखों का भंडार उसकी दृष्टि के आगे खुला पड़ा है। इस दृश्य से उस पर नशा-सा चढ़ गया और वह मस्त होकर खड़ा रह गया।

परन्तु उसका यह मोह तुरन्त उतर गया। सामने हिंडोले पर रम्भा के समान मनोहर मंजरी बैठी थी। उस मानिनी के गर्व से सिकुड़े हुए होठ और आँखों की तेजस्वी, शीतल, अभिमान-पूर्ण निश्चलता, इन दोनों ने उसके चढ़े हुए नशे को उतार दिया। वह बैठी थी संसार-रूपी गिरिराज के गगनचुम्बी हिमशिखर पर और यह था पृथ्वी के निर्जीव स्थान पर खड़ा हुआ केवल एक असंस्कृत योद्धा।

क्षोभ ने इस महारथी को मात कर दिया। उसकी देह इस प्रकार काँप रही थी, जैसे वह स्वयं नववधू हो। उसके हृदय में केवल एक मन्त्र का जाप चल रहा था, "कैलासमिव दुर्धर्षं कालाग्निमिव दुःसहम्।" मंजरी का ध्यान आकर्षित करने के लिए वह ज़रा खाँसा।

मंजरी ने गर्व से सिर ऊँचा किया और बड़े संयम से उसकी ओर देखा। स्पष्ट प्रकट हो रही निस्तेजता के सिवा उसके मुख पर कोई परिवर्तन नहीं हुआ था। काक धीरे-धीरे पैर बढ़ाता हुआ निकट गया। होठ दबाकर वह भी हृदय को शान्त करने का प्रयत्न कर रहा था। वह कुछ दूर बैठ गया और मंजरी की ओर देखने लगा।

कुछ देर में मंजरी बोली, "क्यों, विवाह हो गया? अब अपने वचन का पालन कब करते हो?" उसके स्वर में तिरस्कार था।

काक चौंक पड़ा। उसके गले में गाँठ पड़ गयी। उसने खखार कर बड़े प्रयत्न से

गला साफ किया। सम्राज्ञी के समान मंजरी कठोरता के साथ उत्तर की प्रतीक्षा करने लगी।

काक ने धीरे-से कहा, "वचन?"

"हाँ, वचन। मुझे ज्ञात नहीं था कि लाट ब्राह्मण इतनी जल्दी वचन को भूल जाते हैं।" शान्ति से मंजरी ने कहा। उसके शान्त तिरस्कार ने काक पर बिच्छू के समान डंक मारा।

"मंजरी, मैं वचन को भूल नहीं गया हूँ।"

"तो उसका पालन करोगे?" प्रभावपूर्ण मुद्रा से मंजरी ने पूछा। उसका प्रत्येक प्रश्न काक के गौरव को चूर-चूर कर रहा था।

"मंजरी, तुम ऐसी पाषाण-हृदया हो? मैंने नहीं सोचा था कि तुम ऐसी होगी।" काक ने निराशा से कहा।

"मैंने तुमसे पहले ही कह दिया था।"

"हाँ, कह दिया था, परन्तु तुम उससे इस तरह चिपटी रहोगी, यह मैंने नहीं सोचा था।"

"तुमने मुझे अपने काँटे पर तौला होगा।" अवर्णनीय तिरस्कार से मंजरी ने कहा।

"हाँ," काक खड़ा हो गया और बोला। वह उत्तेजित हो गया था। उसका अपमानित हृदय क्रोध से—निराशा से फटा जा रहा था। "मैंने मनुष्य के काँटे पर तुमको तौला था। मैंने सोचा था कि तुम्हारे हृदय में अमृत होगा। मैंने आशा की थी कि विवाह हो जाने पर तुम पिघल जाओगी। मेरी सेवाओं से रीझकर मेरे हृदय को शीतल करोगी।"

"काक भटजी, प्रत्येक सेवक को स्वामी बनाने लगूँ, तो विवाह करते-करते पार ही न आए," अभिमान से खड़ी होकर काक की ओर कुछ पीठ फेरते हुए मंजरी ने कहा।

इस अटल अभिमान के भयंकार आघात से, क्षणभर के लिए काक तिलमिला उठा। वह स्तब्ध हो गया। उसकी समझ में नहीं आया कि वह क्या करे। उसके हृदय ने एक मन्त्र का पाठ कर मार्ग सुझाया। उस मन्त्र को वह मन-ही-मन बुदबुदाया, "ठीक है, मैं कैलास के समान दुर्धर्ष होऊँगा और कालाग्नि के समान असह्य बनूँगा।" उसने दाँत किटकिटाए। "मंजरी, मैं चाहे जैसा हूँ, परन्तु तुम्हारा स्वामी हूँ।" मंजरी ने उत्तर नहीं दिया, और पीठ फेर ली। "ये हैं तुम्हारे संस्कार! ये हैं तुम्हारे भाव! कैसी पति-परायणा स्त्री हो!" काक ने तिरस्कार से कहा।

"पतिपरायणा!" धीरे-से पलट कर तिरस्कार-पूर्ण नयनों का प्रकाश डालते हुए मंजरी ने कहा और वह जरा हँस पड़ी, "तुम हो मेरे पति?"

"हाँ, अग्निदेव की साक्षी भूल गयी?"

मंजरी ने उत्तर नहीं दिया।

"मंजरी, तुम समझती हो कि मैं अधम हूँ? तुम जो कहोगी उसे सह लूँगा। हाँ, यह भी करूँगा, पर तब तक जब तक कि तुम्हें हृदयेश्वरी मानता हूँ। परन्तु यदि तुम मुझे और अधिक दुःख दोगी, तो मैं नहीं सहूँगा। मैं योद्धा हूँ। मेरा हृदय भी वीर-भावों से उछलता है। मेरी रगों में भी भगवान जमदग्नि का शुद्ध सनातन रक्त बहता है।"

"तो तुम क्या करोगे?" गर्व से सिर ऊँचा करके निर्भयता से मंजरी ने पूछा।

"जो मेरा अधिकार है वह।" क्रोध में होठ से होठ दबाकर काक ने कहा। उसकी आँखों से चिनगारियाँ निकल रही थीं।

"तुम्हारा अधिकार?" ज़रा हँसकर मंजरी ने पूछा।

"हाँ, तुम्हारे स्वामी, तुम्हारे पति के रूप में अधिकार!" विजय-नाद से गरजते हुए स्वर में काक ने कहा। उत्तर में मंजरी फिर तिरस्कार से हँस पड़ी। इस हास्य ने काक का संयम भंग कर दिया, "मंजरी, तुम मेरी स्त्री हो, समझीं?" कहकर उसने एक छलाँग मारी, मंजरी को अपनी भुजाओं में कस लिया और प्रचंड उमंगों के सत्वस्वरूप एक चुम्बन ले लिया।

परन्तु प्रत्युत्तर विचित्र और अकल्पित मिला। उसने चिल्लाने और घबराने की आशा की थी। परन्तु इसके बदले मंजरी खिलखिलाकर हँस पड़ी; पर उसकी प्रत्येक हास्य-तरंग में अवर्णनीय तिरस्कार था। इस हास्य से काक चौंक पड़ा। उसका आवेग जाता रहा और मंजरी को छोड़कर वह अलग जा खड़ा हुआ।

"शाबाश!" प्रत्येक शब्द का भयंकर गर्वपूर्ण उच्चारण करते हुए मंजरी ने कहा, "शाबाश भृग पुत्र! शाबाश ब्राह्मणश्रेष्ठ! कैसा तुम्हारा संयम है! कैसे तुम्हारे संस्कार हैं! कैसा तुम्हारा प्रतिज्ञा-पालन है! कैसी तुम्हारी वीरता है! इसी शूद्र के समान अधम आचरण से तुम मेरे स्वामी बनोगे? क्या लाट की ब्राह्मणी समझ रखा था जो इस बहादुरी पर निछावर होकर तुम्हारी हृदयेश्वरी बन जाती? काक भटजी, तुम में और अनेक क्षुद्रताओं की कल्पना मैंने की थी, परन्तु यह नहीं की थी।" उसके शब्द उसके बँधे हुए होठों में से साँप की फुँकार की भाँति निकल रहे थे। उसकी आँखों की चमक तलवार की धार के समान काक का हृदय चीर रही थी।

कामदेव के अनेक आदेशों के अधीन होना पड़ता है, ज्ञात-अज्ञात रूप से हम उनके अधीन हो जाते हैं और अधीन होते-होते इसके लिए पश्चात्ताप करने लगते हैं। काक ने दुःसह प्रबल आवेग के वशीभूत होकर मंजरी को भुजाओं में कस लिया था; परन्तु उसे तुरन्त पश्चात्ताप होने लगा। उसे अपनी अधमता का विचार आया और इसके साथ ही मंजरी के हृदय-वेधक शब्द-कटाक्षों ने उसे वेध डाला। वह लज्जित रुआँसा बनकर खड़ा हो गया। सत्ता के अवतार के समान दिखती हुई मंजरी अचूक विषैले वाग्वाण छोड़ रही थी। काक कायर की भाँति उसके सामने सिर झुकाकर खड़ा था। उससे सिर उठाकर न देखा जा सका। यदि जीभ को काट कर फेंक देने से सब

बातें समाप्त हो जातीं, तो वह इसके लिए भी तैयार था। उसका क्रोध जाता रहा, उसका आवेग और मोह उतर गया।

"काक भट," कुछ देर ठहरकर मंजरी ने फिर कहा, "किसलिए लज्जित हो रहे हो? अपनी योग्यता तुमने अपने हाथों ही सिद्ध कर दी।"

मंजरी के स्वर में अब तिरस्कार की जगह करुणापूर्ण गाम्भीर्य आ गया और उसने धीरे से कहा, "मेरे पिताजी कहा करते थे कि यदि ब्राह्मण संयम त्याग दें, तो पृथ्वी रसातल को चली जाए। मैंने नहीं सोचा था कि तुम ऐसे अब्राह्मण बन जाओगे।"

"मंजरी," बड़ी कठिनता से काक ने उत्तर दिया, "मंजरी, तुमसे जो भी कहा जा सके, कह लो; परन्तु अब अधिक ताने मारने से क्या लाभ?"

"हाँ, ठीक तो कहते हो, वह तो पत्थर पर पानी सींचने के समान है।"

काक ने होठ दबा लिए और कहा, "देखो, इसका परिणाम अच्छा न होगा और तुम पछताओगी।" काक में फिर से एक भिन्न ही प्रकार का आवेग उबलने लगा।

"इसका अर्थ यही है कि तुम अपना बल फिर दिखाओगे, पर यह तो मैं जानती हूँ।" मंजरी ने तिरस्कार से कहा, "महाराज भर्तृहरि कह गये हैं कि शुनीमन्वेति श्वा।'[1] ब्रह्मदेव, तुम्हारा संयम नष्ट हो गया, तुम्हारा वचन भंग हो गया। अगर अब अपनी श्वानता सिद्ध करना चाहते हो तो आ जाओ, मैं यह खड़ी हूँ।" कहकर गौरव से केवल नेत्रों के तेज से ही काक को डराती हुई वह खड़ी रही।

भगवान श्रीकृष्ण की भी सहिष्णुता को भंग कर देने वाले इन अपमानजनक वचनों को सुनकर काक के क्रोध का पार न रहा। वह सतर होकर स्थिर दृष्टि से मंजरी को देखने लगा। क्रोध से उसकी कान्ति भव्य हो गयी थी।

"बहुत हो गया मंजरी, अपशब्दों की भी सीमा होती है। तुम अपने को गर्व के मारे श्रेष्ठ मानती हो, क्यों? अच्छा, तुम्हारे साथ जबान लड़ाने में कोई सार नहीं। कहो, जूनागढ़ कब चलोगी।"

मंजरी एकदम उलझन में पड़ गयी। उसने नहीं सोचा कि काक अचानक यह बात कह बैठेगा।

"आगामी अमावस्या को हम लोग जूनागढ़ चलेंगे।" काक ने कठोरता से कहा।

"इतने अधिक दिनों तक रुकने की क्या आवश्यकता?" मंजरी ने जरा संयत होकर कहा।

"मंजरी, मुझे श्वान न समझने वाले भी बहुत से लोग हैं और उन्हें दिए हुए वचनों का पालने मुझे पहले करना चाहिए।"

---

1. कुत्ता कुतिया के पीछे जाता है—भर्तृहरिकृत वैराग्य-शतक

मंजरी तिरस्कार में हँस पड़ी।

"अमावस्या को हम लोग प्रस्थान करेंगे; परन्तु खबरदार, तब तक हम दोनों के बीच के इस झगड़े को कोई जानने न पाए। इसमें न तुम्हारी शोभा है न मेरी।" कहकर काक बन्द किए हुए द्वार के पास गया और अपनी पगड़ी सिर के नीचे रखकर सोने का ढोंग करके लेट गया। चकित हुई मंजरी एकदम कुछ न समझ सकी। आखिर 'शीतल जल से ही खुजली चली गयी' समझकर वह गर्व-ग्रस्त रमणी अपनी शय्या पर जाकर शान्ति से सो गयी।

षड्यन्त्रकारी

आधी रात होने को एक पहर बाकी था। नगाड़ों के बजते ही काक उठकर खड़ा हो गया और उसने त्रिभुवनपाल तथा काश्मीरा देवी से तैयार होने को कहा। काश्मीरा देवी ने मंजरी को उठाया और दोनों ने पुरुष-वेश धारण किया। पिछले द्वार से चारों जने क्षेमराज के बाड़े से बाहर निकलकर सज्जन मेहता के घर की ओर तेज़ी से चल दिए।

जब चारों जने सज्जन मेहता की वाटिका के पीछे की ओर पहुँचे, तब काक तीनों को वहीं खड़ा रखकर अन्दर जाने का रास्ता खोजने लगा।

वाटिका विशाल थी और उसके चारों ओर ऊँची दीवार थी। वह घूमता हुआ उसके पिछले द्वार तक गया। दीवार के एक छोटे-से द्वार के निकट दूर ही से उसने एक मनुष्य को खड़ा हुआ देखा, जिससे पूछ-पूछ कर एक-एक दो-दो करके कुछ आदमी अन्दर जा रहे थे। काक ने दूर ही से समझ लिया कि दरबान के रूप में खड़ा हुआ मनुष्य कृष्णदेव है। वह निराश होकर लौट आया। कृष्णदेव की तीक्ष्ण दृष्टि से बचाकर, इन तीन जनों को, जिनमें से दो पाटण में सुविख्यात थे, किस प्रकार ले जाए जाए?

वह वाटिका की प्रदक्षिणा करने लगा। आख़िर दीवार में उसे एक छोटी-सी जीर्ण खिड़की दिखलाई पड़ी। उसके आगे से किसी ने रास्ता करने के लिए काँटे खिसका कर अलग कर दिए थे। काक ने रास्ता करने वाले को आशीर्वाद दिया और तेज़ी से उन तीनों जनों को लेकर वह वहाँ आ पहुँचा।

चारों जनों के मन की स्थिति इस समय भिन्न-भिन्न थी। गम्भीर दुःखग्रस्त काक भट किसी भी प्रकार किसी पर भी अपना क्रोध उतारने को तैयार था; बहादुर मंडलेश्वर, एक अप्रतिम योद्धा को देखने के लिए, छोटे बच्चे की भाँति उत्सुक हो रहे थे। काश्मीरा देवी की हँसी पेट में समाती न थी; कारण कि इस उवद्रव से उन्हें बड़ी प्रसन्नता हो रही थी। मंजरी काक द्वारा वर्णित इस बाल महारथी को अपनी आँखों

से देखने के लिए, कानों से सुनने के लिए एक रसिक कवि की भाँति उत्सुक हो रही थी।

काक ने दीवार पर चढ़ने से पहले द्वार को धकेल कर देखा। वह विस्मित हो गया। द्वार यों तो जीर्ण-सा मालूम होता था; परन्तु ऐसा लगता कि किसी ने कुछ देर पहले ही उसे खोला है। चोरों की-सी चपलता से वे सब अन्दर घुसे और काक उन्हें मार्ग दिखाकर बाहर आ गया। वह कीर्तिदेव के अनुयायियों में अग्रगण्य था; अतएव उसने जिस द्वार पर कृष्णदेव खड़ा था, उसी द्वार से जाने का विचार कर रखा था।

इन चारों जनों ने तो यही समझा कि वाटिका में प्रवेश करते उन्हें किसी ने नहीं देखा है; परन्तु यह उनकी भूल थी। काक के बाहर जाते ही दीवार की आड़ में खड़ा हुआ एक शस्त्र-सज्जित मनुष्य आगे आया। वह राजपूत वेश में था, उसका क़द ऊँचा और शरीर सशक्त था, उसका सिर गौरव से उठा हुआ था। धीरे परन्तु दृढ़ और सत्तापूर्ण चाल से वह द्वार के पास आया। उसने आसपास देखा और धीरे से द्वार को धकेला। मंडलेश्वर ने अन्दर से द्वार को बन्द नहीं किया था, अतएव वह खुल गया और उस मनुष्य ने भी वाटिका में प्रवेश किया।

चाँपा मेहता के बाड़े के पीछे वाली विशाल वाटिका का वर्णन एक बार पहले किया जा चुका है। इस बाड़े के एक परिचित कोने में यह सब इस समय इकट्ठे हो रहे थे। इसका पिछला मार्ग निर्जन था; अतएव इन लुकते-छिपते इक्के-दुक्के मनुष्यों का आवागमन कोई जान नहीं सकता था। बाड़े के मालिक शान्ति से अपने घर में सो रहे थे। उस सीधे-सादे भोले मन्त्री को ध्यान भी नहीं था कि उसकी वाटिका का इस समय ऐसा उपयोग किया जा रहा है।

जिस द्वार पर कृष्णदेव खड़ा था, काक उस ओर गया। इस समय कृष्णदेव वहाँ अकेला ही था।

"कहिए कृष्णदेव जी, सब आ गये?"

"बरात तो आ गयी; दूल्हे की ही पता नहीं है।" कृष्णदेव ने कहा।

"अर्थात्?"

"अभी कीर्तिदेव नहीं आए। मुंजाल ने मालवी योद्धा को डराकर कहीं भगा तो नहीं दिया? क्या बात है?"

"क्या कह रहे हो?" आश्चर्य से काक ने कहा।

"हाँ, ठीक कह रहा हूँ।"

"तब, जिन सब लोगों को इकट्ठा किया है, उनका क्या होगा? जैसे आए हैं वैसे ही लौट जाएँ?"

"क्यों?" कृष्णदेव ने कहा, "बेचारे कीर्तिदेव का सब किया-कराया मिट्टी हो जाएगा।"

"तब?" काक ने पूछा।

"छोटी-सी बात है। हमें मालवे के साथ सन्धि करने वाला एक सबल पक्ष खड़ा करना है। इतना ही तो चाहिए है? जब कीर्तिदेव लौटेगा, तब यह पक्ष बड़ा उपयोगी सिद्ध होगा।"

"मुझे यह बात असम्भव मालूम होती है।" काक ने सिर हिलाया।

"आओ, ज़रा देखो तो," कहकर कृष्णदेव पलटा और उसने अन्दर से किवाड़ बन्द कर लिए। दोनों ने मुख ढँक लिए और जहाँ और सब मनुष्य खड़े थे, वहीं जा पहुँचे। वहाँ सशस्त्र तीस-चालीस मनुष्य मुख छिपा कर एक-दूसरे से दूर इस भय से मौन खड़े थे कि कहीं एक-दूसरे को कोई पहचान न ले। उनमें से काक ने एक वृक्ष की छाया में खड़े तीन मनुष्यों को पहचान लिया। चन्द्रमा के प्रकाश में सबके सब प्रेत-लोक में घूम रह योद्धाओं के समान प्रतीत हो रहे थे।

कृष्णदेव ने आकर देसलदेव के साथ कुछ देर सलाह की, और फिर हाथ के संकेत से सबको पास बुलाया। सब निकट आ गये और थोड़ी-थोड़ी दूरी पर भूमि पर बैठ गये। सबके बैठ जाने पर कृष्णदेव ने धीरे से कहा, "मित्रों, अभी कीर्तिदेव जी नहीं आए हैं।"

एक व्यक्ति ने भारी आवाज़ में पूछा, "क्यों?"

"सवेरे मुंजाल ने उनकी याचना स्वीकार नहीं की।" देसलदेव ने कहा, "मुझे मालूम होता है कि उन्हें ठिकाने लगा दिया गया है।" कुछ देर सब लोग मौन रहे। अधिकांश लोग निराश से हो गये।

"किसने लगाया?" किसी ने पूछा।

"अपने महा अमात्य से पूछ आओ। वे बतलावेंगे।" कृष्णदेव ने शान्ति से कहा!

"मालवा तो नहीं लौट गये?" एक व्यक्ति ने कहा। काक को उसका स्वर बीसलदेव की भाँति प्रतीत हुआ।

"नहीं," काक ने कहा, "इसका मैं विश्वास दिलाता हूँ। कीर्तिदेव ऐसे कायर नहीं हैं।"

"तब क्या किया जाए? चलो, लौट चलें।" सज्जन के पुत्र लक्ष्मण ने निराशा-पूर्ण स्वर में कहा। ये सब कीर्तिदेव के गुरुत्वाकर्षण से खिंचे चले आए थे और उसके न होने से उनकी समझ में नहीं आ रहा था कि क्या किया जाए।

"क्यों, किसलिए? कीर्तिदेव नहीं हैं, तो क्या हम लोग मर गये हैं? जो काम कीर्तिदेव कर सकते हैं, क्या वह हम नहीं कर सकते?" देसलदेव ने कहा।

"हम क्या कर सकते हैं?" किसी सीधे स्वभाव के मनुष्य ने पूछा।

"मालवा के साथ सन्धि करा सकते हैं।" कृष्णदेव ने कहा। कुछ लोग तिरस्कार से हँस पड़े। काक ने पूछा, "किस प्रकार कराओगे? हम जानते हैं कि मुंजाल मेहता को यह सन्धि पसन्द नहीं है। तब?"

"अर्थात?" सत्तापूर्ण स्वर से कृष्णदेव ने पूछा "क्या एक ही मनुष्य पाटण में एकचक्र राज्य करेगा?"

"अभी तो कर ही रहा है, क्या कीजिएगा?" एक व्यक्ति दूर से बोला।

"आप लोगों में जीवन नहीं है, इसलिए।" देसलदेव ने कहा।

"आप सब कीर्तिदेव के मित्र हैं। उनके उद्देश्यों को जानते हैं।" लक्ष्मण ने कहा, "आर्यावर्त्त को यवनों से बचाने के लिए एकता की आवश्यकता है। किसी भी प्रकार यह सन्धि होनी चाहिए।"

"मुंजाल स्वीकार करें, या न करें; परन्तु हमें ऐक्य-साधन के लिए प्रयत्न क्यों नहीं करना चाहिए?" एक व्यक्ति ने खोखले स्वर में कहा। काक चौंक पड़ा। उसे स्वर कृत्रिम मालूम हुआ, परन्तु उसने पहचान लिया कि वह उदा मेहता का है।

काक ने क्षण भर विचार किया। कीर्तिदेव के बिना ये सब लोग तन्त्रहीन थे। किसी का एक-दूसरे पर विश्वास नहीं था। प्रत्येक व्यक्ति अपने को छिपाने और दूसरे को पहचानने का प्रयत्न कर रहा था। काक को प्रतीत हुआ कि इस अविश्वास के कारण कोई महत्त्व का कार्य इस समय न हो सकेगा। ऐसे पँचमेल समूह में कौन किस के साथ दगा करेगा, इसका क्या विश्वास? उसने उच्च स्वर से कहा, "मित्रों, हम सब कीर्तिदेव जी के मित्र हैं। हमें उन पर श्रद्धा थी, उन्हें हम पर विश्वास था। उनके बिना यों मुख छिपाकर षड्यन्त्रकारियों की भाँति क्या हम से कोई राजनीतिक कार्य हो सकता है? चलिए, हम लोग लौट चलें।"

"किसलिए?" उत्तर में कृष्णदेव का सुसंस्कृत शान्त स्वर गूँज उठा। "क्या हम लोग कीर्तिदेव के तो विश्वासपात्र हो सकते हैं, और एक-दूसरे के नहीं? पट्टणी तो आप लोग भी हैं। पाटण का गौरव जितना मुंजाल को प्रिय है, उतना ही आपको है। कीर्तिदेव चले जाएँ तो क्या हमें पाटण की परवाह न करनी चाहिए? वाह! हम मनुष्य हैं या पशु?"

"तब करना क्या चाहिए?" किसी व्यक्ति ने पूछा।

"क्या करना चाहिए?" कृष्णदेव ने कहा, "क्या आप सब लोग बुद्धिहीन हैं? मालवा के साथ सन्धि करनी चाहिए। अपने सब राज्यों को मिलाकर यवनों को मार भगाना चाहिए। यह काम सरल नहीं है। इसको करने में बहुत-सी बाधाएँ आएँगी और उन बाधाओं को दूर करने के लिए हमें एक सबल पक्ष तैयार करना चाहिए। —यह करना होगा। यहाँ इस समय मंडलेश्वर हैं, सामन्त हैं, कुछ मन्त्री भी होंगे। ऐसा पक्ष खड़ा करना तो आपके लिए बहुत साधारण बात है। और फिर किस की शक्ति है कि आपके आदेश का अनादर कर सके?" कृष्णदेव ने कहा।

कृष्णदेव की बातें ध्यान-पूर्वक सुनने के लिए सब निकट खिसक आए और एक छोटा-सा गोल चक्कर बनाकर बैठ गये।

"इसका अर्थ यह है कि पाटण का राज-कार्य हमें अपने हाथ में ले लेना चाहिए?" कोई व्यक्ति बोला।

"यदि यह नहीं किया जाएगा, तो सारा देश नष्ट-भ्रष्ट हो जाएगा।" देसल ने उत्तर दिया।

"तो हमें राज्य का विरोधी होना पड़ेगा।" दूसरे ने कहा।

"यह कौन कहता है?" लक्ष्मण ने पूछा, "हमें तो किसी न किसी प्रकार अपना निश्चय पूरा करना है। सारा आर्यावर्त्त तो यवनों के साथ लड़े और हम बैठे रहें?"

"मुंजाल मेहता का क्या कीजिएगा?" एक व्यक्ति ने पीछे की ओर से कहा। काक ने स्वर पहचान लिया। ये त्रिभुवनपाल थे। काक को भय हुआ कि क... त्रिभुवनपाल अधिक बोले, तो पहचान लिए जाएँगे; परन्तु अन्य सब उत्तेजित हो रह थे, अतएव उनका स्वर पहचानने का किसी को अवकाश ही नहीं था।

"मुंजाल मेहता से ही हम अपना इच्छित कार्य करा लेंगे।" निर्दोष और उत्साही लक्ष्मण ने कहा। एक व्यक्ति खिलखिलाकर हँस पड़ा। उसने कहा, "उन्होंने किसी दिन किसी दूसरे का इच्छित कार्य किया है?"

"वह नहीं करेगा," कृष्णदेव ने कहा, "तो उसे मन्त्रिपद से अलग करना होगा।" कृष्णदेव के शान्त मार्मिक वाक्य ने गगन-गर्जन की भाँति सबके हृदय को त्रस्त कर दिया। सब मौन हो गये।

"यह बात सरल नहीं है।" काक ने कहा, "और सरल हो, तो भी न करना चाहिए। वह आज पट्टणियों में श्रेष्ठ है और एकाग्रता से पाटण की गौरव-रक्षा कर रहा है। वह अलग होगा, तो उसके पद पर कौन आरूढ़ हो सकता है?"

"इसी प्रकार के भयों से ही तो हम कुछ नहीं कर सकते।" देसलदेव ने कहा।

"ऐसी छोटी-छोटी बातें क्यों कर रहे हैं?" कृष्णदेव ने प्रभावशाली स्वर में पूछा, "सारा आर्यावर्त्त-रसातल को जा रहा है और आप विचार करते हैं कि एक मन्त्री को अलग कर दिया जाए, तो राज्य चलेगा या नहीं?"

"परन्तु इसका क्या विश्वास कि मुंजाल को अलग करने से हम लोग अपना मनोवांछित कार्य कर लेंगे?" एक व्यक्ति ने कहा।

"क्यों नहीं कर सकेंगे?" एक दूसरा व्यक्ति बोला, "मालवा की मँगनी को उसने अस्वीकार किया, उबक को उसने लौटाया और कीर्तिदेव को भी उसी ने निराश किया। मुंजाल की धारणा है कि मालवे के साथ सन्धि होते ही महाराज उसे अलग कर देंगे।"

"तो आप भूल कर रहे हैं," काक ने कहा, "मुंजाल को पाटण की परवाह नहीं, पाटण को मुंजाल की है।"

"मेरे मुंजाल के मित्र," कृष्णदेव ने मजाक में कहा और बहुत-से लोग हँस पड़े,

"यदि आप से नहीं होता है तो न करो, पर मुंजाल को आसमान पर चढ़ाकर पाटण क़ो नीचा क्यों दिखाते हो?"

मोड़े हुए पैरों के बल ज़रा ऊँचे उठकर काक ने दृढ़ता से उत्तर दिया, "आप चिन्ता न करें। जो मुझसे न होगा, उसके लिए मैं अवश्य इनकार कर दूँगा। इस समय हम किसलिए इकट्ठे हुए हैं? ऐसे उपाय की योजना के लिए जिससे मालवा के साथ सन्धि की जा सके, मुंजाल मेहता के प्रति षड्यन्त्र रचने के लिए नहीं। मुझे मुंजाल का भक्त कहो, या चाहे जो कहो। पर मैं उनका गुलाम नहीं हूँ। मुझे उनकी लेशमात्र परवाह नहीं है। आप सब लोगों ने तो उनसे कृपा याचना की होगी और याचना के फल भी चखे होंगे, पर मैंने दोनों में से कुछ भी नहीं किया। यदि मुझे विश्वास हो जाए कि मुंजाल के हटने से अवश्य आर्यावर्त्त बच सकता है, तो कल सवेरे ही मैं हाथ पकड़कर उन्हें अलग कर दूँ। मैं किसी से सहायता माँगने वाला नहीं हूँ। राज्यों में परस्पर एकता हो जाए, यह अच्छी बात है, परन्तु मुंजाल के अलग होने से एकता होगी ही, इसका क्या विश्वास?"

"हमें तो विश्वास है।" कुछ व्यक्तियों ने कहा।

"मुझे ज़रा भी सन्देह नहीं है।" छाती ठोक कर देसल ने कहा।

कृष्णदेव ने देखा कि काक के शब्दों का बहुत लोगों पर प्रभाव पड़ गया है। अतएव उस प्रभाव को मिटाने का उसने प्रयत्न किया, "विश्वास न हो, तो भी क्या है? तुम पाटण को हाथ में लो, पाटण की राज-सत्ता को हाथ में लो, और जो कीर्तिदेव कहते हैं, वही, लक्ष्य-बिन्दु रखो। फिर हमारा प्रयत्न क्यों नहीं सफल होगा? एक कीर्तिदेव इतना कर सकता है, तो सारा पाटण क्या नहीं कर सकता?"

"अजी, फिर तो चाहो जो हो सकता है," एक योद्धा ने कहा, "पाटण क्या नहीं कर सकता?"

दूसरे ने पूछा, "यवनों को निकाल भगाने का क्या कोई दूसरा मार्ग नहीं है? मुंजाल भी रहें और काम भी हो जाए, यह अधिक अच्छा है।"

"मुझे ऐसा मार्ग नहीं दिखलाई पड़ता।" उदा के-से स्वर वाले व्यक्ति ने कहा।

"यदि ऐसा मार्ग मिल जाए, तो उसी पर चला जाए।" लक्ष्मण ने कहा।

"परन्तु मुंजाल किसलिए इनकार करता है, इस पर भी किसी ने विचार किया?" एक व्यक्ति ने पूछा।

पीछे से एक कोमल स्वर सुनाई पड़ा, "अपना सिर फोड़ने को।" सबका ध्यान उस ओर गया। काक ने होठ चबा लिए। काश्मीरा देवी से चुप न बैठा गया, इसलिए उन्होंने यह कह दिया। जिस मनुष्य को काक ने उदा समझा था, उसके पीछे काश्मीरा, मंजरी और मंडलेश्वर बैठे थे। उन तीनों को कोई पहचान न ले, इस विचार से काक ने ज़रा उच्च स्वर से यह कह कर सबका ध्यान फिर आकर्षित कर लिया, "मुंजाल

मेहता का अभिप्राय तो यही है कि जब तक गुजरात सबल न हो, जब तक उसका कार्य एकतन्त्र से न होने लगे, तब तक मालवे के साथ सन्धि न करनी चाहिए।''

''कारण?''

''शान्ति से हमारे देश में विरोध उठ खड़ा होगा, इसलिए।''

कुछ व्यक्ति हँस पड़े। और ''युद्ध से विरोध को शान्त होते कभी सुना है?'' एक व्यक्ति ने पूछा।

''हाँ।'' काक ने कहा, ''हममें विरोध न हो, तभी विजय मिल सकती है। भले ही यह विचार असत्य हो, भले ही मुझे अपने शब्दों पर विश्वास न हो; परन्तु मुंजाल को अलग करके हम क्या कर सकेंगे? उसकी अपेक्षा तो अच्छा है कि यदि आप में साहस है, आपको अपना पक्ष खड़ा करना है, तो उसे कीजिए। मुंजाल भी रहेंगे, हमारा पक्ष भी रहेगा। कीर्तिदेव के निश्चय की रक्षा भी होगी और यवनों को शक्ति नहीं कि वे आर्यावर्त्त में पैर भी रख सकें।''

''ऐसी कौन-सी बात है?'' कुछ व्यक्ति बोल उठे।

''कौन-सी बात?'' उत्तेजना से काक का स्वर काँप रहा था। उसमें प्रभाव था, गौरव था, सच्चाई थी। ''कीर्तिदेव ने यवनों के भय की बात कही थी, तभी से मुझे यह विचार हो रहा है। आप सब लोग एक प्रतिज्ञा करें तो शीघ्र ही इस विचार के अनुसार काम कर सकते हैं।''

''कौन प्रतिज्ञा?'' लक्ष्मण ने अधीरता से पूछा।

''कीर्तिदेव जी जैसी एकता का प्रयत्न कर रहे हैं वैसी कभी हुई है कि अब होगी? क्या अब तक किसी राज्य ने स्वार्थ त्यागकर परमार्थी एकता स्वीकार की है? महीने-भर पहले दो-दो शत्रु आप पर आक्रमण करने आ रहे थे, क्या भूल गये? आप नाममात्र की एकता या सन्धि करेंगे, तो दूसरे राज्य आप को खा जाएँगे। उन्हें तो यही चाहिए। आर्यावर्त्त में एकता कब होगी, यह ज्ञात है? जब कोई राजा एकचक्र राज्य करेगा, तब। समझे? आप में साहस हो तो मुंजाल मेहता से जाकर कहिए कि इस प्रकार कलह और युद्ध से गुजरात सबल नहीं होगा, न हो सकता है, --जिन राजाओं को पराजित करो, उनका देश गुजरात के अधीन कर दो और उन पर अपने दंडनायक नियुक्त कर दो। आप में शक्ति हो तो कीर्तिदेव से कहिए कि जब जूनागढ़, अवन्ति और शाकम्भरी में गुजरात के दंडनायक नियुक्त होंगे, तभी सच्ची सन्धि, सच्ची एकता होगी और यवन लोग दुम दबाकर भागेंगे। इसी तरह जयदेव महाराज से जाकर कहिए कि हमें दंडनायकों की आवश्यकता है, सामन्तों की नहीं और न आवश्यकता है करद राजाओं की।''

काक के शब्दों में कल्पनातीत प्रताप था। उसके प्रकट किए हुए विचारों में नवीनता थी। उस समय की राजनीति के अनुसार दूसरे राजाओं को पराजित करना, उनसे कर लेना और गाँव आदि लेना ठीक समझा जाता था; परन्तु उन्हें पद-भ्रष्ट

करके, दंडनायक नियुक्त करके, राज्य चलाने का तनिक भी विचार नहीं किया जाता था। यद्यपि सोरठ और लाट में पाटण के नियुक्त किए हुए दंडनायक थे; फिर भी वहाँ के राजा चैन से राज करते, दंडनायकों के साथ सतत युद्ध करते और, जैसा कि हम पहले भाग में देख आए हैं, समय आने पर पाटण को भी हानि पहुँचाने से नहीं चूकते थे। अनेक लोगों की कल्पना-शक्ति स्तम्भित हो गयी, कई विचारवान मनुष्यों के मस्तिष्क के आगे से परदा-सा खिसक गया। उन्हें नयी राज-पद्धति की प्रकट होती हुई किरणें दिखलाई पड़ीं। त्रिभुवनपाल और काश्मीरा देवी, जो काक को बुद्धिमान वीर और स्वामिभक्त समझते थे, बड़े सम्मान से उसे देखने लगे। मंजरी भी देखने लगी। उसने काक को ऐसा कभी न समझा था। उसके होठों के अशुद्ध स्पर्श के स्मरण से मंजरी का जी अभी तक अकुला रहा था। काक के प्रति उसका तिरस्कार भी अभी तक ज्यों-का-त्यों था। इस सारी कटुता में अज्ञात रूप से मानो अमृत की एक बूँद पड़ गयी।

त्रिभुवनपाल जिस द्वार से आए थे, उसी द्वार से ऊँचे कद का जो एक मनुष्य आया था, वह अब तक सबके पीछे मौन बैठा हुआ था। केवल उसकी आँखें ही दिखलाई पड़ रही थीं। उसके विशाल, तेजस्वी और प्रभुत्वशाली चक्षु चमक उठे। कृष्णदेव के क्रोध का पार न रहा। उसने क्या करना चाहा था और क्या हो गया। उसके सब उपाय नष्ट हो गये। केवल इतना ही नहीं, काक ने जो विचार प्रकट किए थे, उनसे तो उसके प्राण ही उड़ गये। उसका संयम जाता रहा, उसके होठ काँप उठे, उसकी आखें लाल हो गयीं, वह उत्तेजित हो गया। उसने निकट बैठे हुए देसल के हाथ में अज्ञात रूप से नख गड़ा दिए। उसने क्रोध शान्त करने का बड़ा प्रयत्न किया, परन्तु आख़िर कह डाला, ''शाबाश आर्यावर्त्त के राजाओं के काल, शाबाश! परन्तु अपनी इन युक्तियों को सफल कैसे करोगे?''

''इससे सरल और क्या है? हमारे सद्भाग्य से पाटण में रातनीतिज्ञों के मुकुटमणि मन्त्री मौजूद हैं, और वीरों में श्रेष्ठ उत्साही युवक राजा भी हैं, ये दोनों ही इस बात को मान लेंगे।''

''परन्तु क्षत्रिय-पुत्र यह कैसे सहन करेंगे? क्या हमारे भुजदंड कट गये हैं कि ईश्वर के साक्षात अवतार राजाओं को पदभ्रष्ट होने देंगे?'' देसल ने कहा।

''मंडलेश्वरों को तो मुंजाल ने नाममात्र का बना ही छोड़ा है, अब राजाओं की पारी है।'' एक व्यक्ति ने कहा। इन शब्दों से देसल के अंग में नख से शिख तक विष व्याप्त हो गया।

''चाहे जिसकी पारी आवे, हमें अब इसकी परवाह नहीं। कीर्तिदेव ने हमें समय पर सचेत कर दिया है। राज्य थे और नहीं हैं, इससे क्या? इसके लिए क्या हम अपना सनातन गौरव हाथ से गँवा देंगे?''

श्रोताओं में से बहुत से लोग अनिश्चित भाव से देखने लगे। वे समझ नहीं सके

कि इन दो पक्षों में कौन-सा वास्तविक है। कृष्णदेव उस्ताद खिलाड़ी की तरह उनके मस्तिष्क पर से काक के शब्दों को प्रभाव दूर होने की प्रतीक्षा कर रहा था। उसने अभिमानपूर्ण स्वर से मजाक में कहा, "तुम ब्राह्मण हो, इसलिए सारा दुःख तुम्हीं को तो है।"

"हाँ, मैं ब्राह्मण हूँ।" कहकर काक ने मुख का आवरण दूर कर दिया, "कहिए, क्या कहते हैं।"

"इसीलिए आर्यावर्त्त को निःक्षत्रिय करने की धुन समाई दिखती है।" एक व्यक्ति ने कहा। काक पल भर इस बोलने वाले की ओर देखता रहा। उसकी आँखें चन्द्रमा के शीतल प्रकाश में भी अग्नि उगल रही थीं। उसकी उत्तेजना में घी की आवश्यकता थी और वह परशुराम की याद ने पूरी कर दी।

"निःक्षत्रिय करने की आवश्यकता होगी, तो वह भी करना होगा।"

यमराज की गर्जना के समान धीमे परन्तु भयंकर स्वर में कृष्णदेव ने कहा, "यह खबर है कि इससे पाटण और तुम दोनों भूमि पर से उठ जाओगे?" उसकी आँखें चमक रही थीं।

"अर्थात मुझे भयभीत करना चाहते हो?"

"भयभीत नहीं करता, सचेत करता हूँ।"

"पर आपकी चेतावनी की परवाह किसे है?"

"परन्तु हमारी असल बात तो छूट ही गयी," भोले लक्ष्मण ने कहा, "काक भट की बात सब को ठीक मालूम होती है।"

"तो ज्ञात है, भारत यादवस्थली बन जाएगा?" कृष्णदेव ने कहा

"यादवस्थली कहाँ नहीं बन जाती?" काक से प्रभावित हुए एक व्यक्ति ने कहा।

"बताओ अब क्या करना है?" कुछ व्यक्तियों ने कहा।

"क्या करना है?" काक ने खड़े होकर कहा, "यदि नया पक्ष बनाना है, तो मुख के आवरण दूर कर दीजिए और चलिए, निकट ही शिवालय है। वहाँ चलकर प्रतिज्ञा कीजिए कि जब तक आर्यावर्त्त पर पाटण का एकचक्र राज्य नहीं होगा, तब तक हम शान्त होकर न बैठेंगे। है साहस?" काक प्रभावपूर्ण नेत्रों से चारों ओर देखने लगा। कोई कुछ न बोला। कुछ लोग खड़े होने लगे, "नहीं तो चलिए, अपने-अपने घर का मार्ग लीजिए।"

कृष्णदेव खड़ा हो गया। वह वैसे ही गौरव से काक की ओर देखने लगा और वैसी ही तीक्ष्णता से बोला, "और मैं कहता हूँ कि यदि आप लोगों में कोई मर्द हो, तो मुंजाल मेहता और उसके खुशामदी लोगों को राजकार्य से अलग कर दे। नहीं तो पाटण नष्ट हो जाएगा और अपने साथ आर्यावर्त्त को भी नष्ट कर डालेगा।"

"पाटण के नष्ट होने से क्या आप प्रसन्न न होंगे?" काक ने कृष्णदेव को सुनाते हुए कहा।

कृष्णदेव अधिक सतर हो गया। उसकी आँखों से चिनगारियाँ निकलने लगीं, उसकी भौंहों पर रौद्र रस छा गया, ''और मैं प्रतिज्ञा करके कहता हूँ कि—''

कहीं झगड़ा खड़ा न हो जाए, इस भय से कुछ लोग खड़े होकर बीच-बचाव के लिए तैयार हो गये। उनमें से एक व्यक्ति यह अभिमान की बात सुनकर बोला, ''क्या कहते हैं?''

''बहुत लोग कृष्णदेव को सज्जन मेहता के घर पड़ा रहने वाला एक जागीरदार समझते थे। जवाब में उसने अपूर्व ढँग से अपने सिर का साफा अलग कर दिया। उसके सुन्दर मुख पर चन्द्रमा के प्रकाश में अवर्णनीय गौरव और दिव्यता का आभास होने लगा। उसकी मनोहर आँखों से जैसे दावानल प्रकट हो गया। ''मेरी प्रतिज्ञा,'' उसके काँपते हुए प्रभावशाली स्वर की भयंकर प्रतिध्वनि हुई, ''देवाधिदेव भगवान श्रीकृष्ण मुरारि के वंशज की प्रतिज्ञा है,'' कहकर उसने म्यान से तलवार निकालकर ऊँची की, ''जब तक इस हाथ में यह खड्ग है, तब तक यदि पाटण किन्हीं राजाओं को सिंहासन से अलग करेगा, तो पाटण का नाम-निशान तक न रहने दूँगा।''

कृष्णदेव का वाक्य पूर्ण होते न होते सब में एकदम खलबली मच गयी। सब को प्रतीत हुआ कि कृष्णदेव पट्टणी नहीं है और उसने पाटण का अपमान किया है। तुरन्त ही अनेक तलावारें म्यानों से निकल पड़ीं। सभी लोग जिस ओर कृष्णदेव और काक खड़े थे उस ओर झपटे। कृष्णदेव और कुछ कहना चाहता था, परन्तु काक ने उसे रोक दिया, ''खेंगारजी,'' यह नाम सुनकर कृष्णदेव चौंक पड़ा और उसने अपने स्वभाव को कुछ संयत किया, ''यह पाटण है, जूनागढ़ नहीं।'' कहकर काक ने कृष्णदेव का हाथ पकड़ा और बड़ी कठिनता से देसल और लक्ष्मण की सहायता से उसे दूर ले जाकर छोड़ दिया।

कल्पना-सृष्टि का अनुभव

षड्यन्त्रकारियों में फूट पड़ गयी। अधिकांश लोग उत्तेजित हो गये और अब छिपे रहने की आवश्यकता न देख एक-दूसरे के साथ बातचीत करने लगे।

आखिर सब बाहर निकलने लगे। सँकरे द्वार से बाहर निकलने में द्वार पर बड़ी भीड़ हो गयी और उस भीड़ में पलभर में ही मंडलेश्वर और काश्मीरा देवी से मंजरी कहीं अलग पड़ गयी। काक सब से पीछे आ रहा था। द्वार से बाहर निकल कर मंडलेश्वर एक ओर खड़े हो गये। काश्मीरा देवी भी आ पहुँची, परन्तु मंजरी निकलती हुई दिखलाई न पड़ी। दोनों का हृदय धक-धक करने लगा। उन्हें पहले तो खयाल हुआ कि मंजरी पीछे रह गयी होगी; परन्तु यह खयाल असत्य निकला। काक भी अब बाहर आ गया; परन्तु उसके साथ मंजरी नहीं थी।

"काक," त्रिभुवनपाल ने कहा, "मंजरी कहाँ है?"

"आप ही के साथ तो थी न?"

"वह तो बाहर निकली ही नहीं।" काश्मीरा देवी ने कहा। वे घबड़ा गयी थीं।

काक ने होठ चबा लिए, "आप बाहर देखिए, मैं भीतर देख आता हूँ।" कहकर वह फिर अन्दर गया। अन्दर बहुत खोज की; परन्तु मंजरी का पता न लगा। वह घबराया-सा बाहर आया।

"महाराज, अन्दर तो वह कहीं भी नहीं है।"

"तब?"

"उदा उठा ले गया।" काक ने कहा।

"क्या कहते हो?"

"हाँ, मैंने उसका स्वर पहचान लिया था। काश्मीरा देवी जब बीच में बोली थीं तब मैंने देखा था कि उसका ध्यान आपकी ओर आकर्षित हुआ है।"

मंडलेश्वर ने दाँत किटकिटाए, "तो चलो, उस दुष्ट को समाप्त किया जाए।"

"नहीं महाराज, मुझे ही जाने दीजिए। आप के जाने में शोभ नहीं है और अब मंजरी–" काक ने कटुता से कहा, "निर्भय है। जब उदा उसके गले में मंगल-सूत्र देखेगा तो एक क्षण भी न रखेगा। आप अकेले जाएँगे?"

"हाँ, परन्तु तुम तुरन्त खबर देना।" म्लान मुख से काश्मीरा देवी ने कहा। उनकी मूर्खता से मंजरी के प्राण संकट में पड़ गये, इसका उन्हें पश्चाताप हो रहा था।

"अच्छा।" कहकर काक आगे जाते हुए मनुष्यों की ओर वेग से बढ़ा। कुछ मनुष्यों के निकट होकर वह निकला, परन्तु उदा नहीं था। अचानक वह खड़ा हो गया। उसे विचार आया। वह अपरिचित खिड़की उनके आने से पहले किसी ने खोली थी। उदा मेहता ही तो उस मार्ग से न घुसा हो। यदि ऐसा है, तो सम्भव है, उसी मार्ग से वह गया होगा। वह विचार आते ही काक दौड़कर उस खिड़की के पास जा पहुँचा। एक ऊँचे क़द का राजपूत दीवार से टिक कर विचारमग्न खड़ा था। वही यह पुरुष था जो त्रिभुवनपाल के पश्चात इस खिड़की से घुसा था।

"राजपूतराज," घबराए से हाँफते हुए काक ने पूछा, "इस खिड़की से होकर या इधर से किसी को आपने जाते हुए देखा है?"

राजपूत ने धीरे-से मस्तक उठाया और अपनी तीक्ष्ण दृष्टि काक पर स्थिर कर दी। वह धीरे और स्वर बदलकर बोला, "हाँ, एक व्यक्ति किसी दूसरे को उठाकर ले गया है।"

"कितनी देर हुई?"

"अभी, थोड़ी देर।"

काक एकदम वहाँ से जा रहा था, परन्तु उस राजपूत ने हाथ ऊँचा करके उसे रोक लिया।

काक को यह हाथ ऊँचा करने का ढँग कुछ परिचित-सा प्रतीत हुआ। उसने पूछा, "क्यों?"

"वह मनुष्य जहाँ तुम सोचते हो, वहाँ नहीं मिलेगा।" स्वाभाविक स्वर में उस व्यक्ति ने कहा। काक ने स्वर पहचान लिया। चकित होकर वह दो पैर पीछे हट गया और बोला, "मेहताजी?"

"हाँ," मुंजाल मेहता ने कहा, "तुम्हें उस मनुष्य से काम है?"

"महाराज, वह मेरी स्त्री को अभी उठा ले गया। वह कहाँ गया है, कुछ ख़बर है?"

"तुम्हारी स्त्री? जिस के साथ आज तुम्हारा विवाह हुआ?" काक के आश्चर्य का पार न रहा। "आह!"

"तो मोंढे दरवाजे से जाओ। उदा उसी मार्ग से खम्भात जा रहा है।"

"ऐं!"

"हाँ, हो सके, तो उदा मेहता को भी लौटा लाना। उसके बिना मुझे अच्छा नहीं लगता।"

काक नमस्कार करके इस विलक्षण महापुरुष के प्रभाव से स्तब्ध होकर यथासम्भव शीघ्रता से मोंढेरा दरवाजे की ओर रवाना हुआ।

मुंजाल जिस प्रकार खड़ा था, उसी प्रकार दीवार से टिका हुआ खड़ा रहा। बहुत समय बाद निर्जन स्थान में, चाँदनी रात के रसीले वातावरण में उसे शान्ति से विचार करने का अवसर मिला। उसने बहुत देर तक काक के विषय में विचार किया। उसकी राजनीतिज्ञता, उसका शौर्य, उसकी स्वामिभक्ति, उसका विवाह, उसके कार्य-कलाप आदि सभी का अवलोकन किया। इसी अवस्था में उसे कीर्तिदेव का भी स्मरण हो आया। कुछ ही दिनों में इस बाल-योद्धा ने कैसा वातावरण उत्पन्न कर दिया है! कैसे विचारों की सृष्टि कर दी है! उसमें कैसी महत्ता है! उसे कैद न कर लिया होता, तो वह न जाने क्या कर डालता! विचार करते-करते सुन्दरियों का मद मर्दन करने वाले उसके मुख का भी उसे स्मरण हो आया। छाती पर सिर लटकाकर अधमुँदी आँखों से वह राजनीतिज्ञ महा अमात्य कल्पना पर सवार हुआ। क्षणों में भुवनों के अन्तर को पार करने वाली उस अश्विनी के पर आ गये और एकदम अकथ्य रूप में, अज्ञेय रूप में कीर्तिदेव का वह मुख किसी स्त्री के रूप में बदल गया। वह मुख परिचित मालूम हुआ –पहचान लिया गया। वह सेठानी फूलकुँवरि[1] का था!

मुंजाल ने सिर ऊँचा किया। कल्पना के परों का प्रभाव देखकर वह हँस पड़ा। उसने चारों ओर दृष्टि डाली। कल्पना की घोड़ी अधिक वेग से उड़ने लगी।

फूलकुँवरि का मुख कैसा मधुर, भला और निर्दोष था! उसमें कैसा पूज्यभाव

---

1. मुंजाल की मृत स्त्री, सज्जन की बहन।

था! “कितने वर्ष हो गये?” मुंजाल बुदबुदाया, “अठारह वर्ष हुए, वह बेचारी स्वर्गवासिनी हो गयी। समय जाते देर लगती है? चालीस तो मेरे कभी के पूरे हो गये।”

घोड़ी ने अपने पर फड़फड़ाए। भूत-व्योम में वह विचार करने लगी। अमाप अन्तर को उसने क्षणों में पार कर डाला।

मुंजाल की आँखों के आगे दृश्य-परम्परा आने लगी। वह छोटा बालक था और इस वाटिका में चोरी से फूल तोड़ने आया करता था। सज्जन का छोटा भाई और वह साथी थे। वह देव के समान दैदीप्यमान था और फूलकुँवरि थी स्वप्न सृष्ट अप्सरा के समान। दोनों खेलते, ऊधम मचाते और अनेक बार इस दीवार पर चढ़ा करते। इस द्वार से कई बार आया-जाएा करते। उसका विवाह हुआ –अग्निकुंड, –दूल्हा-दुल्हिन, –स्त्री-पुरुषों का समूह–बरात का जुलूस, –भोजनार्थ आए हुए समस्त नगर-जनों की अनन्त पंक्ति, –कैसा ठाठ था! और ज़रा लजाती, जरा हँसती, ज़रा घबराती, वह उमंग भरी नववधू!

उसके पिता मर गये, उसको नगर सेठ का पद प्राप्त हुआ। उसने धन को फूँका, फूलकुँवरि-सहित और उसके बिना भी भोग भोगे, देश और परदेश के सैर-सपाटे किए, कमाया और गँवाया।

उसके एक बालक हुआ। तब उसे और फुलकुँवरि को कितना हर्ष हुआ! वह इसी द्वार से छिपकर उससे मिलने आया करता। वह स्नेह उन्मत्त सुन्दरी कैसी उमंग से पत्नी-व्रत से चलित हुए पति को अपना बनाने के लिए हाथों में दुलारे पुत्र को लेकर आती थी! उसके पिता की वाटिका में एक छोटा-सा सरोवर था। उसके तट पर वे बैठा करते थे। उस आनन्द का अमृत रस चखने के लिए मुंजाल ने अपनी कल्पना की घोड़ी को इस एक क्षण के लिए रोका और आँखें मूँदकर उस रस को चखा।

इसके पश्चात वह चन्द्रपुर गया। मीनलदेवी से मिला और उसका गुलाम बन गया। वहाँ से लौटा। मीनलदेवी पाटण आयी। साम्राज्य के स्वप्न सिद्ध करने को वह महा अमात्य बना। राजतन्त्र हाथ में लिया। आकाशस्थ चन्द्रमा से प्रेम करने वाले की भाँति वह मीनलदेवी को दूर से पूजने लगा और अपने घर की छोटी-सी परन्तु सुन्दर दीपिका को वह भूल गया।

कल्पना की घोड़ी अन्धकारमय प्रदेश में उमड़ती गयी। मुंजाल ने कपाल पर से पसीना पोंछ डाला।

उसने फूलकुँवरि की परवाह नहीं की और वह कोमल वल्लरी मुरझा गयी। मुरझाते हुए उसने क्षण भर के लिए ईर्ष्या प्रकट की। वह क्रोध से उन्मत्त हो गया, क्रूरता से उस असहाय अबला को उसने दूर ढकेल दिया और असहाय पुत्र को घर से बाहर कर दिया। तब माता-पुत्र वनथली गये और उन्होंने सज्जन मेहता का आश्रय

लिया। वह खूनी बन गया, सज्जन का शत्रु हो गया। परिणामस्वरूप पुत्र मर गया और स्त्री तड़प-तड़प कर स्वर्गवासिनी हो गयी। फूल गयी, सुगन्ध भी साथ ले गयी।

मुंजाल के हृदय में आघात हुआ। उसने चन्द्रमा की ओर देखा। उसे ऐसा प्रतीत हुआ, जैसे वह उसकी हँसी उड़ा रहा है।

वह, बुदबुदाया, ''मीनलदेवी न होतीं, तो मैं एक क्षुद्र-सा सेठ ही बना रहता। धन और परिवार दोनों के बीच जीवन समाप्त कर डालता।'' वह कुछ देर दाँतों से अँगूठे को दबाए खड़ा रहा, ''सेठानी फूलकुँवरि नहीं हैं...'' वाक्य पूर्ण करने का उसमें साहस नहीं रहा,'' जीवन...श्मशान हो गया। मैं अमात्य-राजाओं का राज्य बढ़ाने का शस्त्र-लोभियों की इच्छा-पूर्ति का साधन...जब तक जिऊँगा, तब तक इसी प्रकार...अग्निदेव की भभकती हुई ज्वालाएँ जब शान्ति देंगी, तब तक एक लड़का भी जीता न रहा कि उसे देखकर जीवन बिता देता।''

हजारों को रुलाने वाली उसकी निष्ठुर आँख में से एक आँसू टपक पड़ा। वह सतर हो गया। उसने चारों ओर देखा और खाँसकर गला साफ किया।

''प्रभात होने वाला है। चलो, चला जाए।'' परन्तु उसके पैर नहीं उठे। बीस बरस के पश्चात वह इस जगह खड़ा हुआ था। स्थान के संस्मरण सचेत हो गये थे और वे उसके हृदय को भूत-जीवन की याद दिला-दिलाकर आर्द्र बना रहे थे। इस समय मुंजाल पाटण का अमात्य नहीं था। फूलकुंवरि का प्यारा पति था। उसकी गर्दन की मरोड़ में से गर्व निकल गया। उसके मुख पर से दृढ़ता जाती रही। उसके कन्धे ज़रा लटक गये। वह वहाँ से द्वार की ओर फिरा। द्वार खोला और वाटिका के अन्दर घुसा और तब बीस वर्ष पहले इस वाटिका में किए विविध विहारों के विस्मृत स्मरणों का आकर्षण दुर्जय हो गया।

ईश्वर के कोप से नष्ट हुए नगर का जीता बचा हुआ कोई नागरिक जैसे खंडहरों में घूम रहा हो और राख के ढेर से ही पहचाने जाने वाले प्रासाद का-स्थान खोजकर मन ही उसकी विनष्ट शोभा का सचमुच प्रस्तुत समझकर, मृत मनुष्यों से, उनके विस्मृत वार्तालाप से, उनके अदृष्ट हास्य और चुम्बनों से उस शोभा और सुन्दरता को सजीव कर रहा हो, ठीक उसी तरह मुंजाल उस वाटिका में घूमने लगा, कई वृक्षों को पहचानने लगा, कई परिचित सीढ़ियों को चुम्बन से चर्चित किए पैरों की काल्पनिक झंकार से गुँजाने लगा, कई प्रिय वृक्षों की छाया द्वारा सुने ने सुने प्रणय-वाक्य सशब्द बनाने लगा। प्रणय-योग से भ्रष्ट वह संस्मरण-पूजक मन्त्री बुद्धिमानी त्यागकर, राजनीतिज्ञों का विवेक छोड़कर, उर्वशी पर अनुरक्त पुरुरवा की भाँति बन गया।

दुनिया के व्यवहार में दृष्टि पड़ने वाले अनेक दुर्गों के समान कार्यदक्ष पुरुष केवल बुद्धिमान बन जाते हैं। उनका हृदय स्वार्थ-साधने का साधन ही हो जाता है। ऐसे हृदय पर एक तह चढ़ जाती है; परन्तु किसी जगह किसी समय पैर रखने से वह तह

टूट भी जाती है और तब नीचे बहता हुआ, प्रयत्न-पूर्वक ढाँका हुआ रस-स्रोत, अन्दर उबलती हुई लहरों का सागर उमड़ पड़ता है... टूटी हुई तह में से ऊपर आ जाता है। इस समय मुंजाल को भी ऐसा ही हुआ। संस्मरणों के आनन्द का अनुभव करता हुआ वह धीरे-धीरे इस प्रकार लौटने लगा, जैसे कंजूस बहुधा प्राप्त धन को त्यागते हुए विलम्ब करता है। इसी समय उसे जल-कुंड का स्मरण हो आया। उसको बिना देखे लौटने की उसे इच्छा न हुई और वह उस ओर जाने के लिए पलटा।

जल-कुंड की ओर

कुंड के निकट जाते ही मुंजाल को किसी की बातचीत सुनाई पड़ी। वह चौंककर खड़ा हो गया और सुनने लगा। बातचीत करने वाले धीरे-धीरे परन्तु उत्तेजित होकर बोल रहे थे। मुंजाल ने उनके स्वर से उन्हें पहचानने का प्रयत्न किया। एक स्वर कृष्णदेव का था और दूसरा भी कुछ परिचित मालूम हुआ।

"अच्छा, ठीक है," वह परिचित स्वर वाला कह रहा था, "तुम कौन हो, यह नहीं बताओगे? मैं कल पिताजी से कहूँगा।" मुंजाल को ध्यान आया कि यह स्वर सज्जन के लड़के लक्ष्मण का है। "तुम्हारा हमने मित्र की भाँति आदर-सत्कार किया। हमें क्या खबर थी कि तुम शत्रु हो?"

"भैया, यह क्या कह रहे हो?" एक स्त्री का स्वर सुनाई पड़ा। मुंजाल धीमे पैरों जरा आगे बढ़ा और वृक्ष की आड़ में खड़े रहकर ध्यानपूर्वक देखने लगा।

लक्ष्मण खड़ा था, उसके निकट पुरुष-वेश में यह अन्तिम वाक्य उच्चारण करने वाली लड़की खड़ी थी। कृष्णदेव कुंड की पाल पर नीचे पैर लटकाए बैठा था।

मुंजाल उस लड़की को देखकर चौंक पड़ा। लड़की का स्वरूप उस चाँदनी रात में मनोहर मालूम हो रहा था। जिस स्मरण-पट पर चित्रित मुख का वह इस समय कल्पना द्वारा साक्षात कर रहा था, उसकी कुछ-कुछ अपूर्व रेखाएँ उसमें दिखलाई पड़ रही थीं। मुंजाल को ठीक-ठीक मालूम नहीं था कि सज्जन के कितनी लड़कियाँ हैं, परन्तु उसकी बुआ के मुख के स्मरण से वह उसकी भतीजी को भी सरलता से पहचान गया।

"मित्र," शान्ति से कृष्णदेव ने कहा, "मुझे किसी का भय नहीं है। क्या मैं सज्जन मेहता से डरूँगा? तुम्हारे पिता तो बड़े भले आदमी हैं। मैं कौन हूँ और कौन नहीं, इससे तुम्हें क्या मतलब।"

लक्ष्मण ने क्रोध से पृथ्वी पर पैर पटक कर कहा, "ठीक है। अब देखोगे कि क्या मतलब है।"

"बहुत अच्छा।" निर्लज्जता से हँसते हुए कृष्णदेव ने कहा।

"भैया, लक्ष्मण भैया," सोमसुन्दरी ने अपने भाई का हाथ पकड़कर कहा, "अब घर चलो। सवेरे सब हो जाएगा। कितनी देर हो गयी है, कुछ खबर है?"

"हाँ, चलो।" कहकर लक्ष्मण क्रोध से सोम का हाथ पकड़कर वहाँ से चला गया। जाते-जाते सोम ने पीछे दो-चार बार कृष्णदेव की ओर दृष्टि फेंककर आश्वासन दिया। कृष्णदेव ने संकेत से सोम से मिलने की इच्छा प्रकट की। सोम ने भी संकेत से ही उसे ठहरने को सूचित किया। क्रोध में भरा हुआ लक्ष्मण आगे बढ़ता गया।

मुंजाल ने इन संकेतों को देखा। उसे हँसी आ गयी। वह मन-ही-मन बुदबुदाया, "दुनिया ज्यों-की-त्यों है!" उसने इस नाटक को अन्त तक देखने का निश्चय किया और जहाँ था, वहीं खड़ा रहा।

इस प्रकार कुछ समय बीत गया और सोमसुन्दरी जल्दी से लौट आयी। उसने पुरुष-वेश त्याग दिया था।

"कहो, क्या कहते हो?"

"क्यों, बड़ी जल्दी है?" कृष्णदेव ने कहा।

"हाँ, प्रभात होने वाला है।"

"सोमसुन्दरी," कृष्णदेव ने गाम्भीर्य से पूछा, "तुम में साहस है?"

लड़की समझ न सकी और आश्चर्य से देखती रही। उसकी बड़ी-बड़ी तेजोमय आँखों के अवर्णनीय भावों ने मुंजाल का भी ध्यान आकर्षित कर लिया।

"क्यों?" उसने पूछा।

"तुमने जो वचन दिया था, उसका पालन करोगी या नहीं?"

"क्या, विवाह का? उसकी चर्चा इस समय?" अधीरता से घर की ओर देखते हुए सोम ने पूछा।

"हाँ, इस समय। तुम्हारे घर में अब मैं नहीं रह सकूँगा।" अपने मनोहर स्वर में कृष्णदेव ने बातचीत आरम्भ की। सोम की आँखों में प्रीति और प्रशंसा स्पष्ट रूप से चमक रही थी। "इस समय वे चालीस मनुष्य जानते हैं कि मैं कौन हूँ, कल सवेरे मुंजाल और जयदेव भी जान जाएँगे। इसलिए अब इस प्रकार मुझसे न रहा जा सकेगा। बोलो, वचन का पालन करोगी? उसने सोम पर अपनी दृष्टि स्थिर करके सत्तापूर्वक पूछा।"

"पिताजी से पूछे बिना?"

"वचन का पालन पिताजी को करना है, या तुम्हें? तुम्हें उनका भय हो, तो घबराओ मत। मुझे भय नहीं है।"

"क्यों?"

"मैं तुम्हारा हरण करूँगा। जब मेरे पूर्वज रुक्मिणी का हरण करके लाये थे, तब मुझे कौन-सी बाधा हो सकती है? यह तो परापूर्व से चला आ रहा है।" कृष्णदेव ने

हँसकर कहा। कृष्णदेव का हास्य उसके पूर्वज गोपीजनवल्लभ की वेणु के समान मनोहर और सर्वसंशयों का नाशक था। श्रद्धालु स्नेहसिक्त बाला के हृदय में शब्दों की अपेक्षा उस हास्य से अधिक विश्वास हुआ। वह भी हँस पड़ी।

"क्या तुम यदुवंशी हो?" उसने आशापूर्ण भाव से पूछा।

मुंजाल को प्रतीत हुआ कि लड़की पर कृष्णदेव का जादू पूरा-पूरा चल गया है।

"यदुवंश! हाँ, यदुवंश का गौरव आज मेरे कारण है।" उसने अभिमान से कहा, "तुमने कहा था कि मेरा वंश उच्च होगा, तो तुम विवाह कर लोगी। बोलो, अब क्या कहती हो?" कह कर कृष्णदेव उठ खड़ा हुआ।

लड़की कुछ देर देखती रही। उसने निःश्वास छोड़कर कहा, "मेरे पिताजी वनथली में ही दंडनायक हैं और मैं तुम से विवाह करके वहाँ चलूँ, तो क्या हाल हो?" "क्यों?"

"दंडनायक की पुत्री साधारण यादव के घर? मेरे माता-पिता लज्जा से गड़ जाएँगे?"

कृष्णदेव खिलखिलाकर हँस पड़ा। वह निकट आया और उसने अपनी आँखों के तेज से सोम को अभिमन्त्रित कर दिया। वह वशीभूत हो गयी।

"सोमसुन्दरी, मुझसे विवाह करके तुम्हें लज्जा मालूम होगी?" उसने कहा, "पगली, तुम्हारी सतहत्तर पीढ़ियों का गौरव बढ़ जाएगा।"

"किस प्रकार?"

कृष्णदेव ने प्रेमावेश से उसका हाथ पकड़ लिया। "तुम रानी बनोगी। जयदेव की रानियाँ तुम्हारा पद देखकर ईर्ष्या करेंगी। बोलो, चलोगी?" कहकर कृष्णदेव ने स्वामिभाव से एक हाथ सोम की कमर में डाल लिया। "यह रात अभी बीत जाएगी।" मोहान्ध हुई विश्रब्ध बाला आवेश से कृष्णदेव की भुजाओं में छिप गयी। मुंजाल विचारने लगा कि बीच में पड़ा जाए, या नहीं और उसके किसी निश्चय पर आने के पहले ही कृष्णदेव सोम को पिछले द्वार की ओर जाने वाली सीढ़ियों की ओर खींचने लगा। मुंजाल भी पीछे-पीछे छिपता हुआ चलने लगा। सोम ने कुछ देर में ऊपर देखा और स्नेह से पूछा, "तुम कहाँ के राजा हो?"

"भोली, तू अभी तक नहीं समझी?"

"नहीं।"

"मैं जूनागढ़ के रा' का खेंगार हूँ।" हँसते हुए कृष्णदेव ने कहा। उसके मुख से यह वाक्य पूरा निकला भी न था कि सोम उसकी भुजाओं से छूटकर अलग खड़ी हुई।

"नवघण रा' के खेंगार?" उसकी आँखें शुष्क और भयपूर्ण हो गयीं। उसका मुख फीका पड़ गया।

"हाँ, घबरा क्यों रही हो? चलो।"

सोम एक पैर पीछे हट गयी। ''वही नवघण रा', जो पाटण का कट्टर शत्रु है? और जिसने मेरे पिताजी को मार डालने की प्रतिज्ञा की है?'' प्रत्येक वाक्य के साथ वह एक-एक पैर पीछे हट रही थी।

''हाँ, वही।'' निकट आते हुए खेंगार ने, जिसने कृष्णदेव नाम रखकर अपना असल नाम छिपा लिया था, कहा, ''इस शत्रुता की गाँठ को इस समय और मज़बूत कर दिया जाए। चलो, समय बीता जा रहा है।''

''अब मैं तुम्हारी प्रतिज्ञा का अर्थ भी समझ गयी।'' काक की बात के उत्तर में कृष्णदेव ने जो कहा था, उसका अर्थ समझते हुए सोम ने कहा।

''चलो।'' सत्तापूर्वक खेंगार ने कहा।

''नहीं।'' सोम ने दृढ़ता से कहा।

''क्यों?''

''सज्जन मेहता की पुत्री रा' के लड़के से कैसे विवाह कर सकती है?'' सोम ने सिर हिला दिया।

''चलो, दिखलाऊँ कैसे?''

''नहीं।'' कहकर सोम लौटने लगी।

''क्या इस प्रकार वचन-भंग करोगी?'' कहकर खेंगार एक छलाँग मारकर उसके पास पहुँच गया।

सोम कहना ही चाहती थी कि ''नहीं, नहीं'', परन्तु खेंगार ने एक हाथ से उसका मुँह दबा दिया और दूसरे हाथ से उसे उठाकर द्वार की ओर जाने के लिए छलाँग भरी।

मुंजाल ने खेंगार की गर्दन पकड़ ली। इस अचानक स्पर्श से खेंगार चौंक पड़ा। घूमकर तलवार खींचने लगा। मुंजाल के सबल बाहु के ज़ोर से खेंगार का हाथ मुड़ गया। सोम भूमि पर आ गिरी और खेंगार दूर हट गया।

दूर हटे बिना निस्तार नहीं था। सिंह के समान विकराल बना हुआ उसका बदन क्रोध से भयानक हो गया। मन्त्री मुंजाल शक्ति के शान्त गौरव से देखने लगा। पलक मारते ही खेंगार ने तलवार खींची और आक्रमण कर दिया। मुंजाल की लम्बी प्रचंड तलवार ने उसके वार को झेला, तलवारों से चिनगारियाँ निकल पड़ीं। खेंगार भी तलवार चलाने वाला था। मुंजाल की खड्गविद्या और उसका बाहुबल अप्रतिम था। केवल चार-छः ही क्षण इन महारथियों का भयंकर युद्ध हुआ। मन्त्री के प्राबल्य से खेंगार की तलवार दूर जा गिरी, उसके पैर मुड़ गये। यमराज के समान महा अमात्य तलवार की नोक खेंगार के गले पर रखकर खड़ा हो गया।

चन्द्रमा के प्रकाश में खेंगार ने मन्त्री को पहचान लिया। उसका अंग-अंग काँप उठा और वह बोला, ''मुंजाल या ब्रह्मराक्षस?'' तलवार के बल की अपेक्षा मन्त्री के अचानक आगमन से खेंगार का शरीर शिथिल हो गया।

''दोनों।'' ज़रा हँसकर मुंजाल ने कहा, ''पाटण विजयी हुआ, जूनागढ़ पराजित।''

खेंगार ने आशा त्याग कर आँखें मूँद लीं। "उठो, खेंगार जी, पृथ्वी पर पड़े हुए शत्रु को मैं नहीं मारता। अब मेरे घर में रहने के योग्य तुम नहीं हो। सिधारो।" कहकर वह सत्तापूर्वक द्वार की ओर अँगुली से दिखलाता हुआ खड़ा हो गया।

अपमानित खेंगार उठा। उसने नीचे पड़ा हुआ साफ़ा और तलवार उठाई और दाँत किटकिटाता हुआ द्वार से बाहर निकल गया। मुंजाल ने अन्दर से द्वार बन्द कर दिया।

घबराई हुई सोम इस युद्ध और इस वार्तालाप को दिङ्मूढ़ होकर देख और सुन रही थी। वह इस नव-आगन्तुक को पहचान न सकी। खेंगार ने जब इसका नाम लिया था, तब वह भली भाँति सुन नहीं सकी थी। मुंजाल जब द्वार बन्द करके लौटा, तब वह उठकर खड़ी हो गयी।

"लड़की," उसने कठोर स्वर में कहा, "अच्छे घर में जन्म लेकर भी ऐसा कर रही है? जा, भाग जा। फिर किसी अपरिचित के साथ ऐसा व्यवहार न रखना।"

लज्जित हुई सोम नीचा सिर किए वेगपूर्वक चली गयी। मुंजाल बुदबुदाया, "पाटण में जब तक ऐसी-ऐसी लड़कियाँ हैं, तभी तक उसका जय-जयकार है।"

लड़की के अदृश्य होने पर मुंजाल जिस द्वार से आया था, उसी से निकल गया।

उदा की खोज में

काक दौड़ता हुआ त्रिभुवनपाल के महल में पहुँचा। उसने दो शब्दों में सब बातें कह सुनाईं और उनके अस्तबल में से एक तेज़ घोड़ी लेकर वह शीघ्रता से मोंढेरा दरवाजे की ओर रवाना हुआ।

मंजरी ने काक का जो तिरस्कार किया था, वह अभी तक उसे अखर रहा था और इसी कारण जिस उमंग से वह पहले मंजरी की सहायता को दौड़ता था, वह उमंग इस समय उसके हृदय में नहीं थी। यह विचार भी उसे आया कि ऐसी अभिमानिनी भार्या का किसलिए दुख से बचाने का प्रयत्न किया जाए? परन्तु उसकी स्त्री को उदा ले जाए, यह भी उसे असह्य प्रतीत हुआ और उसकी वीरता के विषय में वह निकृष्ट विचार कर ले, यह भी उसे भला न लगा। इसके सिवा उसकी कल्पना ने उसकी आँखों के आगे उदा का विजय से हँसता हुआ उल्लसित मुख और कैद हुई निर्दोष रमणी का दयनीय मुख, दोनों लाकर खड़े कर दिए। इस मुख-दर्शन से उसका आवेश अत्यन्त बढ़ गया और चपल अश्वराज के अप्रतिम आवेग से वह स्पर्द्धा में उतर पड़ा। वह मोंढेरा दरवाजे पर पहुँचा। द्वारपाल जाग गया था।

"ज़रा द्वार तो खोलो।"

"इस समय नहीं खुल सकता। ज़रा देर है।"

''मूर्ख, अभी तो खोला था, भूल गया?'' द्वारपाल चौंक पड़ा। ''मन्त्री महाराज कह नहीं गये कि मैं आ रहा हूँ?''

''नहीं, मुझसे कुछ नहीं कहा। क्या आप उन्हीं लोगों में के आदमी हैं जो अभी गये हैं?''

''हाँ, नहीं तो मैं जानता कैसे? पाँच-छह आदमी गये हैं, क्यों?'' काक ने पूछा।

''चार-पाँच आदमी थे।'' कहकर द्वारपाल द्वार खोलने लगा।

काक विचार में पड़ गया। तब क्या दो ही आदमी साथ लेकर उदा मेहता ने खम्भात जाने का साहस किया है? परन्तु अधिक विचार न करके दरवाज़ा खुलते ही तुरन्त उसने घोड़े को एड़ लगाई और वह पवन-वेग से चल दिया।

कुछ दूर आगे जाने पर दो रास्ते मिले। अतएव काक विचार में पड़ गया। उसके सद्भाग्य से प्रातःकाल होने की तैयारी हो रही थी, अतएव कुछ-कुछ दिखालाई पड़ने लगा था। उसने प्रयत्न करके घोड़े के पैरों के चिह्न पहचाने और जिस रास्ते वे लोग गये थे, वही रास्ता पकड़ लिया।

कुछ देर में सवेरा हो गया और यथासम्भव शीघ्रता से काक ने अपनी घोड़ी आगे बढ़ा दी। आगे के घोड़े बड़े वेग से बढ़े जा रहे थे। अतएव वे सरलता से नहीं पकड़े जा सकते थे।

घोड़ी अपना काम किए जा रही थी। अतएव काक को विचार करने का अवसर मिला। आगे वाले घोड़े इतने वेग से जा रहे थे कि उनमें से किसी पर भी मंजरी नहीं मालूम हुई। तब क्या उदा ने उसे अपने घोड़े पर बैठा लिया होगा? मंजरी को अपने हाथों में थाम कर उदा घोड़े पर बैठा होगा? यह विचार आते ही काक को रोमांच हो आया। उसने घोड़ी को ज़ोर से एड लगाई। मार्ग में एक किसान मिला। उस से पूछने पर उसे विश्वास हो गया कि आगे जाने वाले चार ही घुड़सवार थे। वह ऐसी युक्ति खोजने लगा जिससे ऐसी सम्भावना न रहे कि उन्हें मात करने जाकर वह स्वयं मात हो जाए।

इतने ही में एक गाँव आ गया और काक घोड़ी को पानी पिलाने के लिए तालाब पर गया। इसी समय उसने उन चारों सवारों को एक वृक्ष के नीचे बैठे देखा। उसके आश्चर्य का पार न रहा। उन चारों में से एक भी उदा की भाँति नहीं मालूम हो रहा था। निराशा से काक की आँखों में अँधेरा छा गया। वह तालाब के घाट पर बैठकर विचार करने लगा कि अब क्या किया जाए।

पहला विचार तो उसे हुआ कि वह सवारों का पीछा छोड़कर लौट जाए; परन्तु फिर उनसे कुछ जनाने के लिए अपनी घोड़ी को बढ़ाकर उनकी ओर गया।

''भटजी,'' काक ने नम्रता से पूछा, ''आप पाटण से आ रहे हैं?''

''क्यों?'' एक ने पूछा।

"नहीं, हम दधिस्थली से आ रहे हैं।" दूसरे ने उत्तर दिया। यह बात स्पष्ट रूप से झूठ मालूम हुई; कारण कि दधिस्थली त्रिभुवनपाल का गाँव था और वहाँ के सवार इस प्रकार व्यर्थ की मारे-मारे फिरें, यह असम्भव था।

"आप लोगों ने रास्ते में कुछ घुड़सवारों को देखा है?"

"घुड़सवार!" वयस में सबसे बड़े सवार ने कहा, "मैं सोचता हूँ कि हमारे आगे घुड़सवार थे अवश्य। क्यों जी?" कहकर उसने दूसरे से साक्षी दिलवाई।

"वे किस ओर गये हैं?"

"ऐसा मालूम होता है कि मोंढेरा की ओर।"

क्या ये लोग सच बोल रहे थे? चार ही आदमी दरवाज़े से निकले और उसकी धारणा के अनुसार वे यही थे। तब उदा मेहता कहाँ गये?

"आप लोग कहाँ जा रहे हैं?"

"भाई, आप तो जैसे सारे गाँव की पीड़ा अपने ही सिर लिए हैं!"

काक ज़रा हँस पड़ा, "इसलिए तो पूछ रहा हूँ। मैं भी आप लोगों के साथ चलना चाहता हूँ।"

"हम तो मालपुर जा रहे हैं।"

काक उलझन में पड़ गया। यदि इन लोगों की बात सच हो, तो कहाँ मालपुर और कहाँ कर्णावती।

"नहीं, तब मैं न चलूँगा। मुझे तो कर्णावती जाना है।" इन लोगों के साथ जाना निरर्थक समझकर काक ने कहा।

उस बूढ़े सिपाही ने दूसरे की ओर आँख मारकर कहा, "बैठो, जरा बैठो, हम लोग जरा जल-पान कर लें।"

"नहीं, मुझे कुछ नहीं चाहिए।" काक ने कहा, "मैं आगे जाकर कर लूँगा।"

"तुम ब्राह्मण हो?" उन सवारों में से एक युवक ने तिरस्कारपूर्वक पूछा।

"हाँ,"- कहकर काक घोड़ी पर चढ़ा और रवाना हो गया।

वह कुछ आगे बढ़ा कि उसे उस युवक का मुख परिचित-सा मालूम हुआ। वह स्मरण करने लगा कि यह कौन है? इसी समय वे सवार उसकी ओर आते हुए दीख पड़े। वह युवक सबसे आगे था। उसने देखा, तो उसे स्मरण हो आया कि उसका मुख किसके समान है। उसने जिस तिलकचन्द्र को खम्भात में मार डाला था, क्या यह उसका भाई है? यदि ऐसा है, तो अवश्य ये सब उदा मेहता के ही मनुष्य हैं। काक ने एकदम घोड़ी को घुमा कर उसके सामने कर दिया और पूछा, "क्यों भाइयों, यह एकदम कहाँ की यात्रा आरम्भ कर दी?"

"हमने विचार किया कि चलो कुछ दूर आप ही के साथ चलें।" बूढ़े सवार ने कहा और सब घोड़े साथ-साथ चलने लगे।

काक को ऐसा प्रतीत हुआ कि इन की भलमनसाहत के भीतर कोई घात छिपा

हुआ है। उस घात को जानने के लिए उसने पूछा, "चलिए, रास्ते में मेरी भी तबीयत बहलेगी और ये भाई तो परिचित मालूम होते हैं?"

"मैं?" जरा चौंककर उस युवक ने कहा।

"तुम तो खम्भात के रहने वाले हो?"

"नहीं।"

"तुम्हारे ही बड़े भाई के समान खम्भात में मेरा एक मित्र था।" उस युवक के मुख पर जरा आवेश का भाव झलक आया। काक ने उस भाव को देखा और आगे कहा, "तिलकचन्द्र ऐसा होशियार और विद्वान था कि क्या कहूँ। परन्तु एक रात को उसे किसी ने मार डाला।"

उस युवक का मुख लाल हो गया; परन्तु वृद्ध सैनिक ने पूछा, "कैसे?"

"यह तो मालूम नहीं। अपने उदा मेहता जी से मैंने कारण पूछा था; परन्तु उन्होंने कुछ नहीं बतलाया।"

"अच्छा!" उस वृद्ध ने कहा।

"तुम उदा मेहता को पहचानते हो?" कहकर काक ने एकदम उस युवक की ओर देखा।

"हाँ–नहीं–नहीं–नहीं" वह घबरा गया।

"अजी, नहीं क्या, हाँ।" कहकर उस वृद्ध सैनिक ने पीछे से काक की घोड़ी की पीठ पर बहुत जोर से तलवार का वार किया। काक के जानने और म्यान से तलवार निकालने से पहले ही घोड़ी उछली, लड़खड़ाई और गिर पड़ी। साथ ही काक भी गिर पड़ा। उसका पैर घोड़ी के नीचे दब गया। तुरन्त ही रक्त की प्यासी चार नंगी तलवारों सहित वे चारों सवार अपने घोड़ों पर से कूद पड़े और काक की आरे बढ़े।

"तिलकचन्द्र के मित्र!" उस युवक ने चिल्लाकर कहा और वह तलवार की नोक काक की गर्दन की ओर करके झपटा।

वृद्ध ने उसे धक्का देकर अलग हटा दिया और आगे जाकर अपने साथियों की सहायता से घोड़ी के नीचे से पैर निकालने में शक्तिमान हुए काक को पकड़ लिया, खींचा और वेग-पूर्वक चारों ओर से बाँध लिया। काक ने छूटने के लिए बहुत प्रयत्न किया; परन्तु कुछ न हुआ। उसने तलवार को हाथ में लेना चाहा, परन्तु न ले सका। वह हाँफता हुआ, बाँधने वालों को अपने बल से चारों ओर ढकेलने लगा, परन्तु फिर भी अन्त में उन लोगों ने उसे एक वृक्ष से बाँध दिया।

"ठहरो, इस नीच को समाप्त कर डालने दो।" उस युवक ने कहा, "मुझे अपने भाई का बदला लेना है।"

"भाई धर्मचन्द्र, मैं अपने देखते ब्रह्महत्या न होने दूँगा।" उस वृद्ध ने दृढ़ता से कहा, "हम इसे मेहताजी के पास ले चलेंगे।"

"अच्छी बात है।" कहकर धर्मचन्द्र मौन हो गया।

काक अपनी मूर्खता पर पछताता हुआ चुप हो गया। उसे प्रयत्न करने पर भी छूटना असम्भव मालूम हुआ। परन्तु मंजरी का क्या हाल होगा? उसे स्पष्ट प्रतीत हुआ कि उदा पाटण में ही रह गया है उसे फँसाने के लिए, इन सवारों को पीछे लगा दिया है। उदा की उस्तादी को शाप देता हुआ, वह कोई युक्ति खोजने लगा।

उन सैनिकों ने कुछ देर विश्राम किया और फिर वे रवाना हो गये। जकड़कर बाँधे हुए काक की रस्सी वह वृद्ध नायक अपने हाथ में लेकर उसे अपने घोड़े के साथ चलाने लगा।

सवार उससे मज़ाक करने लगे और काक उसका ठीक-ठीक उत्तर देने लगा। उसकी शान्ति, उसके धैर्य, उसकी हँसी की बातों, उसकी पराक्रम की कहानियों, इन सबसे उस युवक के सिवा तीनों सैनिक काक पर प्रसन्न हो गये। काक को भी यही चाहिए था। वह भी उनका हृदय जीतने का प्रयत्न करने लगा।

सूर्य ज्यों-ज्यों बढ़ने लगा, त्यों-त्यों गर्मी बढ़ने लगी और यात्रा जरा कठिन होने लगी। इतने ही में एक गाँव आ गया और वहाँ ठहरकर उन सवारों ने भोजन का प्रबन्ध करने के लिए विचार किया। उनमें से एक ने जाकर गाँव के मुखिया को ढूँढ़ निकाला और ठहरने के लिए एक मकान ठीक किया। मुखिया ने उसके खाने-पीने का सब प्रबन्ध कर दिया।

काक ब्राह्मण था, अतएव उसने बन्धन छुड़वाकर स्नान किया और वह पिछले बाड़े में एक अलग चूल्हा बनवाकर अपने लिए अलग भोजन तैयार करने लगा और भागने की युक्तियाँ भी खोजने लगा। बाड़े के तीन ओर ऊँची दीवार थी और चौथी ओर मकान। वह बूढ़ा मकान के पिछले द्वार के पास चूल्हा बनाकर सिपाही के साथ भोजन बना रहा था और धर्मचन्द्र तथा चौथा सिपाही बरामदे में लेटे हुए थे। कुछ देर में धर्मचन्द्र और बूढ़ा सवार घास-दाने का प्रबन्ध करने चले गये।

काक ने देखा कि यह सवार बहुत ही अच्छा है। उसने चारों ओर दृष्टि दौड़ाई। बाड़े की दीवारों की ऊँचाई भी नाप ली और पानी लाने के बहाने वह दो-एक बार चूल्हे के पास से उठकर दीवार तक हो आया। वे दोनों सवार बिना सन्देह किए निश्चिन्तता से अपना-अपना काम कर रहे थे।

काक धीरे-से उठा। जहाँ मकान की छत और दीवार मिलती थी, उस ओर जाकर काक ने अपने हाथ उठाए और मकान के एक शहतीर को हाथ से पकड़कर देखा। हाथ से छूते ही उसमें साहस आ गया। 'जय सोमनाथ' मन-ही-मन बुदबुदाकर उस लकड़ी के सहारे उसने अपने शरीर को ऊपर उठाया। स्नायविक शरीर के प्रयत्न से वह दीवार पर कूदा और देखते-देखते बाहर की ओर जा गिरा। बाहर गिरते ही मुट्ठियाँ बाँधकर वह दौड़ पड़ा। उसकी समस्त इच्छा-शक्ति, समस्त बल उसके पैरों में आ गया और धुनष से छूटे हुए बाण की तेजी से वह दौड़ने लगा।

कुछ ही क्षणों में उसने वह छोटा-सा गाँव पार कर डाला और खेतों को लाँघता

हुआ, बड़े मार्गों को छोड़ता हुआ, यथासम्भव खेतों में घूमते हुए किसानों की नज़र बचाता हुआ दौड़ने लगा।

इस प्रकार वह बहुत देर तक दौड़ा और एक बड़ की छाया में श्वास लेने को खड़ा हो गया। सवेरे की और इस समय की दौड़ से वह थक गया था इसलिए दो पहर यहीं बिताने की उसकी इच्छा हुई। पर अचानक ही उसे घोड़े की टापें सुनाई पड़ीं। बड़ के निकट वाले मार्ग पर कोई घुड़सवार आ रहा था। काक तुरन्त वृक्ष पर चढ़ गया और उसकी घाट में छिपकर देखने लगा। कुछ देर में धर्मचन्द्र घोड़ा दौड़ता हुआ, चारों ओर ध्यान से देखता हुआ आ पहुँचा। यह सुनते ही कि काक इस ओर गया है वह घोड़े पर बैठकर उसका पीछा करने चल दिया था। काक किस ओर गया है, यह उसने देख लिया था और इसी से उसके पीछे उसने घोड़ा छोड़ दिया था; किन्तु जल्दी में उसने अपने साथी सवारों से कुछ भी नहीं कहा था। अतएव वे समझे कि जिस ओर र्मचन्द्र गया है, उससे भिन्न दिशा में खोजने जाना अधिक अच्छा है। इस कारण वे तीनों दूसरी तीन दिशाओं में बँट गये थे।

बहुत दूर तक तो धर्मचन्द्र काक को दौड़ता हुआ देखता रहा; परन्तु खेत में घोड़े को वह बिल्कुल सीधा नहीं ले जा सका, अतएव उसके और काक के बीच का अन्तर ज्यों-का-त्यों बना रहा। आख़िर काक जब अदृश्य हो गया, तो वह बड़ी उलझन में पड़ा। परन्तु काक जब उस ओर गया है, तब इधर ही आकर निकलेगा यह अनुमान करके उसने बगल का रास्ता लिया और बड़ के पास आ पहुँचा।

काक के साथ से निकल जाने के कारण, धर्मचन्द्र उन्मत्त-सा हो गया। उसने चारों ओर ध्यान से देखा; परन्तु कोई दिखलाई न पड़ा। आख़िर उसने ऊपर की ओर देखा।

और कोई व्यक्ति इस स्थिति में होता, तो घबरा जाता; परन्तु काक की तीक्ष्ण बुद्धि ने इस करारे अवसर पर उसे अकल्प्य मार्ग दिखला दिया। टहनियों की आड़ में छिपने के बदले उसने मुख बाहर निकाल कर हँसते हुए कहा, "धर्मचन्द्र जी, जय सोमनाथ!"

"ओह पापी, तू ऊपर है? नीचे उतर, नहीं तो मार डालूँगा।"

"अजी, यह क्या कर रहे हो? ज़रा शान्त तो हो लो।"

"उतर नीचे," धर्मचन्द्र ने अधीरता से कहा, "नहीं तो अभी नीचे मार गिराऊँगा।" परन्तु उसे नीचे कैसे मार गिराया जाए? वह अपना तीर-कमान तो वहीं, उस गाँव वाले मकान में ही भूल आया था।

"हाँ, भाई, जल्दी से मार गिराओ।" काक ने खिलखिलाकर हँसते हुए कहा। उसका हेतु केवल धर्मचन्द्र को चिढ़ाना ही था और उसे पूर्ण करने में वह सफल हुआ। धर्मचन्द्र घोड़े पर से नीचे उतर पड़ा और एक ढेला लेकर उसने काक की ओर फेंका। काक दूसरी डाली पर कूदकर ढेले का वार बचा गया। निष्फल प्रयत्न से गुस्से में

भरकर अपने बड़े भाई के खून का बदला लेने को तरस रहा धर्मचन्द्र तलवार निकाल कर वृक्ष पर चढ़ने लगा। काक मन-ही-मन हँसा। उसे यही चाहिए था। इधर से धर्मचन्द्र काक को पकड़ने के लिए वृक्ष पर चढ़ा और उधर काक धीरे-धीरे डालियों पर कूदता-फाँदता उस डाली पर आ गया जिस के नीचे घोड़ा खड़ा था। धर्मचन्द्र बड़े वेग से हाँफता हुआ उस डाली पर पहुँचा, जिस पर काक था।

"जय सोमनाथ," ज़ोर से कहकर काक डाली पर से नीचे कूद पड़ा और घोड़े की गर्दन पर आ गिरा। घोड़ा भय से उछल पड़ा; किन्तु क्षण ही भर में उसकी अयाल पकड़कर सतर होकर वह उसकी पीठ पर जा बैठा। इसके बाद उसने जरा घूम कर डाली पर से भूमि पर गिरे हुए धर्मचन्द्र से कहा, "अच्छा भाई धर्मचन्द्र, जय सोमनाथ।" और उसने घोड़े को एड़ लगाकर दौड़ा दिया!

काक की एड़ी के प्रभाव से घोड़े को पर आ गये।

पाताल-निवास

अब हमें देखना चाहिए कि हमारे राजनीतिज्ञ मन्त्री उदयन कहाँ हैं। उस चालाक मारवाड़ी की नजर चारों ओर थी और उसका हाथ सबकी गरदनों पर था। वह कीर्तिदेव का मित्र बन गया था और निमन्त्रण स्वीकार करके सज्जन मेहता की वाटिका में गुप्त वेश धारण करके आया था। वहाँ उसने मंजरी को पहचाना और बाहर जाते समय षड्यन्त्रकारियों की धका-पेल से लाभ उठाकर वह उसे उठा ले गया। जिस निराले द्वार से त्रिभुवनपाल और मुंजाल आए थे, उसी से वह भी आया। अतएव वहीं से वह फिर बाहर निकला। उसे ध्यान नहीं था कि मुंजाल ने उसे देख लिया है।

मंजरी ने छूटने का प्रयत्न तो बहुत किया, परन्तु उसका कोई फल न हुआ। आखिर वह थक गयी और अचेत होकर पड़ रही।

उदा ने उस रात पाटण छोड़कर चुपचाप खम्भात जाने का विचार कर रखा था। परन्तु मंजरी हाथ लग जाने से उसने अपना विचार बदल डाला। उसे विचार हुआ कि मंजरी को खोजने के लिए काक अवश्य निकलेगा और मेरे नगर से बाहर जाने की खबर लगते ही वह मेरा पीछा भी करेगा। तब इस अवसर से लाभ उठाकर दिनोंदिन बलवान बनते हुए शत्रु को क्यों नहीं समाप्त कर दिया जाए? इस कार्य को सिद्ध करने के लिए उसकी रची हुई युक्ति वास्तव में उसकी होशियारी को शोभा देने वाली थी। जो घुड़सवार साथ जाने वाले थे, वह उनसे मिला और उन्हें समझा दिया कि वे मोंढेरा दरवाजे से खम्भात की ओर जाएँ और यदि काक पीछा करे, तो उसे फँसाएँ, पकड़ें; आक्रमण करे, तो उसे समाप्त कर दें और पकड़ा जाए, तो चन्द्रावती ले जाकर

कैद रखें। यह हम देख चुके हैं कि धर्मचन्द्र और अन्य घुड़सवार इस आदेश का पालन करने के लिए पाटण से चल दिए थे।

सवारों के चले जाने पर उदा शीघ्रता से अचेत मंजरी को कन्धे पर डालकर निकट वाले एक चैत्य (जैनमंदिर) के बाड़े में घुसा। क्षण भर के लिए दरबान ने उसे रोका, परन्तु उदा मेहता के समान जैन-शासन के धुरन्धर को पहचानकर तुरन्त सम्मान से पीछे हटकर खिड़की खोल दी। उदा, घोर दरिद्रता से बड़े पद पर पहुँचा था; अतएव वह छोटी-से-छोटी गली को भी जानता था। बाड़े की दीवार से अन्दर की ओर एक छोटी गली थी। उसमें वह घुसा और ठोकरें खाता, मंजरी को सँभालता, कहीं वह चिल्ला न पड़े, इसका ध्यान रखता और मन-ही-मन तदवीरें सोचता हुआ आगे बढ़ा।

जीवन के आरम्भ में उदा का लक्ष्यबिंदु पाटण के महा अमात्य का पद प्राप्त करना था; परन्तु निष्फल प्रयत्नों ने उसे सिखाया था कि मुंजाल मेहता के जीवित रहते वह प्राप्त होना असम्भव है। इस निष्फलता का भान होने पर उसने दूसरा लक्ष्य दृष्टि के आगे यह रखा कि श्रावकों में श्रेष्ठ बनकर जैन-शासन का प्रतिनिधि बनना। यह लक्ष्य उसने अधिकांश में सिद्ध भी कर लिया था। बुद्धि से, उदारता से, धर्मपरायणता से, उसने खम्भात को जैन-शासन का केन्द्र बना दिया था और वहाँ के मन्त्रि-पद का निरंकुश उपभोग कर, धीरे-धीरे सत्ता और प्रताप बढ़ाकर; मुंजाल के प्रताप को भी वह धुँधला बनाने का प्रयास कर रहा था। धीरे-धीरे परन्तु धैर्य से उसका निश्चय पूर्ण होता जा रहा था।

इसी समय उसे मंजरी मिली। मंजरी के लालित्य ने, सौन्दर्य ने उसके प्रौढ़ स्थिर हृदय को खौला दिया। उसकी विद्वत्ता ने उसे मोहित कर लिया। उसकी दृढ़ता ने उसे उत्तेजित कर दिया। मंजरी को अपनी स्त्री बनाने के विचार का उस के हृदय ने, अभिमान ने और बुद्धि ने स्वागत किया।

अचानक ही उसके मार्ग में राहु के समान काक आ पड़ा। उसका खम्भात चला गया, मंजरी चली गयी और अप्रतिष्ठा हुई; तब उसने शान्त परन्तु निश्चल हृदय से पक्का निश्चय कर लिया कि काक को मारकर कंकड़ की तरह अलग कर दिया जाए। परन्तु वह उछलकर पैर तोड़ लेने वाला आदमी नहीं था। उसने धीरे से, शान्ति से अपना मार्ग पकड़ा। उसे प्रतीत हुआ कि अब काक अवश्य उसके हाथों में फँस जाएगा। मंजरी हाथ में थी ही। वह दूरदर्शी था। कहीं बाजी न पलट जाए, इस भय से वह अपने किए हुए काम का चिह्न भी नहीं रहने देना चाहता था।

चैत्य के बाड़े की गली में से होकर वह पास के मुंजालेश्वर-मन्दिर के एक अँधेरे दालान में निकला। दालान आधा धरती में था और महादेव के पुजारी भी वहाँ दो पहर को जाने का साहस नहीं करते थे। उसे अँधेरे दालान में सीढ़ियाँ थीं। बिल्कुल परिचित आदमी की तरह वह बिना किसी भय से सीढ़ियों से नीचे उतरा। उसने मंजरी को भूमि पर लिटा दिया और फिर चकमक रगड़कर रुई का पलीता जलाया। एकाएक प्रकाश

हो जाने से पत्थर की उस छोटी कोठरी में चिमगादड़ें उड़ने लगीं और पंख फड़फड़ाकर भयानक परछाईं डालने लगीं।

परन्तु उदा को डरने की भी फुरसत न थी। दीवार में एक कड़ा लगा था। उसे पकड़कर उसने जोर से खींचना शुरू किया। कुछ देर में जब कड़े वाला पत्थर हिला तब उसने बड़े परिश्रम से उसे खिसकाया। वहाँ एक झरोखा था जो खुल गया और उसमें से तेज हवा आने लगी।

यह झरोखा एक भारी सुरंग में पड़ता था और वह सुरंग राजमहल में से बाहर विमल शाह के स्थानक की बावड़ी तक चली गयी थी। राजा, महा अमात्य या राजसेवकों को ही इस गुप्त मार्ग की ख़बर थी। शत्रु के घेरा डालने पर नगर से भाग जाने के लिए इसका उपयोग किया जाता था। जब उदा अपनी दरिद्रावस्था में पास वाले चैत्य की धर्मशाला में पड़ा रहता था, तब एक वृद्ध राजसेवक से उसने इस गुप्त मार्ग का भेद जाना था और उस बेकारी के समय में निर्भय होकर उसकी खोज भी की थी। इस समय वह खोज काम आयी।

पलीता जलाकर ध्यान-पूर्वक देखने पर उसे मार्ग बिल्कुल साफ और सीधा मालूम हुआ। उसने पलीता बुझा दिया और वह धीरे-से मंजरी को उठाकर चल दिया। मार्ग में थोड़ी-थोड़ी दूर पर झरोखे थे। उनके मुख कहीं मन्दिर में, कहीं चैत्य की दीवाल में और कहीं छत में इस प्रकार निकले हुए थे कि बाहर से, तो दीख न पड़ते थे, उनमें से मालूमी-सी हवा और प्रकाश पहुँच जाता था। इसके कारण मार्ग सुगम था।

कोई डेढ़ कोस चलने के बाद इस सुरंग का विमल मेहता की बावड़ी पर जाकर अन्त हुआ। बावड़ी बड़ी विशाल थी। उसका कुछ भाग गिर गया था और प्राचीन स्थापत्य के नियमानुसार उसमें बहुत-सी कोठरियाँ थीं। उन्हीं में से एक कोठरी में वह जा पहुँचा। वहाँ से बाहर निकल कर उसने मंजरी को भूमि पर सुला दिया और रात के जागरण की अलसता और थकावट दूर करने के लिए वह बावड़ी में जाकर हाथ-मुँह धो आया।

इसके बाद वह पास के स्थानक के रक्षक के पास गया। रक्षक अपनी कोठरी के आगे दतौन कर रहा और धीरे-धीरे प्रभाती गा रहा था। वह पुराने समय का वृद्ध सैनिक था और मीनलदेवी की कृपा से वानप्रस्थ जीवन बिता रहा था। बड़ा भला और अटल था। वचन का पालन करने में वह अद्वितीय समझा जाता था। "जय जिनेन्द्र," उदा ने कट्टर धर्मात्मा की तरह उसे उद्देश्य करके कहा, "कहो, कैसे हो?"

रक्षक ने ध्यान-पूर्वक देखा और विस्मय से अपनी लम्बी मूँछों पर हाथ फेरते हुए कहा, "जय जिनेन्द्र। ओहो! मेहताजी, इस समय?"

"हाँ, तुमसे एक खास काम है सुरपाल।"

"क्या?"

"मुझे एक आदमी को छिपाना है। छिपाकर रख सकोगे?"

"मैं? किस प्रकार? इस उपाश्रय में कैसे छिपाया जा सकता है? यहाँ हज़ारों आदमी आते और हजारों जाते हैं।" कहकर बूढ़ा आँखों को सिकोड़कर देखने लगा।

"सुरपाल, देखो, मैं जल्दी में हूँ। तुम जानते हो कि मैं राजा का मन्त्री हूँ और बिना बड़ी जरूरत के यहाँ नहीं आता।"

"परन्तु यहाँ रख कैसे सकता हूँ?" कुछ घबड़ाकर सुरपाल ने कहा।

"ऐसा कहीं हो सकता है कि विमल मेहता के स्थानक में न रख सको?" उदा ने मार्मिक प्रश्न किया।

"सारा नगर सो पड़ा है।"

"नहीं, मुझे यहाँ की सुरंग से ही काम है।"

"सुरंग!" ज़रा चौंक कर सुरपाल ने पूछा, "यहाँ सुरंग?"

"भूल गये?" उदा ने मधुरता से कहा, "जहाँ हंसादेवी[1] को कैद करके रक्खा था। उठो, देरी करोगे, तो बिल्कुल सवेरा हो जाएगा।"

"हंसा देवी को कैद किया था!" ज़रा काँपते हुए स्वर में सुरपाल ने कहा, "क्या कह रहे हैं? मुझे तो खबर नहीं।"

"सुरपाल, यह मैं कैसे मान लूँ? मुंजाल मेहता की बहन और मंडलेश्वर की माता हंसादेवी को तुम नहीं जानते? उठो।"

"मेहता जी, आप यह क्या पागलों की-सी बातें कर रहे हैं?" बूढ़े ने ज़रा उद्धतपन से कहा, "यहाँ कोई सुरंग नहीं है।"

"देखो," ज़रा मधुर स्वर में परन्तु रुआब के साथ उदा ने कहा, "मैं सब कुछ जानता हूँ। फिर क्यों मेरी बात नहीं मानते?"

उस वृद्ध सैनिक के होठ दृढ़ता से दब गये। "मेहता जी, तुम मालिक नहीं हो। मालिक तो जयदेव महाराज और राजमाता मीनलदेवी हैं।"

"सुरपाल, तुम भूल रहे हो। वे भी मालिक नहीं हैं। मालिक तो भगवान जिनेश्वर हैं। उनकी आज्ञा है।"

"भगवान जिनेश्वर?" धर्मप्राण सुरपाल ने विस्मय से पूछा।

"सुरपाल, मेरी बात सुनो। तुम जानते हो कि मैं कट्टर श्रावक हूँ और जिन भगवान का सेवक हूँ। मेरे सिर पर एक महान धर्म-संकट आ पड़ा है। एक ब्राह्मण कन्या को उसके दुष्ट सम्बन्धी जैन धर्म स्वीकार करने से रोक रहे हैं। वे प्रतापी और शक्तिमान हैं। अतएव उसने मेरी शरण ली है। परन्तु मैं कुछ न कर सका। मैंने जिन भगवान से बहुत विनय की, बहुत उपवास किए, बहुत मनौतियाँ मानीं। आखिर कल भगवान ने प्रेरणा की। हंसादेवी को वर्षों तक जहाँ समस्त संसार से अज्ञात रखा गया था, उस स्थान का मुझे ज्ञान हुआ। भगवान ने कराया। एक श्रद्धालु श्रावक की भी

---

1. पाटण का प्रभुत्व

मुझे याद दिलाई और इसी से मैं यहाँ आया हूँ। कुछ दिनों के लिए इस लड़की को छिपा दो। तभी इसका कल्याण होगा और यह इस स्थानक की सुरंग के सिवाय और कहीं नहीं हो सकता।'' उदा अपनी अप्रतिम कला से जल्दी-जल्दी समझाने लगा। ''अगर तुम न मानोगे, तो मेरा और उसकी लड़की का दुर्भाग्य। तब मेरी प्रेरणा असत्य, केवल भ्रम सिद्ध हो जाएगी और इससे जो कुछ पाप होगा, उसके अधिकारी तुम होगे।'' कृत्रिम लापरवाही से उदा ने कहा।

''मेहता जी, अपका संकट तो ठीक है।'' सुरपाल धीरे-धीरे सिर हिलाकर कहने लगा, ''परन्तु यह काम मुझ से होना कठिन है।''

''तो फिर भाग्य! जैन-शासन की विजय मेरे और तुम्हारे हाथ से होना नहीं लिखा होगा।''

''परन्तु''

''हम-तुम तो पाप की गठरी के मालिक हैं।''

''महाराज,'' उदा की प्रेरणा की बात सुरपाल के गले उतर गयी थी। वह बोला, ''परन्तु एक रास्ता है।''

''क्या?'' आतुरता से उदा ने पूछा।

''आप कहें, तो मैं रख लूँ। जब आवश्यकता हो, तब ले जाना।''

''परन्तु उसके सगे-सम्बन्धी तो पागल को भी खोज डालने वाले हैं और बड़े-बड़े मंडलेश्वरों का उन्हें सहारा है।''

''इससे आप निर्भय रहें।''

''मुझे न दिखाना हो, तो तुम्हारी इच्छा। परन्तु जिस प्रकार हंसा देवी को छिपाया था, उसी प्रकार यदि इसे छिपा दो, तो फिर मुझे कुछ नहीं कहना है।'' उदा मेहता ने हँसकर कहा।

''हंसा की बात मैं नहीं जानता। मैं तो केवल अपने वचन की बात जानता हूँ। लाओ, लड़की कहाँ है?''

''यहीं पास ही है। मैं अभी लाया।'' कहकर उदा वहाँ से चला गया और जरा-सी देर में अचेत मंजरी को लेकर लौट आया। सुरपाल पर विश्वास किए बिना निस्तार ही न था।

''सुरपाल, परन्तु यदि इस लड़की से मुझे मिलना हो, तो?''

''यह आप जानें। यह कुछ न हो सकेगा।''

''एक बात कहूँ, मानोगे?'' उदा ने धीरे से कहा।

''क्या?'' सुरपाल ने पूछा।

''जब मैं इससे मिलना चाहूँ, तब मुझे आँखों पर पट्टी बाँधकर ले जाना। फिर कैसे जान सकूँगा?''

बूढ़ा उदा की उस्तादी पर हँसा।

''सुरपाल, इस बात से इनकार न करना। तुम्हें जो चाहिए, ले लो। जो चाहे, शर्त कर लो।''

''मेहता जी तुम कह चुके? यह सिर देखा? चाहें, तो इसे धड़ से अलग कर दो, परन्तु यह बात न हो सकेगी।''

उदा विचार करता हुआ देखता रहा। सुरपाल ने आगे कहा, ''हाँ, एक बात हो सकेगी। जब आप चाहेंगे, तब मैं लड़की को आप से मिला दूँगा।''

''अच्छा, जो तुम्हारी इच्छा। सुरपाल, तुम जैसे आदमी से कहने की आवश्यकता तो नहीं है, परन्तु यह बात किसी से कहना मत। और इसे छोड़ना भी मत।''

''अच्छा। मेरा वश चलेगा वहाँ तक।''

''तो मैं जाऊँ?''

''हाँ जी।'' शान्ति से सुरपाल ने कहा। उदा वहाँ से तेजी के साथ नगरकोट के दरवाज़े की ओर यह चिन्ता करता हुआ चला कि कहीं किया-कराया परिश्रम मिट्टी न हो जाए। परन्तु उसे विश्वास था कि सुरपाल के पास जितनी सुरक्षा से मंजरी छिपाई जा सकती है, उतनी पाताल में भी नहीं छिपाई जा सकती और यह उसकी धारणा थी कि यदि काक समाप्त कर दिया जाए, तो दूसरे ही दिन उसे ले जाए जा सकेगा।

उदा के जाते ही सुरपाल उठा और मन-ही-मन बुदबुदाया, ''प्रतिदिन ही एक न एक आफ़त! यह होने वाला क्या है?'' उसने धोती को कमर से लपेटा और वह मंजरी को उठाकर अपनी कोठरी की निकट वाली कोठरी खोलकर उसमें ले गया। उस कोठरी में बड़े-बड़े तीन-चार दरवाजे थे और उनमें ताले लगे हुए थे। उनमें से उसने एक खोला और अन्दर घुसकर बन्द कर लिया। अन्दर एक अँधेरा मार्ग था और उसमें जगह-जगह झरोखों से प्रकाश आ रहा था। इस मार्ग की सीढ़ियों से वह उतरा। यह मार्ग स्थानक और बावड़ी के बीच के रास्ते के नीचे होकर जाता था।

कोट और बावड़ी की मजबूत चुनाई कहाँ जमीन पर मिलती थी, उसके नीचे वह पहुँचा। बावड़ी की अटपटी चुनाई से फायदा उठाकर भूमि पर दो-एक छोटे-से दालान बना दिए गये थे। वहीं वह पहुँचा। उनमें बहुत ही चतुराई से लगाई हुई जाली से कुछ प्रकाश आता था। इस दालान में दो-तीन कमरों के दरवाजे पड़ते थे। उनमें से एक को खोलकर सुरपाल मंजरी को अन्दर ले गया।

उस कोठरी में रहने और सोने की कुछ सामग्री थी और हवा और प्रकाश भी बाहर की अपेक्षा कुछ अधिक था। सुरपाल ने वहाँ मंजरी को सुलाया और सब चीजों पर जो धूल पड़ी हुई थी उसे झाड़ दिया। इसके पश्चात उसने एक घड़ा पानी लाकर वहाँ रख दिया और द्वार बन्द करके ऊपर चला गया।

खोज

रात हो गयी! मंडलेश्वर और काश्मीरा देवी दोनों बैठे हुए चिन्ता कर रहे थे। इसी समय बाड़े में घोड़े की टापें सुनाई पड़ी। दोनों उठ खड़े हुए और उन्होंने उस ओर अपने कान लगा दिए। उनके हृदय आशाओं और चिन्ताओं से धड़क उठे। त्रिभुवनपाल यह निश्चय करने को कि कौन आया है, जाते ही थे कि काक आ पहुँचा–प्रताप बिखेरता, मजबूत डगें भरता हुआ भटराज नहीं, परन्तु नंगे सिर, फटे हाल, पसीना बहाता, हाँफता हुआ, निस्तेज काक–और बैठ गया। दोनों जने उसका चिन्तातुर मुख देखने लगे। काक भी दोनों हाथों से सिर थाम कर देखने लगा।

"क्यों?" काश्मीरा देवी ने पूछा।

"बड़ा धोखा हुआ। उदा की उस्तादी में फँस गया।" हाँफते हुए धीरे-धीरे काक ने कहा, "वह तो यहीं है और मंजरी भी यहीं है। पर मुझे मार डालने को उसने चार घातक भेजे थे।"

"ऐं!" त्रिभुवनपाल ने कहा।

"हाँ, भाग्य से बच गया और जीवित लौट आया।" कहकर काक ने अपना सारा इतिहास कह सुनाया।

"तब मंजरी यहीं होनी चाहिए?"

"अवश्य।" काक ने सिर हिलाया, "पर आज तो थककर मुर्दा हो गया हूँ।"

"अच्छा, ठहरो, तुम्हें कुछ खाने को ला दूँ।" कहकर काश्मीरा उसके खाने की व्यवस्था करने लगी। हारे-थके काक, निराशाग्रस्त मंडलेश्वर और उनकी स्त्री ने अनेक योजनाएँ बनाईं और आखिर सब सो गये।

सवेरा होते ही काक राजमहल में गया। जयदेव महाराज एक दिन पहले ही शिकार को चले गये थे, अतएव काक मुंजाल मेहता से मिलने गया। मुंजाल ने कुछ इस प्रकार उल्टी-सीधी बातें करके उसे विदा कर दिया जैसे उन्हें और कुछ खबर ही नहीं है। मुंजाल कार्यों में अधिक व्यस्त थे, अतएव वह भी और कुछ न पूछ सका। केवल इतना ही पता चला कि कल उदा मेहता राजमहल में दिखाई नहीं पड़े। इस समाचार से असन्तुष्ट होकर वह राजमहल से यह विचार करता हुआ बाहर निकला, कि अब क्या किया जाए। परन्तु उदा मेहता पाटण में हैं या नहीं, इस प्रश्न का उत्तर उसे अचानक ही मिल गया। सामने से पालकी में बैठकर वे स्वयं ही आ रहे थे।

दोनों ने एक-दूसरे की ओर देखा। क्षणभर के लिए दोनों चौंक पड़े और तुरन्त उदा मेहता ने मधुर प्रश्न किया, "कहिए काक भटजी, प्रसन्न तो हैं?"

काक ने होठ चबा लिए और कहा, "जी हाँ मेहता जी, और आप मजे में हैं?" लोग तो कह रहे हैं कि आप पाटण छोड़कर खम्भात चले गये।" कहकर वह उसकी पालकी के साथ चलने लगा।

"क्यों चला जाता? मुद्दत के बाद राज-कार्य से जरा निवृत्ति मिली है, तब क्यों न कुछ मौज कर लूँ।"

काक को उसकी गर्दन मार देने की इच्छा हुई। "हाँ, कीजिए। भाग्यवान हैं, क्यों न मौज करेंगे?"

"तुम क्या भाग्यवान नहीं हो?" उदा ने तनिक हँसकर कहा, "तुम्हारी उम्र में तो मैं भिखारी था और तुम तो सुख में डूबे हुए हो।" काक को इस मजाक में कुछ मर्म छिपा हुआ प्रतीत हुआ।

"सुख और दुख मुझे तो ठीक ही हैं। प्राण हाथों में लेकर घूमना पड़ता है। कल ही चार जनों के साथ लड़ना पड़ा।" काक ने इस प्रकार कहा, जैसे कोई साधारण-सी बात कर रहा हो।

"ऐं!" उदा ने अस्वस्थ होकर पूछा, "क्या हुआ?"

"अजी, मुझे तो भगवान सोमनाथ से अभय का वरदान प्राप्त है। मैं तो सही सलामत चला आया और वे–"

बिना बोले ही आतुर आँखों से उदा ने प्रश्न किया।

"ठिकाने लग गये।" कहकर काक हँसता हुआ चल दिया।

उदा की चिन्ता का, निराशा का पार न रहा। काक जीवित लौट आया और उसके चारों योद्धा ठिकाने लग गये! क्या काक का भाग्य दुर्जय है? क्या मेरी पराजय होगी? विचारों की तरंगों में डूबता-उतराता उदा चिन्तातुर हृदय से राजमहल में पहुँचा।

काक ने चारों ओर देखा। सामने मार्ग में उसे लाट का एक सुभट दिखाई पड़ा। "रुद्रमल्ल!"

"ओहो भटजी? अरे भटराज, जय सोमनाथ!" उसने बड़े स्नेह से कहा। राज-सभा के अवसर के पश्चात लाट के योद्धाओं में काक अत्यन्त प्रिय हो गया था।

"एक काम करोगे?"

"क्या?"

"उस पालकी में जो मन्त्री जा रहे हैं, उन्हें पहचानते हो?"

"हाँ, वह खम्भात वाला है, जिसे महाराज ने दंड दिया है।"

"हाँ, वही। दिन भर वह कहाँ जाता है और क्या करता है, इसकी ख़बर देते रहोगे?"

"अवश्य।" लाट के अधिकांश योद्धा पाटण में बेकार पड़े मौज कर रहे थे, अतएव चाहे जिस नये काम को वे पसन्द कर सकते थे। रुद्रमल्ल उदा की प्रतीक्षा में सामने के चबूतरे पर जा बैठा।

जब काक घर पहुँचा, तब काश्मीरा देवी उसकी प्रतीक्षा में बैठी हुई थीं।

"काक, उदा यहीं हैं, परन्तु मंजरी नहीं है।"

"कैसे जाना?"

"मैंने अपनी दासी से मालूम कराया है। शान्तु मेहता के यहाँ मंजरी नहीं है।"

"क्या कह रही हैं?" काक का मुँह उतर गया। "वह पाटण में तो होनी चाहिए।"

"होगी, परन्तु उदा तो कल सवेरे अकेला ही घर आया है।"

"किसने देखा?"

"हमारी सोम की मौसी ने अपनी आँखों देखा है।"

उदास मुख से दोनों ने एक-दूसरे की ओर देखा।

"महाराज कहाँ गये हैं?"

"बुआजी से कहने को।"

"अरे, राम-राम!" काक ने निःश्वास छोड़ा।

"क्यों, क्या बात है?"

"इससे क्या होगा। उनसे कहने से कोई लाभ? उसे तो हमें ही खोज निकालना होगा। इन बड़े लोगों का कोई उपयोग नहीं। ये तो उलटी हँसी उड़ाएँगे। प्रमाण के बिना उदा मेहता से कुछ कहा जा सकता है? वह तो खुले खजाने महलों में आता-जाता है।"

"तब क्या किया जाए?"

"देखिए, कोई मार्ग निकालता हूँ।"

शासन

उस रात के संस्मरणों के बाद मुंजाल का हृदय बहुत की खिन्न रहता था। उसकी आत्मा दिन-रात चुनचुनाया करती थी। अनेक कार्यों और प्रवृत्तियों में व्यस्त रहने पर भी फूलकुँवरि और उसके लड़के का चित्र बार-बार आँखों के सामने आ जाए-करता था और इस कारण मन उचाट रहने से वह मीनल देवी से भी मिलने नहीं जाता था।

रात हो जाने पर मीलनदेवी ने उसे बुलाया। वह गया और सर्वदा के नियमानुसार उसने दिन-भर के समाचार कह सुनाए। इसके बाद वह आज्ञा माँगने लगा।

"मुंजाल," जरा खिन्नता-पूर्ण स्वर में मीलनदेवी ने कहा, "एक महत्त्वपूर्ण बात तो रह गयी।"

"क्या?"

"तुम्हारा हृदय भारी हो रहा है, वह!"

मुंजाल चौंक पड़ा और संयत होकर हँसा, "क्या कह रही हैं? मेरा हृदय?"

अपनी आँखों को मुंजाल के मुख पर स्थिर करके रानी ने उत्तर दिया, "हाँ।"

मुंजाल ने बात उड़ाते हुए कहा, "मेरा हृदय तो सदा ही भारी रहता है, आप की और राजा की भक्ति से।"

"हाँ, और साथ ही बेचैनी से भी, यह क्यों भूले जा रहे हैं?"

"किसने कहा?"

"कहेगा कौन? देखने को मेरे आँखों नहीं हैं? परखने को हृदय नहीं है? मुंजाल, मैं हृदय को जिह्वा पर नहीं लाती, अतएव तुम यह समझते हो कि मेरे पास हृदय ही नहीं है?" बहुत दिनों पर रानी यह दोनों के बीच निषिद्ध मानी जाने वाली बातें लाने लगी।

"मान लो कि ऐसा ही है, तो क्या रोने-चिल्लाने से मनुष्य जीवित हो जाएगा? जिस बात में सार नहीं, उसे कहना ही न चाहिए।"

"नहीं," मीनलदेवी ने कहा, "इस बात में सार है। अब तक तो हँसी में ही अनेक बार बातें हुई हैं, पर अब मैं बिल्कुल सीधी साफ कहती हूँ।"

"क्या?" युद्ध के लिए तैयार होते हुए मुंजाल ने पूछा।

"तुम्हें दूसरी बार विवाह करना होगा।" रानी ने कहा।

"मुझे—दूसरी बार—विवाह—करना होगा?" धीरे-धीरे एक-एक शब्द उच्चारण करते हुए मुंजाल ने कहा और एकदम सिर ऊँचा करके तेजस्वी आँखों का तेज डालते हुए वह बोला, "और विवाह न करूँ, तो क्या कारोगी?"

"परन्तु," शान्ति और सत्ता से रानी ने उत्तर दिया, "यह हो नहीं सकता।" रानी इस विद्रोह के लिए तैयार थी।

"क्यों?"

"क्योंकि तुम मेरी बात टाल ही नहीं सकते।"

इस उत्तर से मुंजाल के आवेश पर अंकुश लग गया।

"किसलिए ऐसा हठ कर रही हो? इससे क्या मैं अधिक सुखी हो जाऊँगा?"

"तुम न होना, परन्तु मैं होऊँगी।"

"परन्तु यह नयी बात ले कहाँ से आयी?"

"अपने हृदय में से। मैं तुम्हें प्रतापी देखना चाहती थी, सो देख लिया। अब मैं तुम्हें सुखी देखना चाहती हूँ।"

"नहीं-नहीं देवी, यह भ्रम है। मैं पूर्ण सुखी नहीं हूँ, तो न सही; परन्तु मेरा सुख मेरे राज-प्रपंच में समाविष्ट है। इस व्रत की साधना ही मेरे जीवन का आदर्श बन गया है। अब फिर से संसार बसा के बुड्ढी घोड़ी को लाल लगाम लगाने से मुझे सुख मिलेगा? जो है, वही ठीक है। अधिक लोभ में पड़ूँगा, तो बुढ़ापे में उलटा घिसट मरूँगा।"

"बुढ़ापा? परन्तु तुम तो अभी बयालीस के ही हो?"

"परन्तु मन से तो चौरासी का हो गया?"

"इसी से छोटा बनाने की योजना की गयी है। अब तुम्हारा कहना निर्थक होगा। अब तुम्हारा वाक्चातुर्य चलने का नहीं। मेरा दृढ़ निश्चय है कि तुम्हें विवाह करना ही होगा।" कहकर रानी दृढ़ और सत्तावाही दृष्टि से देखने लगी।

"परन्तु–"

"मुंजाल!" अधिकार के साथ उसे एकदम बोलते हुए रोककर, रानी ने कहा।

"क्यों?"

"प्रत्येक दृष्टि से मैंने विचार किया है। राजमाता के रूप में तुम्हारी–" कहकर रानी अगले शब्दों का उच्चारण करते हुए ज़रा रुक गयी और फिर आगे बोली, "स्वामिनी के रूप में मेरा अधिकार है, बस।"

"परन्तु मेरी बात सुनोगी भी नहीं?"

"नहीं।"

"तब मुझे आपका अधिकार भी स्वीकार नहीं है।" कहकर मुंजाल चट से उठ खड़ा हुआ।

"मेरे एक शब्द से सैकड़ों के विवाह हो गये और सैकड़ों विधुर हो गये। वह शब्द टल जाएगा? और फिर तुम टाल दोगे?" कहकर रानी देखने लगी, "कहो, क्या कहना चाहते हो?"

"देवी, आप इतने आवेश से बोल रही हैं। इससे क्या प्रकट हो रहा है, जानती हैं?" धीरे से मुंजाल ने पूछा, मीनलदेवी को इस तरह खुदमुख्तार किसी ने देखा है? इसी से प्रकट है कि न मेरा हृदय बदला है, न आपका।"

"इससे क्या हुआ?"

"इसी में सब कुछ है।"

"मैं नहीं समझ सकी।" मीनलदेवी ने विचार करते हुए कहा।

"एक फूलकुँवरि को तो तड़पा-तड़पाकर मार डाला, अब दूसरी को मार डालने का बल मुझ में नहीं है।"

मीनलदेवी को कोड़ा-सा लगा। वह चौंक कर स्तब्ध हो गयी। उसने ज्ञात-अज्ञात रूप से हाथ को छाती पर रखकर दबाया।

"जमी हुई पपड़ी को उखाड़ने में सार नहीं है। जो चल रहा है, वही चलने देना ठीक है।"

"मुंजाल, तुम्हें मेरा भय है?"

"नहीं, मेरे अपने हृदय का।"

"इस पश्चात्ताप से प्रतीत नहीं होता कि ऐसा समय नहीं आएगा?"

"इस समय तो हमारे हृदयों पर से नहीं प्रतीत होता कि ऐसा समय अवश्य आएगा?"

''नहीं, नहीं, फूलकुँवरि मेरे कारण खोई गयी थी।'' खिन्न स्वर में रानी ने कहा, ''अब मुझे ही तुम्हें दूसरी दिलानी चाहिए।''

''नहीं, जिसने मुझे मन्त्रियों में श्रेष्ठ बनना सिखाया है, वही मेरे लिए बस है।'' मुंजाल ने गर्व से कहा।

कुछ देर तक कोई कुछ न बोला। आखिर रानी ने कहा, ''चाहे जो हो, तुम्हें विवाह तो करना पड़ेगा।''

मुंजाल ने म्लान मुख से चित्त को फेर लिया और सिर को छाती पर झुका लिया।

''उलटे हम लोग दुखी हो जाएँगे।''

''कभी नहीं। तुम्हें सुखी देखकर मैं सुख मानूँगी।''

''वह भी दुखी होगी।''

''नहीं होने दूँगी। यह मेरे हाथ में है।''

''यह केवल हठ है, समझ लीजिए।''

''हठ ही सही।''

''हठ! हठ!'' गहरा विचार कर मुंजाल बोला, ''अब तक आप की यह टेव नहीं गयी।''

''और न जाएगी।''

''ठीक है, तब मैं भी रात को विचार कर देखूँगा। सवेरे बात होगी।'' कहकर मुंजाल ने नमस्कार किया और वह खिन्न हृदय से चल दिया।

हृदय-यज्ञ

मुंजाल हृदय की अकथ्य व्यथा से चुप होकर चला गया और मीनलदेवी कुछ देर द्वार की ओर देखती रहीं। उनकी आँखों में आँसू आ गये, उनका हृदय भर आया। जबसे यह प्रश्न दुबारा उठा है, तभी से उनका हृदय फटा जा रहा है और बड़े प्रयत्न से रात और दिन के विचारों के परिणामस्वरूप उन्होंने मुंजाल से कहने के योग्य स्वस्थता प्राप्त की है और इस कठिनाई के कारण ही जैसी चाहिए वैसी खूबी से वे मुंजाल को न समझा सकीं।

काश्मीरा देवी की चुटीली बातों से उनके विचार भिन्न ही दिशा में मुड़ गये थे और इससे नया दृष्टिबिन्दु, नये भाव दृष्टि पर चढ़ गये थे। उनके विशुद्ध प्रेम का और भी अधिक शुद्ध प्रेम में रूपान्तर हो गया था और उस रूपान्तर ने मुंजाल के विवाह कर देने का निश्चय दृढ़ कर दिया था। मुंजाल के इनकार का कारण वे समझती थीं; परन्तु अब वह कारण उन्हें निर्जीव प्रतीत होता था।

मुंजाल के जाने पर वे बहुत देर तक विचार करती रहीं। विचार करते-करते

उनका हृदय भर आया। रस-सागर की तरंगों की परम्परा उसमें लहराने लगी। उनकी आँखों से आँसू टपकने लगे। उन्होंने सोने का प्रयत्न किया, परन्तु इसमें वे सफल नहीं हुईं; आख़िर उठ खड़ी हुईं। सारा राज-दुर्ग शान्त हो रहा था।

''रूपा!'' उन्होंने अपनी दासी को पुकारा।

''आज्ञा महाराणी जी!'' दासी उठकर आगे आयी।

''वह दीपक उठाओ।''

दासी ने चुपचाप दीपक उठा लिया और जहाँ मुंजाल सो रहा था, वे दोनों वहाँ गयीं।

रानी और मुंजाल का सम्बन्ध निष्कलंक और शुद्ध था। उनकी पवित्रता कलंक को स्वप्न में भी न जाने देती थी। मीनलदेवी ने दासी को द्वार के बीच इस प्रकार बैठा लिया कि वह देख सके, परन्तु सुन न सके और आप छत पर सोते हुए मुंजाल के पास पहुँचीं।

रानी ने धीरे से 'मुंजाल' कहकर पुकारा। चपल अमात्य तुरन्त ही जाग उठा, वह चकित हो गया और ''देवी!'' कहकर बिछौने को छोड़कर बैठ गया। मीनलदेवी बिछौने के एक कोने पर जा बैठी।

''मुंजाल, तुम चले आए, परन्तु मुझे निद्रा नहीं आयी। इस विषय की बातचीत हमें समाप्त कर देनी चाहिए।''

''क्या समाप्त कर देनी चाहिए? आप मेरा विवाह करना चाहती हैं, पर मैं नहीं करना चाहता। आप समझती हैं कि मैं इससे सुखी होऊँगा, पर मेरी धारणा है कि इससे हम दानों दुखी होंगे। तब क्या समाप्त किया जाए?''

''अभी बहुत कुछ समाप्त किया जाए?''

''क्या?''

''मेरे पापों का प्रायश्चित। मुंजाल, तुम निःस्वार्थी हो। कभी तुमने यह विचार किया है कि हम दोनों में मैं बहुत अधम और स्वार्थी हूँ?''

''नहीं!''

''इससे तुम्हारा बड़प्पन ही प्रकट होता है, बस इतना ही।''

''क्यों?'' मुंजाल ने ज़रा हँसकर कहा।

''क्यों क्या? मेरे तो इस समय सब कुछ भरा पूरा है। स्नेह समर्पण करने के लिए महाराज की याद है; कल्पना का आनन्द भोगना हो तो तुम हो; हृदय शीतल करने को जयदेव जैसा सुपुत्र है; सम्मान और भक्ति की भूख शान्त करने के लिए बहुएँ हैं; परन्तु तुम्हारे कोई नहीं है।''

''कोई क्यों नहीं है?'' कृत्रिम हास्य से मुंजाल ने पूछा, ''आप हैं – जयदेव है– त्रिभुवन है।''

''सब नाम को हैं, कहने भर को हैं। तुम्हें सबकी कमी है। तुम जंगल में खड़े

ताड़ के वृक्ष के समान अकेले हो।" कहकर मीनलदेवी ने आँसू पोंछ लिए। मुंजाल का हृदय भी भर आया। "संसार, मर्यादा, नीति मुझे तुमसे दूर रखती है और तुम्हारी धाक दूसरों को दूर रखती है, अतएव तुम बिल्कुल अकेले हो।"

"देवी," मुंजाल ने कुछ अशान्त होकर कहा, "यह सब क्यों कह रही हो? व्यर्थ ही तुम्हारी छाती फटती है और मेरी भी।"

"फटने दो; परन्तु कभी-कभी अन्दर के विचारों को बाहर तो निकलने दो। जब मैं तुम्हारा और अपना विचार करती हूँ, तब मेरा हृदय काबू में नहीं रहता।"

"क्यों?"

"क्यों क्या? भगवान ने हमें चुप रहने को तो सिरजा है; परन्तु मैं ही न गाऊँगी, तो तुम्हारे गुण कौन गाएगा?"

"परन्तु मुझे गुण नहीं गँवाना। मैं जो कुछ करता हूँ, अपने स्वार्थ के लिए करता हूँ, अपने सुख के लिए करता हूँ।"

"मुंजाल," रानी बीच ही में बोल उठी, "पाँच वर्ष पहले मैं यह बात मान लेती। तुम्हें स्मरण है, जवानी का हृदय सब कुछ लेना चाहता है और प्रौढ़ अवस्था का हृदय देना चाहता है। मुझे रानी बनना था। अपने पाटण को प्रभावशाली बनाना था। अपने पुत्र को इसका मालिक बनाना था। यह सब काम करने के लिए मैंने तुमसे वचन लिया और तुमने उसका पालन किया। पहले मुझमें जो मद था, वह अब उतर गया है। तुमने क्या किया, यह मैं देख सकती हूँ। उस वचन का पालन करने के लिए तुमने अभिमान का, सुख का, स्वार्थ का, संसार का त्याग किया। भरी जवानी में मेरे जैसी स्वार्थी स्त्री के हास्य को अपना ध्येय बना कर, तुम अटल प्रेम-तप करते रहे। तुमने अपनी बुद्धि और चातुरी का अखंड भंडार मेरे पैरों पर खाली कर दिया। तुम स्वार्थी थे, फिर भी मेरे लिए परमार्थी बनकर परम राजभक्त बन गये। गृहस्थ होते हुए तुम मेरे लिए संन्यासी बने। मुंजाल, तुमने क्या- नहीं किया? मैं देखती हूँ, तुम नहीं होते, तो मेरा और मेरे पुत्र का क्या होता।"

"देवी, और कहाँ तक कहोगी? केवल जमा की बाजू ही दिखलाओगी? मैं यह सब किसके प्रताप से कर रहा। इसे क्यों भूली जा रही हो?"

"सब तुमने अपने प्रताप से किया है।"

"नहीं, आपके प्रताप से। मेरी बुद्धि ने जो कुछ किया है, वह आपकी प्रेरणा से। मेरे बाहुओं ने जो कुछ किया है, वह आपकी शक्ति से। इसी से देवी, अब वह प्रेरणा, वह शक्ति नहीं छोड़ी जा सकती – नहीं छूट सकती है। वह जीवन के एक-एक तन्तु के साथ बुन गयी है। इसी से अब नयी बुनाई का साहस नहीं होता, मन भी नहीं कहता।"

"यहीं भूल है।"

"क्यों?"

"तुम्हारे विचार अभी जवानी की आँखों से देखते हैं। तुम्हें ध्यान नहीं कि अब तुम्हारा हृदय जवान नहीं है।"

"यह किसने कहा?"

"मैं कहती हूँ। दूर बैठी हुई, मैं तुम्हारी रग-रग को पहचान सकती हूँ।"

"इसमें क्या पहचाना?"

"बहुत-सी वस्तुएँ। एक तो यह कि सत्ता और प्रभाव जवानी में काम देते हैं। प्रौढ़ वयस में जीवन का लक्ष्य-बिन्दु बदल जाता है।"

"अपने अनुभव से कह रही हैं?"

"हाँ और तुम्हारे अनुभव से भी।"

"अर्थात आप यह समझती हैं कि मुझसे सत्ता की लालसा और महत्ता की अभिलाषा दूर हो गयी है?"

"नहीं, परन्तु सुख की अभिलाषा बढ़ गयी है।"

"तो यह आपकी भूल है। मैं ज्यों-का-त्यों हूँ।"

"तब तो तुम्हें नर-पिशाच होना चाहिए, परन्तु वह तुम नहीं हो। तुम बत्तीस लक्षण वाले हो। तुम्हारे संस्कार पूर्ण रूप से विकसित हो गये हैं। इसीलिए तुम्हारे प्रभाव को सँभाले रखने के लिए योग्य सामग्री चाहिए।"

"और वह सामग्री क्या स्त्री प्राप्त कराएगी?"

"हाँ।"

"किस प्रकार?"

"तुम्हें गृहस्थी के साथ सोने की जंजीर से बाँध देगी। सच कहो, तुम्हें स्वयं को नहीं प्रतीत होता, कि तुम बिल्कुल अकेले ठूँठ हो गये हो?" रानी ने स्नेह-सिक्त दृष्टि से पूछा। ये दोनों दूर-दूर बैठे थे। धीरे-धीरे संयत रूप से बातें कर रहे थे; परन्तु उनके नयनों में अनिवार्य प्रेम के प्रतिबिम्ब पड़ रहे थे।

"सच कहूँ?" खेद-पूर्ण स्वर मुंजाल ने कहा, "लगता है। उस दिन जब सज्जन मेहता की वाटिका में गया तो मेरा हृदय कुलाँचें मार रहा था। मुझे फूलकुँवरि का स्मरण हो आया। यदि वह लड़का भी जीवित रहता तो मुझे इतना न लगता।" वेदना से रानी के सिर पर सिकुड़नें पड़ गयी थीं। उन्होंने कपाल पर से पसीना पोंछकर उन्हें दूर किया।

"मैं क्या कह रही थी?"

"आपकी बात सच है; परन्तु इस अवस्था में नये प्रयोग करने का साहस नहीं है।"

"मूर्ख हो। इसमें क्या आपत्ति है?"

"फिर हमारा क्या होगा?" मार्मिक दृष्टि डालकर मुंजाल ने पूछा।

“मुंजाल,” रानी ने गम्भीर स्वर में कहा, “हमारे अपने लिए ही तुम्हें विवाह करना चाहिए।”

“क्यों?”

“जब तक तुम अकेले रहोगे, तब तक हमारे हृदय कलंकित रहेंगे।”

“देवी, यह क्या कह रही हो?” मुंजाल ने चौंककर पूछा।

“मुंजाल, चन्द्रपुर की मीनलकुमारी को तुम भूलते नहीं, इसी से तुम विवाह नहीं करते। मैं भी सच्चे हृदय से तुम्हारा विवाह कराना नहीं चाहती, क्योंकि मेरा हृदय तुम्हें चन्द्रपुर आने वाला वही जवान नगरसेठ मानना चाहता है और इन दोनों विचारों में पाप है।”

“देवी, पाप भयंकर शब्द है। हम वर्षों इस प्रकार रहे, फिर भी पाप?”

“हाँ, हम बुद्धिमान हैं, नीतिमान हैं, फिर भी पापी हैं। दो हृदय एक ताल पर नाचते हैं।” मुंजाल देखता रहा। रानी ने आगे कहा, “इतना ही नहीं, परन्तु अभी और भी इसी प्रकार नाचते रहना चाहते हैं। यह बन्द करना चाहिए।”

“यह कहीं बन्द हो सकता है?”

“बन्द भले ही न हो, परन्तु उन्हें एक ताल पर नाचने ही सुविधा और सुगमता क्यों देनी चाहिए? मुंजाल, तुम मन्त्रियों में श्रेष्ठ बनो, यह मैं देखना चाहती हूँ; पर मैं सतियों में श्रेष्ठ बनूँ, यह तुम्हें देखना चाहिए।”

“सो तो आप हैं ही। देवी, इतना प्रेम होते हुए, इतना अवसर होते हुए, सतीत्व ही ऐसी रक्षा किसने की है?”

“नहीं मुंजाल, नहीं। जब तुम विवाह करोगे, तभी मेरा सतीत्व पूर्ण होगा।”

“क्यों?”

“तुम किसी दूसरे के बन जाओ, यह मुझे अखरता है; कारण कि मैं तुम्हें अपना समझती हूँ। जब तक हृदय में यह अखर है, तब तक वह नमकहराम है। कोई जानता नहीं है; परन्तु यह जीता-जागता कलंक है। तुम्हारा विवाह करके मुझे यह कलंक दूर करना है।”

“अर्थात?” गहन विचारों में पड़ा हुआ मुंजाल बोला, “क्या आप मुझ पर से अपना अधिकार उठा लेना चाहती हैं?”

“नहीं, तुम मेरे ही हो, कच्चे सूत के धागे से बँधे हुए।”

“तब?”

“परन्तु मैं उस धागे को शुद्ध और दैवी बनाना चाहती हूँ। उसमें मैं अपवित्रता का तनिक भी अंश नहीं चाहती। अपने हृदय की मुझे आहुति देनी है। इसके बिना मेरा सतीत्व कैसे सिद्ध हो सकता है? इसके बिना हमारी प्रतिज्ञा का पालन कैसे हो सकता है?”

"देवी, तुम गुरुओं की भी गुरु हो। अपनी प्रतिज्ञा का पालन करते हुए तो हमारे हृदय की एक-एक बूँद सूख जाएगी।"

"मुंजाल, ऐसी प्रतिज्ञा हमारे जैसे ही पाल सकते हैं। इसी में हमारी महत्ता है। इसी से हमें प्रसन्न होना चाहिए।"

"यही मुझे भी प्रतीत होता है।" विचारों से मुक्त होते हुए मुंजाल ने कहा, "सच बात है। हमारी प्रतिज्ञा पर ही हमारी महत्ता का आधार है। यदि हमें सुबुद्धि न आयी होती, यदि हम कलंकित हो गये होते, तो आज पाटण का नाम-निशान न होता, आज सूर्य के समान दिख रहे तेजस्वी भविष्य को कभी से ग्रहण लग गया होता।"

कुछ क्षण दोनों एक-दूसरे की ओर देखते रहे। प्रतिज्ञा के स्मरण से उत्पन्न हुए पवित्र वातावरण से दोनों गम्भीर होकर चुप हो गये। कुछ देर में मीनलदेवी ने पूछा, "क्यों, अब विवाह करोगे?"

मुंजाल ने केवल सिर को छाती पर झुका लिया।

"मुंजाल!" कहकर मीनलदेवी उठ खड़ी हुईं। मुंजाल भी उठा खड़ा हुआ, परन्तु वह अस्वस्थ-सा होकर पृथ्वी की ओर देखने लगा। मीनलदेवी उसके पास चली गयीं। धीरे-से उसके कन्धे पर हाथ रखा। "मुंजाल, खेद करने की आवश्यकता नहीं।"

"मैं खेद नहीं करता।" कठिनता से खखार कर गला साफ करते हुए मुंजाल ने कहा, "मैं एक मुनि महाराज के प्रश्न को स्मरण कर रहा हूँ।"

"वह क्या?"

"त्याग बड़ा या तृप्ति?"

"तुम क्या सोचते हो?" मुंजाल के हृदय में मच रही उथल-पुथल को देखकर मीनलदेवी ने अश्रुभरी आँखों से पूछा।

"आपकी आज्ञा है कि त्याग बड़ा।"

"परन्तु तुम क्या सोचते हो?"

"मैं कुछ नहीं सोचता। आपकी आज्ञा का पालन करता हूँ। त्याग बड़ा है, तृप्ति नहीं।" कहकर निश्चयात्मक भाव से चित्त फेरकर मुंजाल ने सिर उठाया और रानी की ओर स्थिर दृष्टि से देखा। "देवी, आप पाटण की वास्तविक जगदम्बा हैं।"

"मुंजाल," अमृत भरे स्वर में मीनलदेवी ने कहा, "यह तुम्हारे की कारण।" और वे तेजी के साथ वहाँ से चली गयीं।

दो कैदी

जब मंजरी जागी, तब वह अकेली एक कोठरी में पड़ी हुई थी। वह उठी। उसने घबराकर चारों ओर देखा और वह विचार करने लगी। आख़िर उसे याद आया कि

जब वह चेत में थी, तब मंडलेश्वर और काश्मीरा देवी उसके साथ थे और वहीं से उसे कोई उठा लाया। उसे विश्वास हो गया कि उसको उठा लाने वाला उदा ही होना चाहिए।

वह अकेली थी, अतएव उसमें साहस आ गया। वह उठ खड़ी हुई। कोठरी छोटी परन्तु सुभीते की थी। द्वार बाहर से बन्द था। केवल दो मज़बूत पत्थर की जालियों से कुछ प्रकाश आता था। वह बहुत देर तक जाली में से देखती रही तब समझ सकी कि जाली बाहर नहीं पड़ती है, वरन एक बड़े कुँए के अन्दर की गोल दीवार में पड़ती है।

मंजरी की कल्पना ठीक थी। किसी कुशल कारीगर ने एक पुराने कुएँ को पाटकर उसकी दीवार में अन्दर से ये जातियाँ इस प्रकार लगाई थीं कि बाहर से कोई देख न सके और कोठरी में प्रकाश पहुँच जाए। यह कुआँ बहुत गहरा था, व्यवहार में भी नहीं आता था, इसलिए किसी को उसके पास पहुँचने की आवश्यकता ही न पड़ती। कोई आता, तो इतने बड़े गहरे कुएँ में लगी जालियों को देखने का कष्ट नहीं उठाता। इसी से इस निवास का भेद गुप्त रहता था।

अपनी कल्पना की परीक्षा करने के लिए मंजरी ने जोर से ओ—ओ—ऽ-ऽ किया और उत्तर में कुएँ ने गम्भीर प्रतिध्वनि की।

मंजरी को अपनी स्थिति का ध्यान आया। वह निःसहाय, अकेली, सजीव सृष्टि से अलग जा पड़ी थी। हृदय में यह विचार भी आया कि काक उसे खोजे बिना न रहेगा। परन्तु उसके गर्विष्ट हृदय ने इस विचार को दबा दिया। वह होठ दबा कर खड़ी हो गयी। वह कविकुलशिरोमणि की पुत्री और ऐसे निर्बल विचार करे! "मन एव मनुष्याणां कारणं बंधमोक्षयोः" वह बुदबुदाई। कुछ देर में द्वार खुला और चुपचाप सुरपाल आ गया। वह संकेत से मंजरी को बाहर ले गया और बाहर की कोठरी के चौक में उसके नहाने के लिए पानी रख गया। मंजरी ने इस भय से उसकी ओर देखा भी नहीं कि कहीं वह उसके सामने कुछ निर्बलता न प्रकट कर बैठे। वहीं पास ही आग्नि और भोजन की सब समाग्री रखी थी। उसे दिखाकर सुरपाल चुपचाप चला गया।

मंजरी ने स्नान किया, थोड़ा-सा राँधकर खाया और फिर अपनी कोठरी में आ गयी। कुछ देर में सुरपाल आया और द्वार बन्द कर गया। मंजरी कुछ देर निःशक्त-सी पड़ी रही। फिर कुछ देर सोई और कुएँ में पड़ता हुआ सूर्य का प्रकाश जब कुछ कम होने लगा तो वह जाली के पास आ बैठी। प्रकाश ज्यों-ज्यों कम होने लगा त्यों-त्यों उसके रसिक हृदय में कवियों के अनेक पद उमड़ने लगे। शृंगार और वीररस में झूमती हुई वह धीरे-धीरे गुनगुनाने लगी। करुण-रस प्रधान होने पर गुनगुनाहट स्पष्ट हो गयी—वह धीरे-धीरे गाने लगी।

गाते-गाते वह चौंक पड़ी, घबड़ा गयी, देखने लगी कि सामने से उन्हीं शब्दों को कोई दोहरा रहा है। उसने ध्यानपूर्वक देखा और अपनी मूर्खता पर हँसने लगी। सामने कोई नहीं बोल रहा था, कुएँ से केवल स्वर की प्रतिध्वनि आ रही थी। वह हँसी। उसे ऐसा प्रतीत हुआ कि भगवान ने उसके लिए अकल्पित मित्र भेज दिया है। वह उच्च स्वर से गाने लगी और कुएँ ने भी वैसी ही मधुर प्रतिध्वनि की। गाते-गाते उसके हृदय में वैराग्य आने लगा और सांसारिक लालसा की निर्थकता का अनुभव होने लगा। अपनी ओर, सृष्टि की ओर तिरस्कार प्रकट करते हुए उसे भर्तृहरि के प्रश्न याद आये–

"जीर्णा कन्था ततः किं सितममलपटं पट्टवस्त्रं ततः किम्।
एका भार्या ततः किं हयकरिसुगणैरावृत्तो वा ततः किम् ॥
भक्तं भुक्तं ततः किं कदशनमथवा वासरान्ते ततः किम्।
व्यक्तं ज्योतिर्नवान्तर्मथितभवभयं वैभवो वा ततः किम् ॥"*

उसने दयार्द्र स्वर से यह गाया। कुएँ से इसका भी शोकपूर्ण उत्तर आया। मंजरी इपने दुःख में डूब गयी और हृदय से उठती हुई सिसकियों को रोकने का प्रयत्न करने लगी।

वह चुप हई, तो कुएँ में से उत्तर के शब्दों की प्रतिध्वनि आयी। कोई संस्कृत श्लोक से उसे सम्बोधन कर रहा था। उस समय विद्या प्राप्त करना बड़ा कठिन था और शुद्ध संस्कृत में बोलने वाले गिन-चुने ही व्यक्ति मिलते थे। इस कारण यह माना जाता था कि उस भाषा के बोलने वाले उच्च कोटि के विद्वज्जन ही हो सकते हैं। एकान्तवास में अचानक सुनाई पड़ने वाले संगीत से मंजरी चकित हो गयी और ध्यानपूर्वक सुनने लगी।

बोलने वाले का स्वर पुरुष का-सा और संस्कारशील था। उसका उच्चारण और भाषा उच्च प्रकार की विद्वत्ता प्रकट कर रही थी। विद्याविलासिनी मंजरी इस प्रकार सुनती रही–

"कारागारं सुधाभिर्बलिसदनमिव प्लावयन्ती समन्ताद,
वाग्भिः कर्णप्रियाभिर्विशरणशरणे कासि कारुण्यमूर्त्ते।
ज्ञात्वा तृष्णां ममैकामघहिमिहमहाकालपादोसेवां,

* जीर्ण कन्था हो, तो क्या और सफ़ेद निर्मल रेशमी वस्त्र हो, तो भी क्या? केवल अकेली पत्नी ही हो, तो क्या और चारों ओर घोड़े और हाथियों से सुशोभित समूह हो तो क्या? अच्छा भोजन किया हो, तो क्या और सन्ध्या समय रद्दी भोजन मिला हो तो क्या? हृदय में भव-भय का नाश करने वाली ज्योति प्रकट हो गयी हो, तो क्या और वैभव हो, तो क्या?

प्राप्ता किं भक्तरक्ता सकलकलिहरा शर्मदा शांभवी श्रीः ॥1॥
अवन्तिनाथेन सनाथकं मां विज्ञाय कल्याणविधायिनी त्वम्।
किमागता दुर्गतसाह्यशीला मातर वृषांकांकसुखं विहाय ॥2॥"

मनुष्य की समीपता से उत्पन्न हुए आश्वासन से मंजरी को साहस आ गया। जहाँ चिड़िया भी पर न मार सके, वहाँ अन्य मनुष्य का स्वर और वह भी संस्कारशील मधुर तथा उसके हृदय की मातृभाषा संस्कृत में! हर्षोन्मत्त मंजरी उठकर जाली के निकट आ गयी और कुछ देर में मन-ही-मन एक श्लोक रचकर उसने अपना प्रत्युत्तर दिया।

प्रत्युत्तर देते हुए उदा के दिए हुए दुःख उसे याद आए और दूसरा चरण कहते-कहते जगत् को शाप देने के लिए तैयार हुई चंडिका के समान उसके नयनों में विश्वसंहाकर अग्नि प्रज्वलित हो उठी। वह बोली–

"नो देवी परिदेविनी मनुसुता मर्मार्तिभिः पीड़िता,
पापौघैर्निखिलै र्खलैरहमिमां कष्टां दशां प्रापिता।
पीयूषप्रतिमूर्त्तिभिर्जलधरः सारंगमद्भिर्यथा,
वाग्भिर्मां पुनरत्र कोऽसि भगवन् दीनां त्वमुज्जीवयन् ॥3॥"

उसने यह श्लोक धीरे से, स्पष्टता से कहा और आनन्द विभोर-सी मंजरी उत्तर की प्रतीक्षा करती हुई खड़ी रही। अपना दुःख, अपनी असहाय अवस्था, अपने पर उदा के द्वारा हुए अत्याचार को वह भूल गयी और इस स्थान में ऐसा संस्कारशील मनुष्य कैसे आ सका, यह जानने को तरसने लगी।

कुछ देर में उत्तर आया और यह कान लगा कर सुनने लगी–

"निःशेषै राजवृन्दैर्मुकुटमणिरुचा धौतपादाब्जयुग्मो,
नित्यं जाज्वल्यमानः परविपिनदवोऽवन्तिपो लक्ष्मवर्मा।
योऽसौ तत्प्रींतिपात्रं प्रथममुपगवः क्षत्रवंशावतंस–

---

1. जैसे सुधा से बलि-सदन का प्लावन करती हो वैसी ही सर्वतः कारागार का कर्ण-प्रिय-वाणी से प्लावन करने वाली हे विशरणशरण कारुण्यमूर्ति, तुम कौन हो? पाप रूपी हिम का नाश करने महाकाल की चरणसेवारूप मेरी एक तृष्णा है, उसको जानकर क्या भक्त पर प्रीति रखने वाली सकल दुःखों का नाश करने वाली और शान्ति देने वाली, तुम भगवान शंकर की श्री आ पहुँची हो?
2. अवन्तिनाथ ने मुझे सनाथ किया है, यह जानकर हे माता, कल्याणकारिणी और दुखियों की सहायता करने वाली, क्या तुम शंकर के उत्संग का सुख त्याग आयी हो?
3. मैं देवी नहीं, मर्मव्यथा से पीड़िता, पाप के ओघ रूप सर्व खलों से हम कष्टमय दशा को पहुँचाई हुई मानवी स्त्री हूँ। जिस प्रकार जलधर अमृतोमप जलधार से चातक को जिलाता है, उसी प्रकार अमृतरूपी वाणी से मुझ दीन को उज्जीवित करने वाले हे भगवन् तुम कौन हो?

स्तस्याहं दिव्यकीर्तिः प्रथितभुबलः कीर्तिदेवस्तनूजः॥4॥''

कीर्तिदेव जरा ठहर गया। मंजरी दम साधे सुनती रही–

''प्रद्वेषिणो यस्य भुजप्रभावाद्यमालयातिथ्यभुजो भवन्ति।

सोऽहं यथानाम सुकिर्तिदेवोऽप्यकीर्तिदे वेश्मनि सन्निविष्टः॥5॥''

गर्व से कीर्तिदेव ने अपने गुण का वर्णन किया और फिर मधुरता से पूछा–

''बद्धोऽस्म्यबध्योऽप्वसखश्छलेन प्रधानमुख्यैः पिशुनप्रधानैः।''

कारागता त्वं वद कासि भद्रे संस्कारभद्रां गिरमुद्गिरन्ती ॥6॥

पुण्याक्षरैः कैरभिधीयसे त्वं पुनासि वासेन निकेतनं किम्।

को भाग्यशाली रिपुदंडचण्डस्त्वनन्यवासः तव हृन्निवासः॥7॥

ये श्लोक सुनते-सुनते उसका हृदय उछलने लगा। क्या कीर्तिदेव यहाँ? जिस महारथी की प्रशंसा उसने काक के मुँह से सुनी थी, जिसके रूप और गुण की ख्याति से आकर्षित होकर वह गत रात्रि को काक के साथ पुरुष वेश धारण कर सज्जन मेहता की वाटिका में गयी थी, उसे यहाँ पड़ा देखा, वह विस्मित हुई। उसकी संस्कारशील भाषा सुनकर, उसके प्रति उसके हृदय में सम्मान बढ़ गया। ऐसे सुविख्यात योद्धा की समीपता से उसका भाव-विलासी हृदय पागल हो गया। वह कुछ देर चुप खड़ी रही और विचार करने लगी कि प्रश्न का क्या उत्तर दिया जाए।

इन प्रश्नों ने मंजरी के हर्षित हृदय को ज़रा गम्भीर बना दिया। रुद्रदत्त जैसे कविकुलशिरोमणि की पुत्री के रूप में परिचित होना तो ठीक है, परन्तु वह किसकी–कैसे पुरुष की-किस प्रकार पत्नी बनी है! अपने धिक्कार का पात्र बना हुआ काक उसे स्मरण हो आया। उसका परिचित परन्तु अनाकर्षक मुख याद आ गया। ऐसे ही वह स्त्री है और ऐसा उसका सौभाग्यरक्षक पति है! उसने पहले पिता का परिचय देने का

---

4. समस्त राजाओं के मुकुटमणियों की प्रभा से जिनके चरण-कमल धुलते हैं, और जो सर्वदा शत्रुजनों के लिए जाज्वल्यमान दावानल के समान हैं उन अवन्तिपति लक्ष्मवर्मा की प्रीति के प्रथम पात्र और क्षत्रवंश के आभूषण दिव्यकीर्ति उपगव (उबक) का मैं विख्यात भुजबल वाला कीर्तिदेव नामक पुत्र हूँ।

5. जिसकी भुजाओं के प्रभाव से शत्रुगण यमराज के महल का आतिथ्य ग्रहण करने जाते हैं, वह मैं यथार्थनाम कीर्तिदेव होते हुए भी आज इस कीर्तिहर स्थान में पड़ा हुआ हूँ।

6. अबध्य होते हुए भी मैं तो अमात्य आदि दुर्जनों के द्वारा छल से कैद किया गया हूँ। परन्तु संस्कारों से कल्याणी वाणी उच्चारण करने वाली हे भद्रे, इस कारागार में पड़ी हुई तुम कौन हो?

7. किन पुण्याक्षरों से तुम्हारा नाम बना है? तुम्हारे वास से कौन-सा गृह पावन होता है? शत्रु को दंड देने में चंड के समान, ऐसा कौन भाग्यशाली पुरुष है जो अन्य वास त्यागकर तुम्हारे हृदय में ही वास कर रहा है?

विचार किया। अपने स्नेहपात्र पिता के गुण गाते हुए उसका हृदय गर्व से उछलने लगा। वह धीरे-धीरे गाने लगी—

“पाखंडाशयखंडनैकरसिको गीर्वाणगीर्मण्डन-
श्चण्डः पण्डितमण्डले प्रतिदिनं मार्तण्डवद्भादि यः ॥
यं पादप्रणतः स्तुते कविगणः सद्भारती भारत-
स्तातो मानपदं स पट्टनपतेः श्रीरुद्रभट्टो मम ॥8॥”
समस्तसारस्वतवारिराशेः पारंगतो यः स्वधियावभासे।
विनाशहेतोरिव दुष्कवीनां तनुं दधानः कवितावतारः ॥9॥”

इतना बोलने के पश्चात् वह कठिनाई में पड़ गयी। क्या अपने विवाहित पति की बात वह करे ही नहीं? क्या उसके विषय में किए हुए प्रश्न का उत्तर खा ही जाए? उसके प्रामाणिक हृदय को यह ठीक न मालूम हुआ। तब क्या किया जाए? स्वीकार कर लिया जाए कि काक—एक भटकने वाला सुभट—उसका सौभाग्यरक्षक पति है? लज्जा से मंजरी का गला घुटने लगा। पतिरूप में काक का परिचय देते हुए उसके प्राण निकले जा रहे थे। उसका गर्व नष्ट हो रहा था। उसका नाम न बताकर उसका और अपना सम्बन्ध छिपाना, यह भी गर्व की बात नहीं थी। इन विचारों की उलझन में उसे पसीना आ गया। उसने पसीना पोंछकर मस्तिष्क को स्थिर किया। उसके मस्तिष्क में बड़े वेग से अनेक विचार उत्पन्न हो गये। वह काक की स्त्री है, यह बात अब बदली नहीं जा सकती। वह शुद्ध ब्राह्मणवंश का है। जिन जामदग्नेय का वह हृदय में जप किया करती थी, वह उन्हीं का गोत्रज है। उसने लाट को वशीभूत किया है, अपने अकेले हाथों नवघन को मात किया है, जयदेव का वह दाहिना हाथ है, उसने मुझे बहुत ही वीरता से बचाया है। कोई उपन्यासकार जिस प्रकार अपने उपन्यास के नायक के पराक्रमों की सूची बनाता है, उसी प्रकार उसके मस्तिष्क ने इन सब पराक्रमों की सूची बना डाली। उसे सब गुणों का जोड़ ठीक मालूम हुआ। उसमें अधिक अधमता प्रतीत नहीं हुई। कवि की-सी अतिशयोक्ति की स्वाभाविक टेव से वह काक का परिचय देने लगी। परिचय देते ही उसकी कल्पनाशक्ति उत्तेजित हो गयी और वह जैसे काक के बदले परशुराम का ही वर्णन करती हुई बोली—

भीमाचारगुरुः पुरघ्नसदृशः प्रोद्दण्डशौण्डो मुनि-
र्मातृघ्नो जमदग्निऽजोऽदहनस्तद्गो त्रमौलिर्यथा ॥

---

8. पाखंड का खंडन करने के अनन्य रसिक, गीर्वाण वाणी के अलंकार, पंडित-मंडली में जो सदा सर्वदा सूर्य के समान चंड बनकर प्रकाशमान हैं, और सुन्दर वाणी की प्रभा में आनन्द लेने वाले कविगण चरणों में झुककर जिनकी स्तुति करते हैं, वे पट्टन-नरेश के सम्मानपात्र श्री रुद्रभट्ट मेरे पिता हैं।
9. जो समस्त सारस्वतरूप जलनिधि के पार पहुँच गया है, और अपनी बुद्धि से दुष्कवियों के विनाश के लिए देहधारी कवितासार के समान जो प्रकाशमान हो रहा है।

शौर्यक्रौर्यविधौ तथैव निपुणः पुण्यप्रभान्वितो,
रेवातीरवितीर्ण कीर्तिनिकरः काकारि यच्छत्रुकः ॥10॥

यह बोलते-बोलते जैसे उसके प्राण निकलने लगे, हृदय उलझन में पड़ गया, गर्व ने मुख से काक का नाम न निकलने दिया। उसने अपने रसीले होठ अरसिक दृढ़ता से दबा लिए। गर्व के बल पर नेत्रों से तेज विकीर्ण करती हुई वह अपने अवगणना किए हुए पति का नाम बोली—

''काकः —'' जरा रुककर उसने वेग से चरण को पूरा किया—

''काकरुकारिरग्रवयसः शुष्काशनिश्तेजसा।''

दूसरा चरण रचते हुए देर लगी। काक का अपने अकेले हाथों जूनागढ़ के नवघन रा को पकड़ लाने का अप्रतिम पराक्रम उसे याद आ गया और वह बोली—

''शीर्ण येन हि जीर्णदुर्ननृपतेर्मानं महामानिना॥''

इस चरण से उत्पन्न हुई मानसिक छवि से वह काक की ओर के धिक्कार को क्षण भर के लिए भूलकर उसके गुण गाने लगी—

''नीतिज्ञश्चकितप्रधानसचिवः कर्णात्मजाभ्यर्चितः
श्रीमन्मण्डलनाथसख्ययुगसौ—''

वर्णन तो पूर्ण हो गया, परन्तु चरण अपूर्ण रह गया। क्रोध से—तिरस्कार से वह शेष शब्दों को बोली—

''सौभाग्यनाथो मम ॥11॥''

अन्तिम शब्दों को बोलते हुए उसका हृदय फट गया। उसकी आँखों में अँधेरा छा गया। वह अपने मन से पतित हो गयी—गंगा की भाँति नीचे और नीचे। गर्व त्यागकर काक को पति स्वीकार करना! उसे दीवार पर सिर पटकर मर जाने की इच्छा हुई!

मंजरी ने अपने मुँह से निकलती हुई सिसकी को बड़े प्रयत्न से रोका। उसे विश्वास हो गया कि वह इस समय अधमता की नीची से नीची पंक्ति में आ गयी है। यह श्लोक सुनकर कीर्तिदेव के आश्चर्य का पार नहीं रहा।

---

10. मुनि होते हुए भी भीषण आचरण के गुरु, पुरघ्न (महादेव) के समान दंड देने में चतुर, माता का वध करने वाले और अग्नि के समान दाहक, जमदग्नितनय परशुराम जिस गोत्र के मुकुट थे, उसी प्रकार शूरता-क्रूरता में निपुण और पुण्य प्रभाव युक्त रेवा के तीर पर जिसकी कीर्ति हुई है, और जिसके शत्रु काकारि अर्थात उलूक बन जाते हैं, (अँधेरे में ही छीपे रहते हैं) ऐसे—

11. काक—जो कि तेज में बिजली के समान है, डरपोक का बालपन से ही शत्रु है, जिस महामानी पुरुष ने जीर्ण दुर्ग (जूनागढ़) के नृपति का मान शीर्ण किया है, जिसने नीतिज्ञ मुख्यमन्त्रियों को चौंकाया है, जो कार्णात्मज जयदेव से पूजा जाता है, वह श्रीमान मंडलेश्वर की मैत्री प्राप्त काक मेरा सौभाग्यनाथ है।

"क्या कह रही हैं?" वह संस्कृत को छोड़कर बोल उठा और प्रतिध्वनि ने मंजरी से पूछा, "भटराज काक? मेरा वयस्क? तुम यहाँ कैसे?"

मंजरी ने धीरे-धीरे अपना इतिहास कह सुनाया और उस रात को सज्जन मेहता की वाटिका में हुई षड्यन्त्रकारियों की सभा का वर्णन किया। कीर्तिदेव आश्चर्य से सुनता रहा।

"बहन," उसने काक के प्रदर्शित विचार सुनकर कहा, "तुम्हारे सौभाग्य की सीमा नहीं है।"

"क्यों?" आश्चर्य से मंजरी ने पूछा।

"उसके बिना ही क्या ऐसा पति पाया जाता है?"

मंजरी चकित हो गयी। क्या काक ऐसा वीर और बुद्धिमान समझा जाता है? इसके उत्तर में उसके गर्विष्ठ हृदय में केवल तिरस्कार छा गया। एकान्त होते हुए भी अभिमान से उसके होठ सिकुड़ गये।

"और मुझे विश्वास है –"

"क्या?"

"कि काक तुम्हें छुड़ाए बिना न रहेंगे।"

अपने ही विचार का प्रतिबिम्ब इन शब्दों में देखकर मंजरी विचार में पड़ गयी। क्या काक उसे खोज निकालेगा? 'शुनीमन्वेति श्वा' इस अपमानपूर्ण वाक्य का उसने अभी उसे विगत रात को ही प्रयोग किया था, यह उसे याद आ गया। उसने हृदय को कठोर कर लिया। काक के समान मनुष्य उसे छुड़ाए, उस पर असीम उपकार का भार चढ़ाए, इसकी अपेक्षा इस पाताल निवास में जीवन भर सड़ते रहना उसे अच्छा प्रतीत हुआ।

इसी समय कीर्तिदेव का स्वर सुनाई पड़ा– "अब बोलना नहीं, रखवाला आ रहा है।"

मंजरी चुप हो रही। उसका हृदय भर आया था। कैसा उसका जीवन है! और यह उसकी कैसी अधोगति है! उसकी प्रबल कल्पना-शक्ति ने उसके विगत जीवन की याद करा दी।

वह रो पड़ी–पिता को याद करके और अपने विद्याविलास और बालपन की चेष्टाओं को स्मरण करके। माता के अधार्मिक आचरण ने–उदा के अत्याचार ने, काक के पाणिग्रहण ने आँसुओं के द्वार खोल दिए। भावनाओं के शिखर से पतित होना एक दुःख है; परन्तु यदि उसका भान हो जाए, तो उस दुःख का पार नहीं रहता और फिर यह तो संस्कार और शुद्धता कें गर्व में निरन्तर मस्त रहने वाली मानिनी थी।

पता लगा

एक दिन बीता, दो दिन बीते, तीन दिन बीते—परन्तु काक को मंजरी का पता न लगा। उसकी अकुलाहट का पार न रहा। त्रिभुवनपाल और काश्मीरा देवी भी निराशा में डूब गये।

काक आवेश में आ गया। वह हर रोज मुंजाल से मिल आता, महाराजा जब शिकार से लौट आते, तब उनसे भी मिल लेता और बाकी का समय मंजरी की खोज करने में बिताता। वह उदा के पीछे पड़ गया। उसके निर्जन घर की खोज ले आया। विश्वस्त मनुष्यों द्वारा शान्तु मेहता के घर की भी खोज कराई; मंजरी का कहीं नाम निशान भी नहीं दिखलाई पड़ा।

उसका भट रुद्रमल्ल भी कोई पता न लगा सका।

''रुद्रमल्ल, लाट की प्रतिष्ठा चली जाएगी।''

''महाराज, परन्तु क्या किया जाए?''

''वह सवेरे कहाँ जाए करता है?''

''कौन, उदा मेह...''

''चुप, चुप, धीरे बात करो।''

''सवेरे पोषधशाला को जाता है। वहाँ से राजमहल में आता है। फिर वहाँ से लौटकर शान्तु मेहता के यहाँ जाकर, खा-पीकर, दोपहर के बाद बाहर निकलता है।''

''फिर?''

''अनेक बार तो फिर राजमहल में राजमाताजी से मिलने जाता है और कभी-कभी मुंजालेश्वर महादेव के निकट वाले पुराने चैत्य में चला जाता है।''

'' उस पुराने चैत्य में किसलिए?''

''मालूम नहीं।''

''वहाँ उपाश्रय में कोई जैन मुनि हैं?''

''नहीं, कोई खास तो नहीं है।''

''अच्छा, फिर वहाँ जाता है?'' काक ने पूछा।

''फिर या तो किसी सेठ के यहाँ या शान्तु मेहता की हवेली के पास वाले उपाश्रय में।''

''और रात को?''

''सारी रात घर से बाहर नहीं निकलता।''

''अच्छा!'' कुछ उलझन में पड़कर काक ने कहा।

काक ने दूसरे दिन शान्तु मेहता की बगल वाली हवेली के उपाश्रय में जाकर एक दृष्टि चारों ओर डाल ली। उदा मेहता वहाँ प्रकट रूप से मुनियों के सम्भाषण सुनने

को बैठता और एक कट्टर जैन की भाँति एकाग्रता से सुनकर बाहर निकला करता। काक को विचार आया कि किसलिए उदा नित्य उस चैत्य में जाए़ण करता है? मंजरी को कहीं वहीं तो नहीं रखा है?

एक जैन सुभट की सहायता से उसने चैत्य में खोज कराई; परन्तु वहाँ कोई प्रसिद्ध मुनि या आचार्य के ठहरने का पता न लगा। एक बार स्वयं जाकर उसने देखा, तो वहाँ उसे किसी को छिपा रखने का सुविधा-जनक स्थान भी नहीं दिखाई पड़ा। उदा वहाँ एक-एक दिन के अन्तर से आता, चैत्य में जाता, परन्तु बड़े प्रवेश द्वार से लौटता हुआ नहीं दिखाई पड़ता। एक बार उदा को अन्दर गये कुछ देर हुई। अतएव उसने रुद्रमल्ल को भली भाँति सिखाकर अन्दर भेजा।

वह गया और उदा की खोज की। इस पुराने चैत्य में विरला ही कोई आता था। बड़ी कठिनता से एक मनुष्य ने कहा, ''उदा मेहता यहाँ बहुत करके आए तो थे, परन्तु चले गये।''

''नहीं जी, यहीं हैं। मुझ से कहा था कि मैं यहीं मिलूँगा। राजमहल में एक ज़रूरी काम है, इसलिए आया हूँ।''

''तो उस ओर जाकर पूछो। वहाँ दो एक साधु हैं। कदाचित उनसे मिलने आते हों।''

रुद्रमल्ल ने वहाँ जाकर पूछा। मरने के आलस्य के कारण जीते हुए एक वृद्ध साधु ने कहा, ''हाँ, उदा मेहता आए थे। क्यों?''

''कहाँ हैं?''

''यह कैसे कहा जा सकता है? परन्तु सच्चे श्रावकों के हृदय में वे सदा बसते हैं।''

''आपके पास आते हैं?''

''तब किसके पास आएँगे? संसार में गुण के परखने वाले कहाँ हैं? यही एक व्यक्ति है जिसने इतने वर्षों के बाद मेरे गुणों को परखा।''

''कब गये?''

''विनयशील है—शुद्ध श्रावक है।'' बूढा साधु आँखें मूँदकर उदा के गुण गाने लगा, ''विद्वान—''

''परन्तु महाराज, इस समय वे हैं कहाँ?''

''चले गये। मनुष्य को कसौटी आनी चाहिए।''

रुद्रमल्ल ने वहाँ से लौटकर काक को सब कह सुनाया। दूसरी बार चैत्य के जितने द्वार थे, वहाँ एक-एक मनुष्य को नियत करके काक ने पता लगाया, परन्तु उदा वहाँ से निकलता हुआ नहीं दिख पड़ा। काक को विश्वास हो गया कि मंजरी का पता अवश्य लग जाएगा।

जब काक को फिर से इस चैत्य में आना पड़ा, तब वह फटे-पुराने कपड़े पहनकर

आया और जहाँ वह वृद्ध साधु ठहरा था, उस एकान्त बरामदे के समाने छिपकर बैठ गया। कुछ देर में उदा आया, और उसी बरामदे में गया। काक भी उसके पीछे हो लिया और छिप गया। उदा ने कुछ देर साधु से बातचीत की और विदा ली। पत्थर के एक स्तम्भ के पीछे छिपा हुआ काक देखता रहा। उदा द्वार तक आया और उसने द्वार के बाहर दृष्टिपात किया। बाहर कोई नहीं दीख पड़ा। अतएव वह फिर अन्दर गया। काक दम साधे देखता रहा। उदा ने इधर-उधर देखा और दीवार में एक पुरानी खिड़की थी, उसे खोलकर वह बाहर की ओर कूद पड़ा। अपने शिकार पर सिंह जिस वेग से आक्रमण करता है। उसी वेग से काक ने छलाँग भरी, उदा के बन्द किए हुए खिड़की के द्वार को खोलकर एक दृष्टि डाली और वह भी बाहर की ओर कूद पड़ा।

यह खिड़की मुंजालेश्वर के मन्दिर और चैत्य की बीच की दीवार की गन्दी अँधेरी गली में पड़ती थी। आगे बढ़ने पर काक को उदा के सफ़ेद वस्त्रों का आभास मिला और वह उसके पीछे-पीछे दीवार से सटे हुए छिपकर चलने लगा।

उदा ने इस गली में से होकर मुंजालेश्वर महादेव के मन्दिर में जाने वाले द्वार को पार किया और वह मन्दिर के पीछे की ओर जा निकला। वहाँ से जल्दी से पिछले तहखाने में पैठा। कहीं पकड़ न जाए, इस डर से डरता हुआ काक भी पीछे-पीछे चलता गया। उसे कँपकँपी आ गयी। कारण लोग कहते थे कि इन तहख़ानों में काल भैरव का वास है। परन्तु काक ने विचार किया कि जहाँ मारवाड़ी जैन वणिक जा सकते हैं, वहाँ उस जैसे ब्राह्मण वीर को क्या भय हो सकता है?

कुछ देर आगे बढ़कर उदा ने पलीता जलाया और काक एक कोने की आड़ में छिप गया। तहख़ाने के पत्थर को खिसका कर, उसका मुँह खोला और उसमें प्रवेश किया। ज्यों ही उदा ने पलीते को बुझाया कि काक आगे बढ़कर उस मोखे में होकर सुंरग में पहुँच गया। सुंरग का मार्ग सीधा था। इस अवसर का लाभ उठाकर उदा मेहता को यमलोक पहुँचाने का विचार काक को हो आया; परन्तु ऐसा करने से मंजरी नहीं मिल सकती, अतएव उसने इस विचार को स्थगित कर दिया। बहुत देर तक चलने पर ये लोग विमलशाह ही बावड़ी पर जा निकले। यह मार्ग देखकर काक को आश्चर्य हुआ और वह विचार करने लगा कि मंजरी की क्या दशा होगी। मंजरी के व्यवहार से उसके प्रति उसे बड़ा तिरस्कार हो गया था। फिर भी उसके हृदय पर उस गर्विष्ठ सुंदरी का साम्राज्य निश्चल था और उसे जीतने की आशा उसने अभी तक छोड़ी नहीं थी।

उदा तेजी क़े साथ वहाँ से निकलकर सामने वाले उपाश्रय में गया, और उसके एक ओर जहाँ सुरपाल रहता था; वहाँ पहुँचा। काक ने उसके पीछे की ओर जाकर उपाश्रय की रचना को दृष्टि में जमा लिया।

कोई दो घड़ी तक उसने प्रतीक्षा की, तब उदा लौटा और बावड़ी की ओर गया।

काक को अब उसकी परवा नहीं थी। उसे विश्वास हो गया कि मंजरी इसी उपाश्रय में होनी चाहिए। इतने में सन्ध्या हो गयी, अँधेरा छा गया और पाटण के दरवाज़े बन्द हो गये। दरवाज़े बन्द होते ही काक ने वहाँ से निकलकर सुरपाल का द्वार खटखटाया।

"कौन, महाराज?" उसने धीरे से पूछा।

"भाई, मैं एक पथिक हूँ। मुझे इस समय यहाँ पड़ा रहने दोगे?" 'महाराज' कौन है, इस पर विचार करता हुआ काक बोला।

"नगर में जाना था, तो जरा पहले आते!" सुरपाल ने कहा, "जाओ, उस अन्दर के दालान में सो रहो।" कहकर उसने द्वार को किवाड़ों के बन्द कर लिया।

काक को यही चाहिए था। वह अन्दर के दालान में गया और वहाँ से सारे उपाश्रय में घूमने लगा। दो साधुओं के सिवाय वहाँ कोई नहीं था। वह सब ओर फिरा परन्तु मंजरी को छिपा रखने योग्य कोई जगह उसे नहीं दिखाई पड़ी। चिन्ता ही चिन्ता में उसने सारी रात बिता दी।

वह सवेरे जल्दी उठकर फिर उपाश्रय की जाँच करने लगा। उसे यह विश्वास तो हो ही गया था कि मंजरी यहीं होनी चाहिए; परन्तु वह कहाँ होगी? सम्भव है, सुरपाल जानता हो; परन्तु वह उदा का शिष्य हो, तो उससे पूछने से क्या लाभ? इसी समय सुरपाल हाथों में घड़े लेकर बावड़ी की ओर जाता दिखलाई पड़ा। काक उसके साथ हो लिया।

"क्यों, नगर में नहीं गये?" सुरपाल ने पूछा।

"नहीं, मैंने सोचा कि स्नान-सन्ध्या करके ही जाऊँगा।"

"ब्राह्मण हो?"

"हाँ।" काक ने कहा। दोनों बावड़ी पर पहुँचे और सुरपाल पानी भरने लगा। सुरपाल बहुत ही अल्पभाषी था। अतएव उसके साथ अधिक बातें नहीं हो सकती थीं। काक धीरे-धीरे नहाने लगा। कुछ देर में उसे एक बात बहुत आश्चर्यजनक मालूम हुई। जितना पानी एक आदमी के लिए चाहिए सुरपाल उससे बहुत अधिक पानी भरकर ले जा रहा था।

अचानक काक को विचार आया कि मंजरी को सुरपाल ने कहीं तहख़ाने में तो नहीं रखा है? यह विचार आते ही उसे हंसादेवी की बात याद आ गयी जो त्रिभुवनपाल ने उससे कही थी। उसका रोम-रोम खड़ा हो गया। क्या मंजरी की भी वही दशा होगी? उससे स्नान और सन्ध्या करके सुरपाल से विदा ली और जल्दी से घर आ गया।

"क्यों, रात को कहाँ थे?" चिन्तातुर मंडलेश्वर ने पूछा।

"वही की वही पीड़ा मेरे पीछे लगी है।"

"कल मैंने राजमाता से बात की थी। उन्होंने वचन दिया है कि यदि मंजरी को उठा ले जाने वाला पकड़ा जाए, तो उसे कठोर दंड दिया जाएगा।"

"पकड़ा जाए, तभी न?" काक ने हँसकर कहा।

"कुछ पता लगा?" काक की आवाज़ सुनकर आयी हुई काश्मीरा देवी ने कहा।

"हाँ, लगा है।"

"कहाँ है?"

"कहूँ? ठहरिए, परन्तु पहले मैं जो पूछूँ, वह बताइए।"

"क्या?" दोनों बोल उठे।

"हंसा माता को जहाँ कैद रखा था, वह स्थान कौन-सा है?"

त्रिभुवनपाल को विस्मृत दुख का स्मरण हो आया। उसके कपाल पर बल आ गये। "क्यों?"

"मुझे काम है।"

"वह स्थान किसी को मालूम नहीं। मामा जानते हैं, या मीनलदेवी।"

"परन्तु किंवदन्ती क्या है?"

"यह कि विमलशाह के उपाश्रय में उन्हें रखा गया था।"

"यह सच है।" काक ने कहा।

"यह कैसे जाना?" काक का दिमाग ठिकाने है या नहीं, यह सन्देह होने पर काश्मीरा देवी ने पूछा।

"कारण कि मंजरी भी वहीं है।"

"ऐं!"

"क्या वहाँ तहखाने हैं?" काक ने पूछा।

"लोग तो यही कहते हैं।"

"तो यह बात भी सच है। आप उस उपाश्रय के रक्षक को पहचानते हैं?"

"नहीं, परन्तु वह बड़ा पुराना आदमी है।"

"वह पसीज सकता है?"

"यह कैसे कहा जाए?" मंडलेश्वर ने कहा।

"तब उस तहखाने के विषय में कुछ मालूम हो सकता है?" काक ने पूछा।

त्रिभुवनपाल ने सिर हिलाया, "नहीं। यह तुम कहते हो तब। मेरी तो धारणा है कि वहाँ तहखाने हैं ही नहीं।"

"अच्छा, मैं विश्वास करा दूँगा।"

"किस प्रकार?"

"वहाँ से मंजरी को छुड़ा लाकर।"

मंजरी ने पति की प्रतिष्ठा रखी

काक ने एक दिन में सारी तैयारी कर ली और जब उदा का विमलशाह के उपाश्रय में जाने का समय हुआ, तब वह उसे मात करने को तत्पर हो गया।

इतने समय में काक और रुद्रमल्ल ने मिलकर जिस कोठरी में सुरपाल रहता था उसकी कुछ खपरैल हटाकर बाँस तोड़ डाले थे। निश्चिन्त सुरपाल अपना काम किए जा रहा था और अपनी होशियारी में फूला हुआ उदा निर्भय हो रहा था।

उस दिन उदा उजाला रहते न आए, इसके लिए काश्मीरा देवी ने एक युक्ति रच ली थी। सोरठ से कर्कसूरि नामक एक दिगम्बरमतानुयायी साधु दो-चार दिनों से पाटण में आए हुए थे और उनसे मिलने को मीनलदेवी दोपहर के बाद जाने वाली थीं। कर्कसूरि ने रानी से सपरिवार आने को सूचित किया था। काश्मीरा ने आग्रह करके उदा को भी आने का निमन्त्रण दिलवा दिया। राजमाता के आदेश का अनादर न हो, इसलिए उदा को आना पड़ा। वहाँ सहज ही सन्ध्या हो गयी। वहाँ से निकलकर उदा यथासम्भव जल्दी से सुरंग के रास्ते विमलशाह के उपाश्रय में पहुँचा। उस समय सुरपाल चबूतरे पर बैठा था और छप्पर पर ध्यान लगाए काक छिपा बैठा था।

"क्यों मेहताजी, देर कैसे हो गयी?"

"क्या कहूँ, आज राजमाता ने बुला लिया था।"

"भाई, अब कुछ प्रबन्ध कर लो। मैं अधिक दिनों तक नहीं रख सकूँगा।"

"दो-चार दिन की ही बात है, अधिक नहीं।"

"अच्छा, बैठो। मैं ले आऊँ।"

"क्यों, अब वह स्वतः चली आती है क्या?" उदा ने मधुरता से पूछा।

"अजी, शिव-शिव कहो, वह तो ऐसी जबर्दस्त है कि मुझे हमेशा भय दिखाना पड़ता है।"

"वह क्या?"

"यही कि न चलोगी, तो उठाकर ले जाऊँगा। अच्छा आओ, उस कोठरी में बैठ जाओ।"

"हाँ, चलो।" कहकर उदा पास की कोठरी में जा बैठा और सुरपाल मंजरी को लेने चला गया।

कोठरी छोटी-सी थी और उसमें एक छोटा-सा दीपक जल रहा था। अशान्त हुआ उदा कमर पर हाथ रखकर इधर-उधर टहलने लगा। काक को यह अवसर अमूल्य प्रतीत हुआ। काक को विश्वास था कि सुरपाल को लौटने में कुछ देर तो अवश्य लगेगी। उसने छप्पर के एक ढीले किए हुए बाँस को तोड़ डाला और उस मोखे में से नीचे कूद पड़ा। जब वह नीचे कूदा, तब उसकी ओर उदा की पीठ थी, परन्तु कूदने

के धमाके से चौंककर वह पीछे मुड़े कि इससे पहले ही काक उस पर टूट पड़ा। कई दिनों के घिरे हुए आवेश से वह उससे चिपट गया। उसके मुँह में पकड़ा ठूँस कर उसे जमीन पर पटक दिया और उस पर चढ़ बैठा। उदा ने उसे देखा, पहचाना और उसके होश उड़ गये। उसे प्रतीत हुआ कि अब काक अवश्य उसके प्राण ले लेगा।

परन्तु काक का यह विचार नहीं था। कमर से बँधे हुए दुपट्टे को खोलकर उसने उदा के हाथ-पैर बाँधे और उसका शाल और पगड़ी ले ली। फिर उस पर से उठा, खिड़की खोली, रुद्रमल्ल को पुकारा और मन्त्री को उठाकर गठरी की तरह खिड़की से बाहर फेंक दिया। रुद्रमल्ल ने उसे झेल दिया।

"रुद्र!"

"जी!"

"उस वृक्ष के पास खड़े रहना, परन्तु यह चला न जाए।" कहकर काक ने खिड़की बन्द की, उदा की शाल ओढ़ ली, पगड़ी पहन ली और उसकी तरह ढाटा बाँध लिया।

सुरपाल के लौटने में उसकी धारणा से भी अधिक देर लगी। आख़िर उसके साथ ही किसी और के पैरों की आवाज सुन पड़ी। काक सुसज्जित होकर ज़रा अँधेरे में खड़ा हो गया।

मंजरी अन्दर आयी और बाहर से सुरपाल ने द्वार बन्द किया। वह आयी—तिरस्कार की मूर्ति के समान, और द्वार के पास खड़ी हो गयी। गर्व से गर्दन को सतर किए निर्भयता से देखती रही। काक ने उसके गर्व, उसके तिरस्कार और उसके निश्चल मधुर होठों को देखा और उसे उसके वे अन्तिम शब्द "शुनीमन्वेति श्वा" याद आ गये। काक का उछलता हुआ हृदय भावहीन हो गया। हृदय में जो प्रेम तरंगित हो रहा था, उस पर गौरव और तिरस्कार का आवरण छा गया।

"मंजरी!" उसने धीरे-से कहा।

मंजरी ने नहीं पहचाना। शान्त तिरस्कार से वह देखती रही।

"मंजरी, देर न करो। यह खिड़की खुली है।"

"कौन?" आश्चर्य से एक पैर पीछे हटकर मंजरी ने कहा। इसके उत्तर में एकदम उसे प्रेम का आवेश आ गया, "अरे तुम!"

"हाँ।" कठोरता से काक ने कहा, "जैसा कि तुमने कहा था, कुतिया कि पीछे कुत्ता चला आया है। देर न करो। समय बीत रहा है।" कहकर वह खिड़की के पास गया। मंजरी भी उसके पास आयी।

"परन्तु उदा—"

"उसे बाँधकर मैंने बाहर डाल दिया है। चलो।" काक ने सत्तापूर्वक कहा। मंजरी ने फिर गर्व से सिर उठाया।

“मैं अकेली कैसे चल सकती हूँ? मेरे साथ एक और कैदी है। उसे कैसे छोड़ा जा सकता है?”

“मुझे उसकी परवाह नहीं है।” काक ने शान्ति से कहा।

“परन्तु वह तुम्हारा मित्र है।”

“कौन?”

“कीर्तिदेव।”

“कीर्तिदेव? ओह, अब मैं समझा। पर उसकी बात कल। इस समय तो तुम चलो। नहीं तो वह रक्षक अभी आ पहुँचेगा।”

“मैं नहीं चल सकती।”

“क्यों?” क्रोध से काक ने पूछा।

“मैं कीर्तिदेव को निराश नहीं कर सकती।”

“किस प्रकार?”

“उसे आशा है कि उसका मित्र उसे और मुझे छोड़ने को अवश्य आएगा।”

“परन्तु मैं न छुड़ा सका, तो?” काक ने अधीरता से पूछा।

“जो उसकी गति होगी, सो मेरी।”

“तुम मूर्ख हो।” अकुलाए हुए काक ने दाँत किटकिटाकर कहा।

“तुम जैसे कृतघ्न मित्र की सहायता से छूटने की अपेक्षा उस बेचारे आशाजीवी मित्र के साथ मरना अच्छा है।”

“तो तुम नहीं मानोगी?”

“मैं कारागार में पड़ी-पड़ी यही मनाऊँगी कि कीर्तिदेव का मित्र जब उसे छुड़ाने आए, तब मुझे भी छुड़ाए।”

“क्या कह रही हो?” कहकर काक निकट आ गया।

“मुझे बलपूर्वक ले जाओगे, तो मैं चिल्ला पड़ूँगी।” कहकर मंजरी दृढ़ता से खड़ी हो गयी।

काक ने क्रोध से मुट्ठियाँ बन्द करके हाथों में नख गड़ा लिए। मंजरी ने धीरे-से कहा, “उसकी धारणा है कि तुम असाध्य को भी साध्य कर सकते हो।”

“परन्तु तुम लोग कहाँ हो?”

“किसी कुएँ के नीचे हैं। हमारे तहखाने की जालियाँ उसमें पड़ती हैं।”

“ऐसा!” काक ने निराशा से पूछा, “परन्तु उसका पता कैसे लगेगा? विमलशाह की बावड़ी के तो सात कुएँ हैं।”

“हम लोग जाली में जो बातचीत किया करते हैं। अतएव उसका पता अवश्य लग जाएगा।”

“अच्छा तो कल देखा जाएगा। मंजरी, तुम नहीं मानोगी? कीर्तिदेव को कल देखूँगा। उसे मालूम थोड़े ही होगा कि इस समय मैं तुम्हें ले जा रहा हूँ।”

परन्तु इस पक्षपात से, इस स्वार्थ से मुझ पर कितना लांछन लग जाएगा? उसने गौरव से कहा।

"तुम्हें?"

"हाँ, भूल गये?" उसने तिरस्कार से कहा, "अग्निदेव ने मुझे तुम्हारी सहधर्मचारिणी बनाया है न?"

"तो ठीक है। मैं जाता हूँ।" काक ने खीझकर कहा।

"अच्छा।"

काक जल्दी से बाहर निकल गया। यह देवांगना है या डाकिनी, इसका निर्णय करने की शक्ति इस समय उसमें नहीं थी। बाहर निकलकर धीमे स्वर में सुरपाल से 'जय सोमनाथ' कहकर काक चला गया। यह नये प्रकार का जय-जयकार सुरपाल को अपरिचित प्रतीत हुआ; परन्तु उसने कोई सन्देह नहीं किया। बाहर निकलने पर काक और रुद्रमल्ल उदा को घसीट कर कुछ दूर ले गये। वहाँ दो घोड़े तैयार खड़े थे। उनमें से एक पर उदा को बाँधकर दूसरे पर रुद्रमल्ल सवार हुआ और काक की सूचना के अनुसार दोनों घोड़ों को उसने दधिस्थली की ओर बढ़ा दिया।

वृद्ध हरिणी की कहानी

सोरठ के जिस दिगम्बरी साधु से मीनलदेवी मिलने गयी थीं, वह हड्डियों का पंजर मात्र था। उसकी आँखें सदा अधमुँदी रहतीं और उसकी गहराई का पार कोई नहीं पाता।

मीनलदेवी और उनकी साथी साधु से मिलकर गये और आए हुए लोग बिखर गये। केवल दो-एक मनुष्य ही साधु के पास रह गये। इतने में एक नौकर जैसा दिखने वाला मनुष्य, कोई पहचान न सके, इस प्रकार मुख पर ढाटा बाँधकर आया। उसने साधु के पैर छुए और सोरठ के कुशल-समाचार पूछे। फिर धीरे से पूछा, "क्या हाल है?"

कर्कसूरि की तीक्ष्ण दृष्टि उस पर स्थिर हो गयी। वे एक अक्षर भी नहीं बोले।

"रूपादेवी महारानी जी के साथ आप से मिल गयीं, परन्तु वे सोरठ के समाचार न पूछ सकीं। उन्होंने पुछवाया है।" उस नौकर ने कहा।

रूपादेवी देसल और विसल की माता और जूनागढ़ के रा' नवघण की पुत्री थी।

"समाचार? सब कुशल-क्षेम है।" कर्कसूरि ने उच्च स्वर में कहा और फिर धीरे-धीरे कहना शुरू किया, "इस क्षणभुंगर संसार में क्षेम और कुशल क्या? एक

दृष्टान्त है–हमारे यहाँ एक हरिणी थी–थी क्या, है–यह बात जानने योग्य है।" उस नौकर के कपाल पर अधीरता की सिकुड़नें पड़ गयीं।

"जी।" कहकर कर्कसूरि की बातें सुनने को वहाँ बैठे हुए सभी लोग सावधान हो गये।

"उस हरिणी के दो प्रतापी बच्चे थे–उनमें एक हरिणी थी और दूसरा हरिण। और बाकी के सब निकम्मे, निर्बल।" नौकर कथा सुनने लगा।

"हरिणी पड़ गयी बीमार। देखो, इस संसार की खूबी–मरणासन्न हो गयी–मरते-मरते उसे अपने बालकों की याद आयी। सभी थे उसके पास। केवल वही दोनों प्रतापी बच्चे नहीं थे–वह हरिणी और हरिण।"

"ओह!" उस नौकर ने कर्कसूरि की ओर देखकर कहा।

"हाँ, सोचने की-सी बात है। बूढ़ी हरिणी छटपटा रही थी कि उसी समय वहाँ एक वीतराग साधु आ पहुँचे, एक महान दिगम्बर।" कर्कसूरि ने पहली बार आँखें पूरी खोलकर उस नौकर की ओर देखा।

"ओहो!" कहकर एक भावुक दिगम्बरी श्रोता ने सिर उठाकर उनकी ओर देखा।

"उनसे हरिणी ने कहा, महाराज, किसी प्रकार मेरे बच्चों को बुला दें। मेरे प्राण नहीं निकल रहे हैं। सूरि ने कहा, 'अभी लाया'।"

"फिर?" उस नौकर ने पूछा।

"साधु महाराज पवन की खड़ाऊँओं पर चढ़कर पृथ्वी की प्रदक्षिणा कर आए, परन्तु वे बच्चे नहीं मिले। उधर हरिणी छटपटा रही है और इधर बच्चे न जाने कहाँ भटक रहे हैं। इस संसार के क्षेम-कुशल का यह एक दृष्टान्त है।"

"परन्तु महाराज, वे बच्चे किस ओर चले गये, इसका पता नहीं लगा?" उस नौकर ने पूछा।

"लगा क्यों नहीं?"

"तब वे साधु महाराज को क्यों नहीं मिले?"

"पता लगने से भी क्या होता है? स्वच्छन्द बच्चे कहीं बूढ़े माँ-बाप की परवाह करते हैं? केवल वह हरिण ही पहुँच जाए, तो उस बूढ़ी हरिणी की सद्‌गति हो जाए!"

"तब फिर क्या हुआ महाराज?"

"फिर क्या होता, कुछ नहीं। जाओ, कहना अपनी सेठानी से सोरठ के इस हरिण की कहानी। इस संसार में क्षेम क्या और कुशल क्या? यही बात कहना। मुझे मिलने से क्या लाभ?"

नौकर यह बात सुनकर चला गया। और, सब लोग भी चले गये।

वृद्ध हरिणी के बच्चे की कहानी

दूसरे दिन सवेरे अपने नित्य नियमानुसार सोमसुन्दरी उस छोटे जलकुंड के पास फूल चुन रही थी। उसके हृदय में ग्लानि थी, कारण कि उसके बाल-जीवन में कृष्णदेव के जाने से निराशा छा रही थी।

अचानक उसके पीछे की ओर के वृक्ष हिले। वह चौंकी, पीछे की ओर फिरी। हाथ से वृक्ष की डालियों को हटाकर कृष्णदेव सामने आ खड़ा हुआ। वह हँस रहा था और उसकी आँखें चमक रही थीं। प्रातःकाल के मधुर प्रकाश में वह साक्षात श्रीकृष्ण की भाँति प्रतीत हो रहा था।

"खेंगार!"

"हाँ, वही खेंगार जादव– " सोम जाने लगी।

"सोम!" खेंगार ने कहा।

"क्यों?" कठोरता से सोम ने पूछा।

"मैं अन्तिम बार तुम्हारे दर्शन करने आया हूँ। मैं आज पाटण से जा रहा हूँ।"

"मैं तो समझी थी कि चले गये होंगे।" उसने एक ओर फिरते हुए कहा।

"तुम यहाँ हो, तब मैं कैसे चला जाऊँ?"

"मुझसे और तुमसे क्या सम्बन्ध?"

"सब कुछ। तुम न मानोगी?"

"नहीं। मैंने एक बार कह दिया कि जो पाटण का शत्रु है, वह मेरा भी।"

"परन्तु मैं पाटण का शत्रु कहाँ हूँ?"

"तुम्हारी सात पीढ़ियाँ हैं।"

"हुआ करें, मैं नहीं हूँ; कारण कि मेरा मन–"

सोम ने ऊपर की ओर देखा।

"तुम्हारी चरण-सेवा को तरसा करता है।" साहस से हँसकर खेंगार ने कहा।

"ऐसी बात तुम्हें नहीं कहनी चाहिए।"

"इसके सिवाय मैं दूसरी बात नहीं करना चाहता। इस जन्म में सोम और आगामी जन्म में सोमनाथ, बस यही दोनों मेरे सहायक हैं।"

सोम अपनी हँसी को न रोक सकी।

"ठीक है, तुम मुझे नहीं पहचानतीं। तुम नहीं मानोगी, तो मैं पाटण उजाड़ दूँगा, सज्जन मेहता को कैद करूँगा और उनकी लड़की को पटरानी बनाऊँगा। तब मुझे कौन रोकने का साहस करेगा?"

''ये सब बातें मैं नहीं सुनना चाहती।'' यह कहकर सोम ने कानों पर हाथ रख लिये।

''परन्तु मैं कहना चाहता हूँ। तुम मान जाओगी, तो तुम्हारे पीहर को मैं अपनी ससुराल समझकर पाटण से सन्धि कर लूँगा।''

''और यदि मैं न मानूँ?''

''तुम मुझे नहीं पहचानतीं। वही श्रीकृष्ण मेरे पूर्वज हैं, जिन्होंने यादव स्थली कराई थी।''

सोम को कँपकँपी आ गयी। उसने चित्त को स्वस्थ करके कहा, ''तुम्हारी इन बड़ाइयों से मैं ऊब गयी हूँ।''

''बड़ाई कैसी?''

''तुम्हारे हाथों में यह सत्ता कैसे आ जाएगी?''

''कारण कि जूनागढ़ के सिंहासन का मैं ही स्वामी बनूँगा।''

''ऐं?'' सोम ने तिरस्कार से कहा।

''हाँ, मेरे पिता मृत्यु-शय्या पर पड़े हैं।''

''कौन रा'?'' सोम ने चौंक कर कहा, ''तुमने कैसे जाना?''

''उन्होंने मुझे सोरठ के एक सूरि के द्वारा सन्देश भेजकर बुलवाया है। वे मुझे राजगद्दी देना चाहते हैं।''

''यह कैसे हो सकता है?'' सोम ने विस्मित होकर पूछा।

''मेरे बड़े भाई में दम नहीं है, अतएव पिताजी मुझे ही गद्दी पर बिठाना चाहते हैं।'' खेंगार ने विश्वास-पूर्वक कहा। सोम की आँखों में ज़रा मधुरता आ गयी और खेंगार ने तुरन्त ही उसका हाथ पकड़ लिया।

''सोम, तुम जूनागढ़ की पटरानी बनोगी?''

''छोड़ दो।'' कहकर सोम ने उसका हाथ झटक दिया। ''मुझसे और जूनागढ़ से क्या सम्बन्ध?''

''वाह!'' हँसकर कृष्णदेव ने कहा, ''जब जूनागढ़ मेरा है, तब तुम्हारा भी तो हुआ। जूनागढ़ और पाटण दोनों का सम्बन्ध हो जाए, तो यह क्या अच्छा नहीं होगा?''

''सोचूँगी।'' सोम ने जाने की इच्छा प्रकट करते हुए कहा।

''अच्छा, मैं रात को आऊँगा और रात को ही हम लोग पाटण छोड़ देंगे।''

सोम ने उत्तर नहीं दिया।

''मैं उस खिड़की के पास प्रतीक्षा करूँगा।''

''नहीं।''

''नहीं क्यों? हाँ। अवश्य। जूनागढ़ और पाटण भले ही जुदा हों, हृदय तो जुदा नहीं है?'' कहकर खेंगार ने छलाँग मारी और वह झाड़ी में होकर चला गया। विचारों

की भँवर में घबराई हुई सोम वहीं मूर्तिवत खड़ी रह गयी। उसके अस्थिर चित्त में जूनागढ़ की गद्दी रम रही थी। उसका प्रेम-पूर्ण भोला हृदय खेंगार के साथ-साथ चला गया, तुरन्त न लौट सका।

कोई दो घड़ी बाद कर्कसूरि के निकट रूपादेवी का वही कल वाला नौकर फिर आ पहुँचा। उसने सूरि जी को पैर छूकर प्रणाम किया। उस समय भी सूरि जी के पास दो-तीन मनुष्य बैठे थे।

"महाराज, रूपादेवी को मैंने आपकी हरिणी की कहानी सुना दी।"

"अच्छा।"

"उसका उत्तर कहलाया है।"

"क्या?"

"रात को उन्हें स्वप्न आया कि मानो उस छटपटाती हुई हरिणी से मिलने को उसका एक बच्चा जा पहुँचा है।"

"कौन-सा? हरिणी या हरिण?"

"हरिणी तो अपने मुजांल में फँसी हुई थी, परन्तु हरिण तीव्र गति से सोरठ की ओर चल दिया और वृद्ध हरिणी की सद्गति हो गयी।"

"रूपादेवी से कहना कि यह स्वप्न बड़ा शुभसूचक है। हरिण का जाना उचित ही है। ऐसे समय उसे और कहीं क्या काम हो सकता है? जाओ खेंगार, माताजी से जाकर मेरा आशीर्वाद कहना।"

अपना नाम सुनकर नौकर चौंक पड़ा और अपने सुख को और भी अधिक छिपाने के लिए मुँह पर हाथ रखकर खाँसने लगा। कर्कसूरि ने उसे आशीर्वाद दिया और वह वहाँ से उठकर चल पड़ा।

पाटण का परराष्ट्र-विभाग

सवेरे उठते ही काक मंजरी को छुड़ाने की तजवीज करने लगा। पहले वह विमलशाह की बावड़ी के पास जाकर मंजरी के बतलाए हुए कुएँ को पहचान आया। उसमें उतरने के लिए, उसने सन्ध्या होने से पहले ही बहुत बड़ी रस्सी वहाँ पहुँचाने का प्रबन्ध किया और फिर मंजरी को अमावस्या के दिन जुनागढ़ ले जाने का जो वचन दिया था, उसके पालन करने की तैयारी करनी शुरू कर दी। उस रात पाटण छोड़ देने का अपना विचार उसने मंडलेश्वर को भी बतला दिया।

मंडलेश्वर चकित हो गये और आनाकानी करने लगे।

"परन्तु महाराज, मंजरी जब तक आँखों से ओझल न होगी, तब तक उदा शान्ति

से नहीं बैठने देगा और इस प्रकार मंजरी की अपने नाना से मिलने की इच्छा भी पूर्ण हो जाएगी। इसलिए जाने दीजिए।"

"परन्तु मार्ग में क्या होगा?"

"कुछ नहीं। मैं हूँ और दस-पाँच आदमी और साथ ले जाऊँगा।"

"परन्तु महीने-भर में लौट तो आओगे?"

"अवश्य। मुझे वहाँ और क्या काम है?"

"परन्तु मामाजी से आज्ञा ले ली?"

"उनसे आज्ञा लेने को मैं अभी जा रहा हूँ।" कहकर वह राजमहल में जा पहुँचा।

जयदेव महाराज नहीं थे, अतएव वह सीधा मुंजाल मेहता के पास पहुँचा। परन्तु उनसे कोई व्यक्ति गुप्त वार्तालाप कर रहा था, अतएव काक को कुछ देर रुकना पड़ा। आखिर महा अमात्य जिस कमरे में बैठे थे, उसमें से एक सवार बाहर निकला। वह धूल से लथपथ हो रहा था। ऐसा प्रतीत हो रहा था कि वह बहुत लम्बी यात्रा करके आया है, परन्तु काक अपने विचारों में इस प्रकार मग्न था कि उसने उस सवार की ओर देखा तक नहीं और जब महा अमात्य का सेवक उससे कहने के लिए आया, तभी वह आसपास दृष्टि डालकर चित्त स्थिर करके अन्दर गया।

"क्यों भटराज, आजकल दिखलाई नहीं पड़ते?" मुंजाल मेहता ने हँसकर व्यंग्यपूर्वक पूछा।

"नित्य ही तो आपकी सेवा में उपस्थित होता हूँ।"

"अच्छा, कहो, कैसे आए?"

"आप से एक याचना करने आया हूँ।"

"क्या? प्रसन्नता से कहो।"

काक मुंजाल मेहता की यह मधुरता देखकर विस्मित हुआ।

"मुझे एक महीने की छुट्टी चाहिए।"

"छुट्टी!" जरा विस्मित होकर महा अमात्य ने पूछा, "पाटण में भला क्या कमी है जो लाट स्मरण हो आया?"

"मुझे जरा काम है?" काक ने जरा झिझकते हुए कहा।

"ऐसा कौन-सा काम है?" बहुत ही स्नेहपूर्ण हास्य से मुंजाल ने पूछा।

"मुझे अपनी स्त्री को उसके ननिहाल पहुँचाना है।" मुंजाल को उस रात की बात याद आती है या नहीं, यह देखने के लिए काक ने कहा।

"अभी छुट्टी नहीं मिल सकती। मुझे तुमसे बहुत काम है।" तटस्थ भाव से मुंजाल ने कहा।

"महाराज—"

"हाँ अरे!" मुंजाल ने कुछ याद करके कहा।

"जी, आज्ञा?"

"तुम्हारा विवाह तो कविकुलशिरोमणि की लड़की से हुआ है, क्यों?"

काक ने सिर हिलाकर स्वीकार किया।

"तब तो उसका ननिहाल जूनागढ़ में होगा?"

"जी हाँ।"

"चलो, अच्छा हुआ। एक पन्थ और दो काज। मैं भी तुम्हें जूनागढ़ ही भेजना चाहता हूँ।"

"जूनागढ़?"

"हाँ, और वह काम काक भट के सिवाय दूसरा कोई नहीं कर सकता। जब तुम आए, तब मैं तुम्हारा ही विचार कर रहा था।"

काक कुछ हँसा और देखने लगा। अब उसे मुंजाल मेहता की मधुरता का कारण मालूम हुआ।

"जी।"

"जूनागढ़ के रा' का लड़का यहीं है।" काक स्थिर चित्त से देखने लगा।

"वह तुम्हारा मित्र, क्यों?"

"जी हाँ।" काक ने साहसपूर्वक मन्त्री से कहा, "उस दिन जब हम सज्जन मेहता की वाटिका में थे, तब वहीं उसे पहचाना था।"

"इसके पहले तुम उसे नहीं परख पाये थे?"

"शंका थी, विश्वास नहीं होता था।"

"तब मुझसे क्यों नहीं कहा?"

"आपने मुझसे पूछा नहीं, इसलिए।"

मुंजाल हँस पड़ा, "काक भट, तुम बड़े भयंकर मनुष्य हो।"

"साथ ही विश्वासपात्र भी हूँ।" काक ने हँसकर कहा।

"अच्छा," मुंजाल ने गम्भीरता से कहा, "तब इस खेंगार का क्या हुआ?"

"उस रात के बाद वह अदृश्य हो गया।"

"हाँ, उसे यहीं रखना है, और तुम्हें जूनागढ़ जाना है।"

"जो आज्ञा।"

"रा' मृत्यु शय्या पर हैं। उसके कितने लड़के हैं, कुछ ख़बर है?"

"जी हाँ, रायघन, खेरसिंह, चूड़चन्द्र और खेंगार।"

"हमारे यहाँ सबसे छोटा आया था, क्यों?"

"जी हाँ, खेंगार।" अज्ञानता का ढोंग करते हुए मन्त्री की ओर हँसकर काक ने कहा।

"अच्छा। खेंगार नवघन को सबसे प्रिय है। वह उसे ही राजपाट देना चाहता है। परन्तु हमारी राजनीति न्यायशील है। बड़े लड़के रायघन को गद्दी मिलनी चाहिए।" धीरे-धीरे मन्त्री ने कहा।

"जी।"

"ऐसा करना चाहिए कि किसी भी तरह चूड़चन्द्र या खेंगार को गद्दी न मिले।"

"जी"

"नहीं तो फिर हमें बड़े का पक्ष लेकर उसके साथ लड़ना पड़ेगा।"

"जो आज्ञा।"

"परशुराम के पास मैं एक दूत के द्वारा सन्देश भेज रहा हूँ। वह यथाशक्य सहायता करेगा। परन्तु इसमें केवल वीरता का काम नहीं है। इसका भार लेने वाला वीर भी होना चाहिए और राजनीतिज्ञ भी।" मुंजाल ने कहा।

"मैं शक्ति भर प्रयत्न करूँगा।"

"बस मुझे यही चाहिए। कब जाओगे?"

"कल सवेरे के बाद, जब आप कहें तब।"

मुंजाल इस साहसी युवक की ओर देखने लगा, "अच्छा, कल सवेरे जाना। साथ में कितने सवार चाहिए?"

"कोई आवश्यकता नहीं। आठ-दस आदमी मैंने अपने लिए साथ ले लिए हैं, वे ही बहुत हैं। अधिक आदमी साथ ले जाऊँ, तो काम बिगड़ जाए।"

"अच्छा, सन्ध्या समय मुझसे मिलना। और कोई बात होगी, तो कहूँगा।"

कीर्तिदेव पागल हो गया है?

मुंजाल ने यह काम काक को सौंपा, इससे वह एक प्रकार से प्रसन्न ही हुआ। मंजरी को उसके ननिहाल पहुँचाने जाने में उसे ओछापन लगता था। इस काम से अब वह ओछापन मिट गया और उसे ऐसा प्रतीत हुआ कि अपनी गर्विष्ठ स्त्री के साथ अब वह सगर्व जा सकेगा। ऐसा गर्व धारण करने का उसने निश्चय किया जो मंजरी के गर्व को भी अल्पता का आभास करा दे, और उस गर्व को सकारण प्रमाणित करने के लिए ही वह कीर्तिदेव के समान राजबन्दी को छुड़ाने के लिए तत्पर हुआ था। फिर भी मंजरी के गर्व की भव्यता वह देख सकता था और इस कारण मंजरी के प्रति उसका सम्मान भाव बढ़ता जाता था। उसके उपरान्त यह निरीक्षण भी वह कर सकता था कि मंजरी के समान शुद्ध, भावनाशील स्त्री के आदर्शों को पूर्ण करने के लिए वह जो प्रयत्न कर रहा है, उससे मेरा चरित्र और पराक्रम अद्भुत होते जा रहे हैं।

सन्ध्या होने पर मुंजाल मेहता से मिलकर, और उनसे उपदेश के अन्तिम शब्द सुनकर मुंजालेश्वर के तहख़ाने में होकर बावड़ी पर आया। वहाँ निश्चित किए हुए स्थान पर लाट के दो योद्धा कुम्हार के वेश में दो गधों पर रस्सियाँ लादे हुए खड़े थे।

कुछ दूरी पर, संकेत के अनुसार, कीर्तिदेव के लिए लाया हुआ एक पवनगामी घोड़ा भी वृक्ष से बँधा हुआ था।

काक ने फुर्ती से दो रस्सियाँ निकलवाईं और उन्हें ऊपर बँधवाकर कुएँ में छुड़वा दिया। उनमें से एक रस्सी को कमर में बाँधकर और दूसरी को थाम कर वह धीरे-धीरे नीचे उतरा। वह ज्यों-ज्यों नीचे उतरता गया, त्यों-त्यों श्लोक के शब्दों की प्रतिध्वनि उसके कानों में पड़ने लगी और उस ध्वनि में उसने मंजरी के शब्दों को पहचान लिया।

नीचे उतरते-उतरते जब उसे प्रतीत हुआ कि वह जाली तक आ पहुँचा है, तब उसने चकमक से पलीता सुलगाया। अपरिचित प्रकाश से घबराए हुए जीव-जन्तुओं और पक्षियों में खलबली मच गयी। कुछ दूर कुएँ की दीवार पर एक बड़े से साँप को घबड़ाहट में जीभ लपलपाते हुए उसने देखा। उसे ऐसा प्रतीत हुआ कि जैसे वह सदेह नरक में आ गया है।

उस रस्सी को हिला कर और ऊपर रस्सी थाम रखने वाले को दिशा बदलने की सूचना देकर आख़िर वह उस जाली के पास पहुँचा।

मंजरी की आँखों में हर्ष के अश्रु आ गये।

"आ गये?" वह उमंग के साथ बोल उठी।

"हाँ।" काक ने शान्त चित्त से उत्तर दिया।

"कीर्तिदेव जी!"

"काक! मित्र, तुम आ गये शाबास!" दूसरी जाली में से कीर्तिदेव बोल उठा।

"क्यों, जाली बहुत मज़बूत है?"

"नहीं, मैंने ढीली कर डाली है। परन्तु काक, अभी आकर मैं क्या करूँगा?"

"क्यों?"

"आज तो कृष्णपक्ष की चतुर्दशी है।"

"हाँ।" अचानक स्मरण हो आने से काक ने कहा, "कालभैरव–"

"हाँ, उन्होंने आज मध्यरात्रि को हमें बुलाया है।"

"तो चलो, हम लोग यहाँ से वहीं चलें।"

"और रास्ते में पकड़ा जाऊँ तो?"

"तो भोलनाथ की मरजी।"

"तब मेरी तो मृत्यु ही हो जाएगी।"

"बेशक।"

"और सो भी अपने पिता का नाम-ठाम जाने बिना।" कीर्तिदेव ने खेद के साथ सिर हिलाया, "भाई काक, मुझे यह दुःख सदा ही हुआ करता है–"

"क्या?"

"कि मैं अपने पिता का पता लगाए बिना ही मर जाऊँगा और यदि ऐसा हो जाए, तो यह दुःख सत्य सिद्ध हो जाए।" निराशापूर्ण स्वर में मालवी योद्धा ने कहा।

काक ने दाँत किटकिटाकर कहा, "तब क्या किया जाए?"

"तुम जाकर कालभैरव से पूछकर लौट आओ।" कीर्तिदेव ने शान्ति से कहा।

काक बिगड़ पड़ा। "तुम्हें कुछ होश है? इस प्रकार तुम्हें छुड़ाना क्या कोई हँसी-खेल है? तुम यह दूसरी बार घर आयी गंगा को लौटा रहे हो।"

"भाग्य में होगा, तो अवश्य छूटूँगा। जो अभी किया है, वह तुम मध्यरात्रि के बाद भी अवश्य कर सकोगे।" कीर्तिदेव ने ऐसे स्वर में कहा कि पत्थर भी पसीज जाए। यह न सूझ सकने से कि किस पर गुस्सा उतारा जाए, काक ने कीर्तिदेव को मन-ही-मन दो-चार गालियाँ दे डालीं। काक जानता था कि कीर्तिदेव अपने कुल का पता लगाने को कितना आतुर है, और उस मालवी योद्धा के प्रति उसे इतना सम्मान था कि उसका हृदय दुखाने को उसका जी नहीं हुआ। वह मंजरी की जाली की ओर मुड़ गया।

"मंजरी, तुम चलती हो?"

"क्यों, तुम कालभैरव के पास जाकर फिर लौट रहे हो न? तब ही चलूँगी।"

"और यदि नहीं लौट सका तो?"

"वैधव्य प्राप्त होने पर यह स्थान या दूसरा स्थान, इसकी क्या चिन्ता की जाए?"

बिना एक शब्द बोले काक ने संकेत के अनुसार अपनी बँधी हुई रस्सी हिलाई और ऊपर खड़े हुए आदमियों ने उसे ऊपर खींच लिया।

मंजरी के कहे हुए अन्तिम शब्दों से काक ने एकदम निश्चय कर लिया। 'वैधव्य' शब्द मंजरी ने उसके प्रति इस निश्चल श्रद्धा का सूचन किया था कि काक जीता रहेगा तो अवश्य आएगा और इस श्रद्धा से काक उसके वशीभूत हो गया। इतना सब कुछ होने पर भी अज्ञात रूप से मंजरी की सत्ता उस पर ज्यों-की-त्यों जमी हुई थी।

जब काक ऊपर पहुँचा, तो उन दो योद्धाओं ने चकित होकर पूछा, "वे कहाँ हैं?"

"सब पागल हैं। अभी हमारा परिश्रम पूरा नहीं हुआ। मैं कुछ देर में लौटकर आऊँगा। तब तक तुम निश्चित होकर बैठो।"

"ऐसी रात में?" एक ने पूछने का साहस किया।

"सोमभट, साहस न हो, तो लौट जाओ।" काक ने कठोरता से कहा।

"नहीं, नहीं, नहीं, भटराज, मैं तो आपके लिए ही पूछ रहा हूँ।"

"पगले, मेरे माथे पर तो भगवान ओंकारेश्वर[1] हैं।"

"जी।"

---

1. रेवा के तट पर स्थापित पवित्र समझा जाने वाला एक शिवालिंग।

"देखो, यहाँ से हटना–"

"अजी नहीं।"

काक वहाँ से निकला और कुछ दूर बँधे हुए घोड़े को कसकर हिंगलाज चाचर के घाट की ओर कालभैरव से कीर्तिदेव के कुल का पता लगाने चल दिया।

श्रीमाली दरवाजा

काक जब कीर्तिदेव और मंजरी को छुड़ाने की चिन्ता में था, तब मुंजाल मेहता बिहार के साथ एकान्त में बैठे हुए थे।

"महाराज, मैं काक को नहीं समझ पाता।"

"मैं समझता हूँ। तो आज क्या किया?"

"वह सब पक्षों में घुसता फिरता है।"

"अच्छा, फिर? आज क्या किया?" मुंजाल ने अधीरता से पूछा।

"सवेरे वह नगर से बाहर हो आया, फिर आप के पास आया। इसके बाद लाट के एक योद्धा से क्या मँगवाया, जानते हैं?"

"क्या?"

"महाराज, दो दो सौ हाथ के दो रस्से–"

"अच्छा।"

"उन्हें मंडलेश्वर महाराज के यहाँ भिजवा दिया।"

"फिर?"

"फिर दो कुम्हार गधे ले आए।"

मुंजाल मेहता खिलखिलाकर हँस पड़े, "मूर्ख, इस बातचीत में गधे कहाँ से आ गये? आज तुम्हें हुआ क्या है?"

"हुआ तो कुछ नहीं महाराज, परन्तु कुछ समझ में नहीं आता।"

"फिर?"

"वे गधे मंडलेश्वर महाराज के पिछले द्वार से लदकर निकले और सन्ध्या को श्रीमाली दरवाजे से बाहर चले गये।"

"फिर लौटे कब?" मुंजाल ने हँसकर कहा।

"अभी तक लौटे ही नहीं और दरवाजे बन्द हो गये।"

"अच्छा, गधों की बात पूरी हो गयी। अब और कुछ बाकी है?"

"फिर लाट का एक योद्धा घोड़े पर बैठकर मंडलेश्वर महाराज के बाड़े से निकला। जाते-जाते उस सवार के कान में काक ने कुछ कहा।"

"फिर?"

“फिर आप से मिलकर वह मुंजालेश्वर महादेव के मन्दिर में गया।”

“और कुछ?” ऊबकर महा अमात्य ने पूछा।

“अभी वह उसमें से लौटा नहीं।” मुंजाल उसकी बातों पर ध्यान नहीं दे रहे थे, यह देखकर बिहारी उठते हुए बोला।

“क्या कह रहे हो?”

“और मन्दिर में भी नहीं है।” अन्तिम बाण फेंक कर बिहारी खड़ा हो गया।

“बिहारी,” ज़रा ध्यान देकर मुंजाल ने पूछा, “उसे गये कितनी देर हुई?”

“पाँच सात घड़ी।” अपनी चतुरता और चालाकी पर फूलता हुआ बिहारी बोला।

“वह पहले वहाँ जाएा करता था?”

“नहीं, दो एक बार सन्ध्या को उस पास वाले पुराने उपाश्रय में गया था। मैं नहीं था।” मुंजाल का एकाग्र दृष्टिपात देखकर वह चुप हो गया।

“काक सवेरे नगर से बाहर कहाँ गया था?” मन्त्री ने पूछा।

“यह तो नहीं मालूम, परन्तु श्रीमाली दरवाज़े से गया था।”

“अच्छा, उन गधों पर क्या था?”

“मुझे तो रस्से मालूम हुए।”

“घोड़ा कैसा था?”

“बड़ा तेज, पवनवेगी।”

“अच्छा जाओ। और कुछ?”

“और कुछ नहीं महाराज,” कहकर अपने सन्देश पर मुंजाल को इतना ध्यान देते देख, फूलता हुआ बिहारी बाहर चला गया। कुछ क्षण मुंजाल ने एकाग्रता से भूमि पर दृष्टि स्थिर करके विचार किया। बिहारी की ध्यानपूर्वक देखने की शक्ति में उसे विश्वास था। “रस्से–श्रीमाली दरवाज़ा–मुंजालेश्वर महादेव–यह लड़का बड़ा भयंकर है।”

अचानक मुंजाल को एक विचार आया। उसके नेत्र चमक उठे। उसके कपाल पर क्रोध से बल पड़े गये। उसने हाथ पर हाथ दे मारा और वह ‘अब समझा’ कहकर खड़ा हो गया।

“बाहर कोई है?” एक सेवक उपस्थित हो गया। “जा मेरा खड्ग और कटार ले आ।”

“जी।”

“वक्षस्त्राण (कवच) भी लेते आना।”

महा अमात्य, कुछ ही क्षणों में शस्त्रों से सजकर चुपचाप महल की एक छोटी खिड़की से बाहर निकले और तेजी से श्रीमाली दरवाजे पर जा पहुँचे।

“रेवादत्त!”

द्वारपाल चौंककर देखने लगा, “कौन है?”

"खिड़की खोल!" सत्ता के साथ मुंजाल ने कहा।

"नहीं खुल सकती। अब तो बन्द हो गयी।"

"किससे कह रहा है, कुछ ख़बर है? अपनी मशाल ला!"

द्वारपाल इतनी सत्ता के साथ इस मनुष्य को बोलता देख, घबराता हुआ मशाल ले आया।

"कौन हो महाराज?"

ज्यों ही मशाल आयी कि मुंजाल ने मुँह से ढाटा खोल दिया। उसे देखते ही द्वारपाल घबराकर पीछे हट गया, "महाराज?"

"हाँ, चल खिड़की खोल। रेवादत्त, यहाँ से सन्ध्या को दो गधे जाते हुए देखे थे?"

"हाँ, महाराज!"

"वे वापस लौटे?"

"नहीं, अन्नदाता!" कहकर उसने ज्यादा-से-ज्यादा आवाज के साथ खिड़की खोल दी और मशाल सामने कर दी।

थोड़ी देर पहले ही जिन्हें घूस खाकर रेवादत्त ने दरवाजे से बाहर जाने दिया था, उन्हें सावधान करने के लिए उसने मशाल को आगे कर दिया। कोट के बाहर कुछ दूर खड़े वे दो मनुष्य मशाल देखकर घबराए और तुरन्त ही पास के एक वृक्ष की आड़ में छुप गये।

"रेवादत्त, सम्भव है, थोड़ी ही देर में मैं फिर लौट आऊँ। जागते रहना।"

"जो आज्ञा।"

मशाल का प्रकाश मुंजाल के मुख पर पड़ रहा था। जो दो मनुष्य वृक्ष की आड़ में छिपे थे, उन्होंने भी महा अमात्य को पहचान लिया और उन दोनों में से जो ऊँचे कद का था, उसने दूसरे का हाथ दबाकर कहा, "सोम, देखा?"

"हाँ। ये इस समय कहाँ से आ गये? हमें पकड़ने को न आए हों!"

"पागल हुई हो?" खेंगार ने सोम का हाथ दबाकर कहा, "मुंजाल मेहता को तुम्हारी क्या परवाह है?"

"हाँ, अब मुझे याद आया।" एकाएक सोम ने धीरे-से कहा, "उस दिन भी तुम मुझे ले जा रहे थे, तब फूफाजी ही बाधक हुए थे।"

"हाँ।" दाँत किटकिटाकर खेंगार ने कहा, "एक बार तो वह बाधक हुआ, पर अब यदि फिर हुआ, तो–" कहकर खेंगार चुप हो गया।

सोम के मस्तिष्क में रणभेरियाँ बजने लगीं। खेंगार ने अपने वचन का पालन किया था और रात होते ही वह सज्जन मेहता की वाटिका में उपस्थित हो गया था। सोम के मन में बड़ी उथल-पुथल होती रही। जूनागढ़ की गादी– खेंगार का मोह–ये दोनों एक ओर आकर्षित कर रहे थे और पाटण के प्रति प्रेम और पितृभक्ति दूसरी ओर खींच रही थी। यह उथल-पुथल अभी समाप्त भी न हुई थी कि वह खेंगार से इनकार

करने को तैयार हो गयी। परन्तु 'नहीं' कहने जाते हुए उसके मुँह से 'हाँ' निकल गयी और खेंगार के सम्मोहन के वशीभूत होकर घर से निकल भागी। खेंगार की जो धारणा थी कि यह भोली लड़की उसकी इच्छा के विरुद्ध न जा सकेगी, सो सत्य हुई। खेंगार ने दो तेज घोड़े दरवाजे से बाहर मँगा रखे थे। अतएव वे दरवाजे के द्वारपाल को घूस देकर वहाँ से अभी ही बाहर निकले थे।

मुंजाल को, अपने पूज्य फूफा को, उसके पाटण की सत्ता के प्रतिनिधि को, उसे एक बार बचाने वाले और जिसके साथ उसके विवाह की बातें चल रही थीं, उस पुरुष को यहाँ, इस समय, अचानक आता देखकर उसका जी टूट गया। उसे सन्देह हुआ। वह घबरा गयी। उसे प्रतीत हुआ कि मानो उसे भागने से रोकने के लिए मूर्तिमान पाटण ही यहाँ आ गया है। उस मूर्ति के सामने जूनागढ़ की गद्दी की महत्ता कम हो गयी। अपने पास खड़े हुए खेंगार के शब्द सुनकर और उसका हाथ काँप रहा है, यह अपने हाथ से अनुभव करके उसे एक विचित्र प्रकार की अनुभूति हुई। खेंगार उसे चाहे जितना प्रिय हो, फिर भी उसे ऐसा प्रतीत हुआ कि यह दूर से ही दिखा हुआ अमात्य उससे कहीं अधिक अपना है। पर अब लौटा नहीं जा सकता—उसने होठ से होठ दबा लिया और मुट्ठियाँ बाँधकर मन को दृढ़ किया। पीहर—पीहर का गौरव, अब उसका नहीं था, पाटण अब पराया था। उसने विचार किया कि अब जूनागढ़ उसका है। तो भी पीहर छोड़ रही लड़की की स्वाभाविक खिन्नता ने उसकी उमंग और उसकी गद्दी के लोभ, दोनों को वश में कर लिया।

मुंजाल मेहता खिड़की से बाहर निकले और ज़रा देर खड़े रहे। चारों ओर देखा, कमर की तलवार को ढीला किया और वे उस वृक्ष की ओर जाने लगे। अँधेरी रात के टिमटिमाते हुए तारों के प्रकाश में भी उसका दीर्घ बलिष्ठ शरीर और उनके चलने का ढँग बड़ा गौरवपूर्ण दिखलाई पड़ रहा था।

वे वृक्ष के पास आए और खेंगार ने सोम का हाथ छोड़ दिया। सोम विचार में पड़ गयी। उसने क्षण भर के लिए पास आते हुए मुंजाल की ओर दृष्टि डाली और दूसरे ही क्षण पास खड़े खेंगार की ओर देखा। उसने खेंगार से कुछ कहने का प्रयत्न किया, परन्तु उसकी जीभ सूख गयी थी । वह व्याकुल हो गयी। उसने खेंगार की आँखों में भयानक तेज देखा और यह बुदबुदाते हुए सुना कि "ऐसा मौका फिर किस जन्म में मिलेगा!"

सोम समझ न सकी कि मौका क्या और जन्म क्या? उसके मस्तिष्क में अन्धकार उतर आया। केवल दो ही वस्तुएँ उसे दिखाई पड़ीं—एक पास आता हुआ मुंजाल और दूसरा दाहिने हाथ में तलवार थामे खड़ा हुआ खेंगार।

मुंजाल वृक्ष के बिल्कुल पास आ पहुँचा। सोम के मस्तिष्क में उतर आए हुए अन्धकार में एक ज्योति चमक उठी—मुंजाल अर्थात पाटण—एक नहीं तो दूसरा भी

नहीं। उसने खेंगार को तलवार खींचते हुए और टूट पड़ने को तैयार होते देखा। तब विचार छोड़कर वह बीच में कूद पड़ी।

महा अमात्य निःशंक चले आ रहे थे। वृक्ष के एक ओर से खेंगार छलाँग मारकर उन पर टूट पर पड़ा और दूसरी ओर से 'फूफाजी' कहकर चिल्लाती हुई सोम उन पर टूट पड़ी। आश्चर्य से मुंजाल चौंक पड़ा। उसेन खड्ग खींच लिया और उधर फिरा कि जिधर उस पर कोई 'फूफाजी' कहकर आ गिरा है। और दूसरे ने उस पर खड्ग का प्रहार किया है। अब मुंजाल ने स्वस्थ होकर तलवार खींची, तब एक व्यक्ति भूमि पर पड़ा हुआ था और दूसरा उस नीचे पड़ हुए के शरीर में से अपनी तलवार निकाल रहा था। मुंजाल साफ बचा खड़ा था।

"चांडाल!" कहकर मुंजाल उस आक्रमणकारी की ओर फिरा। आक्रमणकारी ने इस आकस्मिक दुर्घटना को देखा, जोर से आह भरी और वह भाग खड़ा हुआ, लौटकर देखा भी नहीं। मुंजाल ने उसका पीछा किया; किन्तु खेंगार झाड़ी में लुप्त हो गया। "चिन्ता नहीं, देखें, वह बेचारा कौन है?" कहकर वह लौट आया। सोम ने मुंजाल मेहता को बचाने जाकर खेंगार का वार स्वयं सह लिया था।

मुंजाल ने नीचे झुककर देखा; परन्तु अँधेरे में सोम न पहचानी जा सकी।

"अपने प्राण रक्षक को यहाँ कैसे छोड़ा जा सकता है?" कहकर उसने सोम को उठा लिया और वह बड़ी तेजी से विमलशाह के उपाश्रय में आ पहुँचा।

काक का परिश्रम व्यर्थ गया

महा अमात्य ने द्वार खटखटाकर सुरपाल को उठाया। मध्यरात्रि के समय मुंजाल को देखकर वह बेचारा घबड़ा गया।

"सुरपाल, दिया लाओ।" कहकर मुंजाल ने सोम को भूमि पर रख दिया, "कोई घाव की दवा है? हो तो ले आओ।"

सुरपाल चुपचाप दिया ले आया। उसके प्रकाश में मुंजाल ने सोम को पहचाना और वह विचार में पड़ गया। "ओह! इसका साथी खेंगार! और वह भाग गया!" मुंजाल ने निराश होकर होठ चबा लिए। उसके क्रोध का पार न रहा। उसने मन-ही-मन कहा, "यह बदमाश बड़ा विकट निकला।"

सुरपाल ने एक अनुभवी योद्धा की कला से सोम के घाव पर पट्टी बाँधी और उसे उठाकर बिछौने पर सुलाया। मन्त्री के कपाल पर घिरे हुए बादलों को देखकर उसके शरीर में कँपकँपी आ गयी। वह सोम को सुलाकर मुंजाल के पास आया।

"सुरपाल, तुम्हें मृत्यु-दंड देना पड़ेगा!"

"क्यों महाराज?" सुरपाल के हाड़ ढीले हो गये।

"तुम्हारा कैदी भाग गया।"

"क्या कह रहे हैं महाराज?"

"चलो, अपनी बुद्धिमानी पीछे दिखाना, पहले मशाल जलाओ।" क्षण भर में घबराए हुए हाथों से सुरपाल ने मशाल जला दी।

"उपाश्रय में कोई ठहरा हुआ है?" मुंजाल ने पूछा।

"जी नहीं।"

"तुम्हारे पास कितने आदमी हैं?"

"महाराज, दो अन्दर हैं और तीन उस ओर झोंपड़ी में।"

"बुलाओ।"

सुरपाल बाहर गया और सियार की तरह चीखा। कुछ देर में दो मनुष्य उपाश्रय में से निकले और दो बाहर से दौड़ते हुए आए।

"सबको खड्ग दे दो।"

"जी।" कहकर सुरपाल ने वही किया और मशाल लेकर वह आगे हो गया। पीछे-पीछे मुंजाल चलने लगा। उसके होठ प्रेत के समान निश्चल हो रहे थे। उसकी आँखें तलवार की धार की तरह चमक रही थीं। वे दूसरे दो मनुष्य, जो सुरपाल के गुप्त सहायक थे इस समय मुंजाल को देख-देखकर किसी भयंकर दुर्घटना की आगाही से चुपचाप पीछे-पीछे आ रहे थे।

मुंजाल तेजी से बावड़ी के पास जा पहुँचा, "वह कुआँ कौन-सा है?"

"वह है।" सुरपाल ने कहा। मुंजाल उस ओर फिरा और उसकी तीक्ष्ण दृष्टि ने कुएँ पर बैठे हुए दो मनुष्यों को देखा।

मुंजाल ने अपने अनुचरों को अँगुली के संकेत से ही उन दो मनुष्यों को दिखाया, "जाओ, लाओ उन्हें पकड़कर—जीते या मरे हुए।"

अँधेरे में ठोकरें खाते हुए नौकर कुएँ की ओर दौड़े; परन्तु मशाल का उजाला देखकर बैठे हुए लाट के योद्धा सावधान हो गये थे। अतएव वे प्राण छोड़कर भाग खड़े हुए। दोनों नौकर उनका पीछा करने लगे।

मुंजाल ने उनमें से एक को बुलाने के लिए सुरपाल को आज्ञा दी और उसने पुकारा, "मेघा!"

मेघा लौट आया।

"देखूँ, अपनी मशाल तो इधर लाओ।" कुएँ की पाल पर पहुँचते हुए मुंजाल ने कहा।

सुरपाल ने मशाल थामी और उसके कपाल पर पसीना आ गया। कुएँ में दो रस्सियाँ लटक रही थीं। उसने अनुमान किया कि शायद उस उदा मेहता वाली लड़की को ले जाने के लिए किसी ने युक्ति रची है। उसने मन-ही-मन उदा के साथ-साथ अपने को न जाने क्या-क्या कह डाला।

"मूर्ख, इस प्रकार बन्दियों की रक्षा करता है?" मुंजाल झुका और तलवार से दोनों रस्सियाँ काट डालीं। "मैं न आया होता, तो कैदी भाग जाता। अस्तु। अभी कोई हानि नहीं हुई है। तुम और मेघा दोनों यहीं खड़े रहो। सम्भव है, वे लोग फिर आएँ। यदि आएँ तो पकड़कर मेरे पास ले आना। खबरदार, कोई हाथ से जाने पाया तो।"

"जो आज्ञा।"

"अन्दर वाली कोठरी की चाबी कहाँ है?"

"यह है महाराज।" कहकर कमर में खोंसा हुआ चार-पाँच बड़ी-बड़ी चाबियों का गुच्छा सुरपाल ने मुंजाल को दे दिया।

"लाओ, अपनी मशाल।" कहकर मुंजाल ने सुरपाल से मशाल ले ली और धीरे-धीरे वह फिर उपाश्रय में आया।

उपाश्रय में आकर उसने सुरपाल की कोठरी खोली और जहाँ सोमसुन्दरी अचेत पड़ी हुई थी वहाँ पहुँचा। उसने मशाल का प्रकाश उसके मुख पर डाला। उसका श्वासोच्छ्वास अनियमित प्रतीत होने से वह झुककर ध्यानपूर्वक उसकी ओर एकटक देखने लगा। स्नेहशील माता की अनिर्वाच्य मृदुता से उसने उसकी नाक पर पड़ी हुई बालों की लट को अलग करके नाक पर अँगुली रखी और देखा। "नहीं, जीवित है।"

मशाल के अस्थिर प्रकाश से अनेक रूपान्तर धारण करते हुए उस कमरे के अन्धकार के तट पर वह चित्र अद्‌भुत ज्ञात हो रहा था। विशालकाय मुंजाल झुककर एक हाथ से मशाल आड़ी करके खड़े थे और भूमि पर घाव से निकले हुए रक्त से संगमरमर की भाँति सफेद हो गयी अचेत सोम मरण और जीवन की सन्ध्या में पड़ी हुई थी। मुंजाल का मुख निश्चल था। उनकी आँखें एकाग्र परन्तु सुधा-पूरित थीं। झुककर खड़े रहने की उनकी छटा में भी स्थिरता थी। सोम अचेत थी। फिर भी उसके सौन्दर्य में चेतन था। निराधार होते हुए भी उसकी मुख-रेखाओं में गौरव था। इस दृश्य पर से उत्पन्न होने वाला विषय ऐसा था कि किसी अपूर्व चित्रकार की सर्जन शक्ति पूर्ण तूलिका की भी कसौटी करे। अमृतपूर्ण प्रभाव और मोहक निराधारता।

परन्तु मुंजाल मेहता को ऐसे विचार के लिए आवश्यक अवकाश, शिक्षा या परवाह नहीं थी। सोम जी रही है, यह देखकर वह सतर हो गया और जाने के लिए फिरा।

रक्त का प्यासा महा अमात्य

मुंजाल की निश्चयात्मक बुद्धि ने इस समय भयंकर रूप धारण कर लिया था। उसकी

इच्छा-शक्ति एक तो मूल से ही प्रबल थी, फिर अभ्यास से और प्रतिस्पर्धी के अभाव से निश्चल बन गयी थी और सामने पड़ने वाले को बिना चूके कुचल डाल सकती थी। यह दुर्धर्ष शक्ति इस समय बहुत ही चुटीली हो गयी थी। बहुत लोग उसका सामना करने का प्रयत्न करते परन्तु कुछ ही समय में भयभीत होकर हार जाते। परन्तु यह एक साधारण–सा सुभट उससे डरता नहीं था और उसकी योजनाओं को औंधा कर देता था। इस अविचारी लड़के को कुचल डालने के लिए मुंजाल ने इस समय दृढ़ निश्चय कर लिया था। सिंह के पंजे में चूहा आ रहा था और पंजा बन्द हो रहा था। पंजे को बन्द करके उस निर्जीव प्राणी को कुचल डालने के लिए वनराज तैयार हो बैठा।

मुंजाल तहखाने में उतरा। मशाल दीवार से टिकाकर रख दी और वह पास ही की एक कोठरी का द्वार खोलने लगा। उसने चारों ओर नजर दौड़ाई और जरा विचार में पड़ गया। क्योंकि वह भूल गया था कि कीर्तिदेव किस कोठरी में है। वह कोई निर्णय न कर सका। अतएव उसने चाबी से पहले कोठरी को खोला।

ताला खुलने का स्वर सुनाई पड़ते ही किसी ने अन्दर से मधुर स्वर में पूछा, ''कौन है!'' स्वर किसी स्त्री का प्रतीत हुआ; अतएव मुंजाल चौंक पड़ा। सुरपाल को वह एक शुष्क वृद्ध सैनिक समझता था। उसने भी यहाँ किसी स्त्री को लाकर रखा है! वह मन-ही-मन हँसा और क्षण भर के लिए खड़ा रह गया।

''कौन, सुरपाल!'' फिर से प्रश्न सुनाई पड़ा। मुंजाल कुछ न बोला; परन्तु बिना द्वार खोले ही वह पास की दूसरी कोठरी का ताला खोलने लगा।

ताला खोलकर उसने ज्यों ही किवाड़ खोले त्यों ही कीर्तिदेव ने पूछा, ''कौन!'' मुंजाल ने उत्तर न दिया; परन्तु दीवाल के सहारे रखी हुई मशाल उठा ली, कमर से लटकती हुई तलवार का बन्ध जरा ढीला किया और अन्दर पैर रक्खा।

मशाल के प्रकाश में उसने कीर्तिदेव को देखा। उस मालवी योद्धा ने भी मुंजाल को पहचान लिया। उसने जरा आँखें मलीं और उसके मुख का रंग उड़ गया। इस समय जबकि क्षण-क्षण में छूटने की प्रतीक्षा की जा रही थी, अपने कट्टर शत्रु को आता देखकर वह अडिग योद्धा भी डिग गया।

''कैसे हो कीर्तिदेव?'' जरा मजाक में मुंजाल ने पूछा।

कीर्तिदेव को तुरन्त ही कुछ सूझा नहीं कि क्या उत्तर दे; परन्तु मुंजाल नीचे झुककर पास रखे हुए दीपक को चेताने लगा। अतएव उसे स्वस्थ होने का अवसर मिल गया।

''ओहो, मन्त्रीवर! आप इस समय?''

''हाँ।'' कहकर मशाल को भूमि पर रखकर मुंजाल कीर्तिदेव की ओर फिरा।

''क्यों?'' कहीं काक न जा पहुँचे, इस भय से जाली की ओर दृष्टि रखकर कीर्तिदेव ने पूछा।

"तुम्हें भाग जाने से रोकने के लिए।"

"आपके इस यम-सदन से भाग निकलने का किसमें साहस है?" बड़े प्रयत्न से काँपते हुए हृदय को रोककर मालवी योद्धा ने कहा।

"मैं यही देखना चाहता हूँ।" कठोरता से महा अमात्य ने कहा।

"अब विश्वास हो गया?"

"जाली की ओर किसलिए देख रहे हो?" मुंजाल ने तिरस्कारपूर्वक कहा, "चढ़कर निकल भागने के तुम्हारे वे रस्से कभी के कटकर कुएँ के तले में जा पड़े हैं।"

कीर्तिदेव ने धीरे-से चित्त को स्थिर किया। हताश होने के बाद उसमें फिर साहस आ गया, "यह तो आपको यहाँ देखते ही मुझे विश्वास हो गया था। कहिए, अब आपका क्या काम है?"

"क्यों, इतनी अधीरता आ गयी?" तिरस्कार से मुंजाल ने पूछा।

"रात बहुत बीत गयी। मुझे नींद आ रही है।" कीर्तिदेव ने शान्ति से कहा।

"तुम इस समय यहाँ न सो सकोगे।"

"क्यों? तब कहाँ सोऊँगा?"

"या तो मेरे साथ राजमहल में, या जैसा तुम ने कहा, वहाँ—यम-सदन में।" कीर्तिदेव निश्चल नयनों से देखने लगा और मुंजाल ने आगे कहा, "राजमहल में सोना हो, तो मेरी बात मानो।"

"क्या?"

"जयदेव महाराज की सेवा स्वीकार करो।"

क्रोध से कीर्तिदेव ने ऊपर देखा और धीरे से क्रोध से दबाकर कहा, "मन्त्रीवर, अपने जयदेव महाराज से कहिए कि वे अवन्ति के सामन्त बन जाएँ, इसके बाद मैं उनकी सेवा स्वीकर कर लूँगा।"

मुंजाल ने होठ चबा लिए और गौरव से पूछा, "अर्थात?"

"अर्थात इस जीवन में मेरे स्वामी अवन्तिनाथ हैं और आगे भगवान पिनाकपाणि। समझे?" कीर्तिदेव का स्वर कठोर था।

"मेरी बात को न मानने का परिणाम क्या होगा, इसका पता है?" मुंजाल ने क्रोध से पूछा।

"परिणाम जानने की मुझे परवाह नहीं।" कीर्तिदेव ने शान्ति से कहा।

क्रोधावेश में भी मुंजाल कुछ देर तक इस मालवी योद्धा का निर्दोष मुख, उसकी भव्य तेजोमय आँखें और उसकी अडिगता को देखता रहा। ऐसे सुन्दर प्रभावशाली पुरुष को मार डालने के लिए उसका हृदय तैयार नहीं हुआ।

"कीर्तिदेव एक और मार्ग है।"

कीर्तिदेव ने उत्तर नहीं दिया। वह अदब के साथ होठ दबाए, शान्ति से खड़ा था।

"तुम अपना यह पागलपन छोड़ दोगे?"

"कौन-सा?"

"अवन्ति और पाटण के बीच सन्धि कराने का।"

"पाटण के तो आप अधिकारी हैं, फिर सन्धि कैसे हो सकती है?"

"परन्तु तुम्हें पाटण और अवन्ति दोनों का अधिकारी बनने की हवस है।" तिरस्कार से महा अमात्य ने कहा, "यवनों को निकाल भगाने के बहाने लक्ष्मवर्मा को आर्यावर्त्त का चक्रवर्ती बनाना चाहते हो, क्यों? यह कभी नहीं हो सकता।"

"मुंजाल मेहता, विधि की निश्चलता का आडम्बर किस काम का?" उसकी बड़ी-बड़ी आँखें भी ज़रा खुल गयीं। अन्धकार में भी उनसे तेज विकीर्ण होने लगा। "भारत का भाग्य आपके हाथ में नहीं है कि आप कुछ कह सकें। आप एक कीर्तिदेव को मार डालेंगे, तो दूसरे हजार खड़े हो जाएँगे। यदि पाटण की सहायता से यवनों का संहार होगा, तो पाटण के उजड़ने में क्या, देर लगेगी?" गर्व से कीर्तिदेव ने कहा।

"पाटण के उजड़ने में अभी बहुत देर है।" मुंजाल ने तिरस्कार से कहा, "इसके पहले उसका पति पृथ्वीपति बन जाएगा।"

"और कुछ नहीं, तो गर्जनाधिप का (गजनी सुलतान का) सामन्त बन ही जाएगा। आप ने मुझे कैद किया है और अब आप मार डालेंगे। और क्या करोगे, इसकी मुझे परवाह नहीं। आपकी कलंकित राजनीति को यही शोभा देगा।"

मुंजाल कुछ न बोला। उसे इस युवक योद्धा की बातें सुनना अच्छा लग रहा था। क्षण-क्षण में अधिक तेजस्वी बन रहे कीर्तिदेव के मुख की ओर वह देखने लगा।

"पाटण के श्रावक मन्त्रियों को राज्याधिकार अपने हाथ में रखना है और इसीलिए वे आर्यावर्त्त के अन्य राज्यों के साथ सन्धि नहीं करते। भूतकाल में भी आपकी यही राजनीति थी और आज भी यही है। मैं इस राजनीति का शत्रु हूँ। इसीलिए आप मुझे मार डालना चाहते हैं। भले ही आप मुझे मार डालें और अपना स्वार्थ-साधन करें। जो कर रहे हैं, किए जाइए; परन्तु जो स्वप्न मैं सिद्ध करना चाहता था, उसके सिद्ध न होने पर तो सारे भरतखंड का भाग्य फूट जाएगा। मुझे मरने का भय नहीं हैं। भय यह है कि पीछे क्या होगा? और भविष्य का विचार करके मैं काँप उठता हूँ, परन्तु मेरा कहना व्यर्थ है। एक वणिक को इसका विचार कहाँ से हो सकता है?" कहकर कीर्तिदेव ने खेद से सिर हिलाया। "मुंजाल मेहता, जब से आप जैसों के हाथ में राजसत्ता आयी, तभी से आर्यावर्त्त के भाग्य फूट गये।" कीर्तिदेव ने इन शब्दों को भी इस प्रकार तटस्थता से कहा, जैसे वह एक साधारण सिद्धान्त की बात कर रहा हो।

मुंजाल के होठ तिरस्कार से सिकुड़ गये। "लड़के, मैं इस समय जीभ लड़ाने नहीं आया हूँ और आया भी होता, तो तेरे जैसे पितृहीन के साथ लड़ाने का कष्ट नहीं उठाता—"

कीर्तिदेव के मुख पर क्रोध छा गया। उसने चौंककर दाँत किटकिटाए और एकाग्र दृष्टि से मुंजाल की ओर देखकर कहा, "मेहताजी, मैं पितृहीन हो सकता हूँ, निर्जीव हो सकता हूँ, परन्तु पाटण को जीतने वाले—यवन-दल का संहार करने वाले महारथियों के भी महारथी उबक परमार की गोद में पला हूँ और काशी को भी लज्जित करने वाली अवन्ति के विद्वान क्षेत्रिय के चरण धोकर विद्वत्ता प्राप्त की है। मैंने घी की दुकान पर बैठकर यह शक्ति नहीं प्राप्त की है, और न शुष्क यतियों की सेवा करके।"

"अच्छा, तो तुम वचन देना नहीं चाहते?" मुंजाल ने दाँत पीसकर धीमे, खरखराते हुए भयंकर स्वर में पूछा।

"नहीं दूँगा, तो क्या करोगे?" कीर्तिदेव ने तिरस्कार से हँसकर कहा।

मुंजाल के स्वस्थ मस्तिष्क में उन्माद की ज्वाला भभक उठी। अनेक बार उसने प्रतिस्पर्धियों के साथ जोर आजमाया था, परन्तु किसी ने उसे ऐसा तिरस्कृत नहीं किया था। अतएव अपने गौरव को हानि पहुँचाने की धृष्टता करने वाले शत्रु को समाप्त करने का उसने निश्चय कर लिया। "लड़के, तेरा अन्त आ गया है।" कहकर उसने तलवार पर हाथ डाला।

"यह तो ललाट के लेख की बात है।" शान्ति से पर तिरस्कार से कीर्तिदेव ने कहा, "इसमें आप क्या कीजिएगा?"

"देखना चाहते हो?" कहकर मुंजाल ने बिजली की तेजी से तलवार खींच ली।

"परन्तु मुंजाल के पूरी तलवार खींचने से पहले ही कीर्तिदेव ने लपककर दोनों हाथों से मुंजाल का तलवार वाला हाथ पकड़ लिया। शस्त्र-सज्जित मुंजाल निःशंक होकर खड़ा था, इस अचानक आक्रमण से वह ज़रा पीछे हट गया। कीर्तिदेव के हाथ शिकारी कुत्ते की भाँति उसके दाहिने हाथ पर दृढ़ता से जमे हुए थे। तुरन्त सावधान होकर उसने दाहिने हाथ से बाएँ हाथ में तलवार लेने का प्रयत्न किया। द्वन्द्व-युद्ध में कुशल कीर्तिदेव यह समझ गया और मन्त्री का हाथ मरोड़कर तलवार लेने की चेष्टा करने लगा। चारों हाथ परस्पर भिड़ रहे थे औद दोनों जने बलपूर्वक उस छोटी-सी कोठरी में चारों ओर चक्कर काट रहे थे। छोटी, सँकरी कोठरी में, दो दीपकों के अस्थिर प्रकाश में यह प्राणहारक द्वन्द्व-युद्ध भयंकर रूप में ठन गया।

आख़िर मुंजाल का अप्रतिम बाहुबल कीर्तिदेव के चापल्य से उत्तेजित हो उठा। उसने मालवी योद्धा को एक कोने में दबोच दिया और अपना तलवार वाला हाथ छुड़ाने के लिए एक घोर प्रयत्न किया। उसने अपना हाथ ज़ोर से मोड़ा, साथ ही कीर्तिदेव के हाथ भी मुड़ गये। ऐसा अवसर आ गया कि दोनों में से पहले जिसका हाथ टूट जाए, वही हारे। परन्तु मुंजाल ने घुटनों के बल कोने में दबे हुए कीर्तिदेव को और ज़ोर से दबाया। यह दबाव दुःसह हो गया और कीर्तिदेव के हाथ छूट गये। बिफरे

हुए मुंजाल के घुटनों के नीचे वह फँस गया और मुंजाल ने यमराज के ऐसे विजयी खड्ग की तीक्ष्ण नोक कीर्तिदेव की छाती पर रख दी।

"पापी! देख अब, तेरे ललाट में क्या लिखा है?" हाँफते-हाँफते मन्त्री ने कहा। "सावधान!" पीछे की ओर से काक की प्रचंड गर्जना सुनाई पड़ी। मुंजाल ने चौंककर पीछे की ओर देखा। दरवाजे पर काक और सुरपाल खड़े थे।

कीर्तिदेव का कुल

मध्यरात्रि के बाद दो-एक घड़ी ही बीती होगी कि काक घोड़ा दौड़ाता हुआ लौट आया और घोड़े को बाँधकर कदम बढ़ाता हुआ उस कुएँ के पास आ पहुँचा। ज्यों ही वह पहुँचा कि सुरपाल और उसके शिष्य उस पर टूट पड़े और बड़ी कठिनाई से उन्होंने उसे पकड़ लिया। सुरपाल ने एक रस्सी लाकर पीछे से उसके हाथ बाँध दिए।

"सुरपाल तुम जानते हो कि मैं भटराज हूँ?"

"भले ही तुम बड़े भारी राजा होओ।"

"किसकी आज्ञा से पकड़ रहे हो?"

"मुंजाल मेहता की आज्ञा से?"

"ऐं! वे यहाँ हैं?"

"हाँ उपाश्रय में।"

"मुझे उनके पास ले चलो।"

"यही मैं कर रहा हूँ।" कहकर सुरपाल उसे तेजी से तहखाने में ले आया। सुरपाल की मशाल का प्रकाश देखकर, अधखुले द्वार से वह भयंकर द्वन्द्व-युद्ध देखती हुई मंजरी पीछे हटी और कोने में छिप गयी।

काक के जाने पर वह बहुत देर प्रतीक्षा में बैठी रही। ज्यों-ज्यों समय बीतता गया, त्यों-त्यों उसकी चिन्ता बढ़ती गयी। उसे प्रतीत हुआ कि काक जैसे अप्रतिम वीर का अमूल्य जीवन उसने और कीर्तिदेव ने व्यर्थ ही जोखम में डाल दिया है। और ज्यों-ज्यों विलम्ब होता गया त्यों-त्यों उसका हृदय अधीर होने लगा।

उस अधीर हृदय ने काक के पराक्रमों और उसकी सेवाओं का स्मरण कराया। उस मध्यरात्रि के गम्भीर भयंकर वातावरण में उसकी उत्तेजित कल्पना-शक्ति ने अनेक अनोखे रंग भर दिए। जिन श्लोकों से उसने कीर्तिदेव को काक का परिचय दिया था, वे याद आए और उनके सत्य-असत्य की परीक्षा करने के लिए वह उन्हें गुनगुनाने लगी। उनमें किया हुआ वर्णन उसे अपूर्ण, नीरस प्रतीत हुआ। उसने काव्यों और इतिहासों मे लिखे वीरों का स्मरण किया और तब उन्हीं के समान, बल्कि उनसे भी

चढ़-बढ़कर उसे काक प्रतीत हुआ। वे सब काल्पनिक थे और यह तो 'सौभाग्यनाथो मम।' वह बुदबुदाई। द्वार खड़का और यह रसपूर्ण विचार-माला भंग हो गयी। इस समय सुरपाल! वह चौंकी, घबराई और राह देखने लगी। परन्तु कोई न आया; वरंच द्वार खुला रहा। स्पष्टतया वह अनुमान तो नहीं कर सकी कि क्या हुआ है; परन्तु जैसे कोई बड़ा संकट सिर पर आ गया हो, इस प्रकार उसका हृदय खिन्न हो गया। वह क्षण में द्वार की ओर और क्षण में जाली की ओर देखने लगी।

अचानक पास की कोठरी का आवेश-पूर्ण संवाद दरवाज़े में से और कुएँ में से प्रतिध्वनि के रूप में सुन पड़ा। वह बहुत घबरा गयी; परन्तु विवाद ज्यों-ज्यों आगे बढ़ा, और उसके अस्पष्ट शब्द कानों में पड़ने लगे, त्यों-त्यों उसमें साहस आता गया और दरवाजा खोल कर वह बाहर निकल आयी। पास की कोठरी के अधखुले दरवाज़े में से मुंजाल और कीर्तिदेव की बातचीत सुनकर वह दंग हो रही। जब द्वन्द्व-युद्ध आरम्भ हुआ, तब उसका हृदय काँप उठा। उसे लौट जाने की इच्छा हुई; परन्तु भय के कारण उसके पैर नहीं उठे। इतने में उसने सुरपाल की मशाल का प्रकाश देखा और वह कोने में छिप गयी।

सुरपाल के साथ कैदी के रूप में काक को देखकर उसके होश उड़ गये। वह सब समझ गयी। उनका षड्यन्त्र भंग हो गया, काक पकड़ा गया, बाहर निकलने की आशा नष्ट हो गयी। सम्भव है, काक को मृत्यु दंड मिले। उसके लिए काक ने साहस किया। उसके लिए ऐसा महारथी प्राणों से हाथ धो बैठेगा! उसने काक की ओर देखा। हाथ बँधे हुए होने पर भी वह सतर होकर सगर्व चल रहा था। उसके गले से रक्त बह रहा था। उसके सिर के बाल बिखर कर मुख पर आ गये थे। उसकी दोनों आँखें दो तारों की भाँति चमक रही थीं और उसका मुख भयंकर दृढ़ता से बन्द था। काक का यह मुख उसके हृदय में अंकित हो गया।

सुरपाल ने कोठरी का द्वार खोला कि काक छलाँग मारकर अन्दर पहुँचा और उसने 'सावधान' की गर्जना की।

कीर्तिदेव का रक्त बहाने को तरसते हुए मुंजाल के कानों में ज्यों ही वह गर्जना पड़ी, त्यों ही उसने पीछे देखा और काक को देखकर उसकी क्रोधाग्नि में घी पड़ गया। उसकी रग-रग में तूफान उठ खड़ा हुआ; परन्तु सत्ता और गौरव के अवतार माने जाने वाले महा अमात्य ने इस क्षण भी गौरव को विस्मृत नहीं किया। वह धीरे से स्वास्थ्य रखकर कीर्तिदेव पर से उठा और बोला, "सुरपाल, इस बदमाश को पकड़ो। यह सोचता है कि मुंजाल को मात करना खिलवाड़ है।"

सुरपाल ने अपनी मशाल को दीवाल से टिकाकर रख दिया और कीर्तिदेव को जा पकड़ा।

अधखुले द्वार से मंजरी मुंजाल का क्रोध से जलता हुआ चेहरा देखती रही। उसके भी बाल कपाल पर बिखर गये थे और उसकी विशाल आँखें सुर्ख हो गयी थीं।

मुंजाल काक की ओर मुड़ा। "तुम भी आ गये?" मेघगर्जना के समान हृदय-भेदक स्वर में मुंजाल ने पूछा।

"हाँ, और ठीक समय पर। पाटण के महा अमात्य इस प्रकार हत्यारों की भाँति मध्यरात्रि में लोगों की हत्या करना कहाँ से सीखे?" काक हँसा।

मुंजाल की आँखें फट गयीं। वह एक डग आगे बढ़ा। तलवार उठाई; परन्तु उसका वार होने से पहले ही द्वार में से मंजरी कूद पड़ी और पास ही खड़े हुए काक के गले से लिपट गयी।

मुंजाल चौंक पड़ा। उसे ऐसा प्रतीत हुआ कि अचेत सोम आ पहुँची है। उसने तलवार को पीछे खींच लिया और ध्यानपूर्वक देखा।

"कौन हो तुम?"

"मैं?" गर्व से सिर ऊँचा करके मंजरी ने स्पष्ट स्वर में कहा। उसका केका-रव के समान सुमधुर स्वर गूँज उठा, "काक भट्ट की अर्धांगिनी।"

"कौन कविकुलशिरोमणि की लड़की! तुम यहाँ कैसे?" मुंजाल ने विस्मित होकर पूछा।

"अपने सौभाग्यनाथ के साथ।" मंजरी काक के गले से लिपटी रही।

"मंजरी," काक ने शान्ति से कहा, "हमारे झगड़े में तुम न पड़ो, नहीं तो कहा जाएगा कि स्त्री हत्या से डरकर मुंजाल मेहता ने मुझे छोड़ दिया।" और उसने मंजरी को स्नेह पूर्ण दृढ़ता से जरा दूर कर दिया।

"जो ब्राह्मण–हत्या से नहीं डरता, उसके लिए स्त्री हत्या की क्या बिसात है?" तिरस्कार से कीर्तिदेव–जिसके हाथ सुरपाल ने बाँध दिए थे–बोला, "मुंजाल मेहता, इसे क्यों मारते हो? इसने क्या अपराध किया है? अपराध तो मैंने किया है।"

कोई उत्तर न देकर मुंजाल ने उसकी ओर पीठ फेर दी और दाँत पीसकर काक से कहा, "मेरे राजबन्दी को तुम भगाना चाहते थे, क्यों?"

"मैं राजबन्दी को नहीं पहचानता। मेरी स्त्री यहाँ कैद है और मेरे मित्र भी। उन्हें छुड़ाना मैं अपना धर्म समझता हूँ।"

"तुम्हारी स्त्री?"

"भूल गये? सज्जन मेहता के बाड़े में से उदा मेहता जिसे उठा ले गया था, वह। पराए की स्त्री को लोग उठा ले जाएँ और उसे फिर घर न ले जाए जा सके? वाह रे आपका न्याय!"

"इन सब बतों से मुझे मतलब नहीं। तुमने राजद्रोह किया है, यही काफी है।"

"राजद्रोह? मैंने? हाँ, मैंने लाट को जीत दिया, नवघन को पकड़ा और कीर्तिदेव का षड्यन्त्र भंग कर दिया।"

"इसी से तो इतने फूल गये हो। कल तुम्हें हाथी के पैरों तले कुचलवाऊँगा।"

"कुचलवाओ, आपमें साहस हो तो। आपने अब भी मुझे नहीं पहचाना। मुझे हाथी के पैरों से कुचलवाओ, और फिर देखो कल मंडलेश्वर आपके शत्रु हो जाएँगे, पाटण में बसे हुए लाट के एक हजार सुभट विद्रोह करेंगे और लाट का जीतना न जीतना बराबर हो जाएगा।"

"अरे लड़के, तुम किसको डरा रहे हो?"

"ऐसे आप कौन हैं जो न डरेंगे?" गर्व से काक ने पूछा। मंजरी काक के मुख की प्रभाव पूर्ण ज्योति देखने लगी।

"यह मैं तुम्हें दिखाऊँगा।"

"पाटण की सत्ता के प्रतिनिधि यदि आप हैं, तो मैं भी हूँ।"

"तुम?" तिरस्कार से मुंजाल ने पूछा।

"हाँ। आप भूतकाल के हैं, और मैं भविष्य का हूँ।" काक ने शान्ति से कहा। मुंजाल चुप रहा। इस बात में उसको तथ्य नहीं मालूम हुआ। कुछ देर में वह बोला, "सुरपाल, इसे कल के लिए रख। ले, यह तलवार ले, और उसका सिर अलग कर दे!"

सुरपाल आगे आया और उसने तलवार लेने के लिए हाथ बढ़ाया। काक बीच में आ गया और बोला, "खबरदार!"

"चुप रहो।" क्रोध से मुंजाल ने गर्जना की।

"क्यों? किसलिए? यह अवन्ति का सन्धि-विग्रहिक है। इसका शरीर पवित्र है।"

"इस षड्यन्त्रकारी का शरीर पवित्र? सुरपाल, लो यह तलवार!" कहकर मुंजाल ने फिर तलवार पकड़ी।

"मुंजाल मेहता,–"

सुरपाल ने तलवार हाथ में ले ली। गर्व से सिर ऊँचा किए। कीर्तिदेव तलवार के वार की प्रतीक्षा कर रहा था।

"सुरपाल," काक ने कहा, "क्षण भर ठहरो, मैं कीर्तिदेव से दो शब्द कह देना चाहता हूँ।" सुरपाल ने मुंजाल की ओर देखा और मुंजाल ने आँखों के संकेत से ही स्वीकृति दे दी। सुरपाल ठहर गया।

"कीर्तिदेव जी, मैं कालभैरव के पास हो आया।"

कीर्तिदेव के मुख पर तेज छा गया। उसकी आँखों में अमृत छलक आया।

"मेरा कौन-सा कुल है? मेरे पिता कौन हैं?" कीर्तिदेव ने आतुरता से पूछा। काक ने जरा हँसकर और मुंजाल पर तिरस्कार पूर्ण दृष्टि डालकर कहा, "कीर्तिदेव जी, जब तुम बालक थे, तब तुम्हें सज्जन मेहता ने पितृ-हीन के रूप में यात्रा के लिए आए हुए सेनापति उबक को सौंपा था, याद है?"

मुंजाल के कान सतर्क हो गये, वह ध्यान से सुनने लगा।

"हाँ, यह तो मैंने तुमसे कहा ही था।"

"ऐसा प्रतीत होता है कि सज्जन मेहता तुम्हारे कोई रिश्तेदार हैं, क्यों?"

"मुझे सन्देह तो है।" कीर्तिदेव ने आधीरता से कहा।

"कीर्तिदेव जी," उच्च स्वर में काक ने कहा, "तब तुम अपने पिता का नाम जानने की उत्सुकता छोड़ दो।"

"क्यों? कालभैरव ने नहीं बताया?"

"नहीं, बताया तो है; परन्तु मृत्यु के समय पिता का नाम जानने से तुम्हारा निष्कलंक जीवन कलंकित हो जाएगा।"

"ऐं?" निस्तेज होकर कीर्तिदेव ने कहा।

"हाँ।" काक ने मुंजाल की ओर विजयसूचक दृष्टि से देखते हुए कहा।

"क्या मैं द्विज हूँ? कुल कैसा है?" निराशापूर्ण स्वर में कीर्तिदेव ने पूछा।

"कुल प्राग्वाट (पोरवाड़) है। उसकी कीर्ति नवों खंडों में फैली हुई है और तुम्हारे पिता हैं सुविख्यात–"

"परन्तु–"

"जिन्होंने स्त्री को मार डाला, बहन को मार डाला और जो पुत्र को मारने के लिए तरस रहे हैं।" काक हँसकर मुंजाल की ओर मुड़ा, "बस, सुरपाल, अब इसका सिर उतार लें!"

कीर्तिदेव का पिता

मुंजाल यह वार्तालाप सुनकर दंग हो गया। उसके मुख पर से क्रोध और कठोरता जाती रही और आँखों में इस प्रकार वेदना छा गयी, जैसे मध्याह्न के धधकते हुए आकाश में मेघ छा गये हों। उसके कपाल पर पसीना आ गया। वह एक से दूसरे की ओर देखने लगा।

"सुरपाल, ठहर जा।" उसने अचानक कहा, "काक, तुम किसकी बात कर रहे हो?"

काक कठोरता से हँस पड़ा। "कीर्तिदेव का सिर अलग हो जाने दो, तब कहूँगा। इस बेचारे का निष्कलंक मन व्यर्थ ही अपवित्र हो जाएगा।"

मुंजाल इस आघात से फीका पड़ गया। उसे सूझ ही न पड़ा कि वह क्या पूछे, "बोलो, बतलाओ, कहाँ का प्राग्वाट कुल?"

"पाटण का।"

मुंजाल उलझन में पड़कर कीर्तिदेव की ओर मुड़ा। मालवी योद्धा समझ ही न सका कि मुंजाल में यह परिवर्त्तन कैसे हो गया।

"कीर्तिदेव," आतुरता से, विस्फारित नेत्रों से, काँपते हुए स्वर में मुंजाल ने पूछा, "सज्जन मेहता के यहाँ तुम्हारा पालन हुआ था?"

"हाँ।"

मुंजाल काक की ओर मुड़ा; परन्तु वह तो हँस रहा था। उसके नेत्रों में कोई मर्म समाया हुआ था।

"काक, बोलो, बोलो, इसका पिता कौन है, इसकी माता कौन है? तुम यह सब क्या कह रहे हो? मैं भी प्राग्वाट हूँ। मैंने भी स्त्री को, बहन को मृत्यु के मुख में डाला है।" मुंजाल ने उलझन में पड़कर शीघ्रता से पूछा, "कीर्तिदेव की माता का नाम क्या था?" उसकी आवाज रुआँसी हो आयी।

"और क्या होगा फूलकुँवरि देवी।" काक ने हँसकर कहा।

मुंजाल लपककर कीर्तिदेव से चिपट गया। उसकी आँखों में आँसुओं की धारा बह निकली। उसने रोते हुए कहा, "बेटा!"

कीर्तिदेव समझ गया। उसके मुख पर प्रकाश आ गया, "पिताजी!"

"सुरपाल, सिर काटना तो रहा, परन्तु बन्धन तो काट दे।" काक ने कहा।

सुरपाल ने कीर्तिदेव के बन्धन काट डाले। सब की आँखों से अश्रुधाराएँ बहने लगीं और वृद्ध सुरपाल मर्यादा त्याग कर जोर-जोर से नाक छिनकने लगा।

कुछ देर में मुंजाल और कीर्तिदेव अलग हुए और दोनों ने आँखें पोंछ लीं। मुंजाल ने स्वस्थता प्राप्त करके चारों ओर देखा और जरा हँसकर कहा, "इतने वर्षों से मुझे ऐसा ही लगा करता था कि तुम जीते हो। सज्जन मेहता तो यही कहा करते थे कि तुम मर गये। उन्होंने मुझसे स्पष्ट कहा होता, तो मैं कितना सुखी होता!"

"पिताजी, मुझे भी आपकी खोज करने में कितनी मेहनत पड़ी! आख़िर कालभैरव की आराधना करके पितृ-कुल का पता लगा पाया।"

"अच्छा, अब चलो।" आँखों से बचे-खुचे आँसू पोंछते हुए मुंजाल बोला, "भगवान सोमनाथ ने मेरी ओर देख लिया। तुम्हारी माता के लिए, तुम्हारे लिए मैंने बहुत आँसू बहाए हैं। मुझे ऐसा सूना-सूना प्रतीत होता था—" कहीं कीर्तिदेव लोप न हो जाए, इस प्रकार भय से बारम्बार स्नेह-पूर्ण दृष्टि से उसे देखते हुए मुंजाल कहने लगा, "मेरा हृदय अरण्य के समान ऊजड़ हो गया था। कीर्तिदेव, आज मेरे हाथों तुम्हारी हत्या होते-होते रह गयी।"

"न हुई, यह प्रताप मेरे मित्र का है।" कहकर कीर्तिदेव काक के निकट आ गया।

"अरे हाँ, सुरपाल इसके भी बन्धन काट डालो।" मुंजाल ने कहा और सुरपाल

ने तुरन्त बंधन काट डाले। ज्यों ही काक के हाथ छूटे कि कीर्तिदेव और वह, दोनों लिपट पड़े।

"काक," मुंजाल ने हँसते हुए कहा, "अभी तुम्हें दंड देना बाकी है।"

"मैं उसे भोगने को तैयार हूँ।" काक ने भी हँसते हुए कहा।

"नहीं–नहीं।" कीर्तिदेव ने कहा।

"इन्हें दंड यह है कि–" मुंजाल ने हँसकर काक और मंजरी की ओर हाथ करके कहा–"तुम दोनों सीधे घर नहीं जा सकोगे; तुम्हें मेरे साथ राजमहल चलना होगा।"

"जो आज्ञा।"

"तो चलो।" कहकर मुंजाल आगे बढ़ा। सुरपाल और काक ने एक-एक मशाल हाथ में ले ली और सब ऊपर आए। मुंजाल कीर्तिदेव के कन्धे पर हाथ रखकर चल रहा था, मानो इस डर से कि कहीं कीर्तिदेव उसका पुत्र न रहे।

"काक," मुंजाल ने कहा, "तुम्हारा कार्य अब और भी कठिन हो गया।"

"मेरा कार्य?"

"हाँ, जूनागढ़ जाने का।"

"परन्तु मैं तो बन्दी हूँ।" काक ने जरा व्यंग्य में कहा।

"भूल गये? तुम तो पाटण की सत्ता के प्रतिनिधि हो!" मुंजाल ने भी हँसते हुए उत्तर दिया, "जिसे हम पाटण में रखना चाहते थे, वह भाग गया।"

"ऐं?" काक ने चकित होकर पूछा।

"हाँ, साथ ही सज्जन मेहता की कन्या को भी उड़ाकर लिए जा रहा था।"

"किसे? सोम को?" कीर्तिदेव ने पूछा।

"हाँ, परन्तु सौभाग्य से वह बच गयी और यह पड़ी है।"

मुंजाल ने सोम के घायल होने का सारा वृत्तान्त कह सुनाया। कुछ देर में एक खटिया पर सोम को उठाकर सब रवाना हुए और पाटण आ पहुँचे।

श्रीमाली दरवाज़े से काक अपना घोड़ा लेकर सज्जन मेहता को बुलाने गया और शेष सब लोग राजमहल में आए। काक सज्जन मेहता को बुला लाया और साथ ही उदा मेहता को दधिस्थली से लौटा लाने के लिए अपने एक सवार को तेज़ साँढ़नी पर दौड़ा दिया।

मंजरी की सूनी अटारी

सज्जन मेहता आ पहुँचे और उन्होंने सब बातें बतलाईं। जवानी के मद से, और शंका से उत्तेजित होकर मुंजाल ने फूलकुँवरि का त्याग कर दिया था। स्नेहशील फूलकुँवरि

अपने फूल के समान बालक को लेकर अपने भाई के घर जाकर रहने लगी थी। सज्जन अपनी बहन और भानजे को सोरठ ले गया और उदीयमान अमात्य का उत्ताप किसी प्रकार सहन करता रहा। जब ये सब सोरठ में थे, तब बालक को उठा ले आने का मुंजाल ने बहुत प्रयत्न किया, परन्तु सज्जन की सावधानी से वह सफल न हो सका।

मुंजाल बालक को उसकी माँ से अलग रखना चाहता था। सज्जन और फूलकुँवरि ने सोचा कि बालक को मारकर उसकी माता के प्रति जो कोप है, उसे निकालने के लिए ही शायद मुंजाल लड़के को ले जाना चाहता है। यह गलतफहमी दिनोंदिन बढ़ती गयी।

विरह से दुखित होकर फूलकुँवरि अन्त में स्वर्ग सिधारी और भाई से लड़के को छिपाकर सुरक्षित रखने का वचन ले लिया। उसी समय मुंजाल को महा अमात्य का पद प्राप्त हुआ। सज्जन मेहता ने यह सोचकर कि कहीं महा अमात्य की सत्ता बहुत प्रबल सिद्ध हो वह बालक सोमनाथ की यात्रा के लिए आए हुए उबक परमार को दे दिया।

सज्जन ने, मुंजाल मेहता ने, मीनलदेवी ने स्वर्गीया फूलकुँवरि को बार-बार स्मरण किया, सबने आँसू बहाए, सबने कीर्तिदेव को गले लगाया और सबने काक के प्रति कृतज्ञता प्रकट की।

जब सवेरा होने आया, तब सबने घड़ी दो घड़ी विश्राम कर लेने का विचार किया और मुंजाल ने काक तथा मंजरी के लिए राजमहल में एक अटारी अलग ही ठीक कर दी। वे लोग उसमें गये।

मंजरी का हृदय, काक के पराक्रम देख-देखकर उमड़ रहा था। कल्पना-जगत में परिणीत किए हुए कालिदास और परशुराम को वह भूल गयी और सजीव सृष्टि का महारथी काक—जिसने कालभैरव की आराधना की थी, जिसने मुंजाल के छक्के छुड़ा दिए थे, उसकी दृष्टि में रम गया। उसके मस्तिष्क में अनेक भावों का उदय हो रहा था और अनेक सरस वाक्य निर्झरित हो रहे थे। उसका हृदय, उन अनोखे पुष्पों को अपने सौभाग्यनाथ पर निछावर करने के लिए तरस रहा था। उसका पति अब उसे अपने योग्य प्रतीत हुआ।

उसे आशा थी कि अटारी में पहुँचते ही काक, जिस प्रकार पहले उमंग से भरा हुआ आया करता था, वैसे ही आएगा और उसे हृदय से लगाएगा, परन्तु अटारी में पहुँचने पर काक कुछ और ही हो गया, उसका शान्त, स्वस्थ, तिरस्कारपूर्ण मुख देखकर मंजरी निस्तेज हो गयी।

काक ने जो विजय प्राप्त की थी, वह बेजोड़ थी, अतएव उसका गर्व सकारण था और प्रथम रात्रि में किया हुआ अपमान वह भूला नहीं था। उस रमणी के हृदय-परिवर्त्तन का उसे ज्ञान नहीं था और उसके गर्व को वह चूर्ण भी करना चाहता

था, इस कारण एकान्त में आते ही वह संयत और कुछ रुक्ष-सा हो गया। उस प्रथम रात्रि के अभिमानिनी मंजरी के कहे हुए शब्द, इस समय उसके मस्तिष्क में ध्वनित हो रहे थे।

वह आया और जैसा उस रात को किया था, उसी प्रकार अपना साफ़ा उतार कर और सिर के नीचे रख कर सोने लगा। बिछौने पर बैठी हुई मंजरी का हृदय अन्दर ही अन्दर मुरझा गया। वह उठी; धीरे से निकट आयी। उसका वह हमेशा का गर्व और गौरव गलित हो गया था। क्षोभ से उसकी रग-रग काँप रही थी। ''तुम जूनागढ़ जाने वाले हो?''

''हाँ, तुम्हें अमावस्या को ले जाने का वचन दिया था, उसका पालन अवश्य करूँगा। घबराओ मत।'' काक ने लापरवाही से उत्तर दिया।

मंजरी का गर्व इस लापरवाही से घायल हो गया और उसके भाव अनबोले ही रह गये। वह खिन्न-हृदय, से परन्तु कृत्रिम दृढ़ता से बिछौने पर आकर पड़ गयी।

थका हुआ काक चैन से सोने लगा। हृदय की व्यथा से व्याकुल हुई मंजरी करवटें बदलती पड़ी रही। पति था; परन्तु उसकी अटारी सूनी थी।

चौथा खंड

न्याय

दूसरे दिन सवेरे, पाटण नगर पर, जिस तरह बिजली पड़ती है उस तरह यह ख़बर आकर पड़ी, कि मुंजाल मेहता का मृत पुत्र फिर जीवित हो गया है।

इस बात ने अनेक रूप धारण किए, अनेक मुखों पर जाकर उसके अनेक रूपान्तर हुए, अनेक परिवर्तन और परिवर्द्धन के साथ उसने पाटण की परिक्रमा की और पुरुषों, स्त्रियों तथा बच्चों, सबको उसने वश में कर लिया।

बात सही थी, उसके प्रमाण प्रत्यक्ष थे और वे इस प्रकार थे—जब मुंजाल मेहता का पुत्र अपने मामा के यहाँ सोरठ में रहता था, तब शेषनाग सोमनाथ की यात्रा करने आए और जब नागराज यात्रा करके लौटे तब उन्होंने वनथली के पास कन्दर्प की कान्ति को लज्जित करने वाले इस कुमार को खेलते देखा। शेषनाग इसकी कान्ति देखकर मोहित हो गये, पाताल में निवास करने वाली अनेक नागरियों और अपनी स्त्रियों को भूल गये और उस बालक को उठा ले गये। मुंजाल मेहता को जब ख़बर लगी, तब उन्होंने अपने पुत्र को प्राप्त करने के लिए अनेक प्रयत्न किए; परन्तु सब व्यर्थ गये। अन्त में जब भटराज काक पाटण आया, तब उसने पाताल में जाकर उनका पुत्र ले आने का बीड़ा उठाया। नर्मदा जी की आराधना की, उन महादेवी के प्रसन्न होने पर अभय-दान लिया, और वह अडिग भटराज हिंगलाज चाचर के घाट पर जाकर, सात दिन और सात रात तक कालभैरव से युद्ध करता रहा। अन्त में कालभैरव पराजित हुआ और कन्धे पर बिठाकर काक को पाताल में ले गया। वहाँ शेषनाग ने मुंजाल के पुत्र को देने से इनकार कर दिया, पर काक उससे चिपट गया और उसे घसीटता हुआ विमलशाह की बावड़ी तक ले आया। वहाँ काक और नागराज में युद्ध हुआ। कालभैरव की सहायता से शेषनाग पराजित हो गया और आखिर वह लाट का योद्धा मुंजाल के पुत्र को, राजमहल में ले आया।

किसी ने एक बात को सही माना, दूसरे ने दूसरी बात को झूठ बता दिया। तीसरे ने प्रमाण दिए, चौथे ने प्रतिकूल प्रमाण उपस्थित कर दिए। परन्तु सर्व साधारण ने तो इस बात को सत्य ही मान लिया; क्योंकि ये बात उस दामोदर नाई ने कही थी जिसने मुंजाल मेहता, उसके पुत्र और काक, तीनों की, सवेरे राजमहल में जाकर अपने हाथों हजामत बनाई थी और काक के बदन पर शेषनाग की पूँछ की चोट के जख़्मों पर स्वयं अपने हाथों दवा लगाई थी।

यदि इस नाई-शिरोमणि को अधम या छोटा गिनकर इतिहास में से बाहर कर

दिया जाए तो पाटण की नर-रत्नावली में से एक, 'मनका' कम हो जाए और माला अधूरी रह जाए!

जिस प्रकार देव लोक की ख़बरें नारदमुनि के द्वारा मर्त्यलोक में मिला करती थीं, जिस प्रकार बड़े लोगों के घर की बातें, सामयिक पत्रों के द्वारा इस समय मिला करती हैं, उसी प्रकार गुजरात के महाजनों की घरू बातें, सर्व साधारण को दामोदर के जाति बिरादरी वालों की मार्फत मिला करती थीं। जब से दाढ़ी रखना छोड़कर पाटण के अगुओं ने इनके आगे सिर झुकाना आरम्भ किया, तब से उनकी प्रतिष्ठा और सत्ता सर्वोपरि हो गयी और तभी से इन नापित वीरों की परम्परा को, गुजराती घरों में एक महत्त्वपूर्ण स्थान मिल गया।

उस्तरे पर धार देते हुए वे लोग प्रश्न करते और पानी लगाते हुए अच्छे-अच्छे को पानी कर डालते। मूँछें कतरते हुए अच्छे-अच्छे राजनीतिज्ञों को भी मोह लेते। घरों में रात को जब दीपक जलाने आते तब गृह-स्वामिनियों के हृदय भी वश में कर लेते। वे घर-घर की बातें जानते, स्वार्थ या परमार्थ का विचार किए बिना, सुधार-सँवारकर प्रसार करते और बहुतों की फ़जीहत या बेड़ा पार कर डालते। वे बहुतों के घर बिगाड़ देते या सँभाल देते। बिना कुलपुरोहित या नापित के किसी घर का काम नहीं चलता था। यदि विवाह करना हो, या किसी सम्बन्ध को भंग कराना हो; किसी को निमन्त्रण देना हो, या टालना हो; सन्देश भिजवाना हो, या चुगली करनी हो; स्वार्थ-साधना करनी हो, या श्राद्ध-कार्य पूरा कराना हो, तो इन दो महात्माओं के बिना किसी का काम ही न चलता था।

काना और बूढ़ा नापित दामोदर, ऐसे ही श्रेष्ठ जनों में था। जब से पाटण नगर की स्थापना हुई, तभी से उसके पूर्वज पाटण के राजाओं के मुखारविन्दों को सुन्दर बनाते आ रहे हैं। दामोदर को यह अभिमान था कि वे न होते, तो इन सब नरेशों की श्री-शोभा फीकी रहती और उसकी धारणा थी कि पाटण की महत्ता राजा और मंत्रियों पर चलाए हुए उसके उस्तरे की धार से ही बढ़ती है। यह आदमी, नगर की गप्पों का एक संग्रह-स्थान था और इस संग्रह-स्थान का उचित उपयोग करने में मुंजाल मेहता कभी न चूकते थे; परन्तु इस लाभ के मूल्य के रूप में राजमहल की कुछ बातें अमात्य को भी कहनी पड़ती थीं।

अमात्य के मुख से कुछ बातें निकलवाकर, दामोदर, कीर्तिदेव के पास गया। वहाँ से कुछ बातें निकलवाकर, वह काक के पास पहुँचा और जिस मनुष्य की दाढ़ी की ओर वह तिरस्कार की दृष्टि भी न डालता, उसे भी मल-मलकर उसने कुछ पाद-पूर्ति कराई। जो कुछ कमी रही, उसे अपनी कल्पना शक्ति से पूर्ण कर लिया और ऊपर दिए गये समाचार को जितनी जल्दी हो सका बहुत से घरों में पहुँचा दिया। इस शुभ प्रयास के परिणामस्वरूप मुंजाल मेहता को पुत्र और शेषनाग के विजेता को देखने के लिए सारा पाटण, राजमहल में आ पहुँचा और अपने स्नेही जनों तथा नागरिकों के

अभिनन्दन स्वीकार करते-करते मुंजाल मेहता का भी धैर्य छूटने लगा। उसके हृदय पर से बहुत दिनों के घिरे हुए बादल फट गये। पर कीर्तिदेव ज्यों-का-त्यों ही बना रहा—तटस्थ, तेजस्वी और निराला। केवल उसके मुख पर अस्पष्ट ग्लानि दिखलाई पड़ती थी; परन्तु इस अवसर पर उसे कोई न देख सका।

दोपहर को उदा मेहता राजमहल में आ पहुँचे। उनका मुख जरा मुरझाया हुआ-सा प्रतीत हो रहा था; फिर भी वह अपनी स्वाभाविक मधुरता से हँस-हँस कर सब से बातें करने लगे। वहाँ एकत्र हुए मनुष्यों में से बहुत थोड़े लोग ही जानते थे कि सवेरे साँढ़नी की पीठ पर मुश्कें बँधे-बँधे ही, उन्होंने दधिस्थली से पाटण तक—इच्छा या अनिच्छा से—यात्रा की थी। उन्होंने भी शेषनाग वाली बात सुनी और दिनों दिन अधिक सबल होते हुए शत्रु को यथाशीघ्र समाप्त करने की जो गाँठ उन्होंने मन में बाँध रखी थी, वह और भी दृढ़ कर ली। राजमहल में आकर, यह संकल्प करके वह मुंजाल मेहता की बैठक में पहुँचे; परन्तु वहाँ केवल काक को ही निश्चिन्तता पूर्वक खड़ा देखकर उनकी क्रोधाग्नि में घी पड़ गया।

उन्हें देखकर काक मुड़ा और मार्मिक हँसी से स्वागत करते हुए बोला— "अहाहा! उदा मेहता हैं! आप कहाँ से! मुंजाल मेहता तो आप ही की प्रतीक्षा कर रहे थे।"

"अच्छा!" जरा तिरस्कार-पूर्ण हँसी हँसकर उदा मेहता ने कहा, "मैं तो तुम्हारी प्रशंसा सुनने में लगा था। क्यों, शेषनाग को समाप्त कर आए?"

तलवार की धार की-सी तीक्ष्ण दृष्टि से काक ने उदा की ओर देखा और उसके शब्दों में भरे हुए विष को परख लिया। उसे ऐसा लगा कि मधुरता से अब कुछ न होगा। उसने भी हँसकर उत्तर दिया, "जी हाँ, नाग को बाँधकर, जकड़कर बिल्कुल निराधार कर दिया।"

"नाग बिगड़ खड़ा होगा, तब!" उदा मेहता ने दाँत पीसते हुए कहा।

"इस समय तो उसे केवल बाँधा है; परन्तु आगे चलकर उसके बत्तीसों दाँत तोड़ दूँगा।"

"देखो, सावधान रहना। शेषनाग अनन्त है।"

"हाँ, इसी से वह बहुत वृद्ध और निर्वीर्य है।"

उदा ने होठ चबा लिये और वह तुच्छ भाव से हँस पड़ा, "काक भट, तुम तो जैसे पाटण को विजय करने निकले हो। देखना, कोई चामुंडदेव[1] न मिल जाए।" यह कहकर वह जाने के लिए फिरा; परन्तु काक उसे इस प्रकार नहीं जाने देना चाहता था।

---

1. मूलराज के पुत्र चामुंड ने लाट को जीता था।

"आप भी सावधान रहिएगा। यदि कोई सेनापति बारप[1] मिल जाएगा, तो भागना भी कठिन हो जाएगा।" काक ने प्रत्युत्तर दिया। "लाट के योद्धा पाटण की अनाथ लड़कियाँ नहीं हैं कि कोई उठा ले जाए।"

उदा पलटा। उसकी आँखों की चमक गहरी और भयंकर हो गयी। उसने कठोरता से कहा, "ध्यान रखो, तुम पाटण के एक मन्त्री के साथ बातें कर रहे हो!"

"नहीं, मैं तो असहाय बालिकाओं को पीड़ित करने वाले के साथ वार्तालाप कर रहा हूँ!"

उदा का हाथ खड्ग की मूठ पर जा पड़ा और वह एक पग पीछे हट गया।

"एक शब्द भी अधिक बोलोगे तो–"

"एक नहीं, एक सौ बोलूँगा। कविकुलशिरोमणि की लड़की को इतनी ही देर में भूल गये!" काक ने हँसकर पूछा।

उदा को ध्यान आया कि राजमहल में खुले खजाने इस प्रकार मार-काट करने से फजीहत हुए बिना न रहेगी। उसने बड़े प्रयत्न से क्रोध को शान्त किया और तलवार पर से हाथ अलग कर लिया।

काक समझ गया और बोला, "क्यों क्रोध प्रकट कर रहे हैं! छिपे-छिपे, चुपचाप किए हुए काम को सारा संसार जान जाएगा।"

उदा मेहता को यह ज्ञात नहीं कि मंजरी का विवाह काक से हो गया है। अतएव उसने कहा, "भले ही सारा संसार जान जाए!"

पीछे की ओर से मुंजाल मेहता का हँसता हुआ स्वर सुनाई पड़ा, "सारे संसार को क्या जना रहे हो!"

काक और उदा दोनों चौंक पड़े, दंग हो गये और विचार में पड़ गये कि क्या कहा जाए। अन्त में उदा ने कहा, "इन भटराज के पराक्रम।"

"हाँ ठीक तो है!" उदा किस विषय में बात कर रहा है, यह न समझकर मुंजाल ने कहा।

उदा स्वास्थ्य प्राप्त करके मधुरता से बोला, "मेहता जी, मैं जिस पराक्रम की बात कर रहा हूँ, उसकी आपको ख़बर ही न होगी।"

"वह क्या!"

"एक मेरे यहाँ की आश्रित ब्राह्मण कन्या है, उसे ये उठा लाए हैं!"

उदा ने एक-एक शब्द को बड़ी मधुरता से उच्चारण करते हुए कहा, "और उसकी माता उसके बिना मरी जा रही है। मैं इनसे कह रहा था कि क्यों उस बेचारी को कष्ट दे रहे हो!"

---

1. मूलराज सोलंकी को सेनापति बारप ने भगाया था।

"काक, यह क्या बात है!" जरा कठोरता से मुंजाल ने पूछा। मुंजाल के मुख से यह नहीं प्रकट हो रहा था कि इस विषय में वह कुछ जानता है।

"महाराज, परन्तु उदा मेहता रातोरात उसे उठा ले गये और छिपा आए।"

मुंजाल उदा की ओर फिरा।

"हाँ, और दूसरा मार्ग ही कौन था? फिर भी भटराज का जी नहीं माना और ये उसे फिर उठा ले गये।"

"उस लड़की की माता कहाँ है?" मुंजाल ने पूछा।

"खम्भात में।"

"वाह!" मुंजाल ने कठोरता से कहा, "यह पाटण है कि कोई जंगल? एक बेचारी लड़की की यह कैसी खींचातानी? काकभट, वह लड़की तुम्हारे पास है?"

"जी हाँ।" साहस से काक ने कहा।

"तब उसे उसकी माँ को सौंप देना चाहिए।" उदा ने कहा।

"महाराज, आप न्यायमूर्ति हैं।" काक ने होठों में मुस्कराते हुए कहा, "आपकी आज्ञा मुझे शिरोधार्य है; परन्तु उदा मेहता श्रावक होकर भी उस ब्राह्मण-कन्या से विवाह करना चाहते थे और अब भी इनका यही विचार है।"

"मेरा क्या विचार है, यह जानने की तुम्हें जरूरत? "

"तब महाराज," काक ने शान्तिपूर्वक मुंजाल से कहा, "उस कन्या को मैं इन्हें कैसे दे दूँ? आपकी आज्ञा का मुझे पालन करना चाहिए; अतएव मैं स्वयं खम्भात जाकर उसे उसकी माता को सौंप आऊँगा।"

"किसलिए?" महा अमात्य ने पूछा।

"उदा मेहता पर मुझे विश्वास नहीं है।"

"विश्वास!" मुंजाल मेहता ने कठोरता से कहा।

"जी हाँ। जो चुपचाप पराई स्त्री को उठा ले जाए, उस पर कैसे विश्वास किया जा सकता है?" काक ने शान्ति से कहा।

"पराई स्त्री?" क्रोध से उदा ने उत्तर दिया, "क्या कहा? उसकी माता के वचन दान से वह मेरी स्त्री हो गयी है।"

"और अग्निदेव की साक्षी में वह मेरी भार्या बन चुकी है!" काक ने गर्व से कहा।

कड़ककर बिजली गिरती, तो भी खम्भात के मन्त्री इतने चकित न होते। केवल मुँह देखते रहने की ही चेतना उनमें रह गयी।

"किसकी बात कर रहे हो? कविकुलशिरोमणि की मंजरी की?"

"जी हाँ।"

"उसका तो तुमने पाणिग्रहण किया है?" मुंजाल ने गम्भीर स्वर में कहा। "और उस विवाहिता स्त्री को तुम उठा ले गये?" मुंजाल ने उदा मेहता की ओर मुड़ कर

कहा, "श्रावकों के शिरोमणि होकर? वाह! मीनलदेवी ने तो उसे अपनी कन्या बना लिया है, कुछ खबर है?" प्रत्येक प्रश्न से घबराता तथा पृथ्वी से शरण माँगता हुआ उदा पीछे हटने लगा और दीवार का सहारा खोजने लगा।

"महाराज, आपकी आज्ञा हो, तो मैं अपनी पत्नी को उसकी माता के पास–" जरा हँसकर काक कहने लगा, परन्तु मुंजाल की आँखों की सत्ता से प्रभावित होकर वह चुप हो गया।

मुंजाल ने गम्भीरता से कहा, "मैंने तो तुम्हें बुद्धिमान समझा था। मेहता, बोलो, अब क्या करूँ? तुम न्याय चाहते थे, क्या न्याय करूँ?"

थोड़ी देर कोई कुछ न बोला। फिर मुंजाल ने कहा, "भटराज, उदा मेहता, क्या पाटण के अधिकारियों को ऐसे झगड़े शोभा देते हैं? तुम लोग तो राजनीति के स्तम्भ हो। अच्छा, जो हुआ सो हुआ; परन्तु अब अपनी शत्रुता को भूल जाओ।" कहकर मुंजाल वहाँ से चला गया।

उसके जाने पर दोनों ने एक दूसरे की ओर घूरा।

"इसके लिए पछताना पड़ेगा!" मूँछ पर हाथ फेर कर, उदा ने जाते-जाते कहा।

"अभी तो तुम पछताओ। मेरी बारी आएगी, तब देखा जाएगा।"

सोरठ की ओर प्रस्थान

दूसरे दिन अँधेरे में काक और मंजरी ने साँढ़नी पर सवार होकर अपने रिसाले के साथ पाटण से प्रस्थान किया। काक का चित्त प्रफुल्लित था और मंजरी का भारी। काक, कुछ ही समय में पाटण के राजकार्यों पर अपने बुद्धि-कौशल की छाप बिठाकर, सोरठ में नये पराक्रमों के लिए अदृष्ट क्षेत्र खोजने जा रहा था और मंजरी, अपनी इच्छा के विरुद्ध, गर्व से तनकर, काक का घर छोडकर, ननिहाल जा रही थी।

आगे बढ़ते-बढ़ते, ज्यों-ज्यों उषा का प्रकाश चारों ओर फैलने लगा, त्यों-त्यों गाँव, खेत और मेंड़ों पर से जाते हुए किसान उसे दिखलाई पड़ने लगे और मंजरी का हृदय अधिक खिन्न होने लगा।

गर्व मन का दुर्ग है। बाहर के प्रताप को भीतर न आने देने का मुख्य साधन है। इससे अन्तरस्थ मन निर्भय, तटस्थ और सन्तुष्ट रहता है। जब तक यह मानिनी अपने को शुद्ध और श्रेष्ठ मानती थी तब तक आसपास के उपद्रवों की आँधी या भाव उसे स्पर्श नहीं करते थे और सब लोग चाहे जो कहें या करें; उसकी गर्वपूर्ण शान्ति अटल ही रहती थी। उसे लगता कि वह इस दुनिया से निराली है। यही उसकी शान्ति का, अस्पर्शता का मूल था और इसी से वह अपनी मानसिक सृष्टि में आनन्द से विचरण कर सकती थी।

परन्तु उसके गर्व का गढ़ गिर गया था और उसमें से होकर बाहरी आँधी अन्दर प्रवेश कर रही थी। उसका यह सृष्टि का संसर्ग सरल हो गया था। अब वह अपने को ऋषियों की कन्या और कवियों की वधू न मान सकी। उसे भान हुआ कि वह एक निःसहाय कन्या और अवमानिता स्त्री है। उदा के द्वारा प्राप्त हुए कष्ट उसने सरलता से सहन कर लिये; कारण कि उन सबको वह स्वप्न-जगत के से दुःख समझती थी; परन्तु काक की लापरवाही उसे अखरने लगी; कारण कि काक की दुनिया अब उसकी अपनी बनती जा रही थी। अब परशुराम के गौरव-गान से उसे सन्तोष नहीं हुआ। कालिदास का निर्जीव प्रेम उसे भला न लगा। अब उसे काक के मधुर हास्य की आवश्यकता थी। वह उसकी प्रेम-पूर्ण वाणी सुनना चाहती थी।

काक इसकी पूरी सावधानी रखता था कि यात्रा में उसे कोई कष्ट न हो, परन्तु इससे वह सन्तुष्ट नहीं थी। अक्सर कुछ लाकर देते समय, ठहरने की जगह पसन्द करते समय, काक उससे वार्त्तालाप करता; परन्तु यह वार्त्तालाप उसे व्याकुल कर देता था। उसमें न रस था, न भाव; न उमंग थी, न उत्साह। यह शान्त व्यावहारिक वार्त्तालाप उसके हृदय को चीरे डाल रहा था। उसके रसिक हृदय को तो रस से सराबोर प्रेम-वाक्य चाहिए थे।

ज्यों-ज्यों समय बीतने लगा, त्यों-त्यों वह अधीर होती गयी। अपने को स्वस्थ रखने और गर्व को सजीव करने के उसके सब प्रयत्न निष्फल हो गये। काक की क्या इच्छा है, वह कौन-सा रमणीय स्थान पसन्द करता है, वह क्या आज्ञा देता है, इन सब बातों ने उसके चित्त को वशीभूत कर लिया। जिस कल्पना-जगत में वह अभी तक जी रही थी, वह स्मृति बनकर ही रहने लगा; और यदि वह उसे अपनी आँखों के आगे साकार करने का प्रयत्न करती, तो काक उसके बीच में आ विराजता और वह वहाँ भी उसे ही निहारा करती।

उसके कल्पना-जगत में उतराते हुए भाव, अब वास्तविक जगत का आश्रय खोजते थे। आश्रयदाता अवश्य था, पर वह आश्रय नहीं देता था और परिणामस्वरूप उसके भावों के प्राबल्य से उसका असन्तोष बढ़ जाता था। और प्रसंग कितने सुन्दर आते थे? शुक्ल पक्ष के उगते हुए बालचन्द्र के साथ दुलार करती हुई उमंगपूर्ण सन्ध्या के उद्दीपक आभास में वे दोनों एक साथ साँढ़नी पर बैठते। दोपहर के समय, मंजरी भोजन बनाती, वह खाता, रात को किसी मकान में या प्रेमियों की पर्णकुटी के समान वटवृक्ष की छाया के नीचे सोते; परन्तु न था रस, न स्वाद और न आनन्द। अमूल्य दिन बीते जा रहे थे; परन्तु जिए न जिए जैसे।

उनकी यात्रा डेढ़ दिन तो निर्विघ्न जारी रही। दूसरे दिन सन्ध्या समय काक, गाँव में एक ठहरने का स्थान खोजने के लिए मुखिया के घर गया; परन्तु मुखिया की स्त्री ने कहा कि वे खेत से अभी नहीं लौटे हैं। रात हो गयी थी, अतएव काक ने विश्वास नहीं किया।

“परन्तु उतारा कहाँ है?” काक ने पूछा।

उत्तर में मुखिया की स्त्री ने द्वार बन्द कर लिया। काक ने और एक पड़ोसी से पूछा। वह भी बिना उत्तर दिए ही घर में जा घुसा। काक को क्रोध चढ़ आया। उसने जाकर द्वार में दो लातें जमा दीं।

“बोलो, नहीं तो अभी दरवाजा तोड़ डालूँगा। मैं पाटण का भटराज हूँ।”

उसकी धमकी से घबड़ाकर घर वाले ने धीमे से द्वार खोल दिया, “क्या हुकम है सरकार?”

“बदमाश, जवाब देने में भी तकलीफ होती है? जीभ खींच लूँगा। बतला, ठहरने के लिए उतारा कहाँ है?”

“यह तो मुखिया जी जानें, अन्नदाता!”

काक ने दाँत किटकिटाकर तलवार पर हाथ रखा, “बतला!”

काँपते हुए हाथ जोड़कर वह बोला, “सरकार, उधर सामने। वह तीसरा घर।”

काक उसकी ओर तिरस्कार पूर्ण दृष्टि डालकर आगे बढ़ा और उतारे के पास पहुँचा। वहाँ आठ-दस ग्रामीण हाथ में फरसे लिये हुए रास्ते में बैठे थे। काक अपनी साँढ़नियों को इस प्रकार पीछे की ओर ले आया, जैसे वही उतारे का मालिक हो; परन्तु उसे देखकर वे ग्रामीण उठ खड़े हुए।

“सरकार, उतारे में जगह नहीं है।”

“मुखिया कहाँ है?” काक ने सत्ता से पूछा।

“यहाँ नहीं है।”

“मुझे रात को यहीं ठहरना है।”

“यहाँ नहीं ठहरा जा सकता सरकार, मुखिया का हुकम नहीं है।”

“मुखिया का हुक्म?” काक ने क्रोध से कहा, “तुम्हारे मुखिया को ज़रा मेरे पास आने दो, तब बताऊँगा। चलो, हट जाओ एक ओर।”

वे सब ग्रामीण फरसे हाथ में लिये पास आ गये। ऐसा प्रतीत हुआ कि वे काक के रोब से दबेंगे नहीं। इसी समय पीछे से एक वृद्ध ग्रामीण आ पहुँचा।

“क्यों, क्या है? मैं मुखिया हूँ। क्या कहना चाहते हैं?”

“यही कि मैं रात को यहीं ठहरूँगा।”

“आप कौन हैं?”

“मैं पाटण का भटराज हूँ।”

“ठहरिए, आपके लिए गाँव में एक घर ख़ाली कराए देता हूँ।”

काक को हठ सवार हो गयी। बोला, “अर्थात्? यह उतारा किसलिए बनवाया है?”

“इस उतारे में, सरकार,” नम्रता से समझाने के लिए मुखिया कहने लगा, “कुछ और अतिथि ठहरे हैं।”

“परन्तु उतारा तो बड़ा है?”

“परन्तु उन्हें यहाँ और किसी का ठहरना पसन्द नहीं है।”

काक के अहंकार पर आघात हुआ। “ऐसा वह कौन है? नहीं, मैं यहीं ठहरूँगा।” उसने आँखें निकालकर कहा।

“यहाँ तो नहीं ठहरा जा सकता।” वैसी ही दृढ़ता से मुखिया ने कहा। काक को आश्चर्य हुआ। उसने यह आशा नहीं की थी कि एक ग्रामीण इतनी दृढ़ता दिखलाएगा; परन्तु इस समय नत होना उसे अच्छा नहीं लगा और यहाँ ऐसा कौन ठहरा है, यह जानने की जिज्ञासा भी उसे हो आयी।

“अच्छा, यह देखो।” कहकर उसने साँढ़नी-सवारों को संकेत किया और कहा “साँढ़नी आगे बढ़ा लाओ।”

आड़े किए हुए दस फरसों के अन्तराल ने उन्हें रोक लिया, यह देखकर साँढ़नियों को बिठाकर काक के सैनिक नीचे उतरे और आकर उसके चारों ओर खड़े हो गये।

काक ने देखा कि उसके बारह सैनिकों के आगे ये ग्रामीण किसी गिनती में नहीं हैं। “पाटण के भटराज का हाथ देखना चाहते हो? क्यों?” कहकर उसने तलवार निकाल ली। फिर भी वह मुखिया हाथ जोड़े सामने खड़ा रहा।

“अन्नदाता, मेरी बात मानिए और हठ को छोड़ दीजिए।”

अब क्या किया जाए, यह विचार करता हुआ काक क्षणभर ठहर गया। इस क्षण में सभी शान्त रहे। केवल अन्दर से किसी का स्वर सुनाई पड़ा, “डूँगर, जरा देख तो यह क्या उपद्रव है?”

काक ने यह परिचित नाम, परिचित ही स्वर मे सत्ताप्रदर्शक और अभिमान-पूर्ण ढँग से उच्चारित होते सुना और वह पीछे हट गया। उसके आश्चर्य का पार न रहा, “ऐं”!

मुखिया समझ गया और उत्तर में उसने कहा, “हाँ, महाराज।”

काक हँस पड़ा। “अच्छा, मेरे सैनिकों के लिए प्रबन्ध करो और जाकर कहो कि भटराज काक आपसे मिलना चाहते हैं।”

नमस्कार करके मुखिया अन्दर गया और वे ग्रामीण मार्ग रोके खड़े रहे। मुखिया ज्यों ही अन्दर गया कि साधारण वेश में एक व्यक्ति चबूतरे पर आ खड़ा हुआ और बोला, “कौन, लाट का काक?” यह आवाज़ सुनकर वे ग्रामीण सम्मानपूर्वक दूर हट गये।

“हाँ, महाराज!” यह कहकर काक चबूतरे पर चढ़ गया। उतारे में ठहरा हुआ पुरुष गुजरात का नाथ जयदेव था।

जयदेव की मृगया

"अन्नदाता, आप यहाँ? मैंने तो सुना था कि आप मृगया के लिए निकले हैं?" काक ने पूछा।

जयदेव महाराज जरा हँसे और बोले, "हाँ। क्यों यहाँ मृगया नहीं हो सकती?"

"महाराज, आप जहाँ जो चाहें , कर सकते हैं। आपकी बात कहीं अन्यथा हो सकती है?"

"पाटण के क्या समाचार हैं?"

"कोई नयी बात तो नहीं है, महाराज! मुंजाल मेहता का पुत्र मिल गया।" कहकर उसने कीर्तिदेव की सारी कथा कह सुनाई, "परन्तु आप पाटण कब पधार रहे हैं?"

"मेरा कोई निश्चय नहीं, परन्तु अब गये बिना निस्तार नहीं दीखता।"

काक ने जरा हँसकर कहा, "प्रतीत होता है, मृगया में आपको बड़ा आनन्द प्राप्त हुआ। मारा क्या?"

जयदेव ज़रा उलझन में पड़ गया और इधर-उधर देखने लगा, "हाँ, कुछ हरिन मारे हैं।"

"इस ओर हरिन हैं? मंडलेश्वर महाराज तो कहते थे कि इधर हरिन हैं ही नहीं। आप के साथ के शिकारी क्या किसी दूसरे गाँव में पड़े हैं?"

जयदेव फिर उलझन में पड़े, "हाँ।"

"महाराज, अब आपको पाटण जाना चाहिए। मुंजाल मेहता आप की प्रतीक्षा कर रहे हैं।"

"क्यों?"

"कल ही उन्होंने आपको लौटा लाने के लिए आदमी भेजे हैं।"

"ऐसा कौन-सा काम है?" जरा भवें चढ़ाकर जयदेव ने पूछा।

"जूनागढ़ में फिर गड़बड़ मची है। नवघण रा' मृत्यु शय्या पर पड़ा है।"

"तो इसमें मेरी क्या आवश्यकता? मैं उसका अग्नि-संस्कार थोड़े ही करूँगा?"

"नहीं, परन्तु किस घड़ी कौन-सी नयी बात खड़ी हो जाए, यह कैसे कहा जा सकता है? इसीलिए तो मैं वहाँ जा रहा हूँ।" कहकर काक ने धीरे से अपने सोरठ जाने का हेतु बतला दिया और कहा, "मुंजाल मेहता का सन्देश आपको आज ही कल में मिलेगा।" क्षण-भर के लिए जयदेव विचार में पड़कर चुप हो रहा।

"मुंजाल मेहता जानते हैं कि मैं किस ओर हूँ?"

"यह भी कैसे कहा जा सकता है? मुंजाल मेहता क्या जानते हैं और क्या नहीं, यह कैसे बतलाया जा सकता है?"

"यह भी विपत्ति आयी!" जयदेव के मुख से निकल गया।

"परन्तु महाराज, आपको शिकार को निकले, दस-बारह दिन हो गये। अब और कितने दिन रहिएगा?"

"राज्य की इन झंझटों से नाकों दम है। पाँच दिन भी निश्चिन्त होकर नहीं बैठा जा सकता। तुम कब जाओगे?"

"कल प्रातःकाल। मुझे तो साँढ़नियों को दौड़ाते हुए जाना है।"

"अच्छा, तुम यहाँ भोजन करोगे?"

"नहीं अन्नदाता, मेरी स्त्री साथ है। उसने भोजन बनाया होगा।"

"तुम्हारी स्त्री? तुम्हारा विवाह हो गया?"

"जी हाँ। कविकुलशिरोमणि की कन्या के साथ।"

"अच्छा, कल जाने से पहले मुझसे मिल लेना।"

"जो आज्ञा!" कहकर काक ने आज्ञा ली। बाहर निकलने पर उसे बड़ी चटपटी-सी लगी। जयदेव महाराज की मृगया में उसे कोई रहस्य प्रतीत हुआ और उस रहस्य को भेदन करने का उसने निश्चय किया।

उसने बाहर निकलकर डूँगर नायक से कुछ बातें कीं; परन्तु उस उस्ताद से वह अधिक बातें नहीं निकलवा सका। अन्त में दो-चार व्यक्तियों से थोड़ी-थोड़ी बातें ज्ञात करके वह अपने मुकाम पर लौटा। वहाँ पहुँचकर उसने एक लाट के भट को बुलाया।

"सोमभट!"

"कहिए?"

"सवेरे एक काम है।"

"क्या?"

"यहाँ जयदेव महाराज आकर ठहरे हैं। वे पाटण लौटकर नहीं जाना चाहते और वहाँ उनकी आवश्यकता है।-मुंजाल मेहता ने उन्हें लौटा लाने के लिए दूत भेजे हैं।"

"जी।"

"परन्तु यहाँ अभी तक कोई नहीं पहुँचा। अतएव तुम्हें सवेरे जाकर इनसे कह आना है कि राज-माता ने आपको बहुत ताकीदी से बुलाया है।"

"और न मानें तो?"

"इससे तुम्हें मतलब ?"

"जो आज्ञा।"

"और कहना कि आपसे सन्देश कहकर आज्ञा दी है कि काक भट से भी मिल लेना। नहीं तो वे तुम्हें अपने साथ खींच ले जाएँगे।"

"बहुत अच्छा।"

इस निश्चय के बाद काक ने भोजन किया और रस की भूखी मंजरी की परवाह किए बिना वह सो गया।

सवेरे रवाना होने से पहले वह जयदेव महाराज से मिलने पहुँचा। वहाँ कुछ गड़बड़ी सी मची हुई थी और डूँगर चबूतरे पर एक मशाल लेकर खड़ा था।

"नायक, महाराज से भेंट करने दोगे? उन्होंने मुझे बुलाया है।"

"हाँ, वे आप ही की प्रतीक्षा कर रहे हैं।"

"क्यों?"

"अभी पाटण से एक दूत सन्देश लेकर आया है।"

"कौन, काक आ गया?" अन्दर से जयदेव महाराज का स्वर सुनाई पड़ा।

"हाँ, अन्नदाता।" कहकर काक अन्दर गया। सोमभट हाथ जोड़े खड़ा था।

"तुम्हारी बात सच हुई। यह माता जी का सन्देश लेकर आया है।"

"क्या?"

"मेरे बिना वहाँ लवंग के भंडार में ताले पड़ जाते हैं!" अकुलाकर बिस्तर पर पड़े-पड़े महाराज बोले, "मुझे बुला रही हैं।"

"कौन, सोमभट?" काक ने इस प्रकार कहा, जैसे अभी ही भेंट हुई हो, "तुम सन्देश लाए हो?"

"जी हाँ, और मुंजाल मेहता ने कहा है कि यह सन्देश देकर मैं आपके साथ सोरठ चला जाऊँ।"

"अच्छा, तुम बाहर जाओ।" जयदेव महाराज ने सोमभट से कहा, "काक, अब क्या किया जाए?"

"आप पाटण जाइए, महाराज।" काक ने शान्ति से कहा।

"मूर्ख, मुझे जाना होता, तो तुमसे पूछता ही क्यों?"

"तब आप कहाँ जाना चाहते हैं?"

"सोरठ की ओर।"

"सोरठ की ओर?"

"हाँ। देखो, मैं तुमसे समझाकर सब बातें कहूँ।"

"जी।"

"होली के दिन मैंने तुम्हें रंग लेकर भेजा था, याद है?"

"हाँ, क्यों नहीं?"

"मुझे उसी लड़की के साथ जाना है।"

काक को इस मृगया का रहस्य अब ज्ञात हुआ, "वह कहाँ जा रही है?"

"वह कालड़ी के देवड़ा की लड़की है और भादर गाँव के सामन्त के यहाँ उसका ननिहाल है। वह अपने ननिहाल जा रही है।"

"भादर कहाँ है?"

"सोरठ के रास्ते में।"

"परन्तु वहाँ जाकर आप क्या करेंगे?"

"भादर के सामन्त यदि स्वीकार कर लें, तो देवड़ा राणक को मुझे सौंप दें।"

"परन्तु महाराज, पाटण के नरेश को यह शोभा देगा?" काक ने कहा।

"तुम भी मुंजाल मेहता की भाँति बातें करते हो? मैं राणक को अपनी बनाना चाहता हूँ। उसके बिना मुझे पाटण का सिंहासन भी सूना प्रतीत होता है। तुमने तो उसे देखा है। है उसके समान कोई सारे विश्व में?"

"महाराज, आपका इस प्रकार अकेले भटकना आपके वंश को शोभा देता है? आप अपने भाट को क्यों नहीं भेजते, मँगनी लेकर?"

"तुम माताजी को नहीं पहचानते। वे कोई ऐसी बात कर देंगी कि भाट कुछ से कुछ कर आएगा; और भादर के सामन्त हैं, तीक्ष्ण स्वभाव के। उन्हें कोई बात जरा ही अपमान-जनक प्रतीत हो, तो वे इनकार कर जाएँ। इसलिए मुझे स्वयं जाना पड़ रहा है।"

"अन्नदाता, मेरी एक बात सुनेंगे?"

"बोलो।"

"यदि इस समय आप पाटण नहीं जाएँगे, तो माताजी उलटी क्रोधित हो जाएँगी। थोड़ा-बहुत सन्देह तो सबको हो गया है और वह मैंने उनकी बातों पर से जान लिया है। इसलिए अभी आप जाइए और पन्द्रह दिन पश्चात फिर भादर आ जाइएगा। जूनागढ़ की गद्दी पर यदि खेंगार बैठेगा, तो हमें अपनी सेना सोरठ की सीमा पर लानी ही पड़ेगी। आप उसके साथ आइएगा और मैं जाकर देवड़ा से कहूँगा कि आप आवश्यक कार्य से पाटण लौट गये हैं और दस-पन्द्रह दिनों के पश्चात भादर आएँगे।"

जयदेव विचार में पड़ गया।

"तब तक मैं भी जूनागढ़ से लौटकर आ पहुँचूँगा।"

"यह भी ठीक है।"

"आप इस प्रकार जाएँ, यह मुझे भला नहीं प्रतीत होता। आखिर भादर का सामन्त भी मनुष्य है। वैभव और प्रताप से वह भी प्रभावित हो जाएगा। इसी बीच कोई दूसरा ब्याह कर ले जाए, यह बात तो नहीं है?"

"नहीं। दो-चार स्थानों से मँगनियाँ आयी हैं; परन्तु रत्नाजी सामन्त स्वीकार नहीं करते।"

"तब चिन्ता नहीं।"

"परन्तु यह सब इस प्रकार कहना कि राणक सुन ले। नहीं तो वह मुझे निकम्मा समझेगी।

"इस बात की तनिक भी चिन्ता न कीजिए। अन्नदाता, भगवान सोमनाथ की कृपा होगी, तो यही कन्या पाटण की पटरानी बनेगी। और क्या चाहते हैं?"

जयदेव हँस पड़ा, "काक, तुम बड़े जबर्दस्त हो।"

"अभी कैसे कहा जा सकता है?" कहकर हँसते हुए काक ने आज्ञा ली।

कालड़ी के देवड़ा का मुकाम पास ही के एक गाँव में था। काक, वहाँ जा पहुँचा और अपनी साँढ़नियों को कुछ दूर खड़ी रखकर, देवड़ा से मिलने गया। देवड़ा के डेरे पर रवाना होने की तैयारी हो रही थी। केवल यही विलम्ब था कि देवड़ा बाहर निकल आए। चबूतरे के सामने एक बहुत ही सुन्दर काठियावाड़ी घोड़ी, मस्ती से नाच रही थी।

"देवड़ा हैं?"

"उस ओर जाओ।" कहकर अनुचर ने एक कोठरी की ओर संकेत किया। काक, उस ओर गया और अरुणोदय के मन्द प्रकाश में तेजी से बाहर निकलते हुए किसी मनुष्य से टकरा गया।

"कौन देवड़ा जी?" काक ने पूछा।

"देखते नहीं हो?" उस आगन्तुक मनुष्य ने कहा। काक ने स्वर पहचान लिया। "कौन, कृष्णदेव?"

"काक? तुम–"

परन्तु काक के मुड़ने से पहले ही खेंगार विद्युतगति से उस घोड़ी पर सवार होकर रवाना हो गया। काक कुछ देर आँखें मलता हुआ खड़ा रहा और फिर अन्दर घुसा।

"कौन, महाराज?"

"नहीं, महाराज का दास।"

"क्यों?"

"महाराज एक जरूरी काम से पाटण जा रहे हैं और पन्द्रह दिन के बाद आप से भादर में आकर मिलेंगे।"

"अच्छा?"

"यहाँ आया हूँ, तो एक बात और भी कहता जाऊँ।"

"क्या?"

"जो मनुष्य अभी, यहाँ से निकलकर गया है, वह रात को यहीं रहा था?"

"हाँ, वह भी महाराज का ही मनुष्य है।"

"जयदेव महाराज का?"

"हाँ, पाटण में मुझे मिला था। राणक भी उसे पहचानती है।"

"सावधान! कहीं फँस न जाइएगा। महाराज उस पर बहुत नाराज़ हैं। यदि अब मिल जाए, तो उसे पकड़ ही रखिए। समझे?"

''ऐं! ऐसा जानता, तो मैं उसे खड़ा ही नहीं रहने देता।''

''चिन्ता नहीं परन्तु आगे सावधान रहिए।''

खेंगार के पीछे

अपने शिकार को पंजे से निकल जाते देख काक क्रोधित हुआ और तेजी से वहाँ आ पहुँचा, जहाँ मंजरी और उसके साथी ठहरे हुए थे। जिस प्रकार उसने नवधण रा' का पीछा किया था, उसी प्रकार उसके पुत्र को भी पकड़ने के लिए वह अधीर हो उठा।

''सोमभट, मुझे तुमसे बिछुड़ना पड़ेगा।''

''क्यों?''

''एक व्यक्ति आगे भागा जा रहा है। उसे पकड़ना है।''

''जो अभी घोड़ा दौड़ाता हुआ गया है, उसे?''

''सफेद घोड़ी थी?''

''हाँ, वही। तुम एक साँढ़नी ले तुरन्त जयदेव महाराज के मुकाम पर जाओ और मेरा नाम लेकर महाराज से एक अच्छी-से-अच्छी घोड़ी माँग लाओ।''

''और आप?''

''मैं यथासम्भव शीघ्रता से उस घुड़सवार के पीछे साँढ़नियाँ ले जा रहा हूँ; परन्तु इस मार्ग में घोड़ी के बिना काम नहीं चल सकता। जाओ।''

''जो आज्ञा।'' कहकर सोमभट एक सैनिक को साथ लेकर चला गया और काक अपनी साँढ़नी पर सवार हुआ।

मंजरी, चुपचाप यह सब सुन रही थी और काक से बिछुड़ने की बात जानकर उसके हृदय में न जाने क्या हो रहा था।

''मंजरी,'' साँढ़नी चलने लगी तब काक ने कहा, ''मुझे जरा आगे जाना होगा।''

''क्यों?'' बड़े प्रयत्न से स्वर को शान्त रखकर मंजरी ने पूछा।

''आगे जो घुड़सवार जा रहा है, उसे पकड़ना है।''

मंजरी घबरा गयी। उसकी स्वाभाविक स्वस्थता भंग हो गयी। उसके मुख पर खिन्नता छा गयी। उसने चिन्तातुर स्वर में पूछा, ''हम इसी प्रकार चलें तो क्या नहीं पकड़ा जा सकता?''

काक को इस प्रश्न में कुछ अपरिचित-सी झंकार सुन पड़ी; परन्तु खेंगार को पकड़ने की उत्सुकता में उसने अधिक ध्यान नहीं दिया।

''नहीं। इस प्रकार से कहीं काठी घोड़ी का पीछा किया जा सकता है?''

''तुम–'' मंजरी ने कुछ पूछना चाहा; परन्तु उसका प्रश्न अधूरा रह गया। काक एकाग्र दृष्टि से चारों ओर देख रहा था। कुछ देर कोई न बोला।

मंजरी के हृदय में भी अपरिचित नये-नये भाव उत्पन्न हुए। उसे इच्छा होने लगी कि वह काक का हाथ पकड़ ले, उसके पैरों से चिपटकर उसे कहीं न जाने दे, गले में हाथ डालकर उसे अपने पास खींच ले; परन्तु उसका गर्वित स्वभाव, इस प्रकार नत नहीं हो सकता था। वह बाहर से ज्यों-की-त्यों स्वस्थ रही। केवल आँखें ही क्षण-क्षण में अश्रुपात का उपक्रम कर रही थीं। "मैं कैसे जाऊँगी?" कुछ देर में उसने प्रश्न किया।

"सोमभट योग्य पुरुष है; और फिर जटानाथ आचार्य की दुहिता को जूनागढ़ जाने में चिन्ता और भय काहे का?"

मंजरी ने होठ चबा लिये। अपनी असहाय अवस्था को प्रकट करना उसे भला न लगा।

इसी समय सोमभट घोड़ी लेकर आ पहुँचा और अपनी साँढ़नी को बिठाकर काक उतरने लगा। उतरते-उतरते मंजरी को हृदय से लगा लेने के उसका भी जी तरस उठा; परन्तु जब उसने मंजरी की ओर देखा, तो वह कृत्रिम गर्व से फूली हुई दिखलाई पड़ी।

"मंजरी, मैं जाता हूँ। हो सका, तो रास्ते में मिलूँगा?"

मंजरी दयनीय दृष्टि से देखती रही, "और, नहीं तो?"

"जूनागढ़ में अवश्य मिलूँगा।" हँसकर काक ने उत्तर दिया। उसका भी कंठ जैसे रुद्ध हो रहा था। "देखो, यह प्रान्त बिल्कुल अरण्य है। सावधान रहना। सज्जन मेहता का पुत्र परशुराम यहाँ का दंडनायक है। आवश्यकता हो, तो उससे सहायता लेना और सोरठी लोगों से सहायता की आवश्यकता पड़े, तो रा' खेंगार का मैं मित्र हूँ। उसके नाम से सब मार्ग खुल जाएँगे।"

"अच्छा,—परन्तु"—आगे मंजरी का मुँह नहीं खुला। उसका हाथ आगे बढ़ा और फिर पीछे हट गया। उसे सूझा नहीं कि वह क्या करे, "भटराज—" वह जैसे होठों में ही बोली।

"क्यों, क्या है?" साँढ़नी से कूदकर काक ने कहा।

इसी समय मंजरी ने अंचल से आँखें पोछीं, "नहीं, कुछ नहीं, परन्तु जरा सावधान रहना।"

काक को मंजरी का गर्वित स्वभाव याद आया। मंजरी ने काश्मीरा देवी से जो बातें की थीं, वे भी उसे स्मरण हो आयीं। उसने भी गर्व से पूछा, "किसलिए?"

"तुम्हें कुछ हो न जाए।" मंजरी ने धीरे से कहा।

काक ने हृदय को कठोर करके, तिरस्कार से हँसकर उत्तर दिया, "घबराओ मत। मैं भी कैलास के समान दुर्धर्ष और कालाग्नि के समान दुःसह बनता जा रहा हूँ।"

इस कठोर वज्राघात से मंजरी मौन हो गयी और होठ दबाकर, साहस रखकर मन ही मन बुदबुदाई, "ये मेरे ही शब्द हैं!—हैं—हैं—इसे अस्वीकार नहीं किया जा सकता।"

काक नयी आयी हुई घोड़ी पर सवार हो गया, "सोमभट, तुम मेरे भाई के समान हो।"

"जी।"

"देखना, तुम्हारी भाभी को जरा भी आँच न आने पाए। मैं जूनागढ़ में आ मिलूँगा।"

"जो आज्ञा।"

"तुम कृष्णदेव को पहचानते हो। वह खेंगार है, नवघण रा' का पुत्र। दंडनायक परशुराम को भी तुम पहचानते हो।"

"जी हाँ।"

"जरा सावधानी से काम लेना। पंडित जटानाथ नवघण रा' के आचार्य हैं। अतएव उनके नाम से भी तुम्हें मार्ग मिल जाएगा। और ईश्वर न करे कि मुझे कुछ हो जाए, तो मंजरी को पाटण ले जाकर काश्मीरा देवी को सौंप देना।"

"जो आज्ञा।"

काक ने घोड़ी को घुमाया, पीछे देखा। मंजरी के पास जाने का मन हुआ; परन्तु मन को मार लिया और एड़ लगाकर उसने घोड़ी सरपट दौड़ा दी।

मंजरी की आँखों से टप-टप आँसू टपकने लगे।

राजकुमार खेंगार

काक घोड़ी को दौड़ाते हुए खेंगार के पीछे लग गया। कई घड़ियाँ बीत गयीं। सूर्यनारायण अस्ताचल की ओर जाने लगे; परन्तु आगे जाने वाले घुड़सवार और उसके बीच का अन्तर दूर न हुआ। देखते-देखते दूसरा प्रदेश आने लगा।

इसी समय एक छोटा गाँव आ गया। वहाँ ठहर कर भूख मिटाने के लिए वह बाजार पहुँचा और दूध पीकर खेंगार की खोज करने लगा। पूछताछ करने से ज्ञात हुआ कि एक घुड़सवार कुछ ही देर पहले इस गाँव से होकर गया है। एक मनुष्य ने कहा कि अभी वह इसी गाँव में है, यह सुनकर काक उस ओर रवाना हो गया, जिस ओर उस घुड़सवार के जाने का समाचार मिला था।

अचानक उसे घोड़े की टापें सुनाई पड़ीं और उस ओर जाने पर, उसने पन्द्रह-बीस घुड़सवारों को गाँव से बाहर जाते देखा। पोशाक से वे सोरठी प्रतीत होते थे।

"भाइयों, जरा ठहरो।"

घुड़सवारों ने घोड़ों को और तेज कर दिया और काक ने भी अपनी घोड़ी उनके

पीछे लगा दी। कुछ आगे बढ़ने पर काक को ऐसा प्रतीत हुआ कि घुड़सवार उसे जानबूझकर गाँव से बाहर खींचे लिये जा रहे हैं। यह सन्देह होते ही उसने अपनी घोड़ी को फिरा लिया और गाँव की ओर जाने का विचार दिखाया।

तुरन्त ही वे घुड़सवार ठहर गये और एक सवार आगे बढ़ आया। काक ने घोड़ी को एड़ लगाई। घोड़ी घूमकर, गाँव की ओर बढ़ी; परन्तु यह देखकर वे सब उसके पीछे लग गये और देखते-देखते सबने चारों ओर से उसे घेर लिया।

''तुम कौन हो?''

''यह तो मैं हूँ, काक भट!'' एक सवार हँसते हुए आगे बढ़ आया।

''कौन, राजकुमार खेंगार?'' चौंककर काक ने पूछा।

''हाँ, पाटण की आन गयी; अब जूनागढ़ की आरम्भ हुई है।'' खेंगार ने हँसकर कहा।

''परन्तु मुझे रोकने का कारण?'' काक ने पूछा।

''तुम्हारा अतिथि-सत्कार करने के लिए।''

''जयदेव महाराज और रा' के बीच तो सन्धि है; फिर इस आतिथ्य की आवश्यकता?''

''काक भट, हमारे देश में तुम्हें कुछ कमी न मालूम होनी चाहिए, नहीं तो हमें लज्जित होना पड़ेगा।''

''तब क्या करना चाहते हैं?'' शान्ति से हँसकर, हृदय की चिन्ता छिपाते हुए काक ने कहा।

''तुम्हें जूनागढ़ ले जाएँगे। चलो, विलम्ब हो रहा है।'' खेंगार ने अपने सवारों को आदेश दिया।

''मुझे नहीं जाना है।'' काक ने कहा।

''भटराज, यह हठ व्यर्थ है, तुम्हें चलना ही होगा।''

''नहीं।''

''तो बलपूर्वक ले जाना होगा।''

''तब यह कहो कि मैं कैदी हूँ?''

''नहीं, मेरे अतिथि हो।'' खेंगार ने कहा।

काक ने क्षण-भर विचार किया और हँसकर कहा, ''कुमार, तुम्हारी बात कहीं टाली जा सकती है? चलो, चल रहा हूँ।''

''चलो।''

''रा' की तबीयत कैसी है?'' चलते-चलते काक ने पूछा।

''ये लोग तो कहते हैं कि मृत्यु-शय्या पर पड़े हैं।''

''जीवित हों, तो अच्छा है। पाटण से तुम्हारा आना सार्थक हो जाए।'' काक ने मार्मिक हँसी हँसते हुए कहा।

"मुझे विश्वास है कि सार्थक ही होगा।" कहकर वह अपने रिसाले के साथ आगे बढ़ा।

सारी रात और सारे दिन घोड़े दौड़ाते हुए ये लोग जूनागढ़ की ओर बढ़ते रहे। मार्ग में काक को खेंगार में अनोखा-सा परिवर्तन दिखाई पड़ा। वह पाटण वाला शंकित, शान्त तिरस्कार पूर्ण हृदय का कृष्णदेव नहीं था; परन्तु उत्साही, मुक्तहृदय, अपनी प्रजा का पिता था। गाँवों के लोग उससे मिलने को आते। वह सब के साथ स्नेह से, शुद्ध हृदय से बातें करता। जो गुण, पाटण की वैर-भूमि में प्रकट नहीं थे वे उसकी अपनी भूमि में झलक उठे। काक को भी वह मित्र के समान समझने लगा और अनेक प्रकार से उसे रिझाने के प्रयत्न करने लगा।

काक भी खेंगार के विकसित गुणों को देखकर प्रसन्न हो गया।

वृद्ध सोरठी योद्धाओं के द्वारा ऐसे अल्पवयस्क कुमार का असीम सम्मान और प्रेम से आदर होते देख, खेंगार के शौर्य के विषय में भी उसका विचार बदल गया। तीसरे दिन जब वे जूनागढ़ पहुँचे, तब नागरिकों में ऐसा उत्साह और आनन्द छा गया, जैसे खेंगार दिग्विजय करके लौटा हो।

दरवाजे पर पहुँचकर खेंगार ने द्वारपाल से पूछा, "पिताजी कैसे हैं?"

"अन्नदाता, आप से मिलने को ही उनके प्राण कंठ में अटके हुए हैं।"

"अच्छा?" कहकर खेंगार ने घोड़ी को एड़ लगाई।

रा' नवघण की प्रतिज्ञा

नगर में प्रवेश करते ही काक को एक नवीनता-सी प्रतीत हुई। जूनागढ़-नगर नहीं, वरन शस्त्र-सज्जित योद्धाओं की छावनी-सा ज्ञात हो रहा था। जब राजा मृत्यु-शय्या पर पड़ा हो, तब भी नगर का ऐसा ठाठ देखकर उसके आश्चर्य का पार न रहा।

राजदुर्ग में घुसते ही खेंगार घोड़ी पर से नीचे कूद पड़ा।

"काक, मेरे साथ आओ।"

"महाराज," काक ने गौरव से कहा, "मैं पाटण का भटराज हूँ। शत्रु पक्ष का आदमी हूँ। ऐसे समय पराए आदमी को साथ रखना उचित नहीं।"

खेंगार मुक्त हृदय से खिलखिला कर हँसा पड़ा।

"काक, मैं तुम्हें पहचानता हूँ। मुझे तुम पर विश्वास है। तुम जैसा शत्रु भी हो, तो चिन्ता नहीं। चलो।"

"जो आज्ञा।" कहकर काक साथ हो लिया। खेंगार के विश्वास ने उसे जीत लिया। उसे मन-ही-मन विचार हुआ कि यदि ऐसा पति पाटण का हो, तो क्या से क्या हो जाए!

खेंगार जल्दी से अपने परिचित महल से घुस गया और जो-जो लोग सामने मिले, वे इसे देखकर प्रसन्न हो गये।

अन्दर जाने पर, देखा, पत्थर के बने एक चौक में नवघण रा' मृत्यु-शय्या पर पड़े थे। उनके कौटुम्बिक जन और योद्धागण उन्हें चारों ओर से घेरे खड़े थे। खेंगार को आया देख सबने ज़रा दूर हटकर उन्हें रास्ता दिया।

चिन्तातुर, स्नेहसिक्त आँखों से खेंगार तेजी से आगे बढ़ा। पीछे काक भी आ गया। उन्होंने एक साधारण खाट पर सोरठ के वृद्ध पति को पड़ा हुआ देखा और वे पहले कैसे अवसर पर मिले थे, यह स्मरण हो आया।

मृत्यु के समय भी उस वृद्ध महारथी के प्रचंड शरीर का एक-एक स्नायु पहले के समान ही सशक्त प्रतीत हो रहा था। केवल उनके गालों में गढ़े पड़ गये थे, आँखें धँस गयी थीं, कपाल पर सिकुड़नें पड़ी हुई थीं और बीच-बीच में आँखें खोलकर वे चारों ओर देख लेते थे।

खेंगार दौड़कर खाट के पास जा बैठा और उसने पिता का हाथ लेकर छाती से लगा लिया। ऊँचे कद की खेंगार की वृद्ध माता, इस उम्र में भी तेजस्विनी दिखने वाली सोरठी वीरांगना, खाट पर बैठी हुई पति के पैर दबा रही थी। उसने खेंगार को देखकर कहा, "बेटा, तुम्हारे बिना इनके प्राणों की गति नहीं हो रही है।"

ज्यों ही खेंगार ने अपने पिता का स्पर्श किया कि वे आँखें फाड़कर चारों ओर देखने लगे। खेंगार ने कान के पास मुँह ले जाकर पुकारा, "पिताजी! —मैं खेंगार—पिताजी—" वृद्ध ने आँखें मींच लीं। श्वास की गति जरा मन्द हो गयी। इसके बाद उन्होंने फिर आँखें खोलीं।

"बेटा!" वृद्ध ने धीरे से पुकारा।

"पिताजी!"

सभी स्त्री—पुरुष एकाग्रचित्त से सुनने लगे। "बेटा —आ—गये—" बड़ी कठिनाई से वृद्ध ने कहा। यह प्रकट हो रहा था कि वे बड़ी मेहनत से इस अन्त समय में बल एकत्र कर रहे हैं। उनकी आँखों का अमानुषीय तेज दूर हो गया।

"राया!"

तुरन्त ही पास खड़ा हुआ खेंगार का बड़ा भाई आ गया।

"और सब कहाँ हैं?"

"ये हैं, पिताजी।" शेरसिंह और चूड़चन्द्र खेंगार के दोनों बड़े भाई भी, निकट आ गये।

वृद्ध ने आँखों के संकेत से पानी माँगा और वृद्धा रानी ने अँगुलियों से उसके मुहँ में पानी चुआ दिया।

"सोमनाथ भग—वा—न—की प्रति—"

"हाँ, पिताजी," चारों ने कहा, "सोमनाथ भगवान की प्रतिज्ञा। क्या आज्ञा है?"

"सब र–ह–गया।" वृद्ध में धीरे-धीरे शक्ति आने लगी।

"चिन्ता नहीं पिताजी, हम लोग हैं न?" खेंगार ने कहा।

वृद्धा के मुँह पर तिरस्कार छा गया, "तुम लोग?"

"पिताजी, क्या करना है?"

"मेरी गादी–"

"जिसे आप कहेंगे, वही लेगा। ज़रा भी चिन्ता न कीजिए।" रायघन ने कहा।

वृद्धा ने फिर कुछ पानी की बूँदें मुँह में डालीं और रा' को वाचा आ गयी।

"बेटा," कहकर उन्होंने दम लिया, "प्रतिज्ञा करना सरल है, परन्तु उसे पालना..."

"पालेंगे पिताजी!"

"परस्पर लड़ मरोगे, तो जूनागढ़ –"

"आप कहिए तो," शेरसिंह ने कहा, "आप जिसे कहेंगे, वही जूनागढ़ लेगा। फिर चिन्ता किस बात की?"

"जल रक्खो।" कहकर वृद्धा ने अपने को बिठा देने के लिए कहा। बड़े प्रयत्न से चारों पुत्रों ने वृद्ध को उठाकर तकिए के सहारे बिठा दिया। उसका श्वास फिर रुद्ध होता हुआ मालूम हुआ। तुरन्त एक वृद्ध ब्राह्मण ने चारों ओर पानी रखवा दिया।

"पिताजी, कौन ले?"

वृद्ध ने धीरे-धीरे चारों ओर देखते हुए कहा, "पानी! जो मेरे वैर का बदला ले, –वही पिंडदान करे और जूनागढ़ ले।"

"हाँ, आज्ञा कीजिए, कौन-सा वैर लेना है?"

"भोंयरे[1] को तोड़ना है।"

"तोड़ूँगा, पिताजी!"

"और –और–"

सब ध्यानपूर्वक सुनने लगे।

"महीड़ा[2] को मारना है।"

कुछ देर सब मौन रहे। शेरसिंह कुछ बोलना चाहता था; अतएव रा' ने आँखों से ही उसे चुप रहने का संकेत किया।

"दामा चारण[3] को पहचानते हो?"

"हाँ"

---

1. भोंयरे का किला तोड़ने की नवघण ने प्रतिज्ञा की थी।
2. उमेठा के राजा का पुत्र हंसराज। उसकी बहन को रा' ब्याह लाया था, इससे शत्रुता हो गयी थी।
3. जब रा' पकड़े गये थे, तब इस चारण ने मज़ाक किया था।

"उसके गाल फाड़ने हैं।"

सब चौंक पड़े। पवित्र समझे जाने वाले चारण को ऐसा क्रूर दंड देने की अनीति कोई राजपूत नहीं कर सकता। चारों पुत्र ठिठक गये। रा' ने उनको कठोर दृष्टि से देखा। उनकी प्राण त्यागती हुई आँखों में भी क्रोध छा गया।

"और?" चूड़चन्द्र ने पूछा।

"सोलंकी ने मुख से तिनका उठवाया था।" वृद्ध की आँखों में भयंकर विष व्याप्त हो गया। सब एकाग्र होकर सुनने लगे।

"इसका अर्थ क्या है?" तिरस्कार से रा' ने पूछा।

"क्या किया जाए?"

"जो सोलंकी की नाक काटे–"

"हाँ–" चारों जने श्वास खींचकर बोले।

"वही उत्तर–क्रिया करे और जूनागढ़–ले।" रानी ने वाक्य को पूरा किया। रानी पहली ही बार बीच में बोली। काक उसका प्रभावशाली मुख और तीक्ष्ण आँखें देखने लगा। ऐसा लगा कि वहाँ खड़े हुए सभी लोगों को रोमांच हो आया है।

कोई कुछ न बोला। बारह दिन में गुजरात के नाथ की नाक काटना कोई खेलवाड़ नहीं था। चारों पुत्र लज्जित होकर खड़े रहे। काक के कपाल पर पसीना आ गया। रानी ने सिंहनी की भाँति सिर उठाया। वह रायघन और चूड़चन्द्र की ओर क्रोध से देखने लगी।

"चन्द्र[1] ने चूड़ियाँ पहन ली हैं, अब राया, तू भी पहन ले।"

वृद्ध ने इधर-उधर दृष्टि दौड़ाई और निराश होकर उसने पटरानी की ओर और उनके पीछे खड़ी रानियों की ओर तिरस्कार से देखा।

"रानी, ये पुत्र किसके हैं?" तिरस्कार के साथ उच्च स्वर में वृद्ध ने पूछा, "कहो तो सही?"

वहाँ बैठे हुए सब काँप उठे। बहुत से नीची दृष्टि किए खड़े रहे। काक चारों पुत्रों की ओर ध्यान से देखने लगा। अचानक उसने खेंगार के सुन्दर मुख को तेज से चमकते देखा। काक के हृदय में धड़कन पैदा हो गयी। उसी समय उसने मुंजाल के खेल को समाप्त हो जाते देखा।

खेंगार ने अपने मस्तक को गर्व से ऊँचा किया और वृद्ध की ओर एकाग्र दृष्टि से देखा। उसके होठ भयंकर निश्चय से बन्द थे, "पिताजी, आपको मैं पिंड-दान दूँगा।"

"बेटा!" वृद्ध ने चकित होकर कहा।

"हाँ पिताजी! या तो श्राद्ध करूँगा, या आपके पीछे–" वृद्ध ने खेंगार का हाथ

---

1. चूड़चन्द्र अम्बा देवी का भक्त था, अतएव वह हमेशा चूड़ियाँ पहनता था।

पकड़ने का प्रयत्न किया और खेंगार ने पिता का हाथ थाम लिया। रा' ने उसे छाती से लगा लिया।

"बेटा, यादव-कुल में दी–" कहकर वृद्ध ने शान्ति से आँखें मींच लीं। उसके मुख पर कुछ मधुर हास्य-सा छा गया और श्वास की गति मन्द हो गयी। कुछ देर में उसने आँखें खोलीं– "बी–"

"पिताजी," खेंगार ने नीचे झुककर कहा।

"पिंड–"

"पिंड-दान दूँगा।"

"शंत–जी–" कहकर वृद्ध ने फिर आँखें मींच लीं। सभी मूर्तिवत स्तब्ध होकर खड़े रहे।

रानी ने दो बूँद पानी छोड़ा और वृद्ध ने एक श्वास खींचा। रा' के कंठ में मृत्यु का घंटा बज उठा और दूसरे ही क्षण उसकी आँखें फट गयीं। रा' नवघण की देह ढल पड़ी और समस्त परिजन 'जय महादेव' कह उठे।

रा' खेंगार

खेंगार तुरन्त वहाँ से फिरा–"काक भट!"

"जी!"

"मुझे तुमसे काम है। इधर आओ।"

तुरन्त ही आसपास खड़े लोगों ने मार्ग दे दिया और वे दोनों बाहर निकले।

"भटराज, मुझे तुमसे कुछ बातें करना है।"

"इस समय?" जरा विस्मित होकर काक ने पूछा।

"हाँ, इसी समय। काक, जब मैं यहाँ आया, तब मैंने आशा नहीं की थी कि यह सब होगा।"

"मुझे भी ऐसा ही ज्ञात हुआ।"

"अब मेरी बाजी का रंग पलट गया।"

"किस प्रकार?"

"मुझे पाटण के साथ युद्ध आरम्भ करना होगा। पर यह ज्ञात नहीं था कि इतनी जल्दी करना पड़ेगा। क्यों, बोलते क्यों नहीं?"

"महाराज, आपकी अन्तिम प्रतिज्ञा सुनकर अब मैं क्या कहूँ?"

बड़े ही स्नेह से खेंगार ने काक के कन्धे पर हाथ रखा।

"मेरी जगह तुम होते, तो क्या करते?"

"जो आपने किया, वही।"

"तब?"

"महाराज, सोरठ आकर मैं तो आपके गुणों का दास हो गया हूँ।"

"काक, तुम मित्र ही बने रहो, बस, फिर मुझे और कुछ नहीं चाहिए।"

"इस जीवन में तो महाराज, आपका मित्र ही रहूँगा। कहिए, क्या आज्ञा है?"

"काक, मुझे एक बात स्पष्टता से बतलाओ। तुम मुझे पहचानते हो और मेरी प्रतिज्ञाओं को जानते हो। क्या जयदेव ही चक्रवर्ती बनने को उत्पन्न हुआ है और मैं नहीं?"

"महाराज, मैं भी आज यही विचार कर रहा था कि आप पाटण की गादी पर होते, तो लोग महाराज विक्रम की कीर्ति को भूल जाते।"

ज़रा गर्व से खेंगार सतर हो गया, "पाटण की गादी में क्या है और जूनागढ़ की गादी में क्या नहीं?"

"वहाँ राजनीतिज्ञता, और शौर्य दो हैं और यहाँ केवल शौर्य है।"

"काक," एकदम काक की ओर घूमते हुए खेंगार ने कहा, "मेरा शौर्य और तुम्हारी राजनीतिज्ञता, ये दोनों क्या नहीं कर सकते?"

काक चौंक कर पीछे हट गया, "यह क्या कह रहे हैं?"

"सच कह रहा हूँ। मैं तुम्हें अपना मन्त्री बनाना चाहता हूँ।"

काक ने एक निःश्वास छोड़ा, "महाराज, यह कैसे हो सकता है?"

"सरलता से। यहीं आकर रह जाओ।"

"मैं?" काक ने सिर हिलाया।

"क्या जयदेव के हाथों बिक गये हो?"

"नहीं।"

"तब वह स्वार्थी तुम्हारी क्या कदर करने वाला है?"

"यह भी जानता हूँ; परन्तु जिस प्रकार आपकी मुझ पर श्रद्धा है; उसी प्रकार एक और मित्र की भी है।"

"किसकी? त्रिभुवनपाल की?"

"हाँ। आप तो मुझे आज बुला रहे हैं; परन्तु उन्होंने तब मेरा हाथ थामा था जब मैं लाट में एक भटकने वाला सैनिक था।"

"तो क्या इससे तुम अपने भाग्य को पुड़िया में बाँध रहे हो?" खेंगार ने पूछा।

"वह तो विधाता ने कभी का बाँध दिया है।"

"काक—"

"कहिए।"

"तुम जैसा धूर्त और भला आदमी मैंने और नहीं देखा।"

''मेरे द्वारा इतने कटु अनुभव लेने के बाद भी मेरी ऐसी कदर करने वाला मैंने भी नहीं देखा।''

''तुम नहीं मानोगे?'' खेंगार ने निराशा से पूछा।

''नहीं।''

''काक, मैंने सोचा था कि आज मेरा भाग्य खुल गया; परन्तु अब ज्ञात होता है कि उलटे वह बन्द हो गया।'' सिर हिलाकर खेंगार ने कहा।

''इस प्रकार निराश क्यों हो रहे हैं? आपके भाग्य में न जाने क्या लिखा होगा!''

''और चाहे जो हो, एक बात तो लिखी ही है।''

''क्या?'' काक ने पूछा।

''टेक।''

''तो फिर महाराज, सारी दुनिया झक मारती है।''

कुछ देर दोनों मौन खड़े रहे।

''तब तुम शत्रु पक्ष में ही रहोगे?''

''क्या किया जाए!''

''ठीक है। जैसी मेरी टेक है, वैसी ही तुम्हारी; परन्तु काक, तब मुझे शत्रुता करनी होगी।''

''किस प्रकार?''

''उस प्रतिज्ञा के बाद तुम जैसे पट्टणी को कैसे छोड़ा जा सकता है?''

काक समझ गया, ''महाराज, सच है। मैं बन्दी होने को तैयार हूँ।''

''आज से बारहवें दिन तुम्हें छोड़ दूँगा।''

गर्व-मर्दन

अनाथ परन्तु गर्विता मंजरी ज्यों-त्यों करके अपने रोते हृदय को चुप रख सकी। गर्वगलित हो जाने पर वह निर्बल हो गयी थी और अपनी मानसिक सृष्टि का आनन्द भूलकर, साधारण जगत के सुख-दुःखों का शिकार हो गयी थी। उसका स्वभाव जन्य गर्व कहीं चला नहीं गया था; परन्तु उसके हृदय में संचरित नये भावों ने उस गर्व को दास बना लिया था। वह क्यों इस प्रकार चिन्ता करती है? काक के जाने पर क्यों इस प्रकार बेचैन हो गयी है? और क्यों निःसहाय हो रही है? ये प्रश्न मन में पैदा होते; परन्तु निर्णय होने से पहले ही, विजेता काक का विचार आ खड़ा होता और निर्णय करना रह जाता।

पाटण से प्रस्थान करने के पश्चात काक उसके विचार-साम्राज्य का महाराजा बन गया था। परन्तु जब वह अकेला इस प्रकार चला गया, तब उसकी बुद्धि कुंठित हो

गयी। उसमें विचार करने की शक्ति न रह गयी। ऐसा प्रतीत होने लगा; जैसे उसके हृदय को चीर कर आत्मा निकल भागी हो। वह समझ न सकी कि यह क्या हो गया और कैसे हो गया। केवल इतना ही प्रतीत हुआ कि वह जीवित नहीं है और प्राण चला गया है—घोड़ी पर बैठे दूर जाते हुए काक के साथ। पहले विचार आया करते थे, अब विचार-शून्यता आ गयी। पहले हृदय शान्त रहता था, अब हृदय में तरंगें उछलने लगीं। पहले काक का मुख सामने आता था अब उसका हृदय ही काकमय हो गया। मंजरी कुछ समझ न सकी।

पहले वह काक को तुच्छ समझती थी। पाटण से रवाना होते समय ही उस पर स्नेह हो आया था। अब वह सर्वोपरि हो बैठा। उसकी मूर्ति के पैरों में कल्पना और बुद्धि दीन मुख से धूल में लोटने लगीं।

पहले काक की बुद्धि के विषय में विचार आया करते, उसके शौर्य की दूसरों से तुलना किया करती, उसके रूप की दूसरों के साथ समता किया करती; अब वह कुछ न कर सकी। अब दृष्टि में केवल काक ही रम गया। पहले कवि की दृष्टि से उसका रूप देखती; ब्राह्मण-कन्या की दृष्टि से उसके संस्कार देखती; वीरांगना की दृष्टि से उसका शौर्य देखती; अब एक ही दृष्टिबिन्दु रह गया—स्त्री का। उसकी विकृत कल्पना-शक्ति ने उसे केवल पुरुषोत्तम-रूप में ही देखा। पहले केवल मन ही उसके साथ रहने की इच्छा करता, अब उसका हृदय, उसके अंग-अंग में छिपा हुआ भयंकर स्त्रीत्व, उसके लिए तरसने लगा।

मंजरी अपने हृदय की उत्ताल तरंगों को देखकर घबराई। हृदय की तड़फड़ाहट देखकर चौंकी। ऐसी अपरिचित भयंकर तड़फड़ाहट का उसने अनुभव नहीं किया था। अनुभव करने की आशा भी नहीं की थी। वह थकी, हारी, घबराई; परन्तु तड़फड़ाहट दूर न हुई। उसे शान्त करने की शक्ति न रह गयी। उसे अपने घर, अपने संस्कारों पर, अपनी निश्चल मानी हुई विशुद्धि पर तिरस्कार हो आया। फिर भी कुछ लाभ न हुआ।

हृदय के चक्षु स्पष्ट रूप में देखने लगे कि अब काक केवल भावनाओं को सन्तुष्ट करने वाला या हृदय की हार ही नहीं है—वह उसका भरतार है—उसकी देह का, उसके जीवन का उसकी आशा का नाथ है और उसकी भविष्य की सन्तान का पिता है।

भूकम्प होने पर, जैसे पाताल दिखलाई पड़ने लगता है, वैसे ही संस्कृता मंजरी इस विचार-पाताल को देखकर काँप उठी; परन्तु इस पाताल को देखकर भाग जाने की शक्ति उसमें नहीं थी और मन भी नहीं था। वह इस पाताल में कूद पड़ी।

पहले वह रस-सागर के तट पर थी, अब आँखें मींचकर सागर में कूद पड़ी। रस-तंरगों ने उसे चारों ओर से घेर लिया और उसे भिगोकर, घबराकर, डुबाकर आत्मघात करने की-सी दशा में बहने दिया—केवल एक ही आशा रह गयी कि शायद तल-भाग अब मिल जाए।

अकल्पित घटनाएँ, अवाचित शब्द, अविचारित भाव, मन में खड़े हो गये। उसके रसिक स्वभाव का प्रवाह, रस-सूर्य के प्रतापी तेज में रंगकर आगे बढ़ा। उसे सागर से मिलना था।

इस चार दिन की यात्रा में उसके मनोराज्य का चक्र बदल गया। अपना गर्व, अपना अलगपना, अपने द्वारा हुआ काक का अपमान, इन सबके लिए उसने पश्चात्ताप किया। कैसे क्षण उसने गँवा दिए? और वे केवल अपने अभिमान से। वह कैसी मूर्ख है? उसने संकल्प किया कि अब मैं नया जीवन आरम्भ करूँ—जूनागढ़ पहुँचकर, काक के पैरों में पड़ जाऊँ, क्षमा मागूँ और उसकी दासी बन जाऊँ।

अपना यह अधः पतन देखकर उसे क्रोध आ गया—उत्तर में उसका कृतघ्न हृदय हँसने लगा। वह अपने संस्कारों और शुद्धता को स्मरण करने लगी। उत्तर में उसका चंचल हृदय मदोन्मत्त होकर उसका मजाक़ करने लगा। उसने पिता का स्मरण किया—सामने काक आ खड़ा हुआ। अपने संकल्पों को उसने फिर ताज़ा किया—तब उसके कंठ पर विराम लेने का मन हुआ। शास्त्रों का स्मरण करना चाहा और अलकापुरी याद आ गयी। उसके मुख से निकल पड़ा—

संक्रीडन्ते मणिभिरमरप्रार्थिता यक्षकन्याः॥6- उ.मे.

नीवीबन्धोच्छ्वसितशिथिलं यत्र बिम्बाधराणाम॥7- उ.मे.

क्षौमं रागाद्-

श्लोक अधूरा रह गया। लज्जा से उसका मुख लाल हो गया। वह इस प्रकार देखने लगी, जैसे उसने कोई चोरी की हो, और वह फिर बोली—

श्रीमन्मंडलनाथभट्टनृपतिः सौभाग्यनाथो मम।

काक की खोज

मंजरी ने नयी सृष्टि में प्रवेश किया। उस सृष्टि के रंग के आगे विधाता की विभूति भी निकम्मी और नीरस प्रतीत हुई। उसकी भूमि यौवन से मढ़ी थी। उसके आकाश में प्रेम प्रकाशित हो रहा था। जिस सृष्टि में वह विहार करती थी, नाचती थी उसमें केवल दो ही व्यक्ति थे—वह और काक। उसने समझा था कि काक जूनागढ़ के दरवाजे पर मिल जाएगा, परन्तु उसे वहाँ न देख कर मंजरी को जरा विस्मय हुआ और फिर अपने पागलपन का विचार आया—वे यहाँ कैसे हो सकते हैं? उन्हें अनेक काम होंगे। वे कैसे जान सकते हैं कि मंजरी इस समय आने वाली है? उसका हृदय फिर पछताने लगा, — उसे अपने कहे हुए शब्द याद आ गये – "शुनीमन्वेति श्वा" वह कैसी डेढ़ अक्ल है, कैसी अभिमानिनी, कैसी अधम!

सोमभट ने पूछताछ कर, आचार्य जटानाथ का घर खोज निकाला। जब से उसकी

माता ने उदा मेहता का आश्रय ग्रहण किया था, तब से ही आचार्य जटानाथ का घर उसके हृदय में रम रहा था; परन्तु इस समय वहाँ पहुँच कर भी उसे आनन्द न मिला।

एक शिष्य आकर द्वार पर खड़ा हो गया।

"कौन है?"

"आचार्य जी हैं क्या?" सोमभट ने पूछा।

"परन्तु आप हैं कौन?"

"ये आचार्य जी की कन्या आयी हैं।"

"कौन, वत्सलादेवी?"

"रुद्रदत्त, नहीं, मैं उनकी कन्या हूँ।" मंजरी ने साँढ़नी पर बैठे हुए कहा।

शिष्य चौंका, मंजरी की ओर देखने लगा और उसके तेज से प्रभावित होकर वह दिङ्मूढ़ सा खड़ा रह गया।

"कौन, मं...' आखिर वह बोला।

"हाँ, मैं ही मंजरी हूँ। नानाजी कहाँ है?"

सात वर्ष के बाद रुद्रदत्त ने मंजरी को देखा और वेदाभ्यास-जड़ ब्राह्मण सुन्दरी के रूपान्तर को देखकर घबरा गया। वह विनय त्यागकर एकदम घर में जा घुसा और उसके क्षोभ को देखकर, सोमभट खिलखिलाकर हँस पड़ा।

कुछ देर में मंजरी और उसके सब साथी साँढ़नियों पर से उतरे और इतने में एक दूसरा शिष्य उनका स्वागत करने को आ पहुँचा।

निराश हृदय से मंजरी घर में गयी। उसने काक को यहाँ देखने की आशा तो की ही थी। वृद्ध आचार्य जटानाथ अग्निहोत्री थे और अग्नि के समक्ष बैठकर जप कर रहे थे। उनकी सफेद लम्बी दाढ़ी उनके पेट पर फैली हुई थी। रुद्राक्ष की बड़ी-बड़ी मालाएँ उनके गले और हाथ में शोभायमान थीं। उनकी वृद्ध, परन्तु बड़ी, प्रभावशाली आँखें नासिकाग्र पर ठहरी हुई ध्यान कर रही थीं। निःश्वास छोड़कर उन्होंने आँखें खोलीं।

"कौन, वत्सला?—"

"नहीं नानाजी, यह तो मैं हूँ!"

अनेक वर्षों के योगाभ्यास की टेव के कारण, अज्ञात रूप से आचार्य ने अँगुली को नाक के पास ले जाकर यह मालूम किया कि कौन से नथुने से साँस निकल रही है और वे धीरे से हँस पड़े, जैसे बरफ के ढेर पर सूर्य की किरणें जा पड़ी हों, "मंजरी?"

"हाँ, मैं ही हूँ। आप अच्छे तो हैं?"

"अरे, तू तो बहुत बड़ी हो गयी!"

मंजरी आकर सामने बैठ गयी, "कितने वर्ष बीत गये?" उसने हँसकर कहा। उसके चारों ओर आचार्य के शिष्य आँखें फाड़-फाड़कर खड़े हो गये।

"उस समय तू कितनी-सी थी, ऐं?" वृद्ध ने हँसकर इस प्रकार कहा, जैसे वह अकेले अपने आप ही बातें कर रहे हों, "वत्सला जब तुझे लाई थी, तब तू दस वर्ष की थी, क्यों? रुद्र, जब तुमने पहली बार ब्रह्मयज्ञ आरम्भ किया था, जब की बात है।"

"महाराज, उसे सात वर्ष हो गये।"

"ठीक है। मंजरी, तू कहाँ से आ रही है?"

"पाटण से।"

"पाटण? हाँ, तूने कहलाया था कि तू खम्भात से वहाँ चली गयी है। तेरी माता कहाँ है?"

"खम्भात में।"

"उस दुर्बुद्ध छोकरी ने अभी तक उपाश्रय नहीं छोड़ा। हर हर–तब तू कहाँ थी?" वृद्ध ने जरा शंकित होकर पूछा।

"पिताजी के मित्र, पंडित गजानन के यहाँ थी।"

"पंडित गजानन–गजानन–हर–हर–हर–तीन वर्ष पहले वे यहाँ आए थे। महान विद्वान, महान समर्थ।" कहकर आचार्य अपनी अँगुलियों को फिर नथुनों के पास ले गये, "यहाँ किसके साथ आयी?"

"नानाजी, मेरा विवाह हो गया है।"

"ऐं!" वृद्ध ने आश्चर्य से आँखें उठाकर देखा। सारे शिष्य एक दूसरे की ओर देखने लगे।

"क्या कह रही है? हर हर।"

"सच–"

"किसके साथ?"

मंजरी लजाकर नीचे देखने लगी।

"महाराज जयदेव के भटराज के साथ।" सोमभट ने कहा।

"भटराज?" वृद्ध ने क्रोध से पूछा, "भटराज! हर हर।"

"हाँ, लाट के।"

"लड़की!"

"महाराज," सोमभट ने मधुरता से कहा, "वे महान समर्थ महारथी हैं।"

"परन्तु उनका गोत्र क्या है?" वृद्ध ने मंजरी की ओर से आँखें हटाकर सोमभट की ओर देखते हुए कहा।

"जमदग्नेय।" धीरे से मंजरी ने कहा।

"महाराज, द्वापर में जो द्रोणाचार्य थे न, उनसे भी इनकी युद्ध-कला बढ़ी-चढ़ी है।" सोमभट ने कहा।

"हर हर हर।"

"जिन्होंने नवघण रा' को अकेले हाथों पकड़ा।"

"हर हर हर।" बड़े आदर से एक-एक अक्षर का उच्चारण करते हुए वृद्ध ने कहा, "वह कहाँ है?"

"हमने तो समझा था कि वे यहाँ आ पहुँचे होंगे। उन्हें ज़रा काम था, इसलिए वे पहले ही रवाना हो गये थे। यहाँ नहीं आए?"

"नहीं।"

मंजरी को धक्का-सा लगा। उसने चिन्तातुर मुख से सोमभट की ओर देखा।

"महाराज," रुद्रदत्त ने कहा, "अब सबको स्नानादि करना चाहिए। थके-हारे आए हैं।"

"हर-हर। मैं तो भूल ही गया। उठ बेटी, फिर बात करेंगे।"

मंजरी उठी; परन्तु उसके प्राण ऊपर-नीचे होने लगे। उसने नहाया, भोजन किया; परन्तु चैन न पड़ी। उसे अपशकुन होने लगे। उसका हृदय हिंडोले पर चढ़ गया। वह यही विचार करने लगी कि काक कहाँ होगा? भोजनादि से निबटकर उसने सोमभट को खोज करने के लिए भेजा। थकावट दूर करने को वह सोई; परन्तु उसे नींद नहीं आयी। वह उठकर इधर-उधर टहलने लगी; परन्तु जी को चैन न मिली।

उसने रुद्रदत्त को बुलाया और खेंगार का हाल-चाल मालूम किया। सुना कि खेंगार, अपनी सेना लेकर हंसराज महीड़ा को मारने के लिए गया है। उसने खेंगार से मिलने का विचार किया था, परन्तु वह भी असम्भव हो गया। वह इस प्रकार पछाड़ें खाने लगी, जैसे पिंजड़े में सिंहिनी को बन्द कर दिया गया हो। रात भी वैरिन हो गयी। इतनी लम्बी यात्रा के बाद भी उसकी आँखें न झपीं।

दूसरे दिन उसके साथ आए हुए लाट के सब योद्धाओं से भी पूछताछ करनी शुरू की; परन्तु कुछ भी पता न लगा। मंजरी का हृदय फटने लगा। अनेक अज्ञेय तर्क-वितर्क होने लगे। वह साहस खोने लगी। उसने-आचार्य जटानाथ, रुद्रदत्त और अन्य शिष्यों से खोज करने को कहा; परन्तु आशा के कोई चिह्न दिखलाई नहीं पड़े। उसके हृदय को धक्का-सा लगा। काक जीवित है और जूनागढ़ में है, इसका क्या विश्वास? उसने जिसका पीछा किया था, कहीं वह जबर्दस्त हो, तो?

उसे जूनागढ़ विष-सा प्रतीत होने लगा। उसे इच्छा हुई कि भागकर वह सोरठ के गाँव-गाँव घूमकर उसकी खोज करे। उसने सोमभट से कहा और वह स्वामिभक्त योद्धा, दूसरे दिन अपने शिष्यों को साथ लेकर चारों ओर खोजने निकल पड़ा। उसने मंजरी को बहुत कुछ समझाकर यहीं रखा। दूसरी रात को उसे नींद न आयी। नीचे चबूतरे पर बैठे हुए आचार्य के शिष्य गप्पें लड़ा रहे थे और ऊपर खिड़की में छिपी मंजरी आँसू बहा रही थी। इतने में किसी की आवाज़ सुन पड़ी, "रुद्रदत्त, एक बात पूछता हूँ।"

"क्या?"

"कैलासमिव दुर्धर्षं का अर्थ क्या है?"

मंजरी एकदम चौंक पड़ी, "उसकी यह प्रिय पंक्ति यहाँ कैसे?"

"तुम्हारा सिर।" रुद्रदत्त ने अर्थ किया, "मूर्ख, तू यह कहाँ से ले आया?"

"कहीं से भी। शास्त्रों को तो जैसे तूने ही पढ़ा है! ज़रा बतला तो, मेरी समझ में नहीं आ रहा है।"

"परन्तु तू लाया कहाँ से?"

"एक मनुष्य है। वह कुछ ऐसा ही बोलता रहता है। यह क्या है?"

मंजरी ने होठ से होठ दबा लिया। अँधेरे में भी उसकी तेजस्वी आँखों से चिनगारियाँ निकलने लगीं।

"कौन जाने, कुछ होगा।" रुद्रदत्त ने लापरवाही से कहा, "छोड़ो न इसे।"

"रुद्रदत्त, यह पंक्ति मुझे याद है।" मंजरी से न रहा गया, वह बीच में ही बोल उठी—"कैलासमिव दुर्धर्षं कालाग्निमिव दुःसहम्।"

वह नया मनुष्य चकित हो गया, "हाँ, यही। तुम इसे कहाँ से लाईं? यह कौन है रुद्रदत्त?" उसने धीरे से पूछा।

"ये तो आचार्य जी की दुहिता।"

"रुद्रदत्त, ठहरो, मैं नीचे आ रही हूँ।" कहकर मंजरी नीचे आ गयी।

काक मिल गया

मंजरी अभिमान को दूर रखकर नीचे उतरी। ढोंग करना, झूठ बोलना, यह उसके स्वभाव और आदर्शों के विरुद्ध था; फिर भी इस समय विचित्रता का विचार किए बिना वह सब कुछ करने को तैयार हो गयी। उसके हृदय में इस अस्वाभाविक व्यवहार से ज़रा दंश-सा होता था; परन्तु इस दंश की, काक को प्राप्त करने की आतुरता के आगे कोई गणना नहीं थी। उसे ऐसा प्रतीत हुआ कि यदि काक ही इन शब्दों को बोलता हो, तो इस ब्राह्मण के सिवा और किसी मार्ग से उसका पता न लगेगा।

रात के अन्धकार में सदेह अवतीर्ण हुई उषा के समान मंजरी को देखकर, बेचारा मणिभद्र दंग रह गया और मुँह बाकर देखने लगा।

"रुद्रदत, ये ही तुम्हारे मित्र मणिभद्र हैं?" ज़रा हँसकर मधुरता से मंजरी ने कहा। मंजरी की आँखों में इस समय भयंकर मोहिनी थी। ऐसी नयन-रश्मियों को देव और दानव भी नहीं सहन कर सकते, तब बेचारे मणिभद्र की क्या बिसात?

"बहन," रुद्रदत ने कहा, "मणिभद्र राजगुरु का शिष्य है।"

"अच्छा? परन्तु राजगुरु के शिष्य होकर क्या जूनागढ़ के नाम पर पानी फेरना है?" मंजरी ने हँसकर पूछा।

मणिभद्र राजगुरु का शिष्य था, परन्तु वेदाभ्यास की अपेक्षा भोजन बनाने और खाने में ही अधिक प्रवीण था। यह प्रश्न सुनकर उसके आश्चर्य का पार न रहा।

"सो कैसे?" रुद्रदत्त ने पूछा।

"कोई अन्य देश का विद्वान तुम्हारी मसखरी करे और तुम उत्तर न दो?"

"परन्तु बहन, मुझे संस्कृत आती हो, तब न!"

"ओहो! इतनी सी बात है?" मंजरी ने कहा।

"इतनी-सी ही क्यों?"

"इस तरह कहीं परदेशी के आगे झुका जा सकता है? इन शब्दों के द्वारा वह क्या कहना चाहता है, कुछ खबर है?"

"नहीं।"

"वह कहता है कि 'कैलास की भाँति मेरी विद्वत्ता को कोई नहीं पा सकता और कालाग्नि की भाँति अन्य देशीय श्रोत्रियों को मैं जलाकर भस्म कर सकता हूँ।' ऐसा अपमान सहते हो?"

"परन्तु जब मैं नहीं जानता, तब क्या किया जाए?"

"इससे क्या हुआ, यह तो बताओ कि वह तुम्हें मिला कहाँ था?"

मणिभद्र के मुख पर भय छा गया। उसने चारों ओर देखा और जैसे उसका गला रुँध गया।

"राज-महल में होगा। राजगुरु के शिष्य को विद्वान और कहाँ मिलेगा?"

रुद्रदत्त मंजरी के प्रश्न का गूढ़ अर्थ कुछ न समझ सका; परन्तु उसका हेतु चाहे जो हो, उसे पार पाने के लिए सहायता करने को उसने कहा, "मणिभद्र, घबरा क्यों रहे हो? पराए देश का विद्वान कहीं छिपा रह सकता है?"

"नहीं–नहीं–परन्तु–"

"तब तो वह कोई बन्दी होगा, क्यों?" मंजरी ने धीरे से पूछा।

मणिभद्र चौंका और मुँह बाकर देखने लगा। मंजरी ने सोचा कि कहीं यह डर न जाए, अतएव उसने बात की धारा बदल दी, "चाहे जो हो, परन्तु उसे झुकाना तो चाहिए ही।"

"सच बात है।" रुद्रदत्त भी उसे ताव देने लगा, "नहीं तो कहीं वह अपने देश जाकर कहेगा कि जूनागढ़ में सब मणिभद्र के ही समान हैं।"

"क्यों, मणिभद्र कैसे हैं?" मंजरी ने पूछा, "हाँ, एक काम करो।"

"क्या?"

"उस पंडित को एक श्लोक में उत्तर दो।"

"यही तो दुख है।" कपाल पर हाथ रखकर, निःश्वास छोड़कर मणिभद्र ने कहा, "बारह वर्षों से गुरु की चरण-सेवा कर रहा हूँ, परन्तु पूरा एक श्लोक भी कंठ नहीं हुआ।"

मंजरी ने क्षण-भर विचार किया और कहा, "चिन्ता नहीं, एक मार्ग बताती हूँ।"

"कौन-सा?"

"तुम जाकर यों कहो कि 'अरे अभिमानी, जूनागढ़ की तो लड़कियाँ भी कवि-कुल-शिरोमणि हैं। पहले उन्हें तो जीत ले, तब जूनागढ़ी पंडितों की बात करना'।"

"हाँ, यह तो कह दूँगा।"

"और देखो, यदि पांडित्य का बहुत आडम्बर करे, तो फिर ले चलना मुझे।"

"आपको?"

"हाँ मुझे।"

"परन्तु जहाँ वह पंडित हैं, वहाँ तो जाए नहीं जा सकता।" मणिभद्र ने धीरे से कहा।

"तुम तो जाए करते हो?"

"हाँ।"

"तब एक दिन तुम्हारे बदले मैं जाऊँगी।"

"यह कहीं बन सकता है?" मणिभद्र ने घबराते हुए कहा।

"क्यों नहीं बन सकता?" आकर्षक हास्य-बाण छोड़ते हुए मंजरी ने कहा, "तब क्या हम विद्वत्ता में हार जाएँगे? और यदि वह हारा, तो यश सब तुमको ही मिलेगा। क्यों, ठीक है न रुद्रदत्त?"

"हाँ, सो तो है ही।"

"अच्छा, देखा जाएगा। पहले इतना तो कह देखूँ!"

"परन्तु बह क्या कहता है, मुझसे अवश्य कहना। भला!"

"हाँ, कल सवेरे ही।"

"अच्छा!"

जिस प्रकार बालक पहली चोरी में सफल होता है, जिस प्रकार तैरने वाला पहली बार तैरकर पार उतर जाता है, उसी प्रकार मंजरी अपने बुद्धि-कौशल से हर्षित होती हुई ऊपर आयी। झुठाई से उसने मणिभद्र से काम निकाल लिया, इससे वह लजाई नहीं, उलटी हर्षित हुई। उसका गर्व बढ़ गया और काक से मिलने की उठती हुई आशा के आश्रय में वह सो गयी। नींद में भी वह काक से मिलने के स्वप्न देखने लगी।

प्रातःकाल वह उठी। मणिभद्र कब आएगा, आएगा या नहीं, वह परदेशी विद्वान काक होगा या कोई और, काक होगा, तो सन्देश को समझ लेगा या नहीं—ऐसे अनेक

तर्क-वितर्क उसके मन में उठने लगे। सोमभट भी इस समय उसके पास नहीं था कि उसे भेजकर खोज कराये और वह तो एक अनुभवहीन बालिका है। वह अनेक प्रकार की चिन्ताएँ करने लगी। प्रणयी के सन्देश की प्रतीक्षा की वेदना, त्रिविध ताप से भी अधिक दुःसह होती है। उसी दुःसह वेदना को मंजरी सहने लगी। जरा-सी पैरों की आहट होती, पत्ते खड़खड़ा उठते, द्वार बन्द होता कि वह चौंक पड़ती, हृदय धड़क उठता, कान खड़े हो जाते। वह उठकर द्वार पर जाती, मणिभद्र के न आने से निराश होती, ऐसा लगता कि हृदय की धड़कन बन्द हो जाएगी और कल्पनाशक्ति न करने योग्य विचार करने लगती; परन्तु जब निराश होकर लौट आती तो वेदना और बढ़ जाती। चबूतरे पर खड़े रहकर मणिभद्र को न देखने की अपेक्षा, उसके आने की प्रतीक्षा करना अधिक कष्टदायक था। इन क्षणों में सूर्य और चन्द्र उसे आकाश में स्थिर हो गये प्रतीत होते, श्वास रुँध गया मालूम होता, प्राण त्रिशंकु की भाँति अधर में लटकने-से लगते, उसकी रग-रग व्याकुल होने लगती। प्राणों को निकाल डालने के सिवा उसे और कोई उपाय दिखाई नहीं पड़ता।

रुद्रदत्त शुष्क ब्रह्मचारी था; फिर भी मंजरी को देखकर, उसका दास बन गया था। वह इतना जानता था कि वह असहाय है, दुखी है, मुर्झा रही है। जो आर्द्रता तलभाग में थी, वह अब ऊपर आ गयी। इस दुखी बाला की सहायता के लिए उसका हृदय तड़पने लगा। उसे स्पष्ट प्रतीत हो गया था कि मंजरी ने मणिभद्र को जो पानी चढ़ाया है, वह सकारण है और इससे मणिभद्र के लौटने की वह प्रतीक्षा करने लगा। नित्यकर्म से समय चुराकर, वह भी बाहर चक्कर काट आता। जप करते हुए भी वह कान लगाए रहता। ध्यान करते हुए भी उसकी दृष्टि, होठ बन्द किए फिरती हुई मंजरी की ओर चली जाती।

कोई आया। रुद्रदत्त को मणिभद्र का पग-रव प्रतीत हुआ और वह जप छोड़कर बाहर दौड़ पड़ा।

मणिभद्र जल्दी में आया था। रुद्रदत्त उसे अन्दर बाड़े में मंजरी के पास ले गया।

मंजरी पानी खींच रही थी। उसके सिर से साड़ी खिसक गयी थी। उसके जूड़े और गर्दन की शोभा, ऊपर नीचे आ-जा रहे हाथों का सौन्दर्य, और उनसे आँखमिचौनी खेलते हुए स्तनों की अपूर्वता—यह सब दोनों आने वालों की दृष्टि में पड़ा। दोनों मात हो गये। विनयशील रुद्रदत ने तो गुरु की दौहित्री के रूप के आगे आँखें नत कर लीं, पर अगड़बंब मणिभद्र बदहवास-सा आँखें फाड़कर देखने लगा। मंजरी उनकी आहट पाकर मुड़ी और साड़ी सिर पर ठीक करके आगे आयी। आशा से, अपेक्षा से उसका मुख चमक उठा।

"क्यों मणिभद्र?"

"हो आया।"

"क्या कहा।"

"वह तो बड़ा छँटा हुआ है। बताऊँ? मैं यहाँ से गया, घड़ा लिया, पानी भरा–"

"फिर?" मंजरी ने अधीरता से पूछा।

"फिर मैं वहाँ पहुँचा। वह भालू के समान पड़ा था, कोने में।"

"अच्छा?"

"उसने मेरी ओर तो देखा भी नहीं।"

"फिर क्या किया?"

"मैं क्या उसे छोड़ने वाला था? मैंने कहा कि रोज तो वह कैलास का जप किया करते हो, आज क्यों नहीं करते?"

"अच्छा फिर?"

"मैंने ज्यों ही यह कहा, त्यों ही वह बैठ गया और मेरी ओर आँखें निकालने लगा। सच पूछिए तो मैं डर गया। कैसी चमक रही थीं उसकी आँखें!" हाथ पर हाथ मलकर मणिभद्र ने कहा, "मैं तो ऐसा घबराया कि घड़ा रखने गया कि गिरकर फूट गया और वह खिलखिलाकर हँस पड़ा।"

"फिर उसने क्या कहा?" मंजरी ने जरा अकुलाकर पूछा।

"मुझसे बोला कि देखो तुमने यह कैलास नहीं सुना, यह उसी का प्रताप है। यह कहकर वह फिर हँसने लगा। इससे मुझमें साहस आ गया। फिर मैंने कहा।"

"क्या?"

"कि रोज अपनी पंडिताई क्या बघारा करते हो? हमारे जूनागढ़ की छोकरियों को हरा दो, तब जानें।"

"तब उसने क्या कहा?" मंजरी ने दम साधकर पूछा।

"मानोगी?" उसने निःश्वास छोड़कर कहा, "अच्छा क्या कहा? बताओ, देखें?"

"ये जानती होती, तो तुमसे क्यों पूछती?" रुद्रदत्त ने चिढ़कर कहा।

"वह बोला कि बाप रे, सबको तो हरा दिया, परन्तु जूनागढ़ की छोकरी नहीं हारी! और सिर हिलाने लगा।" कहकर मणिभद्र हँस पड़ा।

इन शब्दों का मंजरी पर कुछ और ही प्रभाव हुआ। होठ चबाकर वह पीछे हट गयी। उसका शरीर काँपने लगा। क्या वह काक ही है? उसने अनजाने में छाती पर हाथ दबा लिया।

रुद्रदत्त यह परिवर्तन देखने लगा, "फिर?" उसने पूछा।

"फिर मैंने भी जरा गप लड़ाई। मैंने कहा कि हमारे यहाँ की ब्राह्मण-कन्याएँ तुमको बात की बात में हरा सकती हैं। वे बड़ी-बड़ी कवि-कुल शिरोमणियाँ हैं।"

मंजरी और रुद्रदत्त चुपचाप सुनते रहे।

"मैंने ज्यों ही यह कहा कि वह चौंक पड़ा और आँखें संकुचित करके मेरी ओर देखने लगा।"

मंजरी का हृदय उमड़ आया। कठिनाई को हल करने का विचार करते समय काक को ऐसा ही करने की आदत थी।

मणिभद्र कहने लगा, "वह एकदम धीमे स्वर में बोला, 'बैठो, बैठो महाराज, ऐसी एक छोकरी तो बतलाओ।' मैंने भी कहा, 'चाहिए जितनी।' इतने में ही मुझे गुरु महाराज की आज्ञा याद आ गयी। उन्होंने कहा था कि 'राज-काज की बातों में बहुत मुँह नहीं चलाना चाहिए।' इसलिए मैं तो चुप हो गया; परन्तु वह बोला, 'भाई, यदि ऐसी कोई हो, तो उससे कहना कि यदि कविकुलशिरोमणि जूनागढ़ में है, तो उसका नाथ भी यहाँ बैठा है; आ जाए सामने!' कहकर वह मूँछों पर ताव देने लगा।"

मंजरी को जरा भी संदेह नहीं रह गया। उसका हृदय उछलने लगा।

"मणिभद्र, इस पंडित का गर्व उतारना चाहिए; नहीं तो हम सबके नाम पर बट्टा लग जाएगा।"

"परन्तु वह नाम बिना बट्टे के रहे कैसे?" मणिभद्र ने कहा।

"एक तरह से रह सकता है।" रुद्रदत्त मंजरी की इच्छा को कुछ परख गया था, बोला, "मंजरी बहन को उससे मिला दो।"

मणिभद्र घबरा गया, "यह कहीं हो सकता है!"

"क्यों नहीं हो सकता?" मंजरी ने पूछा, "वह पंडित कैद में है, यही बात है न?"

"परन्तु बहन, खेंगार जी गर्दन उड़ा देंगे।"

"परन्तु खेंगारजी से कहने कौन जाएगा?" मंजरी ने कहा, "जिस प्रकार तुम घड़ा लेकर पानी देने जाते हो, उसी प्रकार मैं चली जाऊँगी। पाँच ही पलों में तो पंडित ठिकाने आ जाएगा।"

"नहीं बहन," मणिभद्र बोला, "वह नाहरसिंह तुरन्त पहचान लेगा।"

"ओहो, नाहरसिंह दुर्गपाल?" रुद्रदत्त ने कहा, "वह तो मुझे पहचानता है। तुम एकदम बीमार पड़ जाओ, तो मंजरी बहन जा सकती हैं।"

"परन्तु स्त्री–"

"मैं पुरुष वेश में चली जाऊँगी। जब पिताजी जीवित थे, तब मैं उनके शिष्यों के साथ अनेक बार इस वेश में फिरा करती थी।"

"परन्तु बहन," हास्यजनक घबराहट से मणिभद्र बोला, "इस हँसी में फाँसी हो जाए, तो?"

"होगा क्या? तुम्हें ख़बर है, मेरे पति खेंगार जी के इष्ट-मित्रों में हैं? तुम तो यों ही व्यर्थ घबरा रहे हो। वे भले ही जान जाएँ, हम उनके कैदी को भगा थोड़े ही रहे हैं।"

"परन्तु–"

"उसे कैद कहाँ किया है?"

"नीमवाले कुएँ के पास तहखाने में, परन्तु यह बात–"

"तुम किसलिए घबरा रहे हो?" रुद्रदत्त ने कहा, "तुम सन्ध्या को यहाँ आना, तब विचार करेंगे।"

"अच्छा, ठीक है।" मणिभद्र ने वहाँ से जाने की इच्छा प्रकट की।

"अच्छा, मणिभद्र," रुद्रदत्त ने कहा, "आज मेरी जन्म तिथि है। सन्ध्या को आना। आज गुरु महाराज ने मिष्टान्न बनाने की आज्ञा दे दी है।"

"ऐं!" मोदक का प्रख्यात प्रेमी उलझन दूर होते ही बोला।

"हाँ, उस समय हम लोग बातचीत करेंगे; परन्तु देखना विलम्ब न हो जाए।"

"नहीं होगा।" कहकर मणिभद्र चला गया। कुछ देर मंजरी और रुद्रदत्त, एक दूसरे की ओर देखते रहे।

"रुद्रदत्त, यदि यह नहीं आया, तो?"

"घबराओ नहीं। मिष्टान्न के लिए यह दस योजन जा सकता है।"

रुद्रदत्त ने धीरे से पूछा, "क्यों बहन, यह कैदी कौन, काक भट हैं?"

मंजरी इस ब्राह्मण की पैनी बुद्धि देखकर हँस पड़ी, "हाँ, तुमने कैसे जाना?"

रुद्रदत्त हँसा, "बहन, इन विष्णु का भाग्य धन्य है।"

"किस बात में?"

"ऐसी लक्ष्मी उन्होंने पाई इसमें।"

उत्तर में मंजरी हँस पड़ी। इस हास्य में हृदय के आनन्द की टंकार थी।

मोदक-भक्त

रुद्रदत्त और मणिभद्र के जाने पर जब मंजरी अकेली रह गयी, तब उसकी घबराहट का पार न रहा। अभी तक तो उसने जो कुछ किया, वह शान्ति से घर में बैठ कर किया। उसे अपने मन में ऐसा प्रतीत हुआ कि जाने-अनजाने काक ने ऐसे समय जो किया होता, वह भी उसी का अनुकरण कर रही है, परन्तु अब प्रसंग दूसरा था। उसे भयंकर अनुभवों के समुद्र में कूदना था। उसे इस समुद्र का अनुभव नहीं था। उसकी तरंगों को हटाकर तैरना नहीं आता था। साथ में कोई कुशल तैरने वाला भी उसकी सहायता को न था। वह अकेली थी, अनुभव-हीन थी, स्त्री थी और रात के समय अपरिचित गाँव में चाहे जिसके हाथ चढ़ जाने की आशंका करती थी। क्षण भर के लिए उसका मन डगमगाया, साहस हाथ से निकल गया; परन्तु तुरन्त ही उसे अपने आदर्शों का स्मरण हो आया। कैसे पति को वरण करने की उसकी महेच्छा थी, यह भी याद आया। काक के अद्वितीय पराक्रम, उसकी दृष्टि के सामने आ गये। वह काक की तुलना करने की धृष्टता कर रही थी। अब वह उसकी कैसे तुलना करेगी?

और वह न जाए, काक को कुछ हो जाए– क्या हो जाए, यह कैसे कहा जा सकता है?–और यदि सदा के लिए उसे वियोग सहना पड़े, तो? क्या इसके पहले वह जरा साहस न करेगी? ज़रा दुःख न उठाएगी? अपनी कायरता पर तिरस्कार की दृष्टि डालकर, वह काक के पराक्रमों को याद करने लगी और उसका अनुकरण करने को तेयार हो गयी। उसका मन फिर ढुलमुल होने लगा। फिर उसने विचार किया, यदि वह निर्विघ्न काक से मिले और छुड़ा लाए तो? उसकी रग-रग में बिजली दौड़ गयी। उस बिजली ने इस प्रश्न का निर्णय कर दिया। या तो काक से भेंट करनी चाहिए, नहीं तो फिर यमराज से।

सन्ध्या को वह अधीर हो गयी; परन्तु रुद्रदत्त ने उसे विश्वास दिलाया। वह मणिभद्र को भली भाँति पहचानता था। सायंकाल होते ही वे महाशय, मिष्टान्न की आराधना के लिए तरसती हुई जीभ को आश्वासन देने के लिए आ पहुँचे और मंजरी तथा रुद्रदत्त के द्वारा की हुई तैयारी को देखकर, उसकी अन्तरात्मा प्रसन्नता के शिखर पर जा पहुँची।

आचार्य जटानाथ को इस समय भोजन नहीं करना था और चतुराई से रुद्रदत्त ने अन्य शिष्यों को भी यहाँ से हटा दिया था; अतएव मंजरी भोजन परोसने लगी और रुद्रदत्त तथा मणिभद्र खाने लगे।

मानिनी की मोहिनी साधारणतया कुछ निराली ही होती है। जब वह रिझाती है, तब दुर्जेय हो जाती है और जब परोसकर खिलाती है, तब तो फिर कहना ही क्या है! मणिभद्र अर्ध अचेत हो गया। मंजरी के आग्रह के आगे मिष्टान्न का स्वाद भी वह भूल गया। नवयौवनमाती मंजरी के हाव-भाव के आगे, उसे यह भी ज्ञान नहीं रहा कि पेट में जगह भी है या नहीं। ब्राह्मणवर्य मणिभद्र के साधे हुए जीवन-योग का एक परम ध्येय था–स्वादिष्ट मोदक। इस समय योगेश्वर योग-भ्रष्ट हो गया–थाली में लड्डू थे, फिर भी वह मंजरी की ओर देख रहा था।

मंजरी को भी इस समय अपने विकसित यौवन के प्रबल जादू का भान हुआ और अपनी अद्वितीय शक्ति का ज्ञान पाए हुए महारथी के मद से वह अपने प्रभाव की परीक्षा करने लगी। उसने रुद्रदत्त का सहायता से मणिभद्र को मोहान्ध कर दिया। बेचारा मणिभद्र लट्टू हो गया।

"मणिभद्र, अब मैं इसी समय जाऊँगी।"

"कहाँ? नहीं! नहीं।" मणिभद्र ने पेट पर हाथ फेरते हुए कहा।

"मणिभद्र, तुम इतने हठी कब से हो गये?" रुद्रदत्त ने कहा, "यह ग्यारह लड्डू खाकर अब तुम नीमवाले कुएँ पर जाओगे? एक घड़ा पानी रख आने के लिए इतनी झंझट?"

"बाप रे!" निराशपूर्ण स्वर में मणिभद्र ने कहा, "कहीं खेंगार जी जान जाएँ, तो गला ही घोंट डालें।"

उनसे कौन कहने जाएगा? और वह हारा हुआ पंडित क्यों किसी से कुछ कहेगा?'' मंजरी ने कहा, ''मणिभद्र जी, इतना मान लो।''

मणिभद्र हाँ-ना करता हुआ उठा और पान खाने को जा बैठा। पान खाते-खाते ग्यारह लड्डुओं का नशा मस्तिष्क पर जा पहुँचा। दूर बैठे खेंगार जी का डर कम हो गया और अपने पैरों चलकर नीम वाले कुएँ पर जाने को बढ़ गया। शरीर चिपक गये और इस समय चलने जैसा महान पराक्रम करने के विरुद्ध शरीर ने विद्रोह कर दिया। अपनी चाल और दृष्टिपात से मोहजाल फैलाते हुए वह रति के समान सुन्दरी याचना कर रही थी। धीरे-धीरे मणिभद्र को प्रतीत होने लगा कि आँखों ने भी मिंचना और शरीर के साथ मिलकर सत्याग्रह करना आरम्भ कर दिया है। उसने भी हठ छोड़ दी। अभी दो ही चार घड़ी में तो रुद्रदत्त और मंजरी घड़ा रखकर लौट आएँगे और इतनी देर में वह ज़रा विश्राम कर लेगा यह विचार आते ही उसे ऐसा प्रतीत हुआ, जैसे सारी सृष्टि विमान पर चढ़कर आकाश-विहार करने को जा रही हो। मणिभद्र ने निःश्वास छोड़ा, दीवार से सिर टिकाया और खीझे हुए हाथी की भाँति नाक से फुंकार छोड़ना आरम्भ कर दिया।

''चलो, इससे तो निश्चिन्त हो गये।''

''अफीम अधिक तो नहीं डाल दी थी?'' रुद्रदत्त ने ज़रा चिन्तातुर स्वर में पूछा।

''नहीं भैया, जितनी तुमने दी थी, उससे आधी। अच्छा, अब मैं अपने कपड़े बदल आऊँ।''

कुछ ही देर में एक जटा धारण किए, दुबला-पतला, परन्तु इठलाती चाल से चलता हुआ, मोहिनी डालने वाला बाल-ब्रह्मचारी, कन्धे पर घड़ा रखे रुद्रदत्त के साथ नीम वाले कुएँ पर जाने को रवाना हुए। यह अच्छा हुआ कि अँधेरा हो रहा था, नहीं तो इस बाल-ब्रह्मचारी की कांति को देखकर, जूनागढ़ की सुन्दरियाँ पागल हो जातीं।

छुटकारा

रुद्रदत और मंजरी, शीघ्रता से नीम वाले कुएँ पर जा पहुँचे। कुएँ के पास वाले छोटे महादेव के मन्दिर में चार-पाँच सैनिक पड़े हुए थे। उनमें से एक ने हँसकर पूछा, ''क्यों, आज वे मणिभद्र महाराज नहीं आए?''

''उनकी तबीयत ठीक नहीं है।'' आगे आकर रुद्रदत्त ने कहा।

''तुम तो आचार्य जटानाथ के शिष्य हो?'' एक दूसरे सैनिक ने पूछा।

''हाँ। यही मार्ग है?''

''हाँ।''

मंजरी और रुद्रदत्त, दुर्ग पर चढ़ने को बताई हुई पत्थर की संकीर्ण सीढ़ियों से ऊपर चढ़े। ऊपर नाहरसिंह चैन से लेटा हुआ था। वह चौंककर बैठ गया। सन्ध्या का मन्द प्रकाश अन्धकार में लय होने लगा।

"कौन मणिभद्र?" उसने पूछा।

"नहीं दुर्गपालजी, यह तो मैं रुद्रदत्त हूँ।"

"क्यों?" अपनी ज़रा दूर पड़ी हुई तलवार को पास खींचते हुए दुर्गपाल ने कहा।

"मणिभद्र बीमार हो गया है; अतएव पानी का घड़ा रखने को मैं आया हूँ—मैं रुद्रदत्त।"

"अजी वाह महाराज! यह काम कहीं आपको शोभा देता है?" दुर्गपाल सम्मानार्थ खड़ा हो गया और बोला।

"नहीं जी, यह एक दूसरा शिष्य घड़ा लाया है। बेचारा बिल्कुल नया है; अतएव मार्ग दिखाने को मैं साथ चला आया हूँ।"

नाहरसिंह ने नये शिष्य की ओर लापरवाही से दृष्टिपात किया।

"आज बहुत देर हो गयी।" कहकर वह कुछ आगे बढ़ा और उसने झुककर एक लोहे का कड़ा पकड़कर ज़ोर से खींचा। कड़ा खींचते ही ज़मीन से सटा हुए एक पत्थर ऊपर खिंच आया। पत्थर के ऊपर आते ही नीचे जाने को सकड़ी सीढ़ियाँ दिखलाई पड़ने लगीं। उनकी ओर संकेत करके नाहरसिंह ने मंजरी से कहा, "महाराज, जल्दी करो और भटजी से पूछ लेना, किसी चीज़ की आवश्यकता तो नहीं है?"

मंजरी चुपचाप सीढ़ियाँ उतरने लगी।

बहुत वर्षों से जूनागढ़ लड़ाई के लिए सदा तैयार रहा करता था और दुर्ग की रक्षा करने को अनेक दुर्गपाल दुर्ग के भिन्न-भिन्न भागों में पड़े रहते थे। इसी जगह एक कच्ची झोंपड़ी थी, दुर्गपाल नाहरसिंह उसमें रहा करता था। दुर्ग की नींव में बने हुए एक छोटे-से कारागृह में काक को कैद किया गया था। इस कारागृह का नाहरसिंह को ही पता था। वह बहुत संकीर्ण और छोटा था और कोट के सूराखों से हवा और प्रकाश उसमें आया करते थे।

मंजरी, घबराते-घबराते कोठरी में उतरी। वह जो साहस करके यहाँ आयी थी, उसकी अपेक्षा काक से मिलना उसे अधिक भयजनक ज्ञात हुआ। ज्यों ही वह सीढ़ियों से उतरी, कि एक परिचित स्वर ने पूछा, "कौन है?"

मंजरी के हृदय ने छलाँग भरी। उसके हाथ से घड़ा गिरते-गिरते बच गया।

वहाँ अँधेरा था; मंजरी को ऐसा ज्ञात हुआ कि जैसे सावधान काक एकदम खड़ा हो गया है; परन्तु वह कुछ बोल न सकी। उसका अंग-अंग क्षोभ से, भय से, भावना से काँप रहा था।

"कौन है?" फिर से पूछकर काक ने चकमक से पलीता सुलगाया। तुरन्त जलाए

हुए पलीते के प्रकाश में केवल इतना ही प्रतीत हुआ कि यह नित्य का पानी लाने वाला नहीं है।

"खड़े क्यों रह गये? उस कोने में घड़ा रख दो।"

मंजरी को घड़ा रखकर भाग जाने की इच्छा होने लगी; परन्तु अभी समय-सूचकता का कुछ अंश उसमें बाकी था। वह बड़ी कठिनाई से बोली, "यह तो मैं–"

यह तीन अक्षरों का हृदय-भेदक उच्चारण काक के कानों में पड़ते ही वह चौंक पड़ा। पलीते को ऊपर किया और छलाँग मारकर मंजरी के पास आ पहुँचा। घबराहट के मारे मंजरी के हाथ से घड़ा गिर पड़ा, फूट गया और वहाँ पानी ही पानी हो गया।

काक ने आकर मंजरी का हाथ खींचा, "कौन?" उसकी आवाज गद्‌गद हो गयी, उसमें एक निराला ही स्वर था।

"मंजरी।" मंजरी ने कहा।

"मंजरी? तुम?"

"हाँ।"

"वह ब्राह्मण जब अपनी होशियारी दिखला गया, तब मुझे लगा कि यह तुम्हारा और सोमभट्ट का ही कारस्तान है।"

मंजरी खिन्न हो गयी। सोमभट्ट को मिले हुए इस यश पर उसे ईर्ष्या हो आयी।

"सोमभट्ट कहाँ है?"

"उन्हें तो तुम्हें खोजने के लिए जूनागढ़ से बाहर भेजा है।"

"तुम कैसे आयीं?"

"अपने आप नाना के शिष्य को साथ लेकर।"

कुछ देर दोनों चुप रहे। मंजरी काक के इन स्वस्थ प्रश्नों से अकुला-सी गयी और उसने काक के हाथ से अपना हाथ छुड़ा लिया। काक सावधान हो गया। मंजरी का अभिमान उसे याद आया और आवेश को दबाकर वह अन्यमनस्क-सा हो गया। मंजरी ने यह अन्यमनस्कता देखकर होठ चबा लिये। उसका गर्व फिर लौट आया और साथ ही स्वस्थता भी आ गयी।

"भट्टराज, छूटना चाहते हो, तो यही मौका है।"

"किस प्रकार?"

"दुर्गपाल ने मुझे भली भाँति नहीं देखा। तुम मेरा यह कम्बल ओढ़ लो।"

"और तुम्हारा क्या होगा?"

"मेरा क्या होगा? मैं यहीं रहूँगी।" दृढ़ता से मंजरी ने कहा।

काक का हृदय स्नेह-सिक्त हो गया; परन्तु, तुरन्त ही मंजरी के प्रभाव से वह सिक्तता सूख गयी।

"तुम्हें खबर नहीं है। आठ-दस दिनों में तो रा' मुझे छोड़ ही देंगे और तुम मेरे बदले यहाँ रहोगी, तो रा' तुम्हारे प्राण ले लेंगे।"

"तब–"

"तुम लौट जाओ।"

मंजरी पलटी और उसने लौट जाने का विचार किया। वह निराश हो गयी। काक के शान्त प्रश्नों ने उसके आशाजीवी हृदय को भूखे मार डाला।

"मंजरी!" अचानक काक ने पूछा।

"क्यों?"

"ऊपर कितने आदमी हैं?"

"एक दुर्गपाल और दूसरा वह शिष्य।"

"दुर्ग के ऊपर और कोई नहीं है?"

"नहीं, बिल्कुल निर्जन है।"

"तब चिन्ता नहीं। चलो, जय सोमनाथ!"

काक अपनी स्वाभाविक शीघ्रता से एक निश्चय पर आ गया।

"अपना कम्बल मुझे दो और लो यह मेरा साफा। चाहे तो ओढ़ लो।" कहकर अँधेरे में भी बड़ी चपलता और दृढ़ता से कपड़ों को लिया-दिया, और वह तेजी से सीढ़ियों पर चढ़ने लगा। मंजरी समझ न सकी कि काक क्या करना चाहता है; परन्तु उसका स्वामित्व उसके हृदय पर ऐसा बैठ गया था कि वह चुपचाप उसके पीछे-पीछे जाने लगी।

काक सीढ़ियों पर चढ़कर ऊपर पहुँचा और सिर बाहर निकालकर चारों ओर देखने लगा। अँधेरे में दुर्ग के एक किनारे दो जने खड़े हुए दिखलाई दिए। एक ऊँचे कद का था और दूसरा मझोले कद का। काक ने तुरन्त पहचान लिया कि ऊँचे कद वाला नाहरसिंह है। उसने दूरी को मन-ही-मन नापा और छलाँग मारकर आक्रमण कर दिया।

आँखें मुँदीं और खुलीं कि नाहरसिंह दुर्गपाल ने औंधे सिर दुर्ग से बाहर, नीचे खाड़ी की ओर, प्राण-नाशक यात्रा आरम्भ कर दी। उसकी चीख को बाहर की हवा उड़ा ले गयी। घबराए हुए रुद्रदत्त की चीख काक ने मजबूत हाथों से रोक दी। मंजरी भी दौड़ी हुई उसके पीछे आ गयी।

"मंजरी, ये ही तुम्हारे नाना के शिष्य हैं?"

"हाँ। रुद्रदत्त, चिल्लाना मत। ये तो भटराज है।"

रुद्रदत्त कुछ समझ न सका, नाहरसिंह को गिरता देखकर घबरा गया।

काक ने हाथ ज़रा ढीला किया, "महाराज, मैं तुम्हारा बाल भी बाँका न करूँगा, परन्तु सावधान, एक अक्षर भी न बोलना। बोलोगे, तो तुम भी –" कहकर नाहरसिंह जिस मार्ग से गया था, संकेत से वही दिखा दिया। काक ने रुद्रदत्त के मुँह पर से हाथ अलग कर लिया।

"मंजरी, अब क्या किया जाए?"

"चलो, नानाजी के यहाँ।"

काक तिरस्कार से हँस पड़ा, "अब जूनागढ़ में एक क्षण भी मुझसे नहीं रहा जा सकता। खबर लग जाए, तो प्राणों से हाथ धोना पड़े।"

"तब?" मंजरी भी उलझन में पड़ गयी।

"रुद्रदत्त जी," काक ने पूछा, "कोई भागने का मार्ग है? नहीं तो याद रखना, कल हम सबको यमपुरी की यात्रा करनी पड़ेगी।"

"हाँ, तुम्हें तो जरूर किसी मार्ग का पता होगा?" मंजरी ने कहा।

रुद्रदत्त स्वस्थ हुआ और धीरे-से बोला, "भटराज, तुम मुझसे राजद्रोह कराना चाहते हो?" तिरस्कार और दृढ़ता के साथ रुद्रदत्त अदब से खड़ा हो गया। मंजरी ने उसे देखा, उसमें छिपी हुई निश्चलता को परखा और आगे बढ़कर रुद्रदत्त का हाथ थाम लिया, "भाई, तुम्हें साथ रहकर अपनी बहन को वैधव्य प्राप्त कराना है?"

दो प्रश्नों ने दो प्रतापी प्रतिस्पर्धियों के बाण की भाँति एक दूसरे को वेध डाला। रुद्रदत्त ने मंजरी की ओर देखा। दो दिन से उसके शुष्क जीवन में अचानक ही जो इस सुन्दरी के कारण आर्द्रता आ गयी थी वह उमड़ आयी। उसने मन की लगाम ढीली कर दी और वह दंग होकर खड़ा रह गया।

"गुरुजी क्या कहेंगे?"

"कहेंगे कि उनकी कन्या ने तो मेरे शरीर का सृजन किया; और आज तुमने— उनके पुत्र ने – उस शरीर को जीत रक्खा।" मंजरी ने गर्व से कहा। रुद्रदत्त पराजित हो गया, "हर हर हर।" उसने भी गुरु के मन्त्र का उच्चारण किया।

"बताओ, है कोई मार्ग?" काक ने पूछा।

"हाँ।" रुद्रदत्त ने बड़ी कठिनता से कहा।

"कौन-सा?" मंजरी ने आतुरता से पूछा।

"हम जब छोटे थे और कुश चुनने आया करते थे, तब यहाँ के एक मार्ग से कोट पर से उतरा करते थे। पर वह मार्ग था बड़ा कठिन।"

"इसकी चिन्ता नहीं।"

"अब भी वह है या नहीं, कुछ पता नहीं।"

"चलो देखें।" मंजरी ने कहा।

रुद्रदत्त उन्हें दुर्ग पर कुछ दूर ले गया। वहाँ अँधेरे में भटका हुआ एक बकरा खड़ा था। वह उन्हें देखकर कुदता-फाँदता नीचे उतर गया।

"देखा यह? यही मार्ग है।" रुद्रदत्त ने कहा।

तीक्ष्ण दृष्टि से नीचे की ओर देखते हुए काक ने कहा, "नीचे खाई तो नहीं है?"

"नहीं, यह मार्ग नीचे सीधा जंगल में निकल जाता है, परन्तु है बहुत भयंकर।"

"चिन्ता नहीं, मैं अभी क्षण-भर में देख आता हूँ।" कहकर काक ने धोती को

ऊपर चढ़ाया और सावधानी के साथ हाथों और पैरों के सहारे जिस ओर बकरा गया था, उसी ओर उतरना शुरू कर दिया।

दुर्ग का यह भाग एक पहाड़ी पर था; अतएव बिल्कुल सीधा नहीं था, जरा ढालू-सा था और ढलाव ऐसा था कि कोई मनुष्य वहाँ से नहीं उतर सकता था। फिर भी वहाँ पड़े हुए पत्थरों और उगे हुए पौधों के सहारे चौपाए चढ़-उतर सकते थे। यह किसी को कल्पना भी नहीं हो सकती थी कि पहाड़ी की तलहटी में ऐसा बीहड़ जंगल है और इस मार्ग का मनुष्य उपयोग कर सकता है! मंजरी और रुद्रदत्त घबराए-से खड़े रहे। रुद्रदत्त को यह भी भय हुआ कि कोई सैनिक आ पहुँचे, तो उनका अन्त ही आ जाए; परन्तु नवघण रा' की मृत्यु के बाद चौकी-पहरा जरा ढीला पड़ गया था और दुर्गपाल नाहरसिंह बहुत ही होशियार और राजा का मानीता समझा जाता था, इससे उसकी सीमा में साधारणतया कोई भी प्रवेश नहीं करता था।

जैसी चपलता से काक नीचे उतरा था, वैसी ही चपलता से कुछ देर में लौट आया।

"ठीक है। उतरा जा सकेगा।"

मंजरी का हृदय चिर गया। अब उसका क्या होगा?

"भटजी, परन्तु जरा सावधान रहना। यहाँ हिंसक जानवरों का बड़ा भय है।" रुद्रदत्त ने कहा।

"इतनी बात है न? तो ठहरो, उसका भी उपाय किए लेता हूँ।" कहकर काक शीघ्रता से लौटकर गया और कारागृह के सामने पड़ी हुई नाहरसिंह की ढाल-तलवार उठा लाया।

उसे चिन्ता हुई और वह ठिठक गया। मंजरी को यहाँ छोड़कर कैसे चला जाऊँ? उसे ऐसे भयंकर मार्ग से चलने के लिए भी कैसे कहूँ? और चलने के लिए कहने पर भी यदि अभिमानिनी मंजरी तुरन्त अस्वीकार कर दे, तो उसके गौरव की रक्षा कैसे हो? वह अनिश्चित-सा होकर खड़ा रह गया।

मंजरी का हृदय भी धड़क उठा। वह लौटकर कैसे जाए? और काक के बिना क्षण भर भी कैसे जिए? और उसकी इच्छा न हो, तो नाक कटाकर साथ चलने के लिए कहे भी कैसे? हाथ से हाथ को मरोड़कर, घबड़ाहट से अचेत-सी अवस्था में वह चुप खड़ी रही।

काक ने क्षोभ से चारों ओर देखा, "महाराज," खखार कर गला साफ़ करते हुए वह कहने लगा, "तुम अब—"

"हाँ, मैं जाता हूँ। चलो, बहन!"

"मैं?" अचानक मंजरी बोल उठी।

"हाँ, विलम्ब हो रहा है।" रुद्रदत्त ने कहा।

"मंजरी," काक ने बड़े प्रयत्न से क्षोभ को दबाकर कहा। अकेले जाने को उसका

मन नहीं हो रहा था और अपमान के भय से मंजरी से चलने के लिए भी कहते नहीं बन रहा था। केवल इतना कहा जा सका "तुम–"

मंजरी को पैरों पर गिरकर प्रार्थना करने की इच्छा हो आयी; परन्तु गर्व बाधक हो गया। काक को चला जाने दिया जाए, यह असम्भव था – वह चला जाए, तो उसके साथ उसका प्राण भी निकलकर जा सकता है, "भटजी!" वह बोली और उसका स्वर स्वयं उसे ही विचित्र प्रतीत हुआ। उसमें नम्रता थी, अपेक्षा थी, प्रेम था, उपेक्षा थी, हृदयभेदकता भी थी।

उस स्वर ने काक पर जादू-सा असर किया। उसके मस्तिष्क पर छाया हुआ तिमिर नष्ट हो गया। उसने जिस पुरानी मंजरी की कल्पना की थी, उसे अब नये रूप में देखा। उसका गर्व अब नहीं रह गया था। वह उसके लिए तड़प रही थी। प्राणों की बाजी लगाकर उसने उसे छुड़ाया और इस समय वह उसके साथ भयंकर मार्ग से जाना चाहती है। यह ज्ञान होते ही उसकी आँखों पर छाया हुआ अन्धकार दूर हो गया। उसके हृदय से अद्‌भुत प्रेम का झंझावात उठ खड़ा हुआ। उसके कानों में हर्ष के दुंदुभि बजने लगे। उसका हृदय पागल होकर प्रेम-धुन में नाचने लगा; परन्तु प्रबल इच्छा-शक्ति की सहायता से इस एक क्षण में अनुभव किए हुए सुख और उत्साह को उसने रोक दिया। मंजरी की धाक उस पर अब भी थी।

"यह मार्ग तुम्हें विकट न होगा?" धीरे से काक ने पूछा।

मंजरी का हृदय उछल पड़ा, "नहीं, इसमें क्या है?" उसने कहा; परन्तु अपनी असंयतता देखकर, वह गर्व के कारण शान्त हो गयी। "मैं यहाँ रहूँ तो कल ही खेंगार मुझे समाप्त कर डालेंगे।"

"तो चलो।" कहकर काक ने उसका हाथ पकड़ लिया और जिस हाथ को पकड़कर उसने वेदी के चारों ओर चक्कर लगाए थे, उसी को पकड़कर वह दुर्ग से नीचे उतरने लगा।

"रुद्रदत्त, नानाजी का ध्यान रखना।"

"अच्छा बहन!" निःश्वास छोड़कर रुद्रदत्त ने कहा।

स्वर्ग चढ़ते हुए या उससे उतरते हुए?

काक ने मंजरी को परख लिया था और अप्राप्त समझे हुए सुख को हाथों में आया हुआ देखकर उसके आनन्द का पार न रहा था। मंजरी को छाती से चिपटा लेने के लिए उसके हाथ अधीर हो रहे थे; परन्तु उसका सयानपन इस समय भी गया नहीं। मंजरी के स्वभाव को वह जानता था और हाथ में आए हुए स्वर्ग को अधीरता से

खोना नहीं चाहता था। वह चुपचाप बनावटी ठंडेपन से उसे उस विकट मार्ग पर ले जाने लगा।

काक के साथ जाने के हर्ष में मंजरी ने पहले उसके ठंडेपन को नहीं परखा। उसके हृदय में प्रेम के उफान आ रहे थे और उन उफानों को शमन करने के लिए वह तत्पर हो गयी थी; परन्तु काक तो स्वस्थ और शान्त था।

वह काक के संयम पर और शान्ति पर चिढ़ चली। ऐसे एकान्त में जब उसकी रग-रग काक की छाती में छिप जाने को फड़क रही है, उसकी यह दशा? मंजरी ने जीवन-भर किसी की सेवा नहीं की थी और मणिभद्र के सिवा किसी को रिझाने का प्रयत्न नहीं किया था; अतएव वह नम्रता के साथ उसे भली भाँति रिझाना नहीं जानती थी। जैसे कोई सम्राज्ञी किसी सेवक के आलस से अधीर होकर क्रोधित हो जाती है, वैसे ही वह भी इस समय क्रोधित हो गयी। काक के गुणों पर रीझकर वह पागल हो गयी थी और उसे अपना स्वामित्व अर्पण कर चुकी थी; तो भी उसका स्वभाव तो इस समय अपने स्वरूप को ही प्रकट कर रहा था।

एकाएक पश्चिम दिशा से चन्द्र आकाश पर बढ़ा। अन्धकार से भयंकर बने विश्व को आह्लाद-जनक कौमुदी ने प्रकाशमान कर दिया। जहाँ वे जा रहे थे, वहाँ मार्ग नहीं था, केवल सीधी पहाड़ी थी और आसपास खड़े हुए छोटे-छोटे पेड़ों और इधर-उधर पड़े हुए पत्थरों की सहायता से ही उस मार्ग से उतरा जा सकता था। मार्ग लम्बा था। नीचे की ओर देखने पर आँखों में अँधेरा-सा छा जाता था। तलहटी में वृक्षों के झुंड दिखलाई पड़ते और वहाँ से अनेक वन-पशुओं के भयानक स्वर सुनाई देते। दूरस्थ गिरनार पर्वत आकाश को चूम रहा था और थोड़ी-थोड़ी देर में उस पर्वत पर रहने वाले मदोन्मत्त सिंहों की गरज की प्रतिध्वनियाँ चारों ओर गूँज रही थीं।

मंजरी यह देखकर ज़रा घबराई, उसके होठ फीके पड़ गये। काक ने देखा कि वह घबरा रही है।

"तुम इस पत्थर पर बैठो, दम ले लो। मैं जरा रास्ता देख आऊँ।"

"कहाँ जा रहे हो?"

"मैं दस कदम नीचे उतरकर देख आऊँ, फिर तुम्हें ले चलूँगा।"

"अच्छा।"

काक नीचे उतरने लगा और मंजरी चित्त को स्वस्थ करने लगी। उसे घबराना क्यों चाहिए? उसकी प्रिय सखी चन्द्रिका चारों ओर छिटकी हुई थी। उसके हृदय का नाथ साथ था। अब मौत भी आ जाए, तो क्या चिन्ता है? इस विचार ने उसे पागल बना दिया। विकट मार्ग का भय भूल कर वह प्रेम-पागल हो गयी। जीवन और भय सब उसे अल्प से मालूम होने लगे। केवल काक से लिपट जाना ही उसे सर्वश्रेष्ठ दिखलाई पड़ा।

काक आया; परन्तु वह स्वस्थ था। वह सगी बहन होती, तो भी वह ऐसा भला

सयाना बनकर न चलता। होठ चबाकर उसने खून निकाल लिया। "यह भैंस के आगे बीन बजाना है।" वह मन ही मन बुदबुदाई। उसका दम घुटने लगा। उसके नथुने फटने लगे। उसकी आँखों में मद था और छाती उछल रही थी।

"चलो, उठो।" काक ने शान्ति से कहा। उसने कल्पना की कि मंजरी के मुख पर जो अशान्ति दिख रही है, वह भय या थकावट से ही होगी।

"चलो।" कहकर अकुलाती हुई-सी उठकर उसने काक का आगे बढ़ाया हुआ हाथ थाम लिया। हाथ थामते ही उसके प्राण निकल गये। इच्छा हुई कि वह दोनों हाथों से काक को कुचल डाले।

कुछ क्षण, दूर तक वे चुपचाप उतरते गये। मंजरी तो अधिकाधिक अस्वस्थ होने लगी। केवल काक की सावधानता से ही वे उतर रहे थे।

अचानक मंजरी चीख पड़ी। "क्या है?" घबराकर काक ने पूछा।

एक तीक्ष्ण धार वाले पत्थर से मंजरी का पैर कट गया। पर कटने की वेदना की अपेक्षा उसके अन्दर की व्यथा अधिक दुःसह थी। "पैर कट गया!" तिरस्कार से वह बोली।

"ऐं! बहुत चोट लग गयी? आओ, उस पत्थर पर बैठ जाओ। देखो, उस झाड़ को भली भाँति थाम लेना।" कहकर काक ने उसे एक पत्थर के पास जाकर बिठा दिया।

मंजरी क्रोध में भरी हुई बैठी और काक नीचे झुककर उसके पैर की परीक्षा करने लगा। बहते हुए रक्त की अपेक्षा काक के हाथों के स्पर्श से उसे अधिक दुःख होता था और घाव की वेदना से उसकी सहन शक्ति और धीरज समाप्त हुए जा रहे थे।

काक ने उसका पैर हाथों में लिया। धूल झाड़ दी, घाव साफ किया और धीरे-से अपने धोती के छोर से एक पट्टी फाड़ ली। मंजरी यह सब नहीं देख रही थी। देख रही थी, ज्वाला-पूर्ण आँखों से काक के मुख को। उसने दाँत पर दाँत दबाए घाव के दुःख से नहीं, परन्तु स्वास्थ्य बनाए रखने के लिए।

काक ने पट्टी बाँधी, फिर धूल झाड़ी और पैर को धीरे-से ज़मीन पर रख दिया।

अब तो हद हो गयी। मंजरी ने दुखते हुए पैर को उठाकर, काक को लात मार दी। उस समय वह मंजरी नहीं रही, योगमाया बन गयी।

काक चौंक पड़ा। अपने को सँभालने के लिए उसने दोनों ओर के झाड़ों को थाम लिया और वह मंजरी की ओर देखने लगा।

"तुम मनुष्य हो, या राक्षस?"

काक कुछ समझ न सका। वह कठोरता से मंजरी की ओर देखने लगा।

मंजरी ने हाथों से आँखें ढँक लीं और सिर को अपनी गोद में झुकाकर रो दिया। उसकी भावनाओं का प्रबल प्रवाह आँसुओं के रूप में बह निकला।

"यह क्या कर रहे हो? क्या तुम्हें आँखें नहीं हैं? मुझे क्यों तड़पा रहे हो? मैं कब

से तरस रही हूँ? मेरे प्राण निकले जा रहे हैं, तुम्हारे पास हृदय है या नहीं?'' कहकर वह हिचकियाँ ले-लेकर रोने लगी।

काक ने इन शब्दों को सुना और समझा। उसके संयत हृदय में भी एक न बुझने वाली आग लग गयी। वह छलाँग भरकर, मंजरी के पास आया, उसे बाँहों में ले लिया, बलपूर्वक उसका मुख ऊँचा किया और उस मुख पर कामदेव की कलम से लिखी हुई दिव्य लिपि को उसने पढ़ा। फिर उसे हाथों में लिया, छाती से चिमटा लिया और उस पर चुम्बनों की वर्षा कर दी।

मंजरी कुछ न बोली, चुपचाप सुख का सिंचन सहती रही। कुछ देर में दोनों हाथों से उसने काक को तमाचे जड़ दिए। ''मेरे प्राण निकल रहे थे, सो नहीं देखते थे?''

''मेरे प्राण निकलते थे तब तुमने कितनी बार देखा? उसका कुछ भी नहीं?''

''मैं तो मूर्ख थी, मूर्ख।'' काक की छाती में मुख को छिपाते हुए मंजरी ने किए हुए पाप का पश्चात्ताप किया।

''तुम मूर्ख? संस्कार-हीन तो मैं हूँ!'' काक ने हँसकर कहा।

''फिर भी तुम्हारी दासी।''

''तभी तो इस समय लात जड़ दी।''

''भटजी, यह पाप हुआ।''

''तो इसका प्रायश्चित करो।''

''क्या?''

''यह!'' कहकर काक ने उसे भुजाओं में कस लिया।

चन्द्रिका अमृत की वर्षा करने लगी। वनस्पतियों ने हर्ष-नाद से गगन को गुँजा दिया। एक जंगली बिलाव झाड़ी में से निकलकर दूर से देखता रहा और कुछ देर में बुद्धिमानी से सिर हिलाकर मानव जाति की मूर्खता की बातें अपनी स्त्री से कहने के लिए धीरे-धीरे पैर बढ़ाता हुआ चला गया।

उषा ने क्या देखा?

प्रातःकाल हुआ। भगवान भास्कर की आराधना करती हुई उषा, आकाशमार्ग से संचरण करती हुई, इस जंगल पर रुकी और वृक्ष तथा तला-पत्रों की घटाओं में से प्रकाश की रेखाएँ बरसाने लगीं।

प्रकृति माता के, इस निरंकुश क्रीड़ा-क्षेत्र पर, उषा नित्य क्षण भर अधिक ठहरती, वृक्षों की घटाओं में छिपे हुए पक्षियों को जगाकर, कल्लोल-मन्त्र का अर्घ्य स्वीकार करती, घटाओं में से तेजस्वी अँगुलियों के द्वारा, सोए जगत को दुलार से उठाती,

हिंसक प्राणियों को भयभीत करके भगाती और निर्दोष मृगों को खेलने आने के लिए तरह-तरह के इशारे करती।

आज उषा विस्मित होकर चौंकी, विचार में पड़ गयी। इस स्थान पर उसे कुछ अपरिचित वस्तुएँ दिखलाई पड़ीं।

एक नर था और एक नारी। पुरुष-वेश में पुरुष सिर के नीचे कम्बल का तकिया लगाए चित पड़ा सो रहा था। उसकी छाती पर सिर और कन्धे ढाले हुए स्त्री भी सो गयी थी। पुरुष का हाथ, स्त्री की कमर के आसपास लिपटा था और स्त्री का हाथ पुरुष के गले से लिपटने की प्रतीक्षा कर रहा था।

उषा के आश्चर्य का पार न रहा। उसने अनेक दम्पतियों को प्रभात-काल में उठाया था। महलों में और खेतों के कोनों पर बनाई हुई कच्ची झोंपड़ियों में भी ऐसी जोड़ी उसने कभी नहीं देखी थी। दोनों थके हुए थे, उनके हाथ-पैर छिल गये थे, वस्त्र फट गये थे; फिर भी स्त्री के अपूर्व मुख पर लक्ष्मी जी को भी लज्जित करने वाला सौन्दर्य था। उसके अंग लालित्य में ऐसी चित्त-भेदक मोहिनी थी कि वह रम्भा में भी नहीं मिल सकती। उसके नवयौवन से विकसित मनोहर अंगों में, ऐसा नशा चढ़ाने का प्रभाव था, कि जैसा विजया भी नहीं चढ़ा सकती। पुरुष के कपाल पर, वृहस्पति की बुद्धि दीप्त हो रही थी, मुँदी हुई आँखों पर से भी चाणक्य की चतुराई याद आ जाती, नाक की मरोड़ में धनंजय की महत्त्वाकांक्षा समाई मालूम होती और धनुष के समान निश्चल, परन्तु रस-झरते होठों में गोपी-वल्लभ गोवर्धनधारी की रसिकता प्रतीत होती।

उषा, इन दोनों को निहारने लगी। उसने स्त्री के उड़ते हुए कोंपलों जैसे बालों का स्पर्श किया और पुरुष के तेजस्वी कपाल को तेज से मढ़ दिया। उसने अनेक जोड़े देखे थे; परन्तु ऐसा एक भी नहीं देखा। वह अपने को लालित्य का अवतार मानती थी; फिर भी इस स्त्री की अपूर्वता देखकर उसे ईर्ष्या हो आयी और वह कड़ी दृष्टि से देखने लगी।

इस कड़ी दृष्टि के ताप से, स्त्री ने इस प्रकार अपने नेत्रों को धीरे-से खोला, जैसे कमलिनी पँखुड़ियाँ खोल रही हो। उसने बेचारी उषा के क्रोध की परवाह नहीं की, टक लगाकर वह पुरुष की ओर देखने लगी और दूर से ही रसाल होठों को इस प्रकार सिकोड़ा, जैसे चुम्बन कर रही हो। उषा का कोप बढ़ गया, वह कठोर हुई। उत्तर में सुन्दरी ने केवल कपाल पर हाथ फेरा और उसकी निर्लज़्जता ने मर्यादा छोड़ दी– वह नीचे झुकी और पुरुष के गाल पर गाल रखकर फिर सो गयी। मर्यादाशील और निर्दोषता के अवतार-सी उषा लजाकर चली गयी और रथ पर आरूढ़ रविराज से उसने शिकायत की।

अनादिकाल के अनुभवी, वृद्धावस्था होते हुए भी दिनोंदिन नवीन बालपन धारण करने वाले भगवान सूर्यनारायण यह बात सुनकर हँस पड़े। हँसने से उनका मुख लाल

हो गया और धीरे-धीरे चलते हुए रथ को रोककर, वृक्षों की आड़ में से वे एकटक देखने लगे। स्त्री के रूप को देखकर उनके अनुभवी हृदय में भी नये अंकुर फूट आए। उन्हें अपने अनन्त कार्यक्रम के प्रति तिरस्कार हो आया। उन्हें भी ऐसा लगा कि एक दिन की फुरसत मिल जाती, तो पृथ्वी पर अवतार लेकर वे इस रमणी की सेवा करते।

रमणी को रविराज की उपस्थिति का भान हुआ और उनके प्रफुल्लित मुख की ओर वह एकटक देखने लगी। बेचारे सूर्य ने निःश्वास छोड़ा। उन्हें अनेक युगों पहले किए हुए विहारों का स्मरण हो आया।

"आखिर तुम भी उदित हुए!" युवती जरा व्यंग्य से बुदबुदाई। छोटी-सी नाक के नथुने फुलाकर, वह उलाहना देने लगी। सूर्यनारायण नें यह सह लिया। ऐसी मनोहारी सुन्दरी का निर्दोष उलहाना सुनते हुए उनका हृदय भी आनन्द सागर में डोलने लगा।

परन्तु उस सुन्दरी के हृदय में सूर्यदेव को उलाहना देने जितनी कठोरता इस समय नहीं थी। उसने चारों ओर देखा और फिर बुदबुदाई— "कैसा सुन्दर तपोवन है!" फिर वह तुरन्त हँस पड़ी, होठ काट लिये। उसकी आँखों में शरारत चमक उठी, "परन्तु इन तपोधन की समाधि तो टूटती ही नहीं।" वह निश्चल नेत्रों से सोए हुए पुरुष के मुख की ओर देखने लगी। अनेक क्षण बीत गये, परन्तु उसके नेत्रों की प्यास नहीं मिटी। दो बार उसने मुख को पास किया और फिर दूर किया, दो बार वह मुख के पास अँगुली ले गयी और फिर लौटा लाई। आखिर तबियत न मानी। वह नीचे झुकी और धीरे से मद-भरे, उमंग-भरे, स्वर में बोली, "ऋषिराज, यह समाधि कब तोड़ोगे?"

पुरुष ने धीरे-से आँखें खोलीं और पल भर के लिए उनमें विस्मयता दिखलाई पड़ी और चली गयी। उसने अपने हाथ सुन्दरी के गले में डाल दिए।

"यह स्वप्न है, या सत्य?"

"ऋषिराज, आप जैसों के लिए जो स्वप्न है, मेरे लिए वह सत्य है। देखिए, भगवान भास्कर कब से उदित हो गये हैं।" मंजरी ने मज़ाक में कहा, "शिष्य वृन्द कब से कुश चुनने निकल पड़े हैं और इस-तपोवन के वृद्ध हरिण आपकी वन्दना के लिए आकर खड़े हैं।"

काक इन शब्दों के द्वारा खड़ी की गयी कल्पना-सृष्टि का अनुभव करने के लिए कुछ देर चुपचाप पड़ा रहा और फिर बोला, "और सुन्दरी, तुम इन्द्रलोक छोड़कर यहाँ किसलिए आयी हो?"

पहले आँख की एक अद्‌भुत चमक ने इस प्रश्न का उत्तर दिया और फिर पत्थर को भी पिघला देने वाली मधुर हँसी हँसकर वह बोली, "महाराज, आपकी तपस्या ने इन्द्रासन को डुला दिया है, इसलिए!"

"मेरा तप भंग करने के लिए इतना कष्ट? तो ठीक है।" कहता हुआ काक मंजरी के गले से लिपटकर उठ बैठा, "मेरी तपस्या रही एक ओर। तुम आ गयीं यही काफी है।" मंजरी और वह दोनों खिलखिलाकर हँस पड़े।

"अब क्या किया जाए?"

"अब कहीं कोई झरना मिल जाए, तो मुँह धोएँ और फिर भागें।"

"मेरे तो पैर दुख रहे हैं।"

"चिन्ता नहीं, सेवक तो हाज़िर है! जब तुम मान से मुँह फुलाए रहती थीं, तब कितनी बार उठाकर ले गया हूँ? फिर अब कहीं छुटकारा हो सकता है!"

"तो चलो।" कहकर जिस भयंकर मार्ग से ये उतरकर आ रहे थे, उस ओर डरते-डरते मंजरी ने दृष्टिपात किया और वह आगे बढ़ने लगी।

निर्मल प्रभात के मधुर आह्लाद का अनुभव करते हुए, स्वच्छन्द फैली हुई वन की शोभा निहारते हुए, प्रबल प्रेम-बन्धन के भान से मस्त होकर, वे दोनों मार्ग तय करने लगे। निर्जनता, थकावट, सूर्य का कठिन उत्ताप, इन सब की उन्हें परवाह नहीं थी। दोनों अज्ञान थे एक गर्व से, दूसरा व्यवसाय से। इन दोनों की नयी खुली हुई आँखों के आगे दिव्य रंगों से रँगी हुई एक ऐसी सृष्टि खड़ी हो गयी जिसे रस-समाधि साधे हुए विश्वामित्र ही सृजित कर सकते हैं।

उस सृष्टि में न भविष्य है, न भूत, केवल वर्तमान ही है। वहाँ सदा ही वसन्त रहता है—हृदयों की एकतानता का। सदा ही सुशोभित रहता है—सच्चे हृदयों का शीत-रश्मि (चन्द्रमा)। सदा ही निकलती रहती हैं अमृत की धाराएँ, उनके नयनों से या अधरों से। इस प्रकार अद्भुत सृष्टि के मजे लूटते हुए वे दोनों आगे बढ़े।

दो जोड़े

काक और मंजरी, दोपहर के बाद एक छोटे-से गाँव में पहुँचे। उन्होंने एक गरीब ग्रामीण के आतिथ्य को स्वीकार किया और अपने फटे वस्त्रों को छोड़कर मोटे और कम कीमती वस्त्र पहने। इसके पश्चात राजमार्ग से अलग, पगडंडियों से होकर, खेतों को लाँघते हुए वे आगे बढ़ने लगे।

"अब हम कहाँ चलेंगे?"

"पाटण।" काक ने कहा।

"पैदल?"

"हाँ पैदल ही।" काक ने हँसकर कहा, "क्यों थक गयीं?"

मंजरी काक से लिपट गयी, "थकूँगी नहीं?"

"अच्छा देखो, कोई बड़ा गाँव आए, तो काम बन जाए।"

"क्या?"

"किसी से घोड़ा ले लिया जाए।"

"परन्तु बिना रुपयों के—"

"रुपये पाटण जाकर दे देंगे।" काक ने कहा।

"मेरे पास तो एक रुद्राक्ष की माला है, उससे क्या होगा?" मंजरी ने कहा और काक खिलखिलाकर हँस पड़ा।

उस रात को भी वे चमकते हुए तारों की मुँदती-खुलती आँखों की लज्जा किए बिना एक-दूसरे से लिपटकर वृक्ष के नीचे पड़ रहे।

सवेरे एक दूसरा गाँव आया और उसका आतिथ्य भी उन्होंने स्वीकार किया।

वहाँ उन्हें समाचार मिला कि कुछ दूरी पर बनजारों के डेरे पड़े हैं। कदाचित उनमें कोई परिचित मिल जाए, यह सोचकर वे वहाँ पहुँचे। डेरे बड़े-बड़े थे और उनके साथ घोड़े और रथ भी थे।

काक ने मुँहमाँगी मुराद पाई। वह प्रधान बनजारे के पास पहुँचा और उससे एक घोड़ी की याचना की। प्रधान पहले हँसा, फिर काक का वाक्-चातुर्य और मंजरी का मुख देखकर पसीज गया और यह जानकर तो वह पानी-पानी हो गया कि काक उदा मेहता का मित्र है। फिर भी अनजाने पथिक को घोड़ी देने का उसे साहस न हुआ। काक कुछ बोला नहीं, केवल हँसा और प्रधान के आतिथ्य को स्वीकार करके उसने कपड़े बदले, मंजरी ने भोजन बनाया और दोनों ने खाया।

वह शान्ति से इधर-उधर घूम रहा था, परन्तु उसकी दृष्टि घोड़ों पर थी और उनमें से उसने एक तेज पानीदार घोड़ी को परख लिया। कुछ देर में प्रधान को समझाकर, वह घोडों को परखने निकला।

स्त्रियाँ, कुछ दूर एक वृक्ष के नीचे बैठी थीं और पुरुष, सब एक जगह एकत्र होकर खड़े थे। यहाँ काक प्रधान के पास खड़ा हुआ घोड़ों के गुणों का वर्णन कर रहा था। प्रधान ने चतुर ब्राह्मण पर प्रसन्न होकर, घोड़े वालों को बुलाया और परीक्षा के लिए घोड़े मँगवाये। बेचारा प्रधान काक के बिछाए हुए जाल में खिंचा आ रहा था।

उसने एक घोड़े को देखा, उसे कसा, उसके विषय में अपनी सम्मति दी; फिर दूसरे की और तीसरे की भी परीक्षा की। प्रत्येक के गुणों का पृथक्करण सुनकर, प्रधान और उसके मित्र दंग रह गये। प्रधान असावधान हो गया अतएव धीरे-धीरे प्रत्येक घोड़े की परीक्षा करते हुए काक बड़े-बड़े चक्कर लगाने लगा। स्त्रियाँ भी यह परीक्षा देखने लगीं। एक बार वह चक्कर काटता हुआ उनके पास जा पहुँचा, उसने घोड़ा खड़ा कर लिया और मंजरी को पास बुलाकर, घोड़े के गुण बतलाए और कान में कहा, "मंजरी, यदि घोड़ी बिगड़ती हुई यहाँ तक आ जाए, तो हटना मत।" यह कहकर काक प्रधान के पास आ पहुँचा।

आखिर काक ने उस घोड़ी पर जीन कसी और तब उसके हर्ष का पार न रहा। जैसी वह देखने में सुन्दर थी, वैसी ही चलने में तेज।

"सेठजी, इस घोड़ी का मूल्य तीन भुवन में नहीं हो सकता। जयदेव महाराज की अश्वशाला में ही यह शोभा दे सकती है।"

"तब इसे यहाँ नहीं बेचेंगे।" प्रधान ने प्रसन्न होते हुए कहा।

काक ने एक छोटा-सा चक्कर लगाया, "देखो, अब घोड़ी का पानी दिखाता हूँ। देखो, कैसी जाती है!"

सब एकटक देखते रहे और काक घोड़ी को लेकर गोलाकार चक्कर लगाने लगा। घोड़ी को चक्कर आ गये, उसके नथुने फटने लगे। चारों पैरों से वह सुदर्शनचक्र जैसी तेजी से घूमने लगी।

काक हँस रहा था और प्रधान और उसके मित्र आनन्द ले रहे थे; परन्तु काक ने अचानक लगाम छोड़ दी, हाथ ऊँचे किए और "अरे बाप रे!" कहकर वह चिल्ला पड़ा। घोड़ी की गति रुकने वाली नहीं थी। सब चौंक पड़े और हा-हाकार मच गया।

अचानक घोड़ी चक्कर लगाना बन्द कर जहाँ सब खड़े थे, वहाँ आयी और सब लोग भागकर जहाँ खड़े हो गये थे वहाँ ठहर गयी। काक ने केवल उसकी गर्दन पकड़ रखी थी। घोड़ी ने फटी हुई आँखों से चारों ओर देखा और वह एकदम स्त्रियों की ओर बढ़ी। सारी स्त्रियाँ भाग खड़ी हुईं, केवल मंजरी खड़ी रही—शान्ति से, गौरव से, गर्व से। वह काक का प्रभाव जानती थी।

घोड़ी खड़ी हो गयी। काक सतर हुआ, नीचे झुककर हाथ चौड़े किए और दूसरे ही क्षण मंजरी उछलकर उसके हाथों में आ गयी। काक ने उसे खींच लिया और घोड़ी नीचा सिर किए पवन वेग से भाग खड़ी हुई। बनजारे समझे, आश्चर्यचकित हुए। प्रधान ने सिर पीट लिया; परन्तु दूर क्षितिज में पक्षी के समान दिख रही घोड़ी अधिक-अधिक अस्पष्ट ही होती गयी।

न जाने कितनी देर तक घोड़ी पवन-वेग से उड़ी चली गयी और उसने बहुत-सा रास्ता तय कर लिया। सोरठ की सीमा आ गयी। चाँदनी रात थी, अतएव रात को भी वे आगे बढ़ते गये।

आधी रात के पश्चात कुछ देर में मार्ग पर सामने से आते हुए घोड़े की टापें सुनाई पड़ीं। काक सावधान हो गया। मंजरी को ध्यान रखने के लिए सूचित किया। उसे भय मालूम हुआ कि कहीं खोज में निकला हुआ कोई सैनिक तो नहीं है। उसने घोड़ी को रोका, उसे मार्ग के बगल की झाड़ी में ले जाकर बाँध आया और फिर बड़ी कठिनता से मंजरी को एक वृक्ष पर चढ़ाया। फिर वह भी वृक्ष पर चढ़कर बैठ गया। सामने वाला घोड़ा भी इधर ही आ रहा है, ऐसा उसकी टापों से प्रकट हो रहा था। एक ही घुडसवार है, यह विश्वास होने पर काक मे साहस आ गया। वह नीचे उतरा और एक मजबूत सूखी डाली हाथ में थामकर एक वृक्ष के पीछे छिपकर बैठ गया।

जब घुड़सवार पास आ पहुँचा तब काक चकित हो रहा। उस घोड़े पर भी दो जने थे और उनमें से एक स्त्री थी। काक ने ध्यान देकर देखा। सवार का सिर खुला था। चन्द्रमा के प्रकाश में काक ने उसका मुँह पहचान लिया। वह रा' खेंगार था।

काक ने जरा विचार किया, 'खेंगार यहाँ से इस प्रकार एक स्त्री का हरण किए लिये जा रहा है?' उसके चपल मस्तिष्क को यह प्रसंग कुछ असाधारण मालूम हुआ। अतएव इस विषय में कुछ जानने की उसे उत्कंठा हो आयी। ज्यों ही खेंगार का घोड़ा निकट आया, कि उसने अचानक बाहर निकलकर, दौड़ते हुए घोड़े के पैरों में जोर से उस डाली का प्रहार कर दिया।

घोड़ा रुका, दोनों पैरों से खड़ा हो गया और बड़े प्रयत्न से ऊपर बैठे हुए दोनों को भूमि पर फेंककर भाग खड़ा हुआ। खेंगार और उसके साथ की स्त्री, ज्यों ही भूमि पर गिरे कि काक खेंगार पर जा गिरा और देखते-देखते उसने म्यान से तलवार खींचकर अपने हाथ में ले ली। खेंगार ने निराशा-पूर्ण स्वर में कहा, "मर गये!"

"महाराज, घबराओ मत, मैं मित्र हूँ।"

जयदेव की नाक कैसे कटी?

"कौन?" चपलता से खड़े होते हुए खेंगार ने पूछा। क्रोध से उसकी आँखों से चिनगारियाँ निकलने लगीं।

"यह तो मैं हूँ, काक।" खेंगार के साथ नीचे गिरी हुई सुन्दरी की ओर जाते हुए काक ने कहा।

"कौन, भटराज काक?"

"जी हाँ।"

खेंगार ने जाकर उठने का प्रयत्न करती हुई सुन्दरी को उठाया और फिर क्रोध से काक की ओर घूमकर कहा, "विश्वासघातक, तू यहाँ? तूने मुझे जीते जी मार डाला।"

"महाराज, शान्त रहिए। मंजरी, इस बहन को सँभालो।"

खेंगार ने अपने खड्ग काक के हाथ में देखा और सामना करने का विचार त्याग दिया, "काक, तू बारह दिन भी चुप नहीं बैठ सका?"

"मैं क्या करता? यह मेरी स्त्री आकर मुझे छुड़ा लाई।"

"कौन, कविकुलशिरोणि की पुत्री मंजरी?" चकित खेंगार ने फुर्ती से उधर आयी हुई मंजरी को देखकर कहा।

"हाँ, परन्तु तुम कहाँ जा रहे थे, इस प्रकार अकेले? नहीं, भूल गया – दुकेले?"

"काक, सदा ही तू मेरे कामों में आड़े आएगा? तूने मेरे पिता को बिगाड़ा और अब पद-पद पर मेरा भी बुरा करने को बैठा है? पापी!"

"महाराज, क्या किया जाए? हम मित्र बनना चाहते हैं, परन्तु ज्ञात होता है, विधि को यह भला नहीं लगता।"

अचानक बहुत दूर से घोड़ों की टापें सुनाई पड़ीं और खेंगार सतर होकर सुनने लगा। वह ग्लानि-पूर्ण स्वर में बोला, "काक, तूने मुझे मार डाला।"

"क्यों महाराज?"

"ये घोड़ों की टापें सुनीं?"

"हाँ, सुन तो रहा हूँ। क्यों?"

"ये तुम्हारे जयदेव के सैनिक मुझे पकड़ने आ रहे हैं।"

"ऐं ! आपने अपने वचन पूरे किए?"

"काक, तू आड़े न आता, तो मेरे सब वचन पूरे हो जाते।"

"किस प्रकार?"

"मैंने महीड़ा को मार डाला और भोंयरे को भी तोड़ दिया।" शीघ्रता से खेंगार ने कहा, "तुम्हारे पाटण का दरवाज़ा भी तोड़ डाला और जयदेव की नाक भी काट ली।"

"ऐं! किस प्रकार?" चौंककर काक ने पूछा।

"काक, इन अन्तिम बारह दिनों में मैंने ऐसे-ऐसे पराक्रम किए हैं जो कि सुने भी न होंगे। जयदेव राणक देवी से ब्याह करना चाहता था–" कहकर खेंगार ने उस सुन्दरी की ओर हाथ से संकेत किया। अपने नाम का उच्चारण होते सुनकर उसने भी इस ओर देखा।

"और आप इनको हरण किए लिये जा रहे हैं? शाबाश महाराज, धन्य है आप के साहस को!"

"परन्तु मुर्ख, तूने सब धूल में मिला दिया। ये जयदेव के सैनिक पीछे लगे चले आ रहे हैं। अब मेरा क्या होगा? काक, तुझसे क्या कहूँ? तू कहाँ से यहाँ आ पहुँचा?"

काक उलझन में पड़ गया। खेंगार को रोकने का उसे पछतावा होने लगा। आँखें सिकोड़कर उसने कुछ विचार किया। घोड़ों की टापें-और निकट मालूम होने लगीं।

"महाराज, एक मार्ग है। मेरी घोड़ी लेकर आप चले जाइए। राणक देवी यहीं रहेंगी।"

गर्व से खेंगार सतर हो गया, "और राणक देवी को जयदेव के लिए छोड़ जाऊँ? काक, इसकी अपेक्षा तो मर जाना अच्छा।"

"तब महाराज, अपने अन्नदाता की नाक कैसे कटने दूँ? आप मेरे मित्र हैं, अतएव आपके प्राण बचाता हूँ। राणक देवी मेरे स्वामी की हैं; अतएव उन्हें छोड़ते जाइए।"

"काक, मेरी सतहत्तर पीढ़ियाँ लज्जा से मर जाएँगी। मेरे जूनागढ़ का मान चला जाएगा। यह कैसे हो सकता है?" खेंगार ने अकुलाकर कहा, "काक, मित्र, तुम्हें ज़रा

भी दया नहीं आती? तुम्हें मेरे प्रति जरा भी मैत्री भाव नहीं है? तुम इस प्रकार मेरा सारा जीवन नष्ट करने बैठे हो? मान जाओ, मान जाओ, वे घोड़े आ रहे हैं। फिर कोई मार्ग न रहेगा।''

''मैं क्या कर सकता हूँ? महाराज, अपने हाथों अपने स्वामी को कलंक लगने दूँ?''

''और मुझे—अपने मित्र को—कलंक लगने दोगे? जयदेव ने तुम्हारे लिए क्या किया है?''

''इस प्रकार देखा जाए तो कुछ नहीं; परन्तु सेवा तो सेवा ही है।''

''काक, तुम क्या कर रहे हो? देखो, वे आ पहुँचे। वह उनकी मशालों को प्रकाश भी दिखाई पड़ने लगा।''

''क्या करूँ महाराज, आप चले जाओ।''

''तो काक, मित्र एक काम करो।'' कहकर खेंगार आगे बढ़ आया, ''मुझे मार डालो। काक, देखो, वे लोग आ गये। मैं पकड़ा गया, तो वह नीच जयदेव मुझे पिंजरे में बन्द करेगा, मेरी हँसी उड़ाएगा। भाई काक, यही करो कि मुझे मार डालो।'' एक के बाद एक शब्द उच्चारण करते हुए खेंगार ने कहा। उसके संस्कार-शील स्वर में पत्थर को भी पानी कर देने की शक्ति थी। काक की आँखों से आँसुओं की धाराएँ बह निकलीं। इन दोनों की बातचीत सुनकर, वे दोनों सुन्दरियाँ भी निकट आ गयीं और घबराकर रोने लगीं। मंजरी बीच में बोलना चाहती थी, परन्तु काक ने उसे हाथ बढ़ा कर रोक दिया।

काक ने आँसू पोंछे, ''महाराज, यह क्या कर रहे हैं?''

''चलो, बढ़ो, मेरा सिर धड़ से अलग कर दो।'' कहकर खेंगार ने सिर झुका दिया।

''महाराज'', काक ने धीरे से कहा, ''राणक देवी किसकी होना चाहती हैं?'' काक के मुख ने भी भयंकर गम्भीरता धारण कर ली।

''पूछ कर देखो।'' खेंगार ने कहा।

''बहन,'' काक ने कठोरता से पूछा, ''सत्य कहना, पाटण को ब्याहना है, या जूनागढ़ को?''

उस सुन्दरी ने अपनी कोमल, परन्तु छटा-पूर्ण शरीर-वल्लरी को अभिमान से सीधा किया और धीरे-से गौरवशील शब्दों को उच्चारण किया, ''क्या पूछ रहे हो?'' यह पूछकर वह ज़रा ठहर गयी, ''मैं सोरठ के स्वामी की हूँ, उनकी जीवित अवस्था में और मृत अवस्था में भी।''

खेंगार ने शान्ति का निःश्वास छोड़ा। काक ने भी निःश्वास छोड़ा और दौड़कर वह घोड़ी ले आया।

''महाराज, जाइए। बहन, जाओ। भगवान सोमनाथ तुम्हारा भला करें।''

"खेंगार ने काक को गले लगा लिया और फिर वह घोड़ी पर सवार हो गया। काक की सहायता से राणक देवी भी घोड़ी पर बैठ गयी।"

"महाराज, मुझे इस तलवार की जरूरत नहीं है। आप ले जाइए। जल्दी कीजिए। वे लोग आ पहुँचे।"

"जय सोमनाथ!" कहकर खेंगार ने घोड़ी दौड़ा दी।

चुपचाप विचारों की तरंगों में बहता हुआ काक खड़ा रह गया। मंजरी ने आकर उसके कन्धे पर हाथ रखा, "नाथ, क्या सोच रहे हो?"

"मंजरी, पाटण और जूनागढ़ के बीच शत्रुता बढ़ेगी। इस बेचारे का क्या होगा?"

"इसने भी हद कर दी।"

"मंजरी, सच्चा नर-पुंगव तो मैंने एक यही देखा। ईश्वर ने इसे पूरा बत्तीस लक्षणों वाला बनाया है।"

मंजरी ने काक के गले में हाथ डाल दिए, "पर मैंने इस समय और भी एक देखा।"

"वह कौन?"

"इस समय उसमें यदि बत्तीस लक्षण हैं, तो उसके मित्र में बावन लक्षण हैं।"

काक हँस पड़ा और उसने नीचे झुककर मंजरी को चूम लिया।

"अब हमारा क्या होगा?"

"कुछ नहीं, अब चैन मिली। वे लोग हमें पाटण ले जाएँगे। अब तुम राणक देवी और मैं खेंगार–समझी? भले ही हमें पकड़ ले जाएँ।"

"हाँ, ठीक है, और उन बेचारों को भी भाग जाने के लिए समय मिल जाए।"

काक और मंजरी भी ढोंग करके इस प्रकार जाने लगे, जैसे बड़ी तेजी से जा रहे हों; परन्तु देखते-देखते वे सैनिक आ पहुँचे और इन दोनों को देखकर उन्होंने एकदम घेर लिया।

"सावधान खेंगार! जरा भी हटे तो प्राण ले लूँगा।" कहकर नायक आगे बढ़ा और उसने काक को जकड़कर बाँध लिया। एक घोड़े पर उसे बिठाया और दूसरे पर मंजरी को। चार सवार आगे हो गये और चार पीछे। सब तेजी से चल पड़े।

सैनिकों ने खेंगार से खूब व्यंग्य किया और काक हँसते हुए सहता रहा। इस प्रकार वे भादर जा पहुँचे।

जयदेव महाराज भादर के सामन्त के यहाँ राणक देवी से सगाई करने आए थे; परन्तु इस समय उनकी महत्ता नष्ट हो गयी थी और व्याकुलता के कारण उनकी आँखों से आँसू निकल पड़े थे। इतने में समाचार मिला कि खेंगार और राणक दोनों पकड़ लिये गये और उन्हें सैनिक ला रहे हैं। यह समाचार सुनकर, गुजरात के नाथ की छाती एक बित्ता भर ऊँची हो गयी और यह विचार करने में कि अपने वैर का बदला ब्याज-सहित कैसे लिया जाए, वे ऊँचे-नीचे होने लगे।

आखिर सवेरा होने पर सैनिक आ गये और महाराज एकदम चबूतरे पर आ खड़े हुए। उनका हृदय हर्ष से नाचने लगा।

सैनिकों ने एक कैदी को सामने ला खड़ा किया। अन्य सैनिक कुछ दूरी पर घोड़े पर से एक स्त्री को उतार रहे थे। महाराज जयदेव दो पैर आगे बढ़ आए–

"पापी! चोर!"

उत्तर में काक की आवाज उस टोली में गूँज उठी, "परन्तु अन्नदाता, मेरा क्या अपराध है?"

जयदेव पीछे हट गये और आँखें फाड़ कर देखने लगे, "कौन?"

"महाराज, यह तो मैं हूँ, काक। आपके इन सैनिकों ने तो गजब कर डाला। मुझे और मेरी स्त्री को पकड़कर ले आए। यह क्या बात है?"

जयदेव के क्रोध का पार न रहा। वह एकदम काक के पास खड़े हुए नायक की ओर बढ़ा और उसने उसे दो-चार तमाचे जड़ दिए। "कुत्ते, यह खेंगार है? काक भट को नहीं पहचानता?" सब सैनिक दंग रह गये, "छोड़ो, इसे छोड़ो और जाओ, फिर जाओ। नहीं तो तुम्हें एक को भी जीता न जाने दूँगा।"

"महाराज, परन्तु बात क्या है?"

"वह पिशाच खेंगार राणक देवी को हर ले गया।"

"ऐं!"

"अन्नदाता, जहाँ भटराज थे, उस मार्ग से ही वह गया है।"

"चुप चांडाल!" जयदेव ने कहा।

"महाराज, जब इन्होंने हमें पकड़ा उससे दो-तीन पहर पहले हमने एक सवार को अवश्य देखा था।"

"हाँ, वही।"

"तब-तो वह सोरठ पहुँच गया होगा।"

"क्या कह रहे हो? चलो, उसका पीछा किया जाए।"

"जो आज्ञा, परन्तु मेरी स्त्री–"

"भादर के सामन्त को सौंपे देते हैं।"

"जी, ठीक है।" कहकर काक ने वैसा ही किया और कुछ देर में जयदेव महाराज के साथ वह खेंगार को पकड़ने के लिए रवाना हो गया। वे सोरठ की सीमा तक जाकर सन्ध्या समय उतरे हुए मुँह से भादर लौट आए और रातोंरात पाटण की ओर रवाना हो गये।

"काक, आज मेरी नाक कट गयी।"

"महाराज, क्या किया जाए?" बड़े शान्त चित्त से काक ने कहा।

"उस पापी के जूनागढ़ को अब मिट्टी में मिला दूँगा।"

''जी।''

जयदेव ने जरा अधीरता से काक की ओर देखा। उसे काक की शान्ति भली न लगी।

''काक, तुमने ऐसे बड़े-बड़े कार्य किए हैं जो और किसी से न बनें। इतना और करो। राणक को ले आओ।''

''महाराज, यह काम मुझसे भी नहीं हो सकता। सेना को साथ दें, तो जूनागढ़ को सर कर आऊँ।''

''गुप्त रूप से कुछ नहीं हो सकता?'' उलझन में पड़कर जयदेव ने पूछा, ''मैं पाटण जाकर क्या मुँह दिखाऊँगा?''

उत्तर में काक ने सिर हिला दिया।

''तुम नहीं करोगे?''

''मैं नहीं कर सकता।'' काक ने सुधार कर कहा।

महाराज चुप रह गये। खेंगार के प्रति जो क्रोध था वह काक की ओर बढ़ने लगा।

सुख का अधिकार

''मुंजाल,'' मीनलदेवी ने प्रवेश करते हुए कहा।

''क्यों?''

''इस जयदेव का क्या किया जाए? उस राणक ने तो इसे पागल कर दिया है।''

''तब उसे ब्याह कर लेने दो।''

''राणक के साथ ब्याह करने को मेरा जी ही नहीं होता। क्या करूँ, मैं वचन दे चुकी हूँ।''

''देवी, आपका स्वभाव भी हठीला होता जा रहा है।'' जरा हँसकर मुंजाल ने कहा, ''एक को तो उसकी बिना मरजी के ब्याह देना चाहती हैं, और दूसरे की मरजी है तब भी ब्याह नहीं करने देतीं।''

मीनलदेवी ज़रा हँसी, ''मेहता जी, मुझमें बुढापे के लक्षण आरम्भ हो गये हैं!''

''बुढ़ापा? मुझसे आप कितनी छोटी हैं?''

''तुम तो अभी छोटे हो, सोलह वर्ष की सोम से ब्याह करने वाले हो!''

''देवी, क्या करूँ? आपको राजी भी तो रखना है।''

''विवाह के बाद भी राज़ी रहूँ, ऐसा करोगे?'' मज़ाक करते हुए मीनलदेवी ने कहा।

''कैसी तबियत है अब उसकी? दो दिन हुए, मैं देखने नहीं गया।''

“अब तो उसका ज्वर हलका हो गया है। सन्निपात भी कम है। पर कभी-कभी उसका दिमाग़ बिगड़ जाता है।”

“ऐसा? वह कब अच्छी होगी?”

“क्यों, ब्याहने की उतावली है?”

“वह बेचारी मेरे लिए प्राण देने को तैयार हो गयी और मैं उसका समाचार भी न पूछूँ?”

“तुम दोनों की जोड़ी तो बहुत सुन्दर होगी।”

मुंजाल के कपाल पर बल आ गये।

“सारे दिन बस यही एक मज़ाक।”

“मुंजाल,” धीरे, गाम्भीर्य से मीनलदेवी ने कहा, “तुमने किसी से विवाह कर लिया है, यह बात मैं अपने मन से मनवाने का प्रयत्न कर रही हूँ।”

मुंजाल कुछ देर चुप रहा।

“लाट में फिर उपद्रव उठ खड़ा हुआ है। त्रिभुवन को भेजना पड़ेगा।”

“अच्छा?”

“हाँ। मैंने उसे तैयार होने को कह दिया है। वह केवल अपने उस मित्र काक के आने की प्रतीक्षा कर रहा है।”

“वह कब आएगा?”

“उस बेचारे को जूनागढ़ तो व्यर्थ भेजा। अभी ही सुना कि खेंगार, किसी की सहायता से हमारे नगर का दरवाजा तोड़ गया।”

“किसकी सहायता से?” आँखें चमकाकर रानी से पूछा।

“आपके देसल और वीसल की सहायता से।”

“ऐं?” चकित हुई मीनलदेवी ने कहा, “तब तो हमने दूध पिलाकर साँपों को पाला?”

“यह क्या आज की ही बात है? उन्हीं ने दरबान को फोड़ लिया और दुर्गपाल न जा पहुँचा होता, तो कुछ अधिक भी हानि होती। अब महाराज आएँ, तो इन्हें ठिकाने लगाऊँ।”

“हाँ, बहुत दिनों तक तरह दी, क्या इन्हें देश से निर्वासित क्या जाएगा?”

“और क्या? गुजरात में अब इनके लिए स्थान नहीं है।” मुंजाल ने होठ दबाकर कहा।

“अच्छा, पर उस काक का क्या हुआ?”

“मुझे ऐसा प्रतीत होता है कि उसने कुछ किया होगा।”

“अकेला वह क्या कर सकेगा?”

“देवी, उसके जैसा मनुष्य अकेला हो, तो भी सारी सेना के लिए भारी पड़ जाए।”

''तब तो उसे पाटण में ही रखना चाहिए। वह लाट में पड़ा-पड़ा सड़ा करे, इससे क्या फायदा?''

''मुझे भी ऐसा ही लगता है। यह मेरा कीर्तिदेव और काक, यदि दोनों पाटण में रहें, तो गुजरात के विजय का डंका तुरन्त बजने लगे।'' कहकर मुंजाल ने निःश्वास छोड़ा।

''मुंजाल,'' आँखों से और आवाज़ से आश्वासन देते हुए मीनलदेवी ने कहा, ''तुम्हारे कहने के पश्चात मैंने उसे बहुत समझाया; परन्तु जैसा बचपन में हठी था अब उससे भी अधिक है।''

''ऐसा?''

''कहता है कि अवन्तिनाथ के साथ नमकहराम कैसे हुआ जाए?''

''मेरा भाग्य। और क्या कहूँ?''

''बहुत लालच दिया, परन्तु वह एक से दो नहीं होता।''

''देवी, मैं तो दुखी होने के लिए ही जन्मा हूँ।''

''मुंजाल, ऐसे निराशा भरे वचन क्यों बोलते हो?''

''सच है, जिसे सत्ता भोगना हो उसे सुख का क्या अधिकार?''

''सुख भी देखोगे—''

मुंजाल ने सिर हिलाया। परन्तु कोई एक अक्षर अधिक बोले इसके पहले ही एक दासी दौड़ती हुई आयी और मीनलदेवी उसकी ओर मुड़ी।

''माताजी!''

''क्या हुआ?''

''चलिए, चलिए, सोमसुन्दरी—''

''क्या हुआ सोम को?'' मीनलदेवी और मुंजाल दोनों ने पूछा।

''घबरा गयी हैं।''

''ऐं!'' कहकर दोनों जने दौड़ते हुए अन्तःपुर में गये। वहाँ सोमसुन्दरी पड़ी हुई थी, और उसकी माँ और दो दासियाँ खड़ी थीं। पलंग पर नाड़ी थामे हुए वैद्य बैठा था और अचेत पड़ी हुई सोम आँखें फाड़-फाड़कर चिल्लाती और उठकर बैठने का प्रयत्न कर रही थी।

''वैद्यराज?'' मीनलदेवी ने पूछा।

''माताजी, बड़ा श्वास है।''

''क्या कह रहे हो? जा दासी, सज्जन मेहता को बुला ला।''

बावली-सी बनी मीनलदेवी, अपनी हमेशा की स्वस्थता को खोकर सोम से लिपट पड़ीं।

''सोम! बहिन!''

''ओ—ओ—ओ—'' सोम चीख उठी। उसका सुन्दर मुख खिंचा जा रहा था।

"वैद्यजी, मात्रा है कि नहीं?"

"हाँ, यह है।" कहकर वैद्य ने तुरन्त मात्रा घिसकर सोम को चटायी।

मुंजाल, म्लान मुख, परन्तु स्थिर नयनों से चित्त को संयत कर सोम की ओर देखने लगा।

मात्रा का तुरन्त असर हुआ। सोम की आँखें ठिकाने आ गयीं और चिल्लाहट थम गयी। आँखें ज्यों ही स्थिर हुईं, कि उसकी दृष्टि मुंजाल पर पड़ी और खिंचती हुई जीभ से वह बोली, "फूफाजी!"

"हाँ सोम, मैं हूँ।" मुंजाल ने नीचे झुककर कहा, "कैसी तबीयत है?"

"दौड़ो, दौड़ो," फिर सोम की आँखें फटने लगीं, "फूफाजी को वह खेंगार मार डालेगा।"

"घबराओ नहीं!" मीनलदेवी ने कहा, "बेटी, तुम्हारे फूफा को कुछ न होगा।"

"ओह! बैठे क्यों हो? ओह! ओह! हटो, मुझे उठने दो! ओह! वह उसने तलवार खींच ली। हटो!" कहकर सोम की चिल्लाहट बढ़ी और वह उठने का प्रयत्न करने लगी, "तुम्हें किसी को क्या? फूफाजी, देखो, वह आया। ओह! ओह! फूफाजी गये, तो पाटण का क्या होगा? पकड़ो, पकड़ो, ओह!" कहकर वह बैठ गयी और वैद्य के दूसरी मात्रा चटाने से पहले ही उसके हाथ नीचे ढल पड़े और वह धम से बिछौने पर गिर पड़ी।

"माताजी, हट जाइए।" वैद्य ने कहा, "अब इसे नहलाना होगा।"

"हाय बेटी सोम!" कहकर उसकी माँ ने उसे बिछौने से नीचे उतार लिया। मुंजाल की आँखों से आँसू की एक ही बूँद नीचे गिरी। मीनलदेवी, सोम को छोड़कर मुंजाल के पास आयी।

"मुंजाल, तुम बाहर जाओ।"

सिर के संकेत से हाँ कहकर मुंजाल धीरे-धीरे बाहर आ गया।

"मुंजाल," पीछे से मीनलदेवी ने कहा। राजमाता हिचकियाँ ले-लेकर रो ही थीं, "बहुत बुरा हुआ।"

बड़े ठंडे जी से मुंजाल ने उत्तर दिया, "मैंने क्या कहा था? मुझे सुख का अधिकार नहीं है।"

जयदेव का भय

जिस दिन सोम की मृत्यु हुई, उसके तीसरे दिन जयदेव महाराज आ पहुँचे और खेंगार के द्वारा राणकदेवी के हरण की बात सुनकर, पाटण में खलबली मच गयी। यह

सुनकर कि पाटण की नाक कट गयी, सारे पट्टनी, खेंगार पर आग-बबूला हो गये और जयदेव महाराज तो क्रोध के मारे पागल-से हो उठे।

अकेली मीनलदेवी को चैन मिली। जयदेव अब राणक से ब्याह न कर सकेगा; अतएव उनकी ठंडे जल से ही खाज मिट गयी और जयदेव खेंगार पर कुपित हो गया था, अतएव जूनागढ़ हस्तगत करने के लिए ताव देने को भी एक कारण मिल गया।

मुंजाल को यह बात रुची, वह भी सोरठ को सर करना चाहता था; परन्तु पहले तो लाट की बारी थी।

''महाराज!'' जयदेव महाराज के ज़रा स्वस्थ होते ही उसने पूछा, ''अब मंडलेश्वर को लाट की ओर जाना चाहिए।''

''वह इच्छा हो, वहाँ जाए।''

''इस प्रकार हम जाने कैसे देंगे?'' सख़्ती से मुंजाल ने कहा।

''मेहता जी, इस समय मुझे कुछ भी अच्छा नहीं लगता।''

''तब राज्य कैसे चलेगा?''

जयदेव ने मुंजाल की ओर देखा। सोम मर गयी, इससे एक तरह से उसका संसार उजड़ गया था और कीर्तिदेव पाटण में रहने के लिए बिल्कुल इनकार कर रहा था। ऐसे समय भी अमात्य को इतना राज-कार्य वहन करते देख, उसे अपनी निर्बलता के प्रति तिरस्कार हो आया और वह बातचीत में दिलचस्पी लेने लगा।

''सत्य है मेहता जी, परन्तु, मैं क्या करूँ?''

''क्या करूँ, पूछते हो? सोरठ को सर करो और अपने वैर का बदला लो।''

''बदला कहीं छोड़ा जा सकता है?''

''परन्तु पहले त्रिभुवनपाल को लाट भेजना चाहिए कि कहीं सर किया-कराया लाट हाथ से न निकल जाए।''

''वह जाने को तैयार है। मुझसे आज कहता था। साथ में उस ब्राह्मण को भी भेजना है।'' क्रोध के आवेश में आकर राजा ने कहा।

''किसे? काक को?''

''हाँ।''

''क्यों?''

''उस बदमाश को मैं यहाँ नहीं रखना चाहता।''

''परन्तु कारण? वह तो बड़ा उपयोगी मनुष्य है। माताजी तो उसे यहीं रखना चाहती हैं।''

''नहीं, मुझे उसे निकाल देना है। नहीं तो उसे देश-निकाला दूँगा।''

''इतना क्रोध?'' मन्त्री ने पूछा।

''हाँ।''

''वह यहाँ रहेगा, तो राज्य का स्तम्भ बन जाएगा। तुम उसके पराक्रमों को नहीं जानते क्या?''

''मेहताजी,'' राजा ने धीरे से कहा, ''मैं उसके पराक्रमों को जानता हूँ, और इसी से उसे निकाल देना चाहता हूँ।''

''यह मैं नहीं समझ सका।''

''खेंगार राणकदेवी को हर ले गया, इसमें उसका भी कुछ हाथ है।''

मुंजाल हँस पड़ा, ''महाराज, तुम्हें पीलिया हो गया है। तुम्हें सब पीला ही पीला दिख रहा है।''

''नहीं मेहता जी, मुझे सन्देह है। ''

''तो वह सन्देह व्यर्थ है। वह जितना तुम्हारा है, उतना और किसी का नहीं।''

''मैं यह नहीं मान सकता और इसके सिवा एक कारण और भी है।''

''वह क्या?''

''मैं वास्तविक राजा बनना चाहता हूँ।''

''तो इसके लिए न कौन कहता है?''

''मेहताजी, जब तक वह यहाँ रहेगा, मुझे राजा नहीं बनने देगा।''

''अर्थात?''

''जहाँ किसी की दृष्टि नहीं जा सकती, वहाँ उसकी पहुँच जाती है और जो कोई नहीं कर सकता, उसे वह कर लेता है। एक आप भी हैं; परन्तु आप तो मेरे लिए पिता के समान हैं। आपके आगे झुकना मैं गर्व की बात समझता हूँ; पर मुझे दो मुंजाल मेहता नहीं चाहिए।''

''महाराज, मेरे सिवा कोई दूसरा यह बात सुनेगा, तो कहेगा कि तुम्हें उससे भय है।''

''मेहता जी, आपकी बात सच है। यदि वह यहाँ रहेगा, तो मैं उसका खिलौना बन जाऊँगा, या किसी दिन तलवार लेकर उसका सिर उड़ा दूँगा। वह मुझसे नहीं सहा जा सकता।''

''जयदेव, इस प्रकार तो तुम्हारे पाटण में कोई होशियार मनुष्य ही न रहेगा?''

''भले ही न रहे; परन्तु मुझे अपने सिर पर दूसरा राजा नहीं चाहिए। आपसे भी कहे देता हूँ कि माता जी से कहकर उसे यहाँ रखाओगे, तो दूसरे ही दिन उसे कारागार में बन्द करा दूँगा।''

''इसकी चिन्ता नहीं है; वह तीसरे दिन फिर छूटकर आ जाएगा।''

''तो उसे मैं अपने हाथों पूरा कर दूँगा।''

''परन्तु जीवित रहने दोगे, तो वह तुम्हें दिग्विजय प्राप्त कराएगा।''

"नहीं, उसकी अपेक्षा मेरे अपने हाथों जो कुछ थोड़ी-बहुत विजय प्राप्त होगी, उसी से मैं सन्तोष कर लूँगा।"

"अच्छा। अन्य राजा लोग तो ऐसे रत्नों को इकट्ठा करते हैं और तुम निकाल फेंकना चाहते हो। जैसी इच्छा; और भी विचार कर देखना।"

"इस विषय में मैं एक से दो नहीं हो सकता। देखिए, वह जूनागढ़ से कैसे भाग आया? ऐसे पराक्रम कथा-कहानियों में सुने थे, आँख से तो कभी नहीं देखे।"

"जयदेव, जो तुम्हें अवगुण प्रतीत होता है, वह मुझे बहुत बड़ा गुण मालूम होता है। अच्छा, ऐसा ही करो। मैं काक से कहला दूँगा।"

"हाँ, जहाँ तक हो, जल्दी से।"

प्रस्थान

कीर्तिदेव की आँखों से आँसू आ गये। मुंजाल मेहता गम्भीर मुख खड़े थे। उनके होठ और चक्षु निश्चल थे; केवल उनके धीमे स्वर में कुछ वेदना की ध्वनि थी।

"पिताजी," कीर्तिदेव ने आँखों के आँसू पोंछकर कहा, "मेरा हृदय फटा जा रहा है; परन्तु मैं क्या करूँ?"

"बेटा," अस्थिर स्वर को स्थिर करते हुए मुंजाल मेहता ने कहा, "तुम क्या कर सकते हो? सब कुछ नियति करती है। तुम अवन्ति जाकर रहो, यही उचित है। मैं यह मानता आ रहा हूँ कि मेरा घर सदैव है पुत्रविहीन ही। परन्तु बेचारे उबक परमार के तो तुम्हीं आधार हो।"

"पिताजी, आप ऐसा न कहिए।"

"मैं सत्य कहता हूँ। मैं दुख से ऐसा अन्ध नहीं हो गया हूँ कि दूसरे का सुख भी न देख सकूँ। तुम अवन्ति जाओ, इसी में सार है। पाटण में तुम्हें कभी अच्छा न लगेगा। हमारी रीति-नीति भिन्न है और हमारे संस्कार भिन्न है। तुममें मुंज और भोज के संस्कारों से निराली बनी हुई भूमि के संस्कार है। तुम यहाँ सुखी नहीं हो सकते।"

"पिताजी, आप व्यंग्य कर रहे हैं?"

"नहीं बेटा, दुःख सह-सहकर, तटस्थता से देखने की मुझे आदत पड़ गयी है।"

"और मैं उस दुःख को बढ़ा रहा हूँ।"

"नहीं, तुम्हारे सुख से मैं सुखी हूँ। परमार की राजधानी में तुम्हारा स्थान है। मेरी तो एक ही विनती—"

"विनती?"

"हाँ। कभी-कभी समाचार देते रहना और अब ब्रह्मचर्य छोड़ देना।"

"पिताजी, आपकी आज्ञा शिरोधार्य होगी।"

“मुझे तो यही चाहिए कि मेरा नाम रहे। पुत्र को तो न खिला सका, किसी दिन पौत्र को तो खिलाऊँ।”

“पिताजी,” बात बदलते हुए कीर्तिदेव ने कहा, “अब न जाने कब मिलेंगे।”

मुंजाल की आँखों में तीक्ष्णता आ गयी, “जब जयदेव महाराज अवन्ति को हस्तगत करेंगे तब!”

कीर्तिदेव चौंक पड़ा, “ऐं! यह क्या कह रहे हैं?”

“और क्या कहूँ? मेरा धर्म यहाँ रहना है, तुम्हारा अवन्ति में रहना। इसके सिवा और किस मार्ग से हम मिल सकते हैं?” मुंजाल के होठ जरा गर्व से मुड़ गए।

“पिताजी,” खिड़की से बाहर देखकर कीर्तिदेव ने कहा “लीजिए, मंडलेश्वर महाराज आ पहुँचे।”

मुंजाल प्रयत्न करके अधिक स्वस्थ हो गया और त्रिभुवनपाल और काक के स्वागत के लिए आगे बढ़ा।

“त्रिभुवन, काक, आ पहुँचे?” मुंजाल ने जरा हँसकर पूछा।

“हाँ, मामाजी।” त्रिभुवनपाल ने कहा। उस वीर की आँखें उत्साह से चमक रही थीं। “मैं जरा माताजी और महाराज से मिल जाऊँ। जाने का समय हो गया है।”

“हाँ, अवश्य मिल आओ।” मुंजाल ने कहा और त्रिभुवनपाल अन्दर चला गया।

“काक,” मुंजाल ने कहा, “आज तो मेरे तीनों पुत्र जा रहे हैं।”

“महाराज! मुझे पुत्र समझते हैं, इसमें आप ही का बड़प्पन है।”

“नहीं काक, कीर्तिदेव और त्रिभुवनपाल गये होते, और तुम रह जाते, तो भी मुझे जरा चैन मिलती।”

“जब महाराज की आज्ञा हो गयी, तब कहीं निस्तार है?” काक ने कहा।

“सत्य है। तुम यहाँ रहे होते, तो मेरे सिर से भार जरा कम हो जाता; परन्तु अब लाट का सारा भार तुम्हारे सिर है।”

“मंडलेश्वर महाराज तो हैं?”

“यह ठीक है; परन्तु यह याद रखना कि तुम केवल लाट को जीतने के लिए नहीं, उसे गुजरात बनाने जा रहे हो।”

“जी।”

“केवल उसकी सेनाओं को नहीं हराना है, उनकी वासनाओं को और उनकी टेक दोनों को वशीभूत करना है। बिना त्याग के विजय व्यर्थ है।”

“महाराज, आपके वचन स्वर्ण के तुल्य हैं। मैं लाट का रहने वाला हूँ। मुझे वहाँ कई लोग ‘पाटण का दास’ समझते हैं; परन्तु जैसा आप कहते हैं, यदि वैसी ही पाटण की राजनीति रहे, तो मुझे अपने दासत्व में अल्पता का भास नहीं हो सकता।”

“मंजरी का क्या हाल है?”